BOMBARDIER

Catalogage avant publication de Bibliothèque et Archives Canada

Hadekel, Peter

Bombardier: la vérité sur le financement d'un empire

Traduction de: Silent partners.

1. Bombardier Aéronautique - Finances. 2. Bombardier Aéronautique - Histoire.
3. Exportation et développement - Canada. 4. Industrie aéronautique - Canada - Finances.
5. Matériel de transport - Industrie - Canada - Finances. 6. Subventions - Canada.
7. Investissements publics - Canada. I. Titre.

HD9709.C34B6514 2004   338.7'62913334'0971   C2004-941696-0

DISTRIBUTEURS EXCLUSIFS:

- Pour le Canada
  et les États-Unis:
  MESSAGERIES ADP*
  955, rue Amherst
  Montréal, Québec
  H2L 3K4
  Tél.: (514) 523-1182
  Télécopieur: (514) 939-0406
  * Filiale de Sogides ltée

- Pour la France et les autres pays:
  INTERFORUM
  Immeuble Paryseine, 3, Allée de la Seine
  94854 Ivry Cedex
  Tél.: 01 49 59 11 89/91
  Télécopieur: 01 49 59 11 96
  Commandes:Tél.: 02 38 32 71 00
  Télécopieur: 02 38 32 71 28

- Pour la Suisse:
  INTERFORUM SUISSE
  Case postale 69 - 1701 Fribourg - Suisse
  Tél.: (41-26) 460-80-60
  Télécopieur: (41-26) 460-80-68
  Internet: www.havas.ch
  Email: office@havas.ch
  DISTRIBUTION: OLF SA
  Z.I. 3, Corminbœuf
  Case postale 1061
  CH-1701 FRIBOURG
  Commandes:Tél.: (41-26) 467-53-33
  Télécopieur: (41-26) 467-54-66
  Email: commande@ofl.ch

- Pour la Belgique et le Luxembourg:
  INTERFORUM BENELUX
  Boulevard de l'Europe 117
  B-1301 Wavre
  Tél.: (010) 42-03-20
  Télécopieur: (010) 41-20-24
  http://www.vups.be
  Email: info@vups.be

Pour en savoir davantage sur nos publications,
visitez notre site: **www.edhomme.com**
Autres sites à visiter: www.edjour.com • www.edtypo.com
www.edvlb.com • www.edhexagone.com • www.edutilis.com

Gouvernement du Québec – Programme de crédit
d'impôt pour l'édition de livres – Gestion SODEC –
www.sodec.gouv.qc.ca

L'Éditeur bénéficie du soutien de la Société de
développement des entreprises culturelles du Québec
pour son programme d'édition.

Nous remercions le Conseil des Arts du Canada de
l'aide accordée à notre programme de publication.

 Conseil des Arts   Canada Council
du Canada   for the Arts

Nous reconnaissons l'aide financière du
gouvernement du Canada par l'entremise du
Programme d'aide au développement de l'industrie
de l'édition (PADIÉ) pour nos activités d'édition.

Peter Hadekel

BOMBARDIER

LA VÉRITÉ SUR LE FINANCEMENT D'UN EMPIRE

Traduit de l'anglais (Canada) par Marie José Thériault

LES ÉDITIONS DE L'HOMME

À la mémoire d'Inga

Introduction

L'avionneur Bombardier représente une des plus grandes réussites canadiennes du monde des affaires, et le pays a tout lieu d'en être fier. En dépit des difficultés que cette entreprise a dû affronter au cours des dernières années, elle n'en est pas moins, à l'échelle mondiale, le plus connu de nos constructeurs. Chaque jour, des millions d'individus empruntent ses trains et ses avions : wagons de métro à New York, rails légers en Malaisie, trains rapides en France, avions à turbopropulseurs en Europe, jets d'affaires en Asie, avions de transport régional aux États-Unis. Mais ce succès phénoménal à l'étranger est largement controversé chez nous. Depuis plus de vingt ans, un débat fait rage autour de l'étendue des appuis gouvernementaux dont a bénéficié cette société.

Tandis que l'on porte l'entreprise aux nues pour la façon dont elle a su se propulser sur la scène internationale, d'aucuns n'hésitent pas à affirmer qu'une telle réussite n'aurait pu avoir lieu sans le soutien des contribuables canadiens. Ils font état des traitements de faveur que Bombardier aurait reçus du gouvernement canadien lors de ses acquisitions de Canadair et de la société de Havilland ; ils font allusion aux contributions d'Industrie Canada au titre de la recherche-développement ; et ils invoquent leur argument massue : les prêts de plusieurs milliards de dollars consentis par l'agence fédérale Exportation et développement Canada (EDC) à certains clients de Bombardier dans le domaine du rail et de l'aéronautique.

Ces allégations de favoritisme sont depuis toujours des épines au pied pour les cadres de direction de l'entreprise. En septembre 2003, le président-directeur général Paul Tellier a abordé ce problème dans le cadre d'une communication présentée à Toronto et intitulée *Trains, avions et fonds publics – une mise au point* :

« Le succès international de Bombardier ne s'est pas fait sans difficultés. Et nous ne sommes pas à l'abri des critiques. Mais déjà avant d'entrer en fonction chez Bombardier, j'avais été grandement étonné d'apprendre que des affirmations saugrenues émanant de certaines régions du pays avaient donné naissance à une légende urbaine voulant que Bombardier soit l'exemple même de l'entreprise ultra-subventionnée. Il s'agit bien entendu d'un mythe absolu et tenace, résultant possiblement d'un régionalisme exacerbé ou, pour m'exprimer en termes modérés, d'une information approximative. Quoi qu'il en soit, à mesure que nous réaliserons notre plan d'action, mes collègues et moi sommes déterminés à défaire les mythes, à clarifier les choses et à défier ces perceptions. »

Mais s'agit-il réellement d'un mythe propagé par les médias et par certains fauteurs de trouble de l'opposition officielle ? Tellier lui-même reconnaît que partout dans le monde l'industrie aéronautique bénéficie de généreux appuis gouvernementaux. En fait, il a beau dénoncer le mythe des subsides en faveur de Bombardier, il déclare du même souffle que l'appui du gouvernement canadien est insuffisant pour permettre à la compagnie de concurrencer ses rivaux subventionnés. Tout en rejetant les accusations de parasitisme dont son entreprise est victime, il établit le bien-fondé d'un soutien gouvernemental accru.

Tellier doit affronter une dure réalité : les prêteurs aptes à soutenir le financement des ventes d'avions à réaction Bombardier se font rares. L'entreprise a donné à entendre que sans une contribution d'EDC, Bombardier sera contrainte de relocaliser ses activités de production dans un pays plus disposé à financer ses exportations. Tellier reconnaît ce fait. Pour certains, son admission confirme les rapports hautement incestueux qui se sont développés entre Bombardier et le gouvernement.

Nous nous penchons dans le présent ouvrage sur les relations entre Bombardier et le gouvernement et sur les raisons qui ont précipité cette entreprise au cœur de l'orage. Nous étudions les différents types d'aide dont la compagnie a pu bénéficier : les importants contrats publics, un financement gouvernemental de plusieurs centaines de millions alloué à la recherche-développement, et les milliards de dollars en prêts cautionnés par le gouvernement qui ont été consentis aux acheteurs étrangers des produits de l'entreprise.

D'aucuns diront que c'est là un vain débat, puisque le succès de Bombardier rembourse les contribuables canadiens des millions qu'ils ont consacrés à sa croissance. Les prêts d'EDC aux acheteurs étrangers de Bombardier rapportent des bénéfices. En retour, Bombardier a créé des milliers d'emplois au Canada et injecté des milliards de dollars dans l'économie du pays. Où est le problème ? Dans tous les grands pays industrialisés, les entreprises actives dans le domaine de l'aéronautique ou des transports reçoivent un soutien financier de leur gouvernement. Pourquoi pas Bombardier ?

Nous comprenons ce point de vue, mais c'est un point de vue dont les Canadiens font les frais. Ils méritent de savoir comment et pourquoi on dépense leur argent. Ils sont de véritables associés passifs dans cette entreprise, ils ignorent pratiquement tout du rôle qu'ils y jouent et en connaissent mal les enjeux. Il importe d'étudier ce dossier, d'en étayer les coûts et les bénéfices – tant financiers que politiques – par des documents si nous voulons que le pays adopte une ligne de conduite éclairée dans le futur.

Un certain contexte historique est indispensable à notre récit. Pour cette raison, nous dirons comment Bombardier, de simple constructeur de motoneiges établi au cœur du Québec rural, est devenu un chef de file mondial de trois grandes industries. Nous verrons aussi comment la famille a exercé son droit de propriété et comment Paul Tellier a tenté de redresser la situation quand l'entreprise a commencé à perdre du terrain.

Le fait que la société Bombardier ait elle-même soulevé la question de son financement public n'est pas étranger au développement projeté d'une nouvelle famille d'aéronefs. La disponibilité des fonds publics influencera de façon décisive la mise en chantier et le lieu de production de ce projet évalué à deux milliards de dollars. Après avoir esquivé ses critiques pendant plusieurs années, Bombardier aborde carrément la question des subsides gouvernementaux, ouvrant ainsi la voie à un dialogue public rationnel sur les politiques de l'État.

CHAPITRE 1

Le défi

Il arrive qu'on obéisse à un ordre supérieur des choses. Il arrive que l'incitation ne provienne ni du salaire, ni du contrat d'option d'achat d'actions ni du régime de retraite.

Voilà pourquoi au matin du 3 avril 2003 Paul Tellier se trouvait à l'hôtel Harbour Castle de Toronto. Il assumait depuis trois mois et dix jours les fonctions de directeur général de Bombardier Inc. Il n'avait guère eu le temps de prendre en mains cette entreprise complexe et en difficulté, sa courbe d'apprentissage était abrupte, et la liste de ce qu'il lui fallait à tout prix corriger s'allongeait de jour en jour.

Il était maintenant prêt à dévoiler au monde de la finance son plan de sauvetage de l'entreprise. En entrant dans la salle de l'hôtel où s'étaient rassemblés des actionnaires, des analystes et des reporteurs financiers, il exsudait la confiance. Toute sa carrière l'avait préparé à ce moment. Il avait gravi tous les échelons de la fonction publique à Ottawa avant de quitter son poste de haut fonctionnaire fédéral en 1992 pour prendre les rênes de la Compagnie des chemins de fer nationaux du Canada (CN). Son administration du CN avait été brillante : il l'avait privatisé et transformé en entreprise extrêmement rentable. En outre, il avait pu pendant cinq ans tâter le pouls de Bombardier en siégeant à son conseil d'administration. Et voilà que le président du conseil, Laurent Beaudoin, venait de lui demander d'assumer la direction de la compagnie afin de la désembourber.

Son acceptation en avait surpris plus d'un. Tellier était âgé de soixante et trois ans, il était bien pourvu et n'avait nullement besoin de s'embarrasser de responsabilités accablantes. Certes, il était doté d'un fort esprit de compétition, il aimait jongler avec les risques et en récolter du succès. Il aurait pu accumuler quelques victoires de plus au CN, lever ses options et se la couler douce.

Il a préféré voir en Bombardier une vocation, l'envisager comme une mission nationale. «Le facteur décisif, ce qui m'a le plus influencé, avoua-t-il quelque temps après, est que j'avais pu constater, en tant que Canadien, que très peu d'entreprises manufacturières canadiennes s'étaient distinguées sur le plan mondial.» On pouvait les compter sur les doigts d'une main : Nortel (avant son implosion) dans le matériel de télécommunications, Magna dans les pièces d'automobiles et McCain Foods (si l'on considère que les frites sont des produits manufacturés).

Bombardier était un cas particulier. L'entreprise avait une renommée mondiale dans la construction d'aéronefs, de trains et de motoneiges. «Je me suis dit que je devrais accepter puisqu'on a confiance en moi. C'est un défi plus grand que de hisser le CN à un autre niveau. Voilà ce qui m'a le plus motivé[1].»

De taille moyenne, mince et en excellente forme physique grâce à de nombreuses années de conditionnement quotidien, Tellier déborde ce matin-là de dynamisme et de confiance. C'est un vendeur né. Il calcule soigneusement son débit en se ménageant des pauses éloquentes. Ayant grandi à Joliette, il y a acquis une façon légèrement nasillarde mais attachante de parler l'anglais. L'un de ses mots préférés est «very», qui roule sur sa langue en douceur : «*I'm vehrry, vehrry confident in our plan to turn this company around.*» («Notre stratégie de redressement de l'entreprise m'inspire beaucoup, beaucoup confiance.»)

La communauté financière l'avait bombardé de conseils auxquels il avait longuement réfléchi. À sa manière très personnelle, il avait pris le temps de remercier l'un après l'autre tous ceux qui étaient entrés en contact avec lui. Une chose est sûre : Tellier savait séduire.

Au Harbour Castle, il devait affronter un public difficile. La plupart des actionnaires présents ou qui participaient à la réunion par audioconférence avaient vu le cours de l'action dégringoler de 30 $ à moins de 3 $. Les gestionnaires de fonds communs de placements et de caisses de retraite étaient captifs de Bombardier : dans l'univers restreint des actions canadiennes, ils étaient pratiquement forcés d'investir dans l'entreprise, si bien qu'ils avaient de bonnes raisons de rouspéter. Il en allait de même des petits actionnaires. Propriétaires d'environ la moitié des parts de Bombardier, ils étaient amèrement déçus de la piètre performance de leur placement.

La compagnie Bombardier était en quelque sorte pour le Canada une vedette internationale, la plus grande réussite du pays en cette ère de libre-échange. Son improbable ascension avait fait de ce petit constructeur de motoneiges de l'arrière-pays québécois un des plus importants constructeurs mondiaux de matériel ferroviaire et de transport en commun et le troisième avionneur au monde. L'entreprise stimulait la fierté nationale, en particulier au Québec. On peut soutenir que Bombardier, qui vendait à l'étranger jusqu'à 94 pour 100 de ses trains, avions, motoneiges et motomarines, était sans conteste la marque de commerce canadienne la plus connue. Avec des ventes annuelles de 24 milliards de dollars et 75 000 employés répartis dans 24 pays, l'entreprise pouvait être qualifiée de véritable géant mondial. Mais sa croissance époustouflante avait masqué des tas de problèmes qui tous semblaient converger.

Le produit phare de Bombardier, l'avion de transport régional à réaction, avait été l'un des coups de maître de Laurent Beaudoin au cours de ses quarante années à la direction de l'entreprise, et l'un des produits les plus rentables de toute l'histoire de l'aviation civile. Mais il entrait soudain dans une zone de turbulence : les commandes avaient ralenti à la suite des attaques terroristes du 11 septembre contre les États-Unis, et un avionneur brésilien, Embraer, lui opposait une concurrence féroce.

Dans les semaines qui avaient suivi son entrée en fonction chez Bombardier, Paul Tellier avait dû rechercher des solutions à deux problèmes majeurs : d'une part, comment effectuer la restructuration de l'entreprise et, d'autre part, comment composer avec l'assèchement quasi total du financement des ventes d'avions régionaux. Tellier n'était pas encore parvenu à résoudre ce second problème qui mettait maintenant en péril l'avenir même de l'entreprise.

Les groupes financiers qui avaient naguère financé la vente de ces aéronefs fuyaient maintenant comme la peste l'industrie aéronautique qui subissait les contrecoups des événements du 11 septembre. Dans les meilleurs jours de l'acquisition et de la cession de nouveaux appareils en crédit-bail à des transporteurs aériens, quelque 50 intervenants avaient mis la main à la pâte. Mais aujourd'hui, le moyen le plus rapide de démolir votre carrière si vous étiez banquier ou brasseur d'affaires dans une entreprise de location d'appareils telle que GE Capital consistait à suggérer à votre employeur de vous laisser conclure un marché de crédit-bail. Même si les petits transporteurs régionaux avaient moins souffert que les grandes lignes aériennes, la réputation de l'industrie avait été passée au goudron et à la plume.

Les prolongements pratiques de cet état de choses furent considérables. De nombreux transporteurs souhaitaient renouveler leur flotte d'avions régionaux, mais le coût en était prohibitif. Les besoins s'annonçaient énormes – parfois jusqu'à 100 ou 200 nouveaux appareils étaient nécessaires – et chaque avion régional pouvait délester son acquéreur de quelque 20 millions de dollars américains. Les transporteurs s'efforçaient tant qu'ils le pouvaient d'accroître leur rentabilité, mais ils étaient criblés de dettes et manquaient de liquidités. En outre, leur cote de solvabilité étant pratiquement nulle, aucune institution prêteuse n'était disposée à financer l'acquisition des nouveaux appareils.

Les compagnies aériennes avaient beau se dire très favorables aux avions régionaux de Bombardier et intéressées à en acquérir un grand nombre, aucune transaction n'était possible sans l'intervention d'un intermédiaire financier. Ce problème plaçait Bombardier dans une grave situation de crise. Sitôt entré en poste, Tellier affectait à temps plein 60 membres de son groupe financier à la recherche d'une solution.

L'avion d'affaires représentait l'autre volet de l'entreprise aéronautique. Au temps de sa prospérité, les ventes de biréacteurs à des chefs d'entreprises et à des vedettes du spectacle telles que Bill Gates, Oprah Winfrey et John Travolta étaient montées en flèche. Mais après les scandales qui avaient ébranlé plusieurs grandes sociétés américaines et après trois années de marasme économique aux États-Unis, elles avaient piqué du nez.

Les actionnaires qui avaient vu fondre leur investissement n'étaient guère satisfaits de l'attitude qu'on avait eue envers eux durant cette période difficile. L'arme de choix des terroristes avait été l'avion de ligne. En réaction aux attaques, le trafic passager avait connu une baisse importante et l'industrie de l'aéronautique avait été très ébranlée. Le prédécesseur de Paul Tellier, Bob Brown, s'était efforcé de rassurer les investisseurs en leur répétant qu'il dominait la situation, qu'il avait un plan. Mais ce plan avait manifestement échoué. Brown avait trop tardé à s'adapter au nouvel ordre mondial instauré par le 11 septembre, et certains actionnaires éprouvaient le sentiment d'avoir été dupés.

Tellier devait restaurer la crédibilité de Bombardier. L'image de l'entreprise était doublement ternie. «Premièrement, dit Tellier quelque temps après, la compagnie Bombardier a souffert d'avoir été identifiée au Québec; dans de nombreuses régions du pays, elle en est pratiquement synonyme. Pourtant, l'ironie du sort veut que 94 pour 100 de nos revenus proviennent de l'étranger. C'est tout à fait paradoxal. Les gens ignorent que 52 pour 100 des fournisseurs de l'industrie aéronautique sont installés en Ontario. Ils voient en nous une entreprise strictement québécoise plutôt qu'une entreprise dotée d'une vision planétaire. On croit en outre que le gouvernement du Canada remplit nos poches, que Bombardier est une société parasite. Deuxièmement, quand beaucoup de gens perdent de fortes sommes, il est normal pour eux de réagir agressivement. De très nombreuses personnes ont perdu beaucoup d'argent en investissant dans Bombardier[2].»

Tellier était d'avis qu'il pouvait combler une partie de ce manque de crédibilité en inscrivant les actions de Bombardier à la Bourse de New York (NYSE). L'entreprise n'étant ni très suivie ni très bien connue sur le vaste marché américain, son inscription en bourse avait pour but de lui assurer une meilleure visibilité dans un pays où elle brasse beaucoup d'affaires. À la réunion du Harbour Castle, Tellier déclara que l'entreprise énoncerait ses résultats en dollars américains et qu'elle adopterait dorénavant les normes comptables américaines.

Mais il y avait plus grave: les actionnaires n'étaient guère favorables à l'organisation du capital en deux catégories d'actions, car cette structure assurait la mainmise du contrôle de la compagnie à la famille, et plus particulièrement aux quatre enfants de son fondateur décédé, Joseph-Armand Bombardier. Les membres de la famille détenaient à peine 22 pour 100 des actions en circulation mais plus de 60 pour 100 des droits de vote. Chacune de leurs actions de classe A leur donnait 10 votes aux assemblées tandis que tous les autres actionnaires devaient se contenter d'un vote unique. Lors des sommets boursiers, l'investissement des Bombardier faisait d'eux l'une des familles les plus riches du pays avec une fortune évaluée à plus de 6 milliards de dollars. Mais l'injustice engendrée par la disparité des voix résultant des deux classes d'actions votantes exaspérait un grand nombre d'actionnaires.

Puisque la défense des droits des actionnaires avait pris beaucoup d'importance aux États-Unis, l'inscription du titre de Bombardier à la Bourse de New York risquait d'être mal vue à Wall Street. Ainsi que le déclara Tellier à son auditoire : « On m'a posé la question suivante : la gestion de l'entreprise sert-elle les intérêts de la famille ou ceux de l'ensemble des actionnaires[3] ? »

Bien qu'assez répandues au Canada, les sociétés offrant deux catégories d'actions n'en sont pas moins orwelliennes : tous les actionnaires sont égaux, mais certains sont plus égaux que d'autres. Les actionnaires tolèrent l'existence de deux classes d'actions quand le titre les enrichit, mais s'ils voient leur investissement fondre comme neige au soleil, c'est une tout autre histoire.

N'ayant d'autre choix, Tellier fit peu de cas de cette préoccupation. Il était aux ordres de la famille, et la famille tenait à garder le contrôle de la compagnie. Il fit de son mieux pour renverser la situation. « Vous n'ignorez pas, déclara-t-il, que certaines des entreprises américaines les plus connues possèdent deux classes d'actions. Cette organisation du capital pose-t-elle parfois problème ? Oui, je l'avoue. Met-elle un frein à la croissance de l'entreprise ? Je ne pense pas. »

Un grand nombre d'actionnaires n'étaient pas d'accord. Le fait qu'il y ait deux classes d'actions éliminait tout risque d'offre publique d'achat hostile, si bien que le titre avait peu de chances de s'apprécier. Si l'objectif de Tellier était d'influencer à la hausse le cours de l'action, il avait un sérieux obstacle à franchir.

Les milieux financiers n'aimaient guère le caractère brumeux des méthodes comptables de Bombardier. Depuis les scandales d'Enron et de WorldCom, deux sociétés qui avaient fait de leurs états financiers des instruments de fraude, la gestion comptable des entreprises nord-américaines était devenue un secteur extrêmement névralgique. Personne n'insinuait que les livres comptables de Bombardier renfermaient des données fictives, seulement qu'ils étaient aussi faciles à décoder que le principe de Fermat.

La situation financière cauchemardesque de l'entreprise et la rumeur voulant qu'elle ait de graves problèmes de trésorerie empêchaient les actionnaires de dormir. Bombardier manquait-elle de liquidités ? On s'inquiétait de savoir si les agences de notation n'allaient pas réviser à la baisse sa créance commerciale en la reléguant au rang de titre spéculatif. La division des services financiers de l'entreprise, soit Bombardier Capital, avait été contrainte de radier nombre de dettes irrécouvrables et les actionnaires se demandaient s'il ne s'agissait pas là d'une boîte de Pandore remplie de problèmes redoutables. Enfin, un ralentissement des marchés boursiers qui durait depuis trois ans avait diminué la valeur des investissements du régime de retraite de Bombardier, qui souffrait maintenant d'une grave insuffisance de capital.

Les investisseurs désiraient plus que tout qu'on leur présente un plan d'action, une stratégie, et qu'on leur donne de bonnes raisons de croire que Bombardier pouvait redevenir pour eux une valeur de croissance idéale. Paul Tellier adore ce genre de défi. Placez-le devant une salle remplie de sceptiques et il en fera des convaincus. Auprès des gens de Bay Street, sa gestion brillante du CN, la compagnie ferroviaire rouillée et inefficace du gouvernement canadien, avait fait de lui un véritable demi-dieu. Sa privatisation de la compagnie avait presque quadruplé le cours de l'action, et les actionnaires incrédules pouvaient bien se dire que les poules avaient enfin des dents, ainsi que l'affirme Harry Bruce dans son ouvrage sur la privatisation du CN. Tellier était respecté et bénéficiait d'un excellent crédit de bienveillance. On attendait beaucoup de lui. De quelle magie serait-il encore capable?

Le poids de cette expectative pesait lourd sur ses épaules. «Quand j'ai été nommé directeur général, les manchettes très enthousiastes des journaux m'ont réjoui pendant une minute ou deux. Puis, la lumière s'est faite: j'affrontais un défi de taille. J'ai été conscient de cela dès le début[4].»

Il opta en premier lieu pour transformer la culture de l'entreprise. Sous la direction de Laurent Beaudoin, son aventureux président, Bombardier avait connu trente années casse-cou. Beaudoin était un comptable agréé, mais en lui battait le cœur d'un adepte des jeux de hasard. Il avait souvent joué son entreprise et gagné son pari. Le chiffre d'affaires de Bombardier doublait tous les cinq ans, mais les bénéfices nets n'étaient pas toujours au rendez-vous. «Ces dernières années, la compagnie a connu une croissance phénoménale, trop phénoménale même», fit Tellier, adressant un reproche voilé à son nouvel employeur. Il souhaitait inculquer de nouvelles valeurs aux cadres de l'entreprise: «Assurez-vous que chaque vente sera profitable. C'est absolument indispensable. Il ne s'agit pas pour nous de vendre un plus grand nombre d'avions ou de trains, mais bien de faire en sorte que chacun de ces contrats nous rapporte. Quand

je me suis joint à la compagnie, on y était très fier du nombre de soumissions gagnantes qu'elle avait accumulées. Mais le plus important, selon moi, ce n'est pas tant le nombre de soumissions retenues
que les sommes qu'elles nous rapporteront[5]. »

Le moment était venu pour l'entreprise de s'arrêter, d'inspirer
profondément et de faire fond sur ses acquis. Le moment était venu
pour elle de rentabiliser ses opérations, d'améliorer son rendement
et de mieux négocier ses contrats. Par-dessus tout, le moment était
venu de dégager des bénéfices pour les actionnaires.

Il fallait pour ce faire préférer la concentration à la diversification. Tellier déclara que le regroupement complexe de quatre unités
de Bombardier qui offraient, entre autres, des produits pour usages
récréatifs et des services financiers, serait dorénavant réduit à deux
secteurs de taille égale – les avions et les trains. Cela signifiait que
l'entreprise renoncerait à sa production patrimoniale de motoneiges. Une telle décision serait forcément douloureuse pour les héritiers de Joseph-Armand Bombardier, mais elle était nécessaire.

Les états financiers gagneraient ainsi en transparence. « Bon nombre d'entre vous nous ont dit : "Dieu que vos états financiers sont
difficiles à lire".» Paul Tellier souhaitait qu'«un étudiant du secondaire qui désire acheter pour 100 $ d'actions de Bombardier puisse
se faire rapidement une idée de la compagnie en se penchant sur ses
états financiers[6] ». Il fallait donc adopter une méthode comptable
beaucoup plus conservatrice en vue de restaurer la confiance des
investisseurs.

La situation de Bombardier n'était cependant pas désespérée. Ce
n'était pas une cyberentreprise dont les éléments d'actif relevaient
de la fiction. En dépit d'une dernière année difficile, la compagnie
avait vu son chiffre d'affaires passer à 23,7 milliards de dollars, une
augmentation de 8 pour 100 ; son carnet de commandes était évalué
à 44,4 milliards et ses liquidités se chiffraient au bas mot à
800 millions. Tellier avait passé plusieurs semaines à visiter ses unités de production de part et d'autre de l'Atlantique et il avait été
impressionné par la qualité des produits et la compétence du personnel. Selon lui, Bombardier était toujours un chef de file dans ses
deux principaux domaines d'activités.

Le matériel ferroviaire représentait une source majeure de revenus. Les marges de profit n'étaient pas terribles – de 3 à 4 pour 100
– mais Tellier était certain de pouvoir les doubler. S'il y avait un

domaine capable de résister à une récession, c'était bien celui-là. Dans la plupart des cas, en effet, les commandes provenaient de chemins de fer nationaux, de municipalités ou de pouvoirs publics. Tramways, voitures de métro, navettes aéroportuaires automatisées, trains suburbains, locomotives à grande vitesse – Bombardier offrait une vaste gamme de produits. L'acquisition du géant du rail allemand Adtranz avait propulsé Bombardier en tête du peloton.

Tellier voyait une synergie entre l'aéronautique et le transport. La conception et la construction d'aéronefs sont des activités extrêmement onéreuses qui grugent une part importante du capital de l'entreprise, tandis que le matériel ferroviaire génère des recettes immédiates. En ce sens, les deux activités se complètent parfaitement.

Certes, il fallait avoir les nerfs solides pour œuvrer dans le domaine de l'aéronautique. La guerre en Irak faisait rage, le trafic passager mondial accusait une baisse importante, partout dans le monde les principaux transporteurs avaient déposé leur bilan ou oscillaient au bord du gouffre. L'épidémie de SRAS avait plongé le transport aérien dans une récession. Mais Tellier était confiant dans l'éventail de ses produits. «Si nous construisions des gros-porteurs ayant une capacité de 300 à 400 passagers, nous ferions de l'insomnie[7].»

Le positionnement de Bombardier dans l'industrie aéronautique était excellent. De nouveaux produits s'alignaient sur la piste, tel le CRJ-900, un avion régional de 86 sièges qui avait été livré à un premier acheteur un mois plus tôt. La construction du jet d'affaires Global Express 5000 était presque achevée. Le LearJet 40, un rejeton du Lear 45, était en route, tout comme le Challenger 300, un biréacteur d'affaires à fuselage large, capable d'effectuer des vols intercontinentaux. Bombardier avait conçu 10 nouveaux aéronefs au cours des treize dernières années. «À ma connaissance, aucun autre avionneur n'a réalisé un tel exploit. C'est pour nous une excellente base, et nous pouvons la faire fructifier[8].»

Tellier était d'avis que la compagnie occupait un créneau solide dans le domaine du transport aérien régional. Pour que l'aviation commerciale mondiale puisse assurer sa réorganisation, il lui fallait compter sur les vols de point à point par avion régional. N'était-il pas préférable de construire des avions plus petits plutôt que des gros-porteurs comme ceux qui croupissaient dans le désert de la Californie parce que personne n'en voulait? US Airways, par exemple, qui axait son plan de restructuration sur les jets régionaux, avait passé une commande importante à Bombardier. Air Canada souhaitait étendre sa flotte d'avions régionaux, et c'était aussi le cas de ses lignes associées membres de Star Alliance. Bien sûr, il y avait eu un fort ralentissement de la demande des avions d'affaires, mais une fois la reprise économique assurée, il suffirait que les chefs d'entreprise recommencent à parcourir le monde pour que la gamme d'avions d'affaires de Bombardier devienne un atout important. De cela, Tellier était convaincu.

En dépit de son optimisme, Tellier avouait être confronté à un sérieux « manque de confiance ». Il attaqua chaque problème de front.

Le premier de ses soucis concernait les méthodes comptables de l'entreprise. Si les investisseurs ne parvenaient pas à en décoder les états financiers, ils n'achèteraient pas d'actions de la compagnie. Bombardier n'avait enfreint aucune loi, mais son unité aéronautique avait utilisé une méthode comptable dite « méthode par programme », couramment pratiquée dans l'industrie de l'aéronautique mais qui ne rendait pas forcément compte des résultats de façon opportune.

Le développement d'un aéronef est un exercice extrêmement coûteux et risqué qui exige un capital initial important et d'énormes doses de patience. La rentabilisation de l'investissement se fait parfois attendre jusqu'à dix ans et nécessite la vente de 300 à 400 appareils. Entre-temps, la situation du marché est susceptible de se renverser du jour au lendemain, annulant de la sorte les projections de ventes et exigeant un rajustement des prix. Le hic : comment rendre compte de ces impondérables ?

L'ancienne méthode par programme aplanissait les fluctuations. Les états financiers ne reflétaient pas immédiatement un changement au chiffre d'affaires projeté. L'entrée de nouvelles commandes permettait à la compagnie d'étaler ses charges reportées sur une plus longue période. Parallèlement, il n'était pas facile de déceler une modification au prix de vente d'un appareil dans les marges bénéficiaires. Cet état de choses plongeait plus d'un actionnaire dans la confusion.

Tellier déclara que la compagnie adopterait dorénavant la méthode du coût moyen afin de refléter plus fidèlement la situation du marché. Selon cette méthode, les dépenses sont passées en charges dans l'exercice au cours duquel elles sont effectuées et la marge bénéficiaire de chaque vente est prise en compte. Ces opérations avaient pour but d'accroître la transparence des états financiers et de les rendre plus immédiatement compréhensibles aux actionnaires.

Les répercussions du changement de la méthode comptable et des différentes sorties du bilan furent considérables. Tellier annonça à ses auditeurs que des millions de dollars de gains antérieurs venaient d'être ainsi radiés des livres d'un trait de plume. L'actif de Bombardier valait du coup 2 milliards de dollars de moins que la veille. L'avoir des actionnaires chutait de 4,7 à 2,7 milliards de dollars. Qu'un sibyllin changement aux estimations comptable ait suffi à appauvrir à ce point la compagnie était époustouflant.

L'affaire n'intéressait pas que les dévoreurs de chiffres. Les marchés n'étaient plus les mêmes, les investisseurs avaient perdu leur optimisme et le moment était venu de faire preuve de prudence dans l'évaluation de l'actif. L'avoir des actionnaires subissait les contrecoups de ce redressement, la vie était loin d'être facile, mais la transparence des états financiers et la restauration de la confiance des actionnaires avaient rendu cette décision nécessaire.

Tellier ne tenait pas à ce que Bombardier souffre d'avoir fait ce qui devait être fait. Cette modification comptable produirait les résultats escomptés seulement si les banques et les agences de notation comprenaient les motifs de sa décision et lui accordaient une certaine marge de manœuvre. Malheureusement, Tellier implantait sa stratégie au moment même où son entreprise affrontait de graves problèmes de flux de trésorerie ; les banques et les agences de notation craignaient que Bombardier ait du mal à amortir sa dette et à acquitter ses factures. « La perception des comptes débiteurs n'était pas ce qu'elle aurait dû être, dit-il. Je n'ai jamais parlé de crise, mais la situation était grave[9]. »

Il avait conçu un plan d'action en trois étapes destiné à rassurer les bailleurs de fonds et à rebâtir la capacité financière de la compagnie. Il envisageait tout d'abord de réunir des capitaux d'au moins 800 millions de dollars par le biais d'une émission d'actions. Il comptait aussi vendre le secteur produits récréatifs – y compris l'historique division de la motoneige – pour une valeur d'environ un milliard de dollars. Enfin, il procéderait à une réduction de 50 pour 100 du dividende. Ces opérations avaient pour but de renforcer sensiblement le bilan de l'entreprise.

« Nous devions à tout prix reconstituer notre capital et nous avions besoin de liquidités, se remémore-t-il. Nos actifs financiers avaient été fortement dépréciés et il nous fallait renforcer notre bilan. Pour satisfaire les banques et les agences de notation, nous devions développer des solutions équilibrées. La vente de certains éléments d'actif et la mobilisation de capitaux constituent une démarche tout à fait équilibrée[10]. »

Pendant des semaines, Tellier a multiplié les rencontres avec les membres du consortium bancaire de Bombardier, l'un des plus importants de toute l'industrie. Depuis le 11 septembre, les banques étaient très agitées, multipliant les retraits d'emprunts et refusant d'accorder de nouveaux prêts à toutes sortes d'entreprises, plus particulièrement aux clients de Bombardier dans le secteur aéronautique. Les chargés de prêts avaient le doigt sur la gâchette et n'hésitaient pas à exiger le remboursement d'un emprunt, surtout si l'emprunteur dérogeait à ses engagements. Bombardier n'en était pas loin.

Par ordre d'importance, l'entreprise occupait le neuvième rang parmi les usagers des services bancaires nord-américains, et ses rapports avec les banques revêtaient une importance capitale. Mais les banques étaient confrontées à un problème majeur : en rayant de ses livres 2 milliards de dollars en capitaux propres, Bombardier contreviendrait temporairement à la clause restrictive de son contrat de prêt et ses actifs ne suffiraient pas à couvrir la caution bancaire. Cette clause restrictive stipulait qu'au 30 avril 2003 le ratio d'endettement de l'entreprise ne pouvait excéder 50 pour 100 de l'ensemble de son capital. En raison des modifications apportées par Tellier à sa méthode comptable, ce ratio d'endettement passerait à 60 pour 100, du moins jusqu'à ce que Bombardier ait amassé des capitaux supplémentaires. Il n'en fallait pas plus pour donner de l'urticaire aux responsables du crédit des organismes prêteurs.

Tandis qu'il s'efforçait de régler son problème de liquidités et qu'il soumettait son plan d'action aux institutions prêteuses, Paul Tellier occupait une position d'infériorité. Peu après son entrée en fonction chez Bombardier, il avait largué le directeur financier de l'entreprise dans l'intention de lui trouver un remplaçant plus prestigieux et jouissant d'une plus grande crédibilité auprès des milieux de la finance. Ses recherches s'étant avérées infructueuses, il avait effectué seul sa tournée des plus grandes banques du monde.

« J'ai commencé par les banques canadiennes. J'avais décidé de faire les démarches moi-même, en personne. J'allais rencontrer les directeurs ; ceux-ci m'ont beaucoup appuyé. L'un des chefs de la direction m'a dit : "Paul, tu es l'un de nos clients les plus importants." Armé de ce soutien, j'ai approché les banques européennes, certains des plus grands établissements financiers au monde. HSBC, Société Générale, BNP Paribas, les banques allemandes. Tous ces gens-là se sont montrés très solidaires. Ensuite, je me suis tourné vers les banques américaines telles JP Morgan et Citigroup.

« J'étais très privilégié d'avoir un excellent trésorier en la personne de François Lemarchand. Le rôle de trésorier est chez nous très complexe. Notre trésorier est un type extrêmement compétent qui n'a pas toujours reçu l'attention qu'il méritait dans le passé. Il est devenu l'un de mes plus proches conseillers. Nous avons fait ce travail ensemble ; il avait développé un important réseau de contacts auprès des banques, et sa réputation était excellente. Compte tenu du fait que j'avais remercié le directeur financier, le trésorier jouait un rôle de premier plan dans la réussite de ma stratégie[11]. »

Tellier usa de tout son charme et de sa débrouillardise pour séduire les banquiers et les agents de notation. Une fois qu'il eut structuré son plan de redressement, il le soumit aux banques dans un document d'une centaine de pages. Souvent, il affrontait des équipes de spécialistes de l'aéronautique très au fait de la situation financière précaire des gros acheteurs d'avions régionaux de Bombardier, qui le mettaient sur la sellette et le cuisinaient de leur mieux. Les banquiers avaient deux soucis majeurs : premièrement, la réussite de la stratégie de Tellier dépendait de son exécution impeccable par les équipes de gestion ; en second lieu, l'industrie de l'aéronautique était un milieu férocement concurrentiel qui était loin d'avoir résolu tous ses problèmes.

Tellier parvint à convaincre son monde, en partie parce que les banques elles-mêmes avaient tout intérêt à ce que Bombardier redresse sa situation. Elles lui avaient consenti des facilités de crédit de plusieurs milliards de dollars et elles tenaient à être remboursées. Les banquiers acceptèrent de faire passer le ratio d'endettement de l'entreprise de 60 à 70 pour 100 pour le trimestre courant, de le maintenir à ce niveau pendant deux autres trimestres, puis de le ramener à 50 pour 100. Ce délai accordé à Tellier lui donnait le temps d'agir.

Il décida en tout premier lieu de vendre la légendaire entreprise de motoneiges qui était à l'origine de Bombardier. C'est dans le garage de la maison familiale, à Valcourt, une petite ville située au Québec à environ 90 kilomètres de Montréal, que Joseph-Armand Bombardier avait inventé la motoneige. En 1936, il obtenait un brevet d'invention pour son prototype. Au moment de son décès dans les années 1960, la motoneige était devenue une activité de détente extrêmement populaire et le nom de Bombardier était célèbre partout où il neige en hiver.

Au moment de l'entrée en fonction de Paul Tellier, le secteur produits récréatifs rassemblait un vaste éventail de matériel de plein air : motoneiges Ski-Doo, motomarines Sea-Doo, réputés moteurs hors-bord Johnson et Evinrude, véhicules tout-terrain. Bombardier était le rêve de tout amateur de vitesse. Mais le succès de ce genre d'entreprise dépend de la santé de l'économie et de l'excellent pouvoir d'achat des consommateurs. À cause du ralentissement économique en cours, ce succès était beaucoup moins sûr.

Compte tenu de la situation dans laquelle il se trouvait, Tellier n'eut pas le choix. Ce secteur représentait l'actif le plus liquide au portefeuille de Bombardier ; il était résolument rentable et les acheteurs intéressés ne manquaient pas. De toute façon, Bombardier avait désespérément besoin d'argent. Le produit de cette vente, et de celle de deux unités de Services à la défense et d'un aéroport en Irlande du Nord allait rétablir la situation financière de l'entreprise.

L'effet psychologique d'une décision aussi douloureuse allait sans doute être le plus puissant de tous, car la vente du patrimoine familial « indiqu[ait] clairement que nous [étions] disposés à faire l'impossible pour assurer le redressement de la compagnie », dit Paul Tellier. Mais obtenir l'accord de la famille n'avait certes pas été facile. Au début de son affectation, des rumeurs persistantes voulaient que Tellier ait menacé de démissionner si on n'entérinait pas sa décision. C'était vrai, ainsi qu'il l'a confirmé plus tard. « Entendons-nous. Ma crédibilité était en jeu. J'agissais pour le bien de l'entreprise. J'en étais venu à la conclusion que cette vente était nécessaire. C'était ça, ou ils devraient trouver un autre directeur général. Je n'ai pas tourné autour du pot. Ils n'avaient pas le choix. C'était clair et net[12]. »

Son intransigeance ne facilitait pas les choses. « Vous n'ignorez pas que ce secteur d'activités, fondé par le père de quatre investisseurs membres de la famille, a pour ces derniers une très grande valeur sentimentale », dit-il lors de la conférence électronique du

3 avril avec le milieu financier. «Cette décision a été douloureuse pour eux et douloureuse pour moi. Le président du conseil et moi-même avons étudié le bilan de l'entreprise, le plan d'affaires, la stratégie que je comptais présenter aux agences de notation et aux banques. Et nous avons convenu de soumettre cette proposition au conseil d'administration.»

L'amertume ressentie par les membres de la famille fut quelque peu adoucie par leur décision de présenter eux-mêmes une offre d'achat. Le secteur produits récréatifs portait le nom de la famille, il était rentable et semblait bien positionné pour l'avenir. La famille désirait en outre s'assurer que la transition des anciens aux nouveaux propriétaires se ferait en souplesse. La subsistance de la collectivité de Valcourt, Québec, dépendait de l'usine, la famille Bombardier avait toujours été un employeur modèle, et elle souhaitait faire savoir à ses employés qu'elle n'abandonnait pas la partie.

Pour Tellier, la participation de la famille au processus d'appel d'offres soulevait une délicate question morale. Aucun soupçon de favoritisme ne devait peser sur la transaction, personne ne devait se dire que l'offre d'achat de la famille serait forcément retenue. Le conseil d'administration s'engageait auprès de ses actionnaires à retenir la meilleure offre et à éviter le moindre conflit d'intérêt. Pour s'assurer d'un processus équitable et pour bien veiller aux intérêts des actionnaires, le conseil d'administration confia le déroulement des opérations à un comité d'administrateurs externes conduits par l'ancien vérificateur général du Canada, Denis Desautels.

Obtenir le refinancement de l'entreprise ne représentait qu'un aspect du défi que devait relever Paul Tellier. Il lui fallait en outre savoir ce qu'il ferait de Bombardier Capital, le fragile secteur des services financiers de la compagnie qui assurait à l'origine le financement des stocks des concessionnaires de motoneiges Ski-Doo. Au fil du temps, ce secteur s'engagea aussi dans d'autres activités telles que la location de matériel ferroviaire, la vente de comptes recevables, et le financement de la vente de biréacteurs Challenger à des sociétés acheteuses.

Bombardier Capital s'aventura aussi dans des domaines auxquels il ne connaissait rien : par exemple, il prêtait de l'argent à des acheteurs américains de maisons préfabriquées. Ce fut là une des erreurs les plus coûteuses de Laurent Beaudoin. Que pouvait bien faire là-dedans une entreprise de matériel de transport ? Les propriétaires de maisons mobiles ne sont pas des plus fiables quand il s'agit de rembourser leur hypothèque. Ils déménagent, perdent leur emploi, se séparent ou divorcent. Ce sont le plus souvent des salariés à très faible revenu et des emprunteurs à risque. Ils composent la tranche des gagne-petit, le quart-monde du marché hypothécaire. Bombardier a essuyé une très lourde perte, près de 700 millions de dollars, avant de se décider à réduire progressivement ses opérations dans ce secteur d'activités.

Il ne pouvait pas en sortir du jour au lendemain. « Vous perdez de l'argent, avoua Tellier, mais vous restez là. Personne ne va vous acheter votre entreprise demain matin. Vous vous êtes engagé à long terme. Mais un beau jour, vous vous dites que ça suffit, que vous avez perdu assez d'argent, alors vous fermez boutique, mais vous devez continuer à servir les clients avec lesquels vous avez signé une entente financière. Ainsi, compte tenu du fait que vous ne pouvez vendre certains actifs de Bombardier Capital sans encourir d'énormes pertes, vous vous dites que vous feriez mieux de les garder et de liquider ces portefeuilles petit à petit, d'une façon très ordonnée et rigoureuse. »

La gravité de la situation de Bombardier Capital fut l'une des mauvaises surprises qui attendaient Tellier lors de son entrée en fonction. « Avec le recul, on se dit que ce qui a été fait était parfaitement stupide. » Sous la direction de Laurent Beaudoin, Bombardier voulait développer son secteur financier comme l'avait fait General Electric. À cette époque, environ 70 pour 100 des revenus de GE provenaient de GE Capital. « Les gens disaient, nous avons Bombardier Capital, pourquoi ne pas faire comme GE Capital ? Avec le financement sur stock, ils étaient dans la bonne voie. Mais les prêts à la consommation, les maisons industrialisées, tout ça, c'était de la folie pure. Je le dis avec le recul. Avec le recul, on voit toujours tout clairement[13]. »

Les fonds insuffisants du régime de retraite représentaient un autre poste très inquiétant aux livres comptables de la compagnie. Comme la plupart des entreprises dotées d'un régime de pension, Bombardier plaçait ses actifs en bourse et tablait sur un rendement qui lui permettrait de remplir ses obligations envers ses futurs retraités. Mais le krach de 2000 a entraîné dans sa chute la valeur de l'actif de régime. En 2003, Bombardier déclarait un passif non capitalisé de 2,6 milliards de dollars, soit les prestations promises aux bénéficiaires du régime de retraite, qui excédaient la valeur de l'actif. Il lui faudrait puiser dans ses revenus pour combler ce déficit.

Les actionnaires craignaient que le fait de suppléer ainsi au régime affecterait négativement le résultat net. Les employés se demandaient si leurs prestations de retraite étaient en péril. Tellier s'efforça de replacer le fait dans son contexte. Bombardier était une multinationale possédant des actifs de régime dans 25 pays, signala-t-il, et « partout où nous devons verser des prestations, nous le faisons ». Il promit d'injecter un minimum de 260 millions de dollars canadiens dans le régime de retraite au cours de l'année suivante et d'en résorber le déficit sur une période de quinze ans.

La dernière des questions épineuses était celle de la régie d'entreprise. Dans le sillage des scandales financiers qui avaient ébranlé de grandes sociétés américaines, les actionnaires du monde entier exigeaient une plus grande responsabilisation et une plus grande transparence de la part des conseils d'administration. Chez Bombardier, la question de la mainmise du contrôle de la compagnie par la famille n'aidait pas les choses. Tellier annonça la formation de nouveaux comités de la direction, y compris un comité de surveillance des caisses de retraite et un comité de la régie d'entreprise. Il entendait abolir le conseil exécutif pour mettre fin à l'existence de deux échelons du conseil d'administration. Aucun membre de la famille, seuls des administrateurs externes siégeraient au comité de vérification et au comité des ressources humaines et de la rémunération.

Tellier estimait que la stratégie de réorganisation qu'il avait annoncée à la rencontre du 3 avril donnerait lieu à un renforcement de la compagnie, à une mise en valeur des bénéfices, à une plus grande complémentarité des deux secteurs de l'entreprise et à une responsabilisation accrue. Les changements proposés, assura-t-il, entraîneraient une réduction des effectifs, une plus grande fiabilité des produits et une amélioration des délais de livraison et du service après-vente. « Nous étions confiants d'avoir mis au point une stratégie vigoureuse ; nous avions travaillé étroitement avec les banques et les agences de notation qui, toutes, s'étaient montrées très solidaires. J'étais certain que notre stratégie recevrait un accueil favorable et que nous pourrions atteindre nos objectifs[14]. »

Tellier devait toutefois mettre son plan à exécution au sein d'une entreprise familiale où il comptait bien avoir le dernier mot dans les processus décisionnels. Il avait été le chef incontesté du CN, une compagnie où, de par la loi, aucun actionnaire ne pouvait détenir plus de 10 pour 100 des actions. Chez Bombardier, il devait composer avec les actionnaires contrôlants représentés par Laurent Beaudoin, l'un des meilleurs entrepreneurs que le Canada ait connus, un homme habitué à n'en faire qu'à sa tête. Dans les premiers mois qui suivirent l'entrée en fonction de Paul Tellier, les deux hommes furent confrontés à un rude apprentissage.

«Dès le départ, Laurent a dû s'ajuster à un nouveau venu et à un mandat audacieux, dit Tellier. Les changements apportés à la méthode comptable affectaient très négativement le bilan. On parle d'une différence immédiate de quelque 2 milliards de dollars. La vente du secteur produits récréatifs a été douloureuse. Laurent a dû s'habituer à la présence d'un collègue beaucoup plus dynamique et tenace, mais aussi à un type qui insistait pour tout prendre en mains et dont les décisions étaient difficiles à avaler. Même dans des circonstances idéales, même si nous avions travaillé ensemble depuis dix ans, il aurait eu du mal à s'y faire. Les trois premiers mois n'ont pas été de tout repos, ni pour lui ni pour moi[15].»

Une partie du défi de Tellier consistait à découvrir quelles étaient les motivations de Laurent Beaudoin. Qui au juste était ce personnage légendaire qui avait fait de Bombardier ce géant mondial de l'industrie? Qui était cet homme discret, voire secret, si réticent à se faire connaître de ses concitoyens?

CHAPITRE 2

Le roi Beaudoin

Laurent Beaudoin, c'est l'évidence même, a fait un excellent mariage.

Ce fils d'épicier en gros et cadet de six enfants était né à Laurier Station, près de la ville de Québec. Enfant, il passait beaucoup de temps dans le bureau de son père et s'imprégnait de l'ambiance qui régnait dans son petit commerce. «Ces expériences m'ont inculqué une attitude particulière et un sens des affaires qui ne m'ont jamais quitté[1]», déclara-t-il un jour. Quand il eut atteint l'âge de dix ans, sa famille l'envoya apprendre l'anglais dans un pensionnat catholique unilingue anglais de Church Point, en Nouvelle-Écosse. C'était là une décision très éclairée pour des gens vivant au beau milieu d'une enclave francophone.

À sa sortie du collège, il rentra au Québec et s'inscrivit à l'université où, de son propre aveu, il se préoccupa beaucoup plus de sa vie sociale que de ses études. En 1959, tout en faisant une maîtrise en commerce à l'Université de Sherbrooke, dans les Cantons-de-l'Est, il fréquenta une camarade de cours, une intelligente et jolie blonde du nom de Claire Bombardier. La même année, le père de Claire, un véritable génie de la mécanique, dévoilait enfin sa motoneige de loisir au marché québécois. Certes, Joseph-Armand Bombardier n'était pas exactement l'inventeur de la motoneige (d'autres que lui avaient tenté de produire un véhicule capable de rouler sur un terrain enneigé), mais l'avait raffinée au point d'en faire un véhicule récréatif. Il travaillait à ce projet depuis trente ans et, grâce à son indéfectible détermination, il avait mis sur pied à Valcourt, un village des

Cantons-de-l'Est, une entreprise prospère de construction d'auto-neiges de toutes sortes.

Armand était un entrepreneur dans le vrai sens du terme, une anomalie dans le Québec rural de cette époque, encore sous l'emprise du clergé catholique. Les jeunes francophones doués optaient en général pour le droit, la médecine ou la prêtrise. Armand avait lui-même étudié dans un séminaire de Sherbrooke dès l'âge de quatorze ans. Mais il n'avait de cesse d'inventer mentalement toutes sortes d'engins. Encore enfant, il avait actionné dans les rues de Valcourt un canon miniature construit de ses propres mains et, une autre fois, la machine à vapeur qu'il avait assemblée explosa dans la chaufferie d'une église de la région. Mais Armand rêvait surtout de construire un véhicule qui lui permettrait de circuler librement l'hiver sur les terrains enneigés du Québec. En 1922, à l'âge de quinze ans, dans le garage de son père, il construisit un véhicule composé d'un traîneau sur skis propulsé par une hélice en bois. Il parvint à faire démarrer cet ancêtre de la moto-neige et à en faire l'essai, s'écrasant de plein fouet contre le mur d'une grange. Inquiet, son père exigea qu'il démonte son invention[2].

Il quitta bientôt le séminaire, devint apprenti mécanicien, puis il ouvrit son propre atelier de mécanique automobile à Valcourt. Il se maria et fonda une famille. Un soir d'hiver de 1934, Joseph-Armand et sa jeune épouse vécurent une épouvantable tragédie : leur fils de deux ans, Yvon, décédait sous leurs yeux d'une appendicite aiguë ; les routes de campagne étant enneigées, ils n'avaient pu transporter leur enfant à l'hôpital à temps. Armand n'en fut que plus résolu à raffiner son invention[3].

Sa percée décisive eut lieu quand il conçut un système d'entraînement de chenille. Ce barbotin, ou roue dentée, était la clé qui donnerait lieu à la construction de l'autoneige Bombardier. Il surmonta ce système d'entraînement d'une lourde carrosserie en contreplaqué. Cette première autoneige n'avait rien d'élégant, mais elle permit à Bombardier de se lancer dans la fabrication de véhicules chenillés destinés aux médecins, aux employés des postes et aux livreurs de marchandises. Pendant la guerre, il fournit également des véhicules aux Forces canadiennes en Europe.

Puisque Laurent Beaudoin faisait partie de la famille Bombardier par son mariage avec Claire, il était sans doute inévitable qu'il entre aussi dans l'entreprise familiale. Mais au début de son mariage, il n'était pas du tout intéressé à travailler pour Bombardier.

Reçu comptable agréé en 1961, Beaudoin ouvrit un cabinet dans la ville de Québec, mais joindre les deux bouts était difficile. «Quand j'ai ouvert mon cabinet, se remémore-t-il, j'ai parcouru la liste des cabinets d'expertise comptable que comptait la ville de Québec. Il y en avait déjà 35, et j'étais le petit dernier. Que faites-vous quand vous êtes le dernier au bas de la liste? Vous multipliez les petits clients, vous prenez toujours des clients qui éprouvent des difficultés financières et vous les aidez à redresser leur situation. Je connaissais un comptable qui servait une petite clientèle d'environ 50 personnes sur la côte de Gaspé. Je lui ai acheté sa liste de clients pour 5 000 $.» Une fois l'an, Beaudoin prenait la route et se rendait jusqu'à Gaspé pour préparer leurs déclarations d'impôts[4].

Il dénichait du travail partout où c'était possible, mais c'est Joseph-Armand Bombardier qui lui donna sa première chance. «Avec un de ses amis, mon beau-père avait investi une forte somme dans une scierie. Mais la scierie perdait de l'argent. Son comptable lui dit: "Ça ne vaut pas la peine de vous battre. Vous feriez mieux de déclarer faillite." Un jour, il me parla de cette scierie, et je lui dis: "J'essaie de me bâtir une clientèle; si vous voulez, je peux mettre mon nez là-dedans et voir si je peux faire quelque chose." La scierie pouvait devenir un client intéressant pour moi. J'y ai passé six mois en compagnie de l'associé de mon beau-père, je me suis penché sur les problèmes de l'entreprise et, au bout du compte, nous avons commencé à la rentabiliser. Je suis rentré à Valcourt et j'ai annoncé la bonne nouvelle à mon beau-père. Alors, il s'est dit qu'après tout, je n'étais peut-être pas aussi nul qu'il l'avait cru[5].»

Un rapprochement s'établit petit à petit entre les deux hommes, et Armand invita parfois Laurent dans les alentours de Baie-Saint-Paul, au nord de Québec, pour faire l'essai de ses motoneiges. «Au début des années 1960, quand je vivais à Québec, il m'avait prêté une motoneige pour l'hiver. Un jour qu'il se rendait à Baie-Saint-Paul faire l'essai d'un nouveau véhicule, il arrêta à Québec et m'invita à l'accompagner.

«Je suis depuis toujours un amateur de vitesse. J'avais modifié ma motoneige au moyen de deux carburateurs, si bien que je roulais un peu plus vite que mon beau-père. Mais il était un homme pratique. La traction était plus importante pour lui que la vitesse. Il avait conçu des véhicules possédant une excellente traction en terrain très enneigé. Et voilà que, pendant notre balade, mon véhicule s'est enlisé. J'enfonçais dans la neige jusqu'à la ceinture. Il a fait demi-tour et, s'approchant de moi, il m'a dit : "La prochaine fois, c'est trois carburateurs que tu devrais installer."»

À mesure qu'il découvrait les dons de Laurent Beaudoin pour les affaires, Joseph-Armand Bombardier lui confiait de plus en plus de dossiers. «Il m'a demandé de mettre de l'ordre dans le patrimoine qu'il partageait avec ses quatre frères afin de planifier sa succession. Dans toutes les entreprises, c'est la même histoire : vous êtes riches sur papier mais vous n'avez pas d'argent sonnant. Tous ses frères avaient une participation dans la compagnie, des actions que monsieur Bombardier leur avait données quand ils s'étaient associés à lui au début des années 1940. Leur comptable lui avait proposé un moyen de régler l'affaire ; il me remit une copie du document et me dit : "Tu devrais y jeter un coup d'œil." J'ai répondu : "C'est un domaine que je ne connais pas encore très bien, mais j'ai des copains à Québec qui ont une grande expérience de ces choses-là ; je pourrais regarder ça avec eux et vous dire ce que nous en pensons." C'est ce que nous avons fait.»

Armand désirait modifier l'organisation de son capital social de façon à pouvoir léguer son entreprise à ses cinq enfants. «Nous avons fini par lui conseiller de racheter les actions de ses frères, se remémore Beaudoin. Il a réfléchi, puis il a décidé que c'est ce qu'il ferait, puis il s'est tourné vers moi et m'a dit : "Parfait. Mais si je fais ça, je vais avoir tous les problèmes de gestion sur les bras pendant que toi, tu pourras t'amuser. Accepterais-tu de venir travailler pour moi à Valcourt ?"»

Claire Bombardier n'avait guère envie de savoir son mari à l'emploi de son cabochard de père. «Ma femme était réticente, dit Beaudoin ; elle connaissait son père beaucoup mieux que moi. Mais j'étais jeune ; je n'avais que vingt-cinq ans. J'ai dit : "D'accord, je vais me joindre à vous, je vais apprendre la marche des affaires, et après, on verra."» Le 1er mai 1963, il devenait contrôleur chez Bombardier[6].

Vivre à Valcourt et travailler pour Armand se révéla assez difficile. Beaudoin était le nouveau venu dans une ville d'entreprise dont la moitié de la population était à l'emploi de Bombardier. Armand était un patron exigeant, incapable de déléguer des responsabilités et porté à fourrer son nez dans les affaires de tout un chacun. Il n'éprouvait aucun scrupule à dire à l'entrepreneur en construction comment couler et polir le nouveau plancher de béton de son usine.

Il parcourait les installations et se mettait en frais d'expliquer aux mécaniciens tout ce qu'ils faisaient de travers. Il bombardait son beau-fils de questions sur les raisons qui l'avaient incité à agir de telle ou telle façon.

«Au début, dit Beaudoin, je me contentais de lui soumettre des rapports. Par la suite, j'ai commencé à prendre des initiatives. Mais à chaque fois que je prenais une décision, j'avais l'impression qu'il m'en voulait. Je lui ai dit: "Vous m'avez confié ce travail, et je l'assume. Je suis parfaitement capable de prendre seul certaines décisions, je n'ai pas besoin de toujours vous consulter."» À un moment donné, la situation était telle que Beaudoin faillit remettre sa démission[7].

Les stratégies de mise en marché d'Armand remontaient au Moyen Âge. L'une des premières réussites de Beaudoin fut de vaincre la parcimonie de son beau-père et de convaincre ce dernier d'engager 32 000 $ en frais de publicité. Armand protesta: «C'est beaucoup d'argent. On peut acheter une maison avec une somme pareille.» Mais Beaudoin l'emporta et leur investissement se révéla très rentable, multipliant par 22 le chiffre d'affaires au cours des dix années qui suivirent[8].

Armand ne serait pas témoin de cette expansion. En septembre 1963, il reçut un diagnostic de cancer. Son état se dégrada rapidement et la famille dut faire face à la situation. «Il m'a fallu apprendre très vite, dit Beaudoin. Quand monsieur Bombardier est décédé (six mois plus tard), je suis devenu directeur général.» Après le décès d'Armand en 1964, l'entreprise de motoneige passa entre les mains des cinq enfants du fondateur sous la direction de l'aîné, Germain. Ce dernier ne possédait qu'une formation secondaire, mais il avait hérité de son père ses dons de mécanicien. Il n'était cependant pas doué pour les affaires et bien vite on comprit qu'il n'était pas apte à gérer une entreprise en plein essor.

«Germain avait été responsable d'une des filiales, celle qui fabriquait les composants de caoutchouc et les chenilles dont nous avions besoin. Il n'était pas mêlé à la compagnie de motoneiges. Puis, du jour au lendemain, le voilà président. Comprenez bien: cette industrie en était à ses débuts. Lorsque monsieur Bombardier est décédé, nous construisions en moyenne 10 000 véhicules. L'année suivante, nous en avons construit 20 000, puis ce chiffre est passé à 40 000. Je connaissais très bien l'entreprise. Nous avons mis sur pied un système de distribution, mais Germain jugeait que nous précipitions les choses. Au fond, il avait un peu peur de la voie dans laquelle s'engageait la compagnie. Il n'avait pas les nerfs assez solides. Il a décidé de nous vendre sa participation. Nous avons racheté ses actions en 1965.»

Laurent Beaudoin fut élevé au rang de président : cela allait presque de soi. Germain n'avait pas capitulé de bonne grâce, ce qui donna lieu à des rumeurs persistantes selon lesquelles le beau-fils avait arraché aux héritiers solidaires la direction de leur entreprise familiale. Mais la réalité était évidente : personne ne pouvait rivaliser avec Beaudoin pour ce qui était des compétences et du leadership. Les autres membres de la famille choisirent de rester en poste (le frère cadet de Germain, André, siège encore au conseil d'administration avec sa sœur Janine et Jean-Louis Fontaine, l'époux d'Huguette), mais Laurent Beaudoin affermit rapidement sa position non seulement à la direction de Bombardier, mais aussi à la tête de la famille.

Sous la direction de Laurent Beaudoin, l'entreprise s'engagea alors dans un phénoménal mouvement de croissance qui l'ouvrit à d'inimaginables secteurs d'activités : construction de locomotives et de wagons, transport-passagers, véhicules militaires, véhicules marins, avions de ligne et avions d'affaires. Ce furent des années vertigineuses pendant lesquelles la compagnie construisit des voitures-passagers pour le métro de New York, des rames pour l'Eurotunnel entre la Grande-Bretagne et la France, des flottes entières d'avions pour des transporteurs américains et européens.

Mais quand il prit la direction de l'entreprise, Beaudoin dut gagner la confiance des autres membres de la famille. «Laurent a beaucoup poussé la famille dans les années 1960 et 1970, dit son associé de longue date, Yvon Turcot. Cela n'a pas été une période facile ; il leur a demandé de grands sacrifices. Pendant onze ans, la compagnie n'a pas versé de dividendes. Les membres de la famille ont même dû hypothéquer à nouveau leur maison pour refinancer l'entreprise. Ils ont fait de grands sacrifices et ils ont couru des risques énormes. Alors, oui, ces années ont été difficiles. Mais au bout du compte, la famille a toujours accordé sa pleine confiance à Laurent[9].»

À mesure que l'entreprise prenait de l'expansion, s'il y a eu des moments de tension comme il y en a toujours dans toute entreprise familiale, ceux-ci ont été minimes. Les quatre enfants siégeaient au conseil d'administration. «Laurent était à la fois chef de la direction

et chef de famille, affirme Michel Lord, ancien vice-président, relations avec les investisseurs chez Bombardier. Il respectait la famille
et s'assurait que ses membres comprenaient et approuvaient ses décisions. Il mettait le temps et l'énergie nécessaires à les convaincre. Je
pense que c'est la raison pour laquelle nous n'avons pour ainsi dire
jamais connu de luttes intestines. Il était le chef. C'est loin d'être un
rôle facile, mais il l'assumait très bien, pas seulement avec ses beaux-
frères et ses belles-sœurs, mais aussi avec leurs enfants. Il prenait le
temps de bien faire comprendre l'orientation de l'entreprise aux
représentants de la troisième génération[10].»

Il est devenu une vedette du petit monde des affaires au Québec.
Au cours des vingt-cinq années qui ont suivi la Deuxième Guerre
mondiale, les entreprises dont le contrôle s'exerçait à l'extérieur de
la province ou qui étaient aux mains d'une élite anglophone avaient
plongé le Québec dans une économie de succursales. Les entrepreneurs francophones parvenaient à se tracer un chemin dans de petites
ou moyennes entreprises de meubles, de vêtements ou de chaussures, mais les univers plus complexes des industries manufacturières, de la banque ou de la finance leur étaient beaucoup plus fermés.
L'idée qu'un entrepreneur québécois puisse fonder une compagnie
et conquérir le monde relevait encore de la science-fiction.

Beaudoin transforma irrévocablement cette perception. À la fin
des années 1980, Bombardier – avec un autre géant québécois,
Power Corp. – s'était démarqué d'un ensemble d'entreprises prospères surnommées Québec Inc., qui comprenaient entre autres la
firme d'ingénierie Lavalin, l'usine de fabrication du papier Cascades, le géant de l'épicerie Provigo, le groupe financier Laurentien,
et les aciéries Canam Manac : toutes ces entreprises étaient prospères.
Mais aucune n'allait l'être autant que celle de Laurent Beaudoin.
Aucune n'allait devenir un chef de file mondial au même titre que
Bombardier.

Au Québec, on disait de Beaudoin qu'il était un «bâtisseur».
C'est sans doute là le plus beau compliment qu'on puisse faire à un
homme d'affaires. Il était doté d'une infatigable ambition, c'était un
négociateur hors pair et il faisait preuve d'une remarquable résistance aux fluctuations du marché. Son génie semblait découler d'un
apparent dédoublement de la personnalité. Il possédait l'audace d'un
cambrioleur et l'esprit calculateur et méthodique d'un comptable.
Non seulement il concevait des transactions à la fois incroyablement

risquées et avantageuses, mais il était aussi capable de gérer ses nouvelles ressources une fois ces marchés conclus. Un tel mariage de dons est plutôt rare. De nombreux entrepreneurs sont de mauvais gestionnaires, et d'excellents gestionnaires évitent de prendre des risques.

Yvan Allaire, le meilleur conseiller en gestion de Montréal, a été un témoin direct de ce phénomène. Il a guidé de nombreux chefs d'entreprises québécois et fut un proche conseiller de Beaudoin. Il a pu constater que Bombardier n'était pas seulement le produit des décisions audacieuses de son chef, mais aussi celui d'une gestion experte. «Cela fait toute la différence. Les entrepreneurs sont souvent très audacieux, mais ils tardent trop à engager des gestionnaires compétents; ils attendent d'avoir atteint un certain niveau de croissance, mais en raison de la taille de l'entreprise, ils ne peuvent plus rattraper leur retard[11].» Pendant les années de croissance de Bombardier, Beaudoin se distingua par son aptitude à agir avant que les affaires piquent du nez.

Une transaction désastreuse des années 1970 obsédait Beaudoin – son acquisition d'une entreprise en grave difficulté, le constructeur de locomotives MLW-Worthington, qui faillit causer la perte de Bombardier. Il voulait à tout prix éviter de commettre deux fois la même erreur. Il fit d'Allaire son alter ego, celui qui lui procurait un autre son de cloche, une contre-expertise dans ses décisions. Ils prirent l'habitude de discuter régulièrement de sa stratégie. «Je me souviens d'une des questions qu'il m'a posées: "Comment se fait-il que très peu de compagnies, dont General Electric, ont réussi à se diversifier sans se casser le cou alors que des tas d'entreprises échouent?"»

Le mot «diversification» devint son mot d'ordre. La mort imminente à laquelle avait échappé l'industrie de la motoneige en 1973 lui rappela que Bombardier pouvait rendre l'âme en tout temps. Pour assurer sa survie, il lui fallait édifier un empire à exploitation diversifiée qui lui permettrait de répartir ses risques. C'est donc en toute connaissance de cause qu'il s'engagea dans les transports en commun, les trains interurbains, les biréacteurs d'affaires, les turbopropulseurs régionaux, les avions de passagers. «Nous avons commencé à développer des principes stratégiques, se remémore Allaire. Comment augmente-t-on la valeur d'une entreprise à exploitation diversifiée? Que faut-il faire lors de l'acquisition d'une compagnie qui exerce ses activités dans un domaine nouveau pour nous?» Cette stratégie sauva plus d'une fois la vie de l'entreprise. Plusieurs des avionneurs et des fournisseurs de matériel ferroviaire qui faisaient concurrence à Bombardier ont déposé leur bilan. Grâce à la diversification de ses activités, Bombardier a résisté.

L'aptitude de Beaudoin à assurer à ce point la croissance de la compagnie tout en accordant un soin aussi particulier à la gestion de ses acquisitions émerveillait Yvan Allaire. «Je n'ai jamais pu revivre cette expérience avec un autre chef d'entreprise, et Dieu sait que j'en ai connus. Sa discipline, par exemple... Nous nous rencontrions une fois par mois uniquement pour parler de ces choses-là. Il me bombardait de questions et me donnait ainsi l'occasion de me surpasser. C'est un entrepreneur et un homme d'action, mais il a aussi beaucoup de respect pour les idées et les théories sensées qui ont fait leurs preuves. Il possède le don assez rare de percevoir l'interdépendance entre plusieurs éléments.»

Beaudoin était un bâtisseur – et sans doute ses méthodes étaient-elles quelque peu autocratiques – mais il a vite compris qu'on ne dirige pas une entreprise à exploitation diversifiée de la même façon qu'on gère une entreprise monoproductrice. Il a dû adopter un nouveau style de leadership. Il avait nommé des gens compétents à la direction de ses filiales et il devait leur accorder la liberté et l'autonomie nécessaires pour assumer leurs responsabilités de chefs d'entreprise. Il ne lui était plus possible de prendre toutes les décisions.

Mais il devait quand même chapeauter sa compagnie, développer un système de freins et de contrepoids qui puisse assurer la bonne marche de l'ensemble des opérations. Il lui fallait pour cela opter pour une approche différente en ayant, à la haute direction, un conseil d'administration solide mais suffisamment souple pour favoriser les échanges fructueux avec les conseils des sociétés filiales. L'entrepreneur-type s'entoure de béni-oui-oui qui exécutent servilement ses ordres. Beaudoin aspirait à une culture d'entreprise où l'on fait cas de l'opinion des cadres. Par exemple, à la suite d'un accord de mainmise, il est fréquent que la société acheteuse remplace l'équipe de gestion existante par une direction de son choix. Beaudoin se montrait plus respectueux de l'expertise des gestionnaires de la société absorbée. Laissés en place, ceux-ci n'avaient plus qu'à établir la preuve de leurs compétences.

Ce changement d'attitude n'a pas été facile pour Laurent Beaudoin. «À une certaine époque, se remémore Allaire, son type de gestion était assez interventionniste. Il voulait tout savoir, examiner et toucher tous les nouveaux produits. C'est très bien, mais… il lui fallait aussi admettre que les secteurs de l'aéronautique, du transport et des produits récréatifs de l'entreprise avaient à leur tête des experts confirmés[12].»

À mesure que la compagnie se développait, Beaudoin s'apercevait des dangers potentiels d'une trop grande diversification. L'éparpillement avait affaibli des conglomérats tel le Canadien Pacifique et le cours de leurs actions en avait gravement souffert. Il fallait que la somme soit supérieure à l'ensemble de ses parties, sans quoi un titre se transige en dessous de la valeur comptable de chacun de ses éléments et le marché décrète que l'entreprise déprécie son titre au lieu de l'apprécier.

Les principes de gouvernance mis au point par Beaudoin et Allaire allaient beaucoup profiter aux actionnaires. De 1988 à 1998, Bombardier a investi 5 milliards de dollars dans le secteur de l'aéronautique sans pour autant accroître de façon significative son niveau d'endettement et, à compter de 1991, sans procéder à de nouvelles émissions d'actions. D'où venait cet argent? Il s'agissait essentiellement d'autofinancement. La compagnie créait de nouveaux produits présentant un excellent potentiel de rendement, et les actionnaires en profitaient sans avoir à craindre une dilution de leur avoir. Bombardier ne finançait pas sa croissance par l'émission de nouvelles actions et elle avait la prudence de ne pas accroître son niveau d'endettement sur le dos de ses actionnaires.

Beaudoin avait aussi compris que, pour assurer la croissance d'une entreprise à exploitation diversifiée, il fallait en être propriétaire à 100 pour 100. Selon Allaire, bon nombre de ces entités commettent l'erreur de céder une partie de leurs intérêts à un actionnaire minoritaire tout en conservant une participation majoritaire. La présence d'un actionnaire minoritaire bloque la circulation des fonds. Si Bombardier avait vendu 25 pour 100 de son unité d'équipement de transport en commun, par exemple, les revenus de cette unité n'auraient pas pu servir au financement d'autres secteurs de l'entreprise. C'est là un principe à respecter si l'on veut accroître la valeur d'une compagnie à exploitation diversifiée. L'argent doit pouvoir circuler librement.

En plus de mettre au point une brillante stratégie de diversification, Beaudoin a eu la finesse de comprendre qu'il peut être extrêmement dommageable pour une entreprise de développer ses propres technologies. Il est de beaucoup préférable d'acquérir des licences d'exploitation de matériel pour ensuite le revendre. Tout a commencé par les véhicules de transport en commun : Beaudoin a eu accès à une technologie française pour la fourniture de voitures pour le métro de Montréal, et à une technologie japonaise pour le très important contrat du métro de New York. Cela s'est poursuivi dans le domaine de l'aéronautique, quand Bombardier a acquis de Canadair les plans du Challenger. Laurent Beaudoin a ainsi pu construire de tout, des véhicules militaires aux autobus scolaires. Il a même failli se lancer dans la construction automobile en Amérique du Nord en vertu d'un partenariat avec le fabricant japonais Daihatsu, mais cette initiative a avorté. Il a compris qu'une entreprise qui développe ses propres produits doit procéder par essais et erreurs, et composer avec un facteur de risque très élevé qui pourrait la précipiter dans un gouffre financier. La force de Bombardier, du moins au début, résidait dans la fabrication et la mise en marché, non pas dans la recherche-développement, même si l'entreprise a plus tard conçu ses propres voitures-passagers et de nouvelles versions de ses aéronefs.

Ce sont cependant les talents de négociateur de Laurent Beaudoin qui ont cimenté sa réputation. Comme tout bon joueur de poker, il savait quand baisser pavillon et quand jouer son va-tout. Il pouvait vous regarder dans les yeux et présenter sa dernière offre, certain que vous ne vous retireriez pas du jeu. Et il pouvait mettre fin de lui-même à la partie. Il se donnait toujours la possibilité de battre en retraite. Ses négociations avec différents gouvernements l'ont révélé dans toute sa force et ont été la clé de sa stratégie d'acquisition. Il a su repérer les sociétés qui n'inspiraient plus confiance au gouvernement et dont celui-ci voulait se débarrasser. Il a su y percevoir des facteurs valeur qui échappaient à l'attention de tous. Et il a su agir ainsi à une époque où les gouvernements étaient soucieux de privatiser leurs avoirs.

Beaudoin procédait toujours de la même manière dans ses négociations avec les instances dirigeantes : « Écoutez, disait-il, nous avons analysé votre situation. Voici ce qu'il vous en coûtera si vous poursuivez vos opérations, si vous vous retirez ou si vous fermez boutique. Rien ne vous empêche de fermer boutique, bien sûr. Si la perte d'emplois que cela entraînera ne vous fait pas peur, allez-y, fermez. Mais voici ce que cela vous coûtera.» Au bout du compte, le gouvernement dédommageait Bombardier puisque cette entreprise le débarrassait d'un bien encombrant. En général, la somme de la transaction équivalait à ce que lui aurait coûté la poursuite de ses activités.

En guise d'exemple, citons l'acquisition par Bombardier, en 1991, du constructeur ontarien de voitures pour transport par rail UTDC Inc. Le gouvernement de l'Ontario avait pris le contrôle de l'entreprise et sauvé 860 emplois après que le propriétaire précédent eut déclaré faillite. Beaudoin accepta d'acheter les usines de Kingston et de Thunder Bay pour la somme symbolique d'un dollar, et persuada le premier ministre néo-démocrate ontarien Bob Rae d'injecter 21 millions de dollars dans l'entreprise. Le premier ministre donna son accord à la condition que Beaudoin investisse à son tour 25 millions dans la modernisation des usines.

«Ce n'est jamais un jeu de gagnant-perdant pour lui», dit Rae, qui aida plus tard Beaudoin à faire l'acquisition de l'avionneur de Havilland, basé en Ontario. «C'est un excellent négociateur, car il sait qu'il s'engage ainsi dans des relations à long terme. Il est très important pour les deux parties de sentir qu'elles concluent un marché juste et équitable. Il suffit de se rendre aux usines UTDC de Kingston et de Thunder Bay pour constater que personne ne s'est fait exploiter. Bombardier a énormément investi dans la réfection complète des installations de production[13].»

Un autre exemple des talents de négociateur de Beaudoin est l'acquisition en 1989 de la société Short Brothers Plc (Shorts) des mains du gouvernement britannique. À l'époque, ce fabricant d'avions civils militaires et de composants aéronautiques s'était engagé à construire les ailes de l'avion de ligne Fokker 100. Mais il se débattait avec toutes sortes de problèmes et prévoyait de lourdes pertes. La production était en retard et la qualité laissait à désirer. Pour résoudre ces difficultés ou pour respecter ses obligations envers Fokker, le gouvernement britannique aurait dû débourser plusieurs centaines de millions de dollars. Selon l'accord de mainmise, ces sommes furent transférées à Bombardier. Beaudoin était très clair : il n'était pas question pour lui d'assumer les erreurs des autres.

Le rythme des acquisitions, des transactions et des marchés conclus par Beaudoin défiait toute logique. L'échafaudage des transactions qu'il semblait empiler ainsi les unes sur les autres menaçait toujours de s'écrouler, mais cela n'arrivait jamais. Au fond, cette folie apparente n'était pas dépourvue de méthode. Beaudoin était incapable de demi-mesures et jouer les seconds violons ne l'intéressait pas. Son plan était on ne peut plus simple : devenir le chef de file dans tous ses domaines d'activités. Pour ce faire, il lui fallait saisir vigoureusement les occasions qui s'offraient à lui. S'il laissait échapper la possibilité d'augmenter son actif ou ses ressources technologiques au moyen de telle ou telle acquisition, il échouerait. Et Beaudoin aspirait à devenir un magnat incontesté dans les secteurs du transport, des jets régionaux et des biréacteurs d'affaires.

Bizarrement, cette stratégie se révéla plus efficace pour Bombardier le chasseur que pour Bombardier la proie. « L'entreprise était un excellent joueur d'attaque ; elle savait prendre les devants dans tous les domaines », dit un ancien employé. Mais en dépit des aptitudes entreprenuriales de Laurent, elle ne parvenait pas à se hisser au rang de leader du marché. » Quand elle est devenue un chef de file du secteur des avions régionaux, elle s'est heurtée douloureusement à son plus proche concurrent, Embraer. Quand son acquisition d'Adtranz a fait d'elle le plus grand fabricant de matériel ferroviaire, elle a souffert d'une surproductivité massive et de prix de revient élevés[14].

S'il existe au Québec une aristocratie d'entreprise, incontestablement, Laurent Beaudoin en aura été le roi. Les récompenses et les prix qu'il a reçus, la déférence que lui a toujours manifestée le milieu des affaires, rien de cela n'a été égalé par une autre entreprise québécoise, même quand Bombardier a commencé à perdre du terrain. Cela est dû en partie à la noblesse de son maintien : c'est un homme de grande taille, imperturbable et réservé, avec un regard impassible et pourtant chaleureux. Ses traits, son expression et sa posture, tout, en lui, exsude le pouvoir.

Il pèse ses mots comme un souverain qui s'adresse à ses sujets du haut du trône. Et comme ces rois européens dont les fils et les filles contractaient des mariages avec les rejetons royaux de nations étrangères, Beaudoin a cultivé ses relations avec soin. Des hommes d'affaires influents ont siégé à ses conseils d'administration, notamment André Desmarais (fils de Paul Desmarais, fondateur de Power Corp., et beau-fils de Jean Chrétien), ainsi que d'anciens chefs politiques tels Peter Lougheed, l'ancien premier ministre de l'Alberta, ou Daniel Johnson, fils, qui fut premier ministre libéral du Québec. Comme tout souverain à la tête d'une dynastie, il a su entraîner son fils Pierre à lui succéder.

Les sujets du roi lui sont fidèles, car il leur parle et s'intéresse à leur travail. Il est très ouvert et chaleureux, du moins avec ses employés. « Il veut tout savoir et tout comprendre, dit Michel Lord, ancien vice-président, relations avec les investisseurs chez Bombardier. Il veut comprendre les aspects technologiques de notre production, si bien qu'il parle aux ingénieurs. Je me rappelle que, lorsque nous déambulions dans une usine, il s'arrêtait pour parler à un opérateur de machine s'il n'avait jamais vu tel ou tel type d'équipement, parce qu'il désirait en connaître le fonctionnement. Il disait souvent que s'il n'avait pas été comptable agréé, il aurait été ingénieur. Il adore la technologie et il est heureux quand il comprend comment ça fonctionne[15]. »

Le domaine de 80 acres de Laurent Beaudoin à Knowlton, dans les Cantons-de-l'Est du Québec, regorgeait de Ski-Doo, de Sea-Doo et de véhicules tout-terrains Bombardier. Il ne savait pas résister à l'envie d'en faire l'essai. Il aimait « toucher chaque nouveau produit, le palper, prendre part à sa création », disait-il. Il aimait participer à des courses de Sea-Doo sur la rivière Saguenay et devançait habituellement sans peine les autres concurrents[16]. Quand ses quatre enfants étaient encore adolescents, Beaudoin, son épouse Claire et les enfants n'hésitaient pas à enfourcher leurs Ski-Doo Blizzard pour se rendre de Knowlton à l'usine de Valcourt située à 35 kilomètres de distance. Quand prenait fin la saison de la motoneige, la famille avait encore d'autres jouets en plus d'une écurie et de chevaux. Beaudoin aimait pratiquer le sport des aristocrates, la chasse à courre, qui l'aidait à garder la forme[17].

Il se distingue par « son charisme et son leadership », dit Yvon Turcot, son associé de longue date. Quand on entre dans une pièce remplie de gens qu'on ne connaît pas, on sait tout de suite reconnaître qui est le chef. Non pas parce qu'il grimpe sur une chaise ou parce qu'il s'époumone, mais parce qu'on sent que c'est lui. Laurent Beaudoin est comme ça. Il n'éprouve aucun besoin d'imposer son autorité. Les gens veulent le suivre parce qu'il dégage beaucoup de charisme. Ils lui sont loyaux et fidèles, et c'est pour cette raison qu'il a confiance en eux[18]. »

Quand il a fait ses premiers pas hors du secteur familier de la motoneige, Beaudoin manquait un peu de fini et de subtilité. Mais, dit Turcot, «il s'est raffiné avec le temps et il a vite appris à décoder les mécanismes du gouvernement, les nuances de la politique, non seulement au Canada mais aussi à l'étranger». Il a généreusement contribué à la caisse du parti au pouvoir, qu'il s'agisse des conservateurs sous Mulroney ou des libéraux sous Chrétien. Il a su exercer efficacement des pressions auprès des représentants du gouvernement, mais il a toujours agi avec discrétion, jamais en public, toujours lors d'entretiens privés.

Il a un accent très prononcé lorsqu'il parle anglais, et sa syntaxe est un peu boiteuse, mais cela ne l'a jamais empêché de communiquer avec des hommes d'affaires du monde entier ou d'impressionner de jeunes analystes financiers de Wall Street. Son pouvoir de concentration est remarquable. «Il fixe sur vous son attention lorsqu'il s'adresse à vous, dit Michel Lord. Quand vous êtes en sa compagnie, vous devenez la personne la plus importante à ses yeux. Il veut être certain que vous saisissez parfaitement ce qu'il attend de vous. Sa discipline et sa très grande dévotion à ses projets ont beaucoup contribué à sa réussite. Il fera l'impossible pour vous aider à comprendre ses idées et les raisons qui les sous-tendent. Il fait preuve de cette même intensité dans ses négociations avec ses clients.»

Lord, qui a travaillé de très près avec Beaudoin, a pu constater le manque d'assurance de ce dernier lorsqu'il devait prononcer une allocution ou rencontrer les médias, et il a compris les motifs de ce malaise. Beaudoin était l'homme le plus dévoué à son entreprise que Lord ait jamais connu. Mais les mots, trop nuancés, ne lui venaient pas facilement. La limpide précision des chiffres représentait un terrain beaucoup plus familier à ce comptable agréé. Mais il planchait souvent des heures durant sur un bref discours avant de le juger satisfaisant.

«Quand je me suis joint à son équipe, j'ignorais tout de Bombardier et je devais écrire ses discours, se remémore Lord. Ce fut assez difficile, d'autant plus qu'au début il ne me prodiguait guère ses conseils ou son aide. Mais quand je parvenais à rédiger un premier jet et à le lui soumettre, il y consacrait toute son énergie et toute son attention[19].»

Les difficultés associées à la direction d'une entreprise mondiale ont commencé à lui peser. Il avait consacré sa carrière à Bombardier depuis l'âge de vingt-cinq ans; le rythme infernal de ses semaines de travail de quatre-vingt heures, les incessants déplacements en avion partout dans le monde, toute cette fatigue accumulée se faisait sentir. En 1988, il subissait un pontage. Son corps lui disait pour la première fois de cesser d'abuser de ses forces. Auparavant, il trouvait du temps pour jouer au tennis. Son physique d'athlète lui permettait facilement de frapper un smash qui écrasait son adversaire. Mais depuis que l'entreprise s'était diversifiée dans l'aéronautique et les services financiers, il n'avait pour ainsi dire plus de loisirs. Il était cloué à son bureau. Les responsabilités associées à la régie d'entreprise lui grugeaient à elles seules de 30 à 40 pour 100 de son temps.

Lors d'un entretien qu'il accordait au *Financial Post* en 1991, à l'occasion de sa réception du Prix du président-directeur général de l'année (*CEO of The Year Award*), il dit vouloir dompter ses tendances ergomanes et s'efforcer d'avoir une vie plus équilibrée. Il tenterait de prendre une journée par semaine de repos, d'entrer au bureau plus tard le matin et d'en sortir plus tôt. Il ferait davantage attention à sa santé afin d'éviter la sensation de pression qui comprimait parfois son thorax[20]. Mais il lui était difficile de lâcher prise. En dépit de son intention d'assurer l'autonomie des présidents de filiales, la société lui appartenait toujours. « Il m'était difficile de ne pas toucher à tout, de déléguer certaines responsabilités, dit-il. J'ai mis plusieurs années à changer. » Il gérait en quelque sorte son entreprise comme si c'était encore un simple atelier de mécanique de Valcourt. Bombardier était une entreprise si discrète, si réservée, si opaque qu'elle ressemblait parfois davantage à une société fermée qu'à une société cotée en bourse. Les analystes financiers étaient depuis longtemps incapables d'arracher des renseignements à Beaudoin ou à ses collaborateurs.

Par exemple, contrairement à d'autres sociétés cotées en bourse, ils ne pouvaient pas, chez Bombardier, contacter directement le chef des services financiers. « L'un des problèmes les plus graves de cette entreprise fut de ne pas savoir gagner la confiance des milieux financiers, dit un analyste chevronné qui avait suivi Bombardier pendant deux décennies. Le directeur financier est extrêmement important : c'est lui qui signe les états financiers. Quand il contacte les analystes pour leur dire " ici, c'est juste " ou " là, vous faites erreur ; on voit que vous n'avez pas parfaitement compris la situation ", il mérite la confiance du milieu. C'était une des rares sociétés cotées en bourse dont le directeur financier ne parlait jamais aux

gens de Bay Street. La compagnie filtrait les appels ; toute commu-
nication entre les analystes et le directeur financier était interdite. »
Manifestement, cette attitude remontait à l'époque où Laurent
Beaudoin faisait la loi.

« Beaudoin n'aimait guère le milieu financier et ce n'était un
secret pour personne, dit l'analyste. Selon moi, il le jugeait indigne
de son attention. Il était sans doute persuadé que, quoi qu'il fasse,
trop de gens ne comprendraient pas les motifs de ses décisions. Il
n'avait pas de temps à perdre avec ça. C'est difficile pour un vision-
naire tel que lui, pour un bâtisseur, pour un type qui a créé son entreprise de toutes pièces et qui a travaillé comme un esclave toute sa
vie de s'entendre dire qu'il fait fausse route. Sa réaction était de se
dire : "Ils n'y connaissent rien." Je crois que Laurent Beaudoin et le
milieu de la finance se détestaient. Le milieu de Toronto lui était
encore plus hostile. L'entreprise québécoise n'inspirait ni respect ni
confiance à ces gens-là. Beaudoin était convaincu qu'ils ne comprenaient pas vraiment ses intentions[21]. »

Le contrôle excessif de Beaudoin, son attitude exclusive, soule-
vaient aussi des interrogations dans d'autres domaines. « La gestion
de l'entreprise servait les intérêts de la famille ; j'irais même jusqu'à
dire qu'elle servait les intérêts de Laurent », nous confie un ancien
cadre de direction de Bombardier, ajoutant que Beaudoin manipulait
son personnel de façon à gagner sa loyauté. « Il a le don de comprendre
leurs forces. Il peut dire : "Ce type-là est très doué pour l'exploitation ; tel autre est naïf en matière de politique et il pourrait tôt ou
tard devenir vulnérable ; cette personne-ci est foncièrement loyale."
Avec le temps, la fine fleur se distingue toujours, le bon grain se
sépare de l'ivraie et Laurent s'entoure de collaborateurs extrêmement dévoués. Quand vous faites partie de son cénacle, vous savez
que vous dépendez de lui[22]. »

Le bras droit de Laurent Beaudoin n'a jamais eu la tâche facile.
Raymond Royer, un cadre de direction extrêmement compétent qui
avait gravi les échelons du secteur des motoneiges jusqu'à devenir
président et directeur de l'exploitation, a assuré pendant des années
la bonne marche de l'entreprise. Beaudoin, qui pouvait s'en remettre
à lui et se consacrer à ses stratégies, lui accordait toute sa confiance.
Leur association a marché comme sur des roulettes jusqu'au jour où
Beaudoin a décidé d'offrir à son vieil ami et conseiller Yvan Allaire le
poste de vice-président exécutif, stratégie et affaires corporatives.

Cette situation n'était guère confortable et elle ne dura pas long-temps. Selon un ancien collègue de Royer, la présence d'Allaire et la familiarité de ce dernier avec le grand patron irritaient Royer qui aspirait à devenir chef de la direction. Allaire hérita certaines des responsabilités de Royer. « Royer n'avait aucunement envie de se battre avec ça. » Il remit sa démission en 1996 et devint chef de la direction de la papeterie Domtar, à Montréal, où sa réussite fut éblouissante. Son départ fut une grande perte pour Bombardier et affecta grandement l'orientation de la compagnie.

La direction de Bombardier ne fut pas remise en question quand le cours de l'action grimpa au-dessus de 32 $ en 2000 et que l'avoir de la famille oscilla dans les alentours de 6 milliards de dollars. Deux ans plus tard, l'action avait chuté sous les 3 $. Bien entendu, les quatre enfants Bombardier et leurs familles avaient déjà depuis longtemps encaissé une partie de leur fortune et ils disposaient de tout l'argent dont ils pourraient jamais avoir besoin. Ce revirement de situation fut néanmoins dévastateur pour eux. Aux dires de Beaudoin, ce n'était pas la perte d'argent qui les affectait mais la perte de leur rêve et le fait de devoir affronter le public pendant que la réputation de Bombardier s'en allait à vau-l'eau.

« C'était dur, mais cet argent-là n'existait que sur papier ; nous n'en avions pas profité. Votre fortune monte, puis elle descend. Un jour, vous valez 200 milliards et le lendemain vous n'en valez plus que deux, mais ça ne change pas grand-chose à votre style de vie sauf que l'on dit un jour de vous que vous êtes très riche et le lende-main que vous l'êtes beaucoup moins. Au bout du compte, ce que la famille désire c'est la réussite de l'entreprise. Ce que les gens disent de Bombardier, de sa chute, voilà ce qui est le plus doulou-reux. Je connais bien le topo. Ceux qui vous mettent sur un piédestal un jour sont les mêmes qui vous crucifient le jour d'après[23]. »

Pendant que Bombardier trébuchait, les actionnaires voyaient de plus en plus d'un mauvais œil que la famille contrôle la compa-gnie. On s'inquiétait de savoir pourquoi les gestionnaires de profes-sion ne se voyaient pas confier davantage de responsabilités. C'était un problème complexe qui soulevait beaucoup les passions chez les actionnaires et dans le public. La famille avait été à bien des égards des propriétaires modèles, des personnes discrètes et dévouées, et qui avaient généreusement consacré une partie de leur fortune à des œuvres de bienfaisance par l'entremise de la fondation familiale. Il était étonnant qu'une famille aussi fortunée attire aussi peu l'attention sur elle-même.

Ces valeurs leur avaient été inculquées par Armand, un fervent catholique, dont l'imposante maison de brique rouge en plein cœur du village était voisine de l'église Saint-Joseph de Valcourt. Si vous parcourez aujourd'hui les rues de Valcourt, vous passez non seulement devant le Musée Joseph-Armand Bombardier, devant le Centre culturel Yvonne Bombardier (du nom de l'épouse d'Armand) et à travers le parc industriel Germain Bombardier, vous longez également des centaines de maisons aux pelouses manucurées, et cette prospérité est entièrement attribuable à la famille Bombardier. Valcourt est une petite municipalité modeste et laborieuse, un lieu où les valeurs familiales sont profondément enracinées.

Mais quand le cours de l'action se mit à dégringoler, les investisseurs de Toronto ou de New York n'eurent pas conscience de cet aspect de l'histoire. Ils concentrèrent plutôt leur attention sur les deux classes d'actions votantes, celles qui donnaient à la famille dix droits de vote par action et celles qui accordaient un seul vote aux autres actionnaires. Stephen Jarislowski, un gestionnaire de fonds de Montréal qui est aussi un ardent défenseur des droits des actionnaires, vit dans ce partage inégal une situation d'«apartheid» et laissa clairement entendre qu'au sein de compagnies telles que Bombardier le contrôle familial de l'entreprise avait cessé d'être un avantage pour devenir un inconvénient majeur.

Beaudoin s'est toujours efforcé de souligner les aspects positifs d'une mainmise familiale sur les affaires de la compagnie. Il a fait valoir un point de vue selon lequel, aux États-Unis, les gestionnaires ne possédant qu'un petit portefeuille d'actions se comportent parfois comme si l'entreprise leur appartenait; par conséquent, la situation de la société est beaucoup plus suspecte. Chez Bombardier, les héritiers du fondateur siègent au conseil et occupent des postes de direction. Leur propre investissement est en jeu. Est-ce que cela ne garantit pas qu'ils veillent sur les intérêts de tous les actionnaires? Qui plus est, en vertu d'une clause de protection de l'acte de constitution de la compagnie, ils ne sont pas autorisés à vendre leur participation dans l'entreprise sans que tous les actionnaires reçoivent la même offre, de sorte que tous bénéficient d'une protection égale.

Les intervenants dans le domaine de la gouvernance d'entreprise et les actionnaires institutionnels ont jugé cet argument complaisant. Les deux classes d'actions leur apparaissaient comme un moyen d'empêcher une prise de contrôle et de freiner par conséquent le cours de l'action. Ils ont insisté pour que des administrateurs indépendants siègent au conseil afin d'empêcher que les décisions de la famille aient pour seul but de perpétuer la mainmise familiale sur la compagnie. Au moment de l'entrée en fonction de Paul Tellier, l'opinion générale voulait que le conseil d'administration soit la marionnette de Laurent Beaudoin. Les analystes reprochèrent vertement à Beaudoin d'avoir pris sa décision sans en informer le conseil.

Beaudoin a toujours dit que le contrôle familial de l'entreprise lui avait permis d'être plus catégorique. Quand on n'est pas certain de recueillir l'assentiment des actionnaires, on est sans doute porté à éviter les acquisitions et les transactions risquées. Quand on sait qu'on doit convaincre quantité d'investisseurs institutionnels qui détiennent chacun 2 pour 100 des actions en circulation du bien-fondé d'une décision, on hésite quelque peu à lancer un nouveau produit aussi coûteux que le biréacteur d'affaires Global Express ou à transiger la prise de contrôle d'une entreprise de transports telle la firme allemande Adtranz. Beaudoin a donné le feu vert à bon nombre de transactions justement parce qu'il bénéficiait de l'appui du conseil et des actionnaires majoritaires.

Beaudoin et Yvan Allaire ont également avancé des arguments nationalistes. Si la famille n'avait pas détenu le contrôle, dirent-ils, une firme américaine attirée par un avantageux taux de change aurait eu vite fait d'absorber Bombardier. Sans Bombardier, le Canada n'aurait jamais pu devenir un chef de file mondial de l'aéronautique et des transports en commun. «Voulons-nous vraiment, dit Allaire, rebrousser chemin jusqu'aux années 1950, quand nous n'étions que les succursales de géants américains et que toutes les décisions se prenaient aux États-Unis? Politiquement parlant, ça ne peut pas arriver.»

La division du capital social en deux classes d'actions était un moyen très couru au Canada pour empêcher les fusions de se produire. Mais les Américains avaient eux aussi mis au point un large éventail de mesures visant à empêcher les fusions. «Les États-Unis n'étaient pas exactement une Mecque du libre-échange», signale Allaire. En outre, dit-il, les investisseurs qui souhaitaient une fusion qui influence à la hausse le cours de l'action faisaient preuve d'une certaine hypocrisie. Ils avaient acheté ce titre en sachant parfaitement qu'une mainmise sur le contrôle de la compagnie ne faisait pas partie du marché. « Vous avez acheté ces actions en sachant que toute possibilité d'appréciation en raison d'une fusion était exclue et maintenant vous la voulez[24] ? »

Pour Laurent Beaudoin, Bombardier serait toujours une entreprise essentiellement familiale et les actionnaires devraient se faire à cette idée.

Quand il nomma son fils au poste de président et chef de l'exploitation du groupe aéronautique quelques semaines à peine après les attentats du 11 septembre 2001, le message était clair. L'avionnerie traversait sans doute la pire crise de son histoire et Pierre, alors âgé de trente-neuf ans à peine, était de toute évidence un néophyte. Il avait accumulé de l'expérience dans le secteur des produits récréatifs où il avait mis au point la populaire gamme de véhicules marins Sea-Doo. Mais il avait eu beau démontrer sa valeur en hissant son secteur hors d'un grave déclin dans les ventes de motoneiges et de motomarines, prendre la direction d'une avionnerie était une tout autre histoire. Le groupe aéronautique qu'il s'apprêtait à diriger était le troisième en importance sur la planète. Manifestement, son père le soumettait à un examen. Et manifestement, il l'entraînait à le remplacer un jour à la tête de Bombardier.

« J'ai été élevé dans une entreprise familiale », dit Pierre. Il a étudié les relations industrielles à l'Université McGill puis il s'est occupé de deux entreprises commerciales avant de se joindre à Bombardier à la fin des années 1980. « Je crois que les affaires m'attirent et m'intéressent aujourd'hui parce que j'ai toujours été en contact avec une entreprise familiale, et parce que j'ai su très tôt qu'il s'agissait d'un travail passionnant et rempli de défis. » Lorsqu'ils étaient enfants, Pierre et ses trois sœurs écoutaient chaque soir leur père parler de la compagnie autour de la table familiale et ils l'accompagnaient parfois dans ses visites des usines. « J'ai eu la chance de voir un brillant entrepreneur à l'œuvre dans l'édification d'une société exceptionnelle. Mon père est profondément engagé dans ce qu'il fait et il adore son travail. » Quelle leçon Laurent a-t-il transmise à Pierre ? « Il m'a appris à ne jamais capituler. En affaires, il y a toujours des hauts et des bas. Il ne faut pas que les hauts nous exaltent et que les creux nous démoralisent. Quand on a une idée en tête, il ne faut pas se laisser désorienter[25]. »

Mais en 1998, à l'âge de soixante ans, Laurent Beaudoin semblait en avoir soupé des hauts et des bas et il accepta plus volontiers de confier son entreprise à une gestion externe. Il démissionna de son poste de chef de la direction et nomma pour le remplacer le président du groupe aéronautique, Bob Brown. Ce faisant, il prenait en charge sa santé et préparait sa succession.

Il s'avéra au bout du compte que son geste avait pour but de calmer les esprits. « Brown a assumé ses fonctions en toute connaissance de cause, dit un ancien membre du bureau de la direction. Tous ceux qui fréquentaient les bureaux de la direction savaient hors de tout doute que Laurent menait le bal. Il était président du comité des affaires financières et du contrôle interne, et président du conseil. Cinq conseils se partageaient la direction de l'entreprise et il était à la tête de chacun. Il est impossible que Bob n'ait pas su quelles seraient les limites de son autorité. »

Selon cette source, le marché convenait aux deux hommes. L'âge et l'état de santé de Beaudoin inquiétaient le milieu boursier, si bien qu'une passation des pouvoirs paraissait être une bonne idée. Beaudoin pouvait se retirer des affaires en pleine gloire. Brown occuperait son poste, profiterait de toutes les réussites de l'entreprise et bénéficierait d'options d'achat d'actions pouvant valoir plus de 20 millions de dollars. Mais Brown n'ignorait pas que Beaudoin n'allait pas lever l'ancre de sitôt et il était parfaitement conscient de l'étendue très circonscrite de son autorité[26].

Pendant un an ou deux, cet arrangement se déroula en souplesse. Mais quand Bombardier se mit à piquer du nez, il devint évident que la capacité de Brown à redresser la situation était extrêmement limitée. Les conditions de l'engagement de Paul Tellier furent très différentes. Tellier accepta le poste qui lui était offert à la stricte condition qu'on lui consente les pleins pouvoirs. Malgré tout, les frictions n'ont pas épargné la haute direction de l'entreprise pendant que celle-ci cherchait à se tirer d'un très mauvais pas.

Quels qu'aient été les coups de maître de Beaudoin, quelles qu'aient été ses réussites quand il jouait l'avenir de l'entreprise pour un nouvel investissement ou pariait sur une fusion dont personne ne voulait, son succès fut quelque peu terni par la rumeur voulant que ses victoires n'auraient pu avoir lieu s'il n'avait pas reçu l'aide du gouvernement. Si éblouissantes qu'aient été ses réussites – et reconnaissons que personne ne peut édifier un colosse tel Bombardier sans être pourvu de dons exceptionnels et d'une détermination à toute épreuve – sa carrière l'a amené par intermittence à courtiser le gouvernement. Ses marchés et ses partenariats avec les contribuables l'ont rendu très vulnérable à la critique et l'on n'a pas hésité à lui reprocher d'avoir eu injustement accès aux fonds publics.

Si l'on se penche sur la carrière de Laurent Beaudoin, il n'est pas facile de distinguer les fonds publics de ses avoirs personnels. Le secteur public canadien est vaste et le soutien aux entreprises très répandu, que ce soit sous forme de crédits d'impôts, de subsides, de soutien à la recherche ou de financement à l'exportation. Il faut tenir compte de la nature des activités de Bombardier. Les industries aéronautique et du transport-passagers du monde entier bénéficient depuis longtemps des appuis de l'État. Inévitablement, le fait que Bombardier soit située au Québec a délié les langues : le Québec est un récipiendaire privilégié du soutien financier d'un gouvernement fédéral complaisant. Cette réalité géographique a contribué à compliquer la vie de Laurent Beaudoin en le mêlant à des questions d'unité nationale et en faisant de lui la cible de critiques issues autant du reste du pays que du camp souverainiste québécois. Au bout du compte, il était responsable envers ses actionnaires : il avait le devoir de négocier pour eux les meilleures conditions possibles ; si le gouvernement avait envie de se délester de son argent par la même occasion, tant mieux.

Néanmoins, la très grande importance de Bombardier et le fait que l'entreprise ait profité aussi largement des fonds publics en ont fait une cible facile. Pour comprendre les raisons de ce phénomène, il importe de remonter aux sources.

CHAPITRE 3

Quand il neige

Joseph-Armand Bombardier dut attendre 1959 pour réaliser son rêve d'une motoneige personnelle. Trouver un moteur suffisamment puissant pour actionner un petit véhicule avait été sa plus grande difficulté. Mais les progrès technologiques dans ce domaine lui vinrent en aide et, après avoir mis un véhicule récréatif à l'essai sur les terrains enneigés des environs de Valcourt, Armand put mercatiser son invention. Au cours de l'hiver 1959-1960, L'Auto-Neige Bombardier Limitée vendit 225 motoneiges au prix de 1 000 $ chacune.

Armand donna le nom de Ski-Dog à sa création, mais dans un dépliant publicitaire de l'entreprise, une erreur typographique transforma en « o » le « g » final, ce qui ne déplut pas à Armand : le nom de Ski-Doo resta. En 1963, la compagnie connut un succès fou avec un chiffre d'affaires annuel de 10 millions de dollars et un bénéfice de 2 millions.

À l'aube des années 1960, les sociologues prédisaient l'avènement d'une société des loisirs : la classe moyenne aurait le temps et les moyens de s'adonner à ses activités récréatrices préférées. On n'hésiterait pas à acquérir le joujou à la mode – la motoneige –, à se procurer d'élégantes tenues sportives et à filer à travers bois (en s'efforçant de ne pas heurter un arbre de plein fouet : la motoneige est vite devenue un passe-temps risqué et, en dépit des messages de sécurité que diffusait l'entreprise, il y a eu chaque année plusieurs accidents mortels). Au cours des dix années qui ont suivi, le terme « motoneige » est devenu courant, de même que le générique anglais « skidoo », dérivé de la marque déposée du véhicule. Cette lexicalisation (fautive en français) allait se reproduire vingt ans plus tard avec les patins à roues alignées Roller-Blade.

Lorsque Laurent Beaudoin assuma la direction de l'entreprise après le décès d'Armand, le marché était férocement concurrentiel. En 1969, l'industrie de la motoneige comptait 75 entreprises et une production annuelle de 400 000 véhicules. L'industrie se mondialisait rapidement, ainsi que le démontre le fait qu'en 1969, la réunion du personnel vendeur des entreprises distributrices de Bombardier eut lieu en Finlande, dans la petite ville de Rovaniemi, réputée pour être la capitale mondiale des rennes. Les nomades lapons avaient découvert la motoneige dont plusieurs modèles s'offraient maintenant à eux : l'ultrarapide Blizzard, l'utilitaire Alpine, la sportive Olympique ou la luxueuse Nordic.

La demande ne cessait de grimper et Beaudoin tentait désespérément d'accélérer la production. En 1969, il décida de faire de Bombardier une compagnie ouverte : l'inscription du titre à la cote officielle des Bourses de Montréal et de Toronto lui permit de réunir du capital en vendant deux millions d'actions. C'est à cette occasion qu'ont été instaurées les deux classes d'actions votantes – les actions de la famille, assorties de multiples droits de vote, et les actions du public.

Armand avait clairement fait connaître son intention de sauvegarder l'entreprise familiale. Beaudoin révéla plus tard que la famille avait reçu plusieurs offres d'achat dans les années 1960 et 1970, notamment de Chrysler et de Ford, mais qu'elles avaient toutes été rejetées par respect pour la mémoire du fondateur. La répartition du capital social en deux catégories d'actions assurait, dit-il aussi, la survivance du rêve familial.

Il était parvenu à mettre sur pied une société verticalement intégrée. Il y avait un centre de recherche et développement où 160 ingénieurs et techniciens perfectionnaient de nouveaux modèles, des usines d'approvisionnement, appartenant toutes à Bombardier, qui fabriquaient des composants tels que les rails, les sièges, le caoutchouc et la fibre de verre nécessaires à la production. Beaudoin avait amorcé l'érection de la multinationale en faisant l'acquisition de Lohnerwerke, un motoriste autrichien établi à Vienne, qui construisit les moteurs Rotax des motoneiges Bombardier.

La transaction semblait promise au succès, En 1971, les ventes atteignirent le chiffre phénoménal de 165 millions de dollars, et les profits celui de 16 millions de dollars. Le jaune et le noir caractéristiques des motoneiges Bombardier étaient partout visibles. Cette stratégie n'avait qu'un défaut : elle était centrée sur un produit de consommation unique. Qu'arriverait-il si les goûts de la population changeaient et que les ventes de motoneiges ralentissaient ? Quel serait le sort de l'investissement de la famille ? Certes, on avait tenté quelques percées dans d'autres produits, notamment une motocyclette tout-terrain et un scooter aquatique (celui-ci fut abandonné à la suite d'études de commercialisation). Mais la dépendance de Bombardier à la motoneige rendait l'entreprise d'autant plus vulnérable que l'industrie était en période de surproduction et que le marché frôlait la saturation.

Ces problèmes se cristallisèrent à l'hiver 1973. Le temps doux aux États-Unis liquéfia les ventes au sud de la frontière au moment même où des surplus d'inventaire encombraient les entrepôts et les salles de montre des concessionaires. Puis, la crise de l'énergie de 1973-1974 assena le coup de grâce. Le prix de l'essence monta en flèche, l'économie entra en récession et les dépenses de consommation dans le domaine de la motoneige s'évaporèrent. Certains manufacturiers se virent contraints de déposer leur bilan tandis que Bombardier dut pour sa part assumer des pertes très lourdes, de l'ordre de 9 millions de dollars en 1974. Le rêve d'Armand tournait au cauchemar.

« Toutes les mauvaises nouvelles nous tombaient dessus en même temps, se rappelle Beaudoin. Nous venions à peine d'investir dans l'organisation d'un réseau de pistes quand un ensemble de facteurs se sont mis à affecter nos ventes : le prix de l'essence, le bruit, la pollution, le chaos général qui régnait dans l'industrie en raison d'une concurrence trop forte. La construction annuelle a chuté de 170 000 véhicules à 70 000. Vous devinez ce qui se passe quand une entreprise tout entière dépend d'un seul produit. Nous avons dû réduire nos effectifs, rapetisser l'entreprise. Je me demandais ce que diable nous allions devoir inventer pour nous en tirer. Nous avions fait quelques tentatives de diversification, notamment dans les motocyclettes, mais cela ne compensait pas du tout les pertes que nous subissions dans notre secteur de prédilection[1]. » Tandis que la famille désespérait de l'avenir de l'entreprise familiale, Beaudoin comprit que, pour survivre, la compagnie n'avait d'autre choix que de se diversifier.

C'est alors que Beaudoin reçut la visite surprise du maire de Montréal, le légendaire Jean Drapeau. Drapeau avait mis Montréal sur la carte du monde grâce à Expo 67 d'abord, puis grâce à la tenue des Jeux Olympiques d'été de 1976. Fin 1973, Montréal voulait amé-liorer et agrandir son réseau de métro afin de faire face à l'affluence des usagers pendant les Olympiques. La ville envisageait l'acquisi-tion de plus de 400 nouvelles voitures de métro.

« Le maire Drapeau m'a rendu visite et m'a dit : "Écoutez, c'est un secteur que vous devriez envisager." Nous étions réputés pour construire des véhicules, et puisqu'une seule autre entreprise sem-blait intéressée au métro (Canadian Vickers, qui avait construit les premières voitures du métro de Montréal en 1966), le maire souhai-tait la participation d'autres soumissionnaires. "Ça pourrait être une bonne affaire pour vous", dit-il. »

Quelques années auparavant, Beaudoin avait fait l'acquisition du motoriste autrichien Rotax en même temps que de sa société hol-ding, Lohnerwerke, qui construisait des tramways pour la ville de Vienne. « Nous n'étions pas censés garder cette compagnie. Il avait été convenu que le propriétaire nous la rachetait au bout d'un an. Mais il a changé d'avis, si bien que nous l'avons gardée. Nous avions quelques notions de la construction des véhicules de transports en commun. Pendant la crise énergétique, au lieu d'abandonner ses voies de tramways, la ville de Vienne opta pour une remise à neuf des voitures et nous demanda si nous nous en chargerions. Ensuite, elle parla de commander de nouveaux trams. Tout cela avait lieu parallèlement à ce qui se passait à Montréal. Puis, le maire Drapeau nous encouragea à lui présenter une soumission. Nous avons bien saisi le message que nous lançaient ces différents indices. »

Beaudoin n'estimait pas incongru de passer de la motoneige aux voitures de métro. « Nous avions une expertise en soudure, en usi-nage, en formage des métaux ; ce sont les mêmes techniques qui ser-vent dans la construction de voitures-passagers. Il n'y avait là rien de nouveau pour nous. La seule chose que nous ne savions pas faire, c'était dessiner les plans des voitures, car elles étaient sur pneus. »

Lorsque la Ville de Montréal avait commandé ses premières voitures-passagers à la fin des années 1960, Canadian Vickers avait obtenu les droits d'exploitation de la technologie ayant servi à la construction du métro de Paris. Au moment de présenter une nou-velle soumission à la Ville de Montréal, Canadian Vickers ne jugea pas utile de renouveler cette licence. Beaudoin saisit l'occasion au vol. « Les Français m'ont approché. Ils avaient entendu dire que nous étions intéressés, et ils m'ont dit : "Nous pourrions vous consentir une licence d'exploitation, si vous voulez. " Nous avions obtenu les plans, nous avions l'expertise, il ne nous restait plus qu'à soumissionner. Nous avons préparé une soumission non seulement dans le but d'obtenir ce contrat mais aussi avec l'intention de développer une présence dans les transports en commun en Amérique du Nord[2].»

Beaudoin prit cette initiative lors de la montée du nationalisme québécois qui allait asseoir un nombre croissant de francophones à des postes de commande du monde des affaires. Dans les années 1980, ce phénomène reçut le nom de Québec Inc., et Bombardier en fut l'un des précurseurs.

Les revendications des Québécois en ce qui concernait la langue et le pouvoir prenaient leur source dans leur désir de contrôler leur économie. Les francophones avaient beau compter pour 80 pour 100 de la population de la province, ils étaient à peine parvenus à se tailler une place parmi les décideurs du milieu québécois des affaires. Les cicatrices attribuées à la discrimination linguistique étaient encore profondes lorsque les affaires et le commerce entraient en jeu. Bon nombre de séparatistes québécois *pure laine* se souvenaient qu'ils n'avaient pu, naguère, se faire servir en français au grand magasin Eaton's, dans le centre-ville de Montréal. D'autres se remémoraient amèrement le jour où Donald Gordon, le grand patron du Canadien National (CN), avait déclaré qu'il n'y avait pas de place pour des Québécois francophones à son conseil d'administration parce qu'ils n'étaient pas assez qualifiés.

Lorsque les libéraux de Robert Bourassa prirent le pouvoir en 1970, ils durent faire face au mouvement radical du Front de Libération du Québec. L'enlèvement et le meurtre du ministre Pierre Laporte, l'invocation de la Loi sur les mesures de guerre du gouvernement Trudeau et le déploiement des troupes canadiennes dans les rues, toutes ces images étaient profondément ancrées dans la conscience politique des Québécois. Ces événements et d'autres incitèrent le Parti libéral de Bourassa à adopter une position plus nationaliste dans le but de se gagner l'appui du mouvement séparatiste. Une conséquence de cela fut l'expansion du nationalisme économique.

Bourassa avait hérité certains organismes publics institués par son prédécesseur Jean Lesage, le père de la Révolution tranquille. Lesage avait créé le slogan «Maîtres chez nous» lors de la campagne électorale de 1960. Il avait axé sa campagne sur la nationalisation des sociétés électriques privées qui étaient alors entre les mains de l'élite anglophone. Sa détermination donna naissance à Hydro-Québec qui allait devenir le symbole même du nouveau nationalisme économique. Dans les années 1970, quand fut entreprise la construction du gigantesque barrage hydroélectrique de la baie James, ce service public fit la fierté des Québécois.

Tandis que les Québécois s'emparaient petit à petit des leviers de commande, Lesage mettait sur pied un fonds de pension des citoyens, la Caisse de dépôt et placement, qui avait pour mandat de promouvoir le développement économique du Québec, ainsi qu'une société publique de portefeuille, la Société générale de financement, qui devait investir stratégiquement dans les entreprises du Québec. Tous ces efforts coïncidèrent avec le bouillonnement de la vie montréalaise sous la gouverne de Jean Drapeau.

Dans un pareil climat de nationalisme économique, une entreprise québécoise comme Bombardier était vue comme la candidate locale de choix de la procédure d'appel d'offres pour les travaux du métro de Montréal. Mais Beaudoin était un outsider. Trois mois avant d'annoncer sa décision de participer à l'appel d'offres, la compagnie avait déclaré «ne pas avoir l'intention de soumissionner parce que nous ne sommes pas équipés pour faire ce travail». Quand Beaudoin présenta son offre, le montant de sa soumission frôlait les 117,8 millions de dollars, soit 138 000 $ de plus que la proposition de Canadian Vickers.

Non seulement l'offre la plus basse émanait-elle de Vickers, cette entreprise possédait en outre l'expérience, le savoir-faire et le personnel qualifié indispensables à ce travail. Mais la Commission de transport attribua le contrat à Bombardier. Un petit constructeur de motoneiges en perte de vitesse, sans aucune expérience dans l'industrie des transports en commun au Canada, était arrivé de nulle part pour présenter sa soumission et il avait empoché le contrat. D'où sortait-il? Bombardier annonça qu'elle construirait les voitures à son usine de La Pocatière, une petite ville de province, ce qui allait conférer un accent québécois au métro de Montréal. Laurent Beaudoin avait remporté la première des nombreuses victoires impossibles de sa carrière. Comment s'y était-il pris?

Il était facile de laisser entendre qu'il avait bénéficié d'une faveur politique. Mêmes les syndicats québécois, habituellement composés de fervents nationalistes, soupçonnaient qu'il y avait anguille sous roche. « Ça n'est rien qu'un tremplin politique ; la qualité en souffrira », alerta un représentant du syndicat des machinistes[3].

L'explication de la Commission des transports fut simple : la soumission de Vickers n'avait pas été retenue parce qu'elle incluait un dispositif d'attelage qui ne répondait pas aux spécifications des ingénieurs de la Ville de Montréal. Ridicule, rétorqua Vickers. La compagnie ajouta que les ingénieurs du métro l'avaient induite en erreur. Elle ajouta que cinq points de l'offre de Bombardier ne répondaient pas non plus aux normes du cahier des charges. Percevant dans l'affaire une « magouille politique », Vickers exigea la tenue d'une enquête publique[4]. Le Parti Québécois eut tôt fait d'envenimer les choses et d'accuser les membres du gouvernement Bourassa (qui défrayait une partie de l'agrandissement du métro) de détenir des actions de Bombardier.

Finalement, ces allégations de pratique répréhensible ne purent être démontrées. Beaudoin signala que, eût-il prévu un dispositif d'attelage moins coûteux, il aurait réduit sa soumission de 2 millions de dollars. Il s'était tout simplement conformé aux spécifications que tous les soumissionnaires avaient reçues[5]. « L'affaire a pris l'allure d'un conflit entre francophones et anglophones, se remémore-t-il. Vickers, qui était installée à Montréal, reçut beaucoup d'appuis de la part des maires des banlieues anglophones. Bombardier était un peu le profane, sorti du cœur du Québec francophone[6]. »

Certes, l'image d'un Québec qui se précipitait au secours d'un entrepreneur local en difficulté avait fait son effet, mais Beaudoin devait quand même respecter son contrat, ce qui n'était pas une mince affaire pour un constructeur de motoneiges. La responsabilité en fut confiée à Raymond Royer, qui fut nommé président de la nouvelle unité de transport-passagers et qui allait devenir l'un des plus importants artisans de la croissance de Bombardier. Royer avait été à l'emploi d'une firme rivale, Ski Roule, avant d'entrer chez Bombardier en 1974. Beaudoin et Royer se complétaient. Royer prit en charge l'exploitation, laissant ainsi Beaudoin libre de développer de nouvelles stratégies de croissance. Il se vit confier la responsabilité du réoutillage de l'usine de motoneiges de La Pocatière et de l'engagement de la main-d'œuvre pour la construction des voitures du métro. C'était une responsabilité énorme, mais elle porta bientôt ses fruits. En dépit des arrêts de travail et des problèmes syndicaux qui affectèrent les usines de La Pocatière, Bombardier respecta les délais de livraison des voitures du métro de Montréal. Ainsi, la compagnie acquit une excellente réputation dans le domaine des transports en commun et put participer à des appels d'offres partout en Amérique du Nord.

Au milieu des années 1970, Beaudoin convint qu'il avait besoin d'aide pour faire avancer l'entreprise. Âgé de trente-six ans, il n'avait jamais occupé un autre poste de direction. L'octroi du contrat pour le métro de Montréal avait été une véritable réussite, mais la gestion parallèle du secteur des transports en commun et de celui de la moto-neige s'avérait beaucoup trop contraignante. Beaudoin se dit qu'une personne possédant davantage d'expérience, qui puisse élaborer une stratégie de diversification et trouver le financement indispensable pour ce faire, assurerait l'équilibre et l'avenir de la compagnie. Beau-doin démissionna donc de son poste de président du conseil et enga-gea pour le remplacer un homme d'affaires montréalais de soixante et un ans, Jean-Claude Hébert, qui, par des fusions et des acquisitions, avait su doter Montréal d'une firme d'ingénierie très profitable.

Confier la gestion des affaires de sa compagnie à un homme tel Hébert était loin d'être typique de Beaudoin, qui avait toujours insisté pour toucher à tout. « Je connaissais Jean-Claude Hébert, se rappelle Beaudoin, parce qu'il siégeait avec moi au conseil de la Banque Nationale ; c'était un type très dynamique. Je lui ai dit : Je te donnerai un contrat de cinq ans comme directeur général ; moi, je demeurerai directeur de l'exploitation et je m'occuperai de l'unité des moto-neiges de Valcourt. Toi, tu dirigeras les autres secteurs et nous verrons comment Bombardier pourra diversifier ses activités. »

Aux dires d'Yvon Turcot, son conseiller de longue date pour les affaires publiques, la raison de cette décision était que « Laurent Beaudoin n'avait pas une très bonne réputation rue Saint-Jacques, dans le quartier des affaires de Montréal. Il était trop jeune, on ne le prenait pas au sérieux, les banquiers étaient un peu sceptiques. Voilà pourquoi il a engagé un type qui avait une bonne réputation, une solide expérience, la confiance des milieux de la finance. Mais il s'est trompé. Hébert a commis de graves erreurs[7]. »

La plus désastreuse de ses erreurs a sans doute été l'acquisition du constructeur de locomotives de Montréal, MLW-Worthington Ltd. Cette acquisition fut qualifiée à l'époque de coup de maître, car elle s'intégrait parfaitement à la nouvelle vocation de Bombardier dans le domaine du transport-passagers. MLW-Worthington, qui avait été achetée de sa compagnie-mère aux États-Unis, était le troisième constructeur occidental de locomotives diesels électriques. Bon nombre de pays en voie de développement avaient besoin de réseaux ferroviaires et le gouvernement canadien, par l'entremise d'Exportation et développement Canada (EDC) et de l'Agence canadienne de développement international (ACDI), était prêt à participer au financement.

Le gouvernement fédéral en était alors à faire de Via Rail son service national des trains de voyageur. MLW espérait offrir à Via le tout dernier cri en matière de technologie ferroviaire, soit le train LRC – le train léger-rapide-confortable. Le train LRC, un train pendulaire, avait été conçu pour s'incliner dans les virages, assurant ainsi aux voyageurs un trajet plus confortable et plus rapide.

« Hébert venait d'arriver quand il a acheté MLW, se remémore Beaudoin. Il jugeait que c'était là une bonne affaire ; il s'était souvent penché sur cette compagnie, il affirma la connaître par cœur et soutint que sa technologie viendrait compléter la nôtre. »

Mais ce n'était pas tout, à en juger par ce qui se passait en coulisse. Jean-Claude Hébert avait de très grandes ambitions et la transaction qu'il avait conclue devait être le premier échelon dans son érection d'un gigantesque conglomérat québécois. « Je veux créer une immense société apte à soutenir la concurrence à l'échelle mondiale », déclara-t-il aux journalistes. Avec la bénédiction du gouvernement québécois, il aspirait à associer aux secteurs de la motoneige et du transport par rail de Bombardier une compagnie de construction navale, Marine Industries Ltd., qui appartenait conjointement à la Société générale de financement du Québec et à la belle-famille du premier ministre Bourassa, la famille Simard[8].

Ce marché commode était typique du capitalisme d'État au Québec. Le gouvernement ayant identifié en MLW-Worthington une entreprise qu'il désirait mettre de l'avant, il fallait, comme première étape, que la SGF souscrive des actions de la compagnie pour une valeur de 6,8 millions de dollars. L'étape suivante consistait en une fusion entre le constructeur de locomotives et Bombardier Ltée – en réalité il s'agissait d'une prise de contrôle inversée où la plus petite des deux entreprises, MLW, avalait Bombardier. L'étape finale prévue était l'acquisition de Marine Industries. Mais les pourparlers avortèrent et l'entente ne fut pas conclue au moment même où Beaudoin s'inquiétait des problèmes auxquels faisait face l'usine de MLW dans l'est de Montréal.

Au bout du compte, l'acquisition de MLW n'avait pas été une si bonne idée. «MLW avait été une erreur magistrale, se souvient Yvon Turcot, et cette erreur était entièrement la faute de Jean-Claude Hébert. C'est lui qui avait convaincu Beaudoin d'accepter une prise de contrôle inversée. MLW était à l'agonie. La situation était très difficile. Je les avais accompagnés dans les pays où ils vendaient leurs locomotives; les seuls contrats qu'ils parvenaient à obtenir étaient ceux de l'ACDI. Personne n'achetait leurs produits à l'exception des gouvernements des pays en développement auxquels l'ACDI consentait des conditions favorables de financement.

«Les produits de MLW n'étaient pas de bonne qualité et nous avons commis l'erreur de ne pas remplacer l'équipe de gestion. Ça n'allait pas du tout dans les relations de travail; des marxistes-léninistes avaient infiltré le syndicat. À cette époque, les syndicats ouvriers de l'est de Montréal étaient très actifs; ils contrôlaient l'usine de MLW au point où, en deux ans, elle a été en activité pendant quatre ou cinq mois à peine[9].»

L'usine de locomotives était dans un piteux état, mais ce n'était pas tout. Un gouffre séparait la «culture d'entreprise», qui régnait au sein de la direction anglophone de MLW, des francophones de chez Bombardier. La stratégie globale de MLW, soit la vente de locomotives à des pays tels que le Pakistan ou le Nigeria grâce à des subsides de l'ACDI, était une bien mauvaise affaire en dépit de la décision qu'avait prise Laurent Beaudoin d'investir généreusement dans l'usine. La fiabilité des trains LRC n'avait pas été démontrée et toutes sortes de problèmes affectaient cette technologie. Si l'on tient compte des problèmes auxquels devait faire face MLW, «c'est un miracle que nous ayons pu survivre», note Turcot.

Les ennuis de MLW convainquirent Beaudoin d'investir dans de nouveaux secteurs d'activités. Le nouveau gouvernement séparatiste du Québec sembla lui en fournir l'occasion.

Le 15 novembre 1976. La scène se passe à l'aréna Paul-Sauvé, dans l'est de Montréal, où 7 000 supporteurs enthousiastes du Parti Québécois se sont rassemblés pour célébrer la victoire dérangeante de leur parti. On ne s'y attendait pas, mais les séparatistes sont parvenus à s'emparer du pouvoir et à bouter dehors le gouvernement Bourassa, détesté et très affaibli par les scandales.

Les fêtards ont envahi les rues où ils dansent, boivent de la bière et actionnent le klaxon de leurs voitures. Tandis qu'une mer de fleurdelysés s'agitent à l'intérieur de l'aréna, des larmes de bonheur coulent le long des joues des partisans du PQ, qui entrevoient enfin la réalisation de leur rêve d'indépendance nationale.

Le chef du parti, René Lévesque, est si bouleversé qu'il lui faut plusieurs minutes pour se remettre de ses émotions avant de prononcer son discours triomphal. La vedette de la télévision Lise Payette, candidate péquiste élue dans la circonscription de Dorion, paraît sur le podium en brandissant un balai pour bien montrer que le PQ a balayé les libéraux de Bourassa. Un psychiatre du nom de Camille Laurin, qui va bientôt devenir le père du très controversé projet de loi 101 qui deviendra la Charte de la langue française, a lui aussi été élu. Le parti, dit-il, a « vaincu notre manque de confiance en nous-mêmes. Le nouveau gouvernement est enfin celui que le Québec attendait depuis deux cent cinquante ans. »

En réalité, le PQ n'avait pas vraiment misé sur l'indépendance dans sa campagne ; il avait plutôt axé celle-ci sur la promesse d'un bon gouvernement. Dans les jours qui suivirent sa victoire, le reste de l'Amérique du Nord ne s'inquiéta pas tant de savoir si le Québec se séparerait du reste du Canada, mais bien si René Lévesque se révélerait être un nouveau Fidel Castro – un gauchiste bien décidé à nationaliser l'industrie privée et à provoquer l'arrêt des investissements étrangers. Mais bien que le PQ ait joui de nombreux appuis dans les milieux socialistes, Lévesque était déterminé à bien faire comprendre aux investisseurs étrangers, plus particulièrement aux Américains, que le Québec était toujours ouvert au monde des affaires. Il ne mentait pas, même si l'un des principes directeurs du PQ, qui consistait à « acheter québécois », semblait favoriser les entreprises basées au Québec.

Bombardier avait déjà subi les contrecoups des réactions indésirables que cette politique avait provoquées dans le reste du Canada. Le premier ministre de l'Ontario, William Davis, opta lui aussi pour une ligne de conduite préférentielle qui favorisait les entreprises ontariennes dans les négociations avec son gouvernement, et Bombardier en fut la première victime. À l'été 1977, Bombardier était le plus bas soumissionnaire pour la livraison de 190 tramways à l'Ontario. Mais le gouvernement Davis octroya le contrat d'une valeur de 38 millions de dollars à Hawker Siddeley Canada, bien que l'offre de cette entreprise ait été supérieure de 2,1 millions à celle de Bombardier. La raison de cet octroi était que Hawker Siddeley avait promis de construire les trams à son usine de Thunder Bay.

Beaudoin eut le sentiment d'avoir été pris à revers. Il avait spécifiquement demandé au gouvernement ontarien s'il s'agissait d'un appel d'offres ouvert et on l'avait rassuré sur ce point. Certains ministres péquistes tels Bernard Landry accusèrent le gouvernement ontarien de discrimination et quelques ministres fédéraux reprochèrent à l'Ontario d'avoir pris une décision irréfléchie qui risquait de nuire à l'unité nationale et de stimuler les séparatistes québécois[10]. Beaudoin, quant à lui, apprenait amèrement quels jeux se jouaient dans les coulisses du pouvoir.

C'est avec une confiance décuplée qu'il prépara une soumission pour un contrat potentiellement très rentable couvrant l'achat, par le gouvernement québécois, de 1 200 autobus scolaires. Bombardier envisageait de construire ces autobus à son usine de Valcourt sur des plans fournis par American Motors. Après le fiasco ontarien, l'affaire était dans le sac, il en était sûr. Après tout, l'article 1 du programme du PQ n'était-il pas un appel à l'indépendance du Québec? Ce programme ne multipliait-il pas les moyens, pour le gouvernement du PQ, de promouvoir et de développer l'économie québécoise?

Une chose était sûre: Bombardier avait désespérément besoin de ce contrat. Les livraisons de voitures-passagers pour le métro de Montréal tiraient à leur fin et l'entreprise n'avait rien d'autre en vue. La perte du contrat de trams en Ontario, le coûteux désastre de MLW, l'échec du plan de diversification de Jean-Claude Hébert, les problèmes chroniques qui affectaient le secteur de la motoneige, tout l'amenait vers une conclusion inévitable: si l'entreprise ne décrochait pas incessamment un contrat important, elle serait plongée dans l'eau bouillante.

L'autre soumissionnaire était la filiale canadienne de General Motors, mais on était certain, chez Bombardier, de se voir octroyer le contrat du PQ. «Ils nous avaient laissé entendre depuis le début que notre soumission serait très favorablement étudiée, se rappelle Beaudoin. Nous avions les plans d'American Motors et nous savions que nous étions en concurrence avec GM, mais, en principe, nous avions convaincu le Québec de choisir notre autobus. Ils ont dit "d'accord", notre autobus concurrençait celui de GM et les plans leur convenaient.»

Beaudoin était en route pour Montréal au retour d'un voyage en Autriche quand il entendit à la radio qu'un ministre influent s'apprêtait à annoncer officiellement l'octroi du contrat à GM. «J'ai dit: À quel jeu jouent-ils?» Il prit sur-le-champ la direction de Québec et s'en fut voir Rodrigue Tremblay qui était alors ministre du Commerce.

«Vous avez drôlement fait les choses, dit-il au ministre. Vous auriez pu nous prévenir! Pourquoi leur avez-vous octroyé le contrat?»

«Pas de panique, fit le ministre. Vous pouvez conclure un accord de sous-traitance.»

«Pas question, rétorqua Beaudoin. Si nous n'avons que la sous-traitance, nous serons encore et toujours que des bûcherons et des porteurs d'eau[11].»

Le contrat, d'une valeur de 93,5 millions de dollars avait été octroyé à General Motors pour une raison bien simple. Le gouvernement Lévesque souhaitait redorer son blason aux États-Unis et hausser sa cote de crédit à Wall Street, même si, pour y parvenir, il devait rejeter un des leurs d'un revers. Beaudoin était muet de rage.

C'était de toute évidence un désastre pour les relations publiques de Bombardier, la preuve par neuf que l'entreprise ne savait pas composer avec les péquistes de Québec. Yvon Turcot, un ancien journaliste de la radio et de la télévision, qui avait un excellent réseau de contacts et qui connaissait les membres du gouvernement Lévesque, fut le premier conseiller en affaires publiques que Beaudoin embaucha. Un ami commun les avait présentés l'un à l'autre. Beaudoin en vint droit au fait. Pouvait-il faire quelque chose pour récupérer le contrat des autobus scolaires?

«La situation était très grave, se remémore Turcot. Bombardier traversait une période extrêmement difficile. Le contrat des autobus scolaires lui aurait donné le même coup de pouce que lui donna quelque temps après le contrat du métro de New York, compte tenu de la dimension de l'entreprise.» Un lundi matin, Turcot donna plusieurs coups de fil à Québec, mais il comprit vite qu'il lui serait impossible de renverser la situation. C'est ce qui donna le coup d'envoi à un rigoureux programme d'action pour le développement des relations entre Bombardier et le gouvernement du Québec[12].

Le PQ se sentait justifié d'avoir octroyé le contrat à GM: leurs autobus étaient plus économiques et ils pouvaient accueillir plus de passagers que celui de Bombardier. GM s'était fait une réputation au Québec grâce à son usine de voitures de Sainte-Thérèse, au nord de Montréal. Qui plus est, GM avait fait la promesse de déménager au Québec son usine de montage de London, en Ontario. La compagnie avait aussi laissé entendre que de l'aluminium québécois servirait à la fabrication des moteurs de ses autobus.

En contestant la décision du gouvernement, Beaudoin pénétrait bien malgré lui dans le faisceau des projecteurs. Il n'avait jamais rencontré un micro qui lui plaise, les médias le mettaient mal à l'aise, ses rares discours étaient maladroits. Le premier geste de Turcot fut de lui faire écrire une longue lettre ouverte à René Lévesque, dans laquelle il décrivait en détail la manière dont la soumission de Bombardier aurait été avantageuse pour le Québec.

Les pressions de Beaudoin irritèrent Lévesque, surtout lorsqu'il affirmait que Bombardier avait soumissionné plus bas que GM. Il alla jusqu'à accuser l'entreprise d'avoir menti. Cette première approche en matière de relations avec le gouvernement fut un échec total, mais elle marqua le début d'une nouvelle phase pour l'entreprise. Turcot et Beaudoin jurèrent qu'on ne lèverait plus jamais le nez sur Bombardier. Le moment était venu de redorer le blason de l'entreprise au Québec; le moment était venu de faire en sorte que Bombardier soit pour les Québécois une source de fierté aussi grande que pouvait l'être Hydro-Québec. Ils se promirent de faire l'impossible pour que, la prochaine fois, le gouvernement ne puisse rien leur refuser.

La perte du contrat des autobus scolaires en 1977 s'intégrait à ce que Beaudoin qualifia plus tard d'«épreuve du feu». «Pour la première fois de ma vie, la compagnie stagnait. Avant, tout me réussissait. Puis la crise du pétrole de 1973 est survenue et tout a commencé à s'écrouler autour de moi du jour au lendemain. On ne peut pas ne pas se demander: "Où ai-je donc fait erreur?"»

La situation de Bombardier était désespérée et il fallait agir. Jean-Claude Hébert fut congédié de son poste de directeur général en avril 1978 et Beaudoin reprit les rênes du pouvoir qu'il n'aurait jamais dû déléguer de toute façon. L'échec d'Hébert révélait une faiblesse de Beaudoin: «Il ne savait pas choisir les bonnes personnes, dit Turcot; il nommait des gens à des postes qui ne leur convenaient pas. Bon nombre de présidents de corporations filiales n'ont pas tenu le coup.

«L'un d'eux n'est resté que 48 heures. Littéralement. Il dirigeait une installation industrielle sur la rive sud (du Saint-Laurent) quand

Beaudoin l'engagea comme président. Mais Beaudoin n'avait pas fait d'enquête. Le type était un peu toqué. Il avait de sérieux problèmes de personnalité. Chez son ancien employeur, il avait l'habitude de ramasser par terre de petits morceaux d'acier et de les lancer à la tête des employés de l'usine. Il est entré chez Bombardier un lundi matin. Je me souviens que j'étais dans le bureau de Beaudoin un mardi quand on vint lui remettre une lettre manuscrite. Laurent la lut et il devint blanc de craie. Son type venait de démissionner. Il avait été en poste deux jours, pas plus[13].»

Le traumatisme associé à la perte, évitée de justesse, de son entreprise fit ressortir les meilleures qualités de Laurent Beaudoin. Une fois redevenu président du conseil et chef de la direction, il se concentra beaucoup plus sur le développement des secteurs ferroviaires et du transport en commun. En 1977, l'entreprise se tailla une place au sein du gigantesque marché américain quand la ville de Chicago lui octroya un contrat pour la construction des voitures de ses trains de banlieue. La plupart des grandes villes américaines cherchaient à améliorer leur système de transports en commun. Le pari de diversification de Beaudoin semblait enfin porter ses fruits. Il mit sur pied une solide équipe de mercaticiens ayant pour fonction de dénicher des appels d'offres intéressants ; leurs efforts valurent à Bombardier des commandes en provenance de l'Oregon, du New Jersey et de la ville de Mexico.

Turcot s'efforçait entre-temps de réinventer son employeur : le timide et discret Laurent Beaudoin prononça plus souvent des allocutions lors de déjeuners d'affaires. Il se fit l'apôtre de l'innovation, insistant auprès de son public sur l'importance des transferts de technologies. L'économie du Québec ne serait jamais dynamique, disait-il, sans la présence d'entreprises telles que Bombardier, qui acquièrent régulièrement des technologies étrangères dans le but de les appliquer ici. Bombardier fut reconnue comme une entreprise à la fine pointe de la technologie, une entreprise susceptible de concrétiser l'avenir du Québec. À cette époque, le secteur recherche-développement de la société n'était guère actif et celle-ci se contentait d'acheter les droits d'exploitation de technologies développées par d'autres.

La constitution de l'image de marque de la compagnie se révéla rentable eu égard aux appuis gouvernementaux. Lorsque, en 1980, Bombardier annonça un programme d'investissement de 42 millions de dollars dans ses trois plus grandes usines du Québec, le ministère de l'Expansion économique régionale du Canada (MEER) lui accorda un subside de 7,5 millions de dollars et la Société de développement industriel du Québec y alla d'un prêt de 3,7 millions à faible taux d'intérêt[14].

Bombardier bénéficia d'une autre aubaine en 1981 : un contrat de 230 millions pour la construction de 2 700 véhicules utilitaires légers destinés à l'armée canadienne, sur des plans d'American Motors. Ottawa s'était débrouillé pour qu'une entreprise canadienne puisse profiter du marché des acquisitions militaires, de la même façon que Washington favorisait depuis belle lurette les entrepreneurs de contrats de défense américains. Un référendum sur la souveraineté avait été tenu au Québec l'année précédente. Le PQ avait souvent reproché au fédéral de ne pas lui donner sa part du gâteau et de ne pas aider suffisamment les entreprises québécoises. Le contrat des véhicules utilitaires fut suivi, en 1983, d'un contrat pour la construction d'un véhicule militaire tout-terrain, l'Iltis, que Bombardier construisit sur des plans acquis de Volkswagen. La commande de 1 900 véhicules, d'une valeur de 68 millions de dollars, allait occuper la main-d'œuvre de l'usine de La Pocatière pendant deux ans.

Mais Beaudoin avait quand même besoin d'un contrat majeur pour assurer l'avenir de la compagnie. Il avait besoin de frapper un coup de circuit qui ferait de Bombardier un véritable chef de file de l'industrie. Cette occasion lui fut donnée par le marché le plus concurrentiel qui soit, celui de New York. Beaudoin dut obtenir un apport du gouvernement pour être en mesure de sceller « le contrat du siècle », et cette transaction faillit déclencher une guerre économique entre le Canada et les États-Unis.

CHAPITRE 4

New York, New York

« *New York, New York – a town so nice they named it twice* » (New York, New York – Une ville si chouette qu'ils l'ont baptisée deux fois). Lorsque le chanteur de jazz Jon Hendricks écrivit ces paroles, il ne parlait pas du métro. Prendre le métro de Gotham dans les années 1980 était une véritable descente aux enfers. Les voitures vieilles de quelque trente ans étaient bruyantes et couvertes de graffitis. Les trois millions d'usagers qui empruntaient chaque jour ce système étaient aux prises avec un taux de criminalité élevé, la saleté, les retards, la congestion, les déraillements et les incendies occasionnels[1]. L'état déplorable du métro de New York rendait bien compte de la situation dramatique de la Ville elle-même : celle-ci avait frôlé la faillite et les sièges sociaux des grandes entreprises avaient commencé à déserter Manhattan.

C'est à Richard Ravitch qu'incomba la tâche de redresser la situation. En 1981, en sa qualité de président de la Metropolitan Transportation Authority (MTA – Commission du transport métropolitain), il élabora un plan quinquennal d'amélioration du réseau, évalué à 8 milliards de dollars américains. La première étape consistait à remplacer 1 150 voitures en état de décrépitude avancée. Il devait travailler avec un budget très serré, les coûts d'emprunt que devait assumer la Ville étaient élevés et ses fournisseurs éventuels exigeaient des prix excessifs. Ravitch se débattait avec ses problèmes habituels quand Bombardier vint frapper à sa porte.

Laurent Beaudoin avait retenu les services d'un habile mercaticien du nom de Carl Mawby pour vendre les équipements de transports en commun de Bombardier aux États-Unis. Mawby, un ancien officier britannique des parachutistes, planifiait son action avec une précision militaire. Il s'était adjoint une équipe énergique, capable d'identifier les besoins d'un client potentiel avant même que ce dernier ne s'en soit rendu compte. Désireux de participer à l'appel d'offres, Mawby était allé rencontrer Ravitch à New York. Il avait invité des directeurs de la MTA à visiter les usines de Bombardier à La Pocatière et celles de Barre, dans le Vermont. Les New-Yorkais aimèrent ce qu'ils y virent et, de coup de dés qu'elle avait été jusque-là, l'affaire entra dans le domaine des possibilités[2].

Bombardier avait agi au bon moment. Ravitch avait reçu deux soumissions pour une première commande de 325 voitures – la première de l'entreprise japonaise Kawasaki Heavy Industries et la seconde de Budd Co., une société allemande de Troy, au Michigan. En accordant sa préférence à Kawasaki, dont les voitures de métro étaient d'excellente qualité mais chères, Ravitch se dit qu'il pourrait conclure un marché plus avantageux pour les voitures restantes. Bombardier pouvait lui présenter un devis pour la construction de 825 voitures.

Il ne lui fut pas facile de répondre à toutes les attentes des New-Yorkais. Ravitch voulait les meilleures voitures, les délais les plus courts, le plus bas prix et les meilleures conditions de financement possible; il voulait en outre que la plus grande partie des travaux soit réalisée dans l'État de New York. Comment un *outsider* québécois pourrait-il jamais satisfaire de tels besoins?

Le défi était d'autant plus grand que plusieurs constructeurs d'équipements de transports en commun, incapable de réaliser des bénéfices de leurs ventes de voitures-passagers à la ville de New York, y avaient laissé leur peau. Le réseau délabré du métro bousillait les nouvelles voitures; les exigences techniques de la MTA étaient telles que le constructeur était tenu par contrat de verser toutes sortes de pénalités si quelque chose clochait. Et quelque chose clochait toujours. Cette fois, le cahier des charges de la ville de New York – qui exigeait, entre autres, la fermeture hermétique des portes – était aussi épais qu'une Bible.

En décembre 1981, Laurent Beaudoin prit l'avion pour New York et dîna avec Ravitch. Il n'y alla pas par quatre chemins: certaines conditions du contrat de la ville de New York étaient inacceptables, notamment l'imposition d'un prix fixe. En cette époque d'inflation galopante, c'était de la folie. Certains fournisseurs précédents de la

MTA avaient été avalés tout ronds par la hausse vertigineuse des coûts due à l'inflation. Beaudoin affirma qu'il ne signerait pas un contrat qui ne lui garantirait pas une certaine protection contre l'inflation. Une autre clause qui risquait de faire avorter l'affaire permettait aux ingénieurs de la MTA de faire irruption à tout moment dans les usines du constructeur pour interrompre la chaîne de montage si un aspect du produit leur déplaisait. «Je lui ai dit qu'on ne pouvait pas fonctionner comme ça[3].»

Enfin, Beaudoin assura à Ravitch qu'il serait impossible à Bombardier de respecter les délais de livraison exigés si l'entreprise devait en outre dessiner les plans des voitures. Pour livrer à temps, la solution consistait à négocier avec Kawasaki une licence d'exploitation de sa technologie. En réalité, ces négociations entre Bombardier et Kawasaki – qui avait renoncé à soumissionner la construction des voitures restantes – étaient déjà engagées. La signature d'une licence d'exploitation avec l'entreprise japonaise agréait à MTA, puisque la commission avait aimé les voitures lisses en acier inoxydable de Kawasaki, supposées résister à la peinture en aérosol et conçues pour décourager les vandales bombeurs qui s'acharnaient à couvrir de graffiti les voitures-passagers de son réseau[4].

Ravitch accepta les conditions de Beaudoin et Bombardier s'attela à la préparation d'une soumission. Une équipe dirigeante composée d'avocats, d'ingénieurs et de gestionnaires, stationnée au 42e étage de l'hôtel Hilton de New York, à une douzaine de pâtés de maisons des bureaux de la MTA sur Madison Avenue, examina à la loupe le cahier des charges de la commission. Ce pensum leur fut profitable. Ils n'ignoraient pas que des fournisseurs de la MTA, contraints d'honorer certaines clauses pénales de leur contrat, y avaient perdu leur chemise. Quels qu'aient été les problèmes que la Commission du transport ait eu à affronter dans le passé, elle n'avait fait de cadeau à personne, préférant interrompre ses paiements ou exiger la suspension des livraisons. Cette fois, l'équipe de Bombardier résolut d'inclure dans le contrat une clause d'arbitrage qui forcerait la MTA à négocier en cas de litige[5].

Mais Bombardier affrontait une forte concurrence. Ravitch négociait aussi avec Francorail, un consortium français, ainsi qu'avec l'entreprise sous contrôle allemand Budd Co., l'un des derniers constructeurs étrangers établis aux États-Unis. Francorail était le concurrent le plus sérieux puisque le gouvernement français appuyait son offre. La

France était réputée dans le monde entier pour la manière dont elle soutenait ses exportations par des conditions de financement très avantageuses. Pour que Bombardier se voie octroyer le contrat de New York, il lui faudrait convaincre Ottawa de lui procurer un soutien équivalent à celui du gouvernement français.

C'est là qu'Exportation et développement Canada (EDC) entra en scène. EDC prêtait aux acheteurs étrangers d'exportations canadiennes. L'organisme avait secondé Bombardier dans sa vente de locomotives MLW aux pays en développement. En 1981, le financement consenti par EDC avait aussi été déterminant dans l'obtention, par Bombardier, d'un contrat pour la construction de 180 voitures pour le métro de Mexico. Ed Lumley, qui était alors ministre du Commerce, avait fait une demi-douzaine de voyages au Mexique pour plaider la cause de Bombardier. «C'était la première fois que je rencontrais Laurent Beaudoin, se remémore Lumley, et il était furieux contre moi. Nous avions appuyé le gouvernement de la Colombie-Britannique dans un projet de transports en commun, mais Bombardier avait été exclu de l'appel d'offres.»

Après que Bombardier eut remporté le contrat de Mexico, Lumley était bien décidé à faire en sorte qu'EDC vienne en aide à Bombardier à New York. «Laurent Beaudoin, dit Lumley, ne voulait pas participer à l'appel d'offres pour le métro de New York, car il s'agissait d'un contrat si prodigieux que la moindre erreur de sa part entraînerait la mort de son entreprise.» L'intervention du fédéral lui était indispensable. «Nous avons fait l'impossible pour convaincre Bombardier de participer[6].»

Beaudoin n'a pas le même souvenir des événements. C'est lui qui a dû convaincre Ottawa d'aider Bombardier et non l'inverse. «Je leur ai dit: Nous avons besoin de votre aide; notre rôle, en tant que constructeur, c'est d'être concurrentiel sur le plan de la construction. Le rôle de mon gouvernement est de concurrencer les autres gouvernements qui soutiennent leurs exportations. Nous ferons notre travail, mais nous comptons sur vous pour faire le vôtre[7].»

C'était un marché coûteux. D'une façon ou d'une autre, New York devrait assumer une commande évaluée à environ 1 milliard de dollars canadiens. Les soumissionnaires concurrents offraient des produits similaires à un coût à peu près équivalent. Le financement ferait foi de tout: qui pourrait prêter les plus fortes sommes à la MTA aux conditions les plus avantageuses?

Cette bousculade inconvenante pour prêter des fonds publics à la ville de New York n'aurait jamais dû se produire. Le Canada s'était vivement opposé à ce que les gouvernements financent leurs exportations à un taux inférieur à celui du marché. En novembre 1981, les pays membres de l'Organisation de coopération et de développement économiques (OCDE), dont le Canada, s'étaient entendus pour interdire le crédit à l'exportation à un taux d'intérêt inférieur à 11,25 pour 100. Mais certains pays européens, notamment la France, n'étaient pas signataires de l'entente.

Au cours d'une rencontre avec Ravitch, Lumley apprit que les Français proposaient un financement au taux de 9,5 pour 100, soit environ quatre points de pourcentage sous le taux que pouvait obtenir New York sur le marché libre. Le Canada faisait face à un sérieux dilemme : il pouvait respecter son engagement envers l'OCDE en demeurant à l'écart pendant que Bombardier voyait « le marché du siècle » lui filer sous le nez, ou il pouvait doubler la proposition du gouvernement français. La position de Laurent Beaudoin était très claire. Il avait vu à plusieurs reprises des entreprises françaises arracher des clients potentiels à Bombardier grâce à un taux de financement extrêmement avantageux, tandis que le gouvernement canadien demeurait passif.

Lumley était bien décidé à changer cette situation et à faire en sorte que le marché n'échappe pas à Bombardier : « J'ai pressenti le Conseil des ministres et l'exécutif d'EDC et je leur ai dit qu'à mon avis le gouvernement du Canada devrait faire savoir à toutes les entreprises canadiennes qu'il les seconderait dans leurs efforts si elles devaient concurrencer un gouvernement étranger. Prenez la soumission française : une société d'État se chargeait de la construction des véhicules et une autre société d'État en assurait le financement. Je soutenais avec énergie qu'en tant que gouvernement nous avions le devoir de venir en aide à nos gens d'affaires et de bien leur faire comprendre que, devant l'intervention d'un autre pays, nous n'allions pas garder les bras croisés. »

Il soumit une proposition de financement au conseil des ministres et obtint leur approbation. On n'avait jamais rien vu de pareil. « Les contrats de construction qu'avait financés EDC étaient évalués en moyenne à 12 ou 15 millions de dollars, dit Lumley. Il n'y avait eu, *grosso modo*, que cinq transactions valant plus de 100 millions dans toute l'histoire du pays, et c'était dans le domaine des céréales.

Imaginez un contrat d'un milliard et replacez-le dans le contexte de l'époque. C'était colossal. »

Selon Lumley, le gouvernement tint compte de certaines considérations politiques ; l'économie du Québec était embourbée dans une récession et, compte tenu des accusations dont le PQ accablait le gouvernement fédéral, Pierre Elliott Trudeau souhaitait démontrer aux Québécois que le fédéralisme pouvait leur être profitable. « Trudeau nous demandait sans cesse : "Que pouvons-nous faire pour accroître la présence du fédéral au Québec ?" Je me suis assis à mon tour avec mon équipe et je leur ai posé la même question : "Que pouvons-nous faire ?" Nous avons identifié un certain nombre d'entreprises que nous pourrions aider à faire connaître à travers le monde. Bombardier figurait en premier sur ma liste. [...] Le Canada avait des délégués commerciaux à l'étranger qui pouvaient faire la promotion de ces entreprises. » Bombardier était un choix évident. « C'était une entreprise canadienne installée au Québec, et elle était bien placée pour devenir un chef de file mondial dans l'un des secteurs technologiques les plus importants qui soient. Elle pouvait nous être utile à plus d'un titre : elle était en mesure d'accroître la visibilité du Canada dans le monde et de servir les intérêts du fédéral au Québec[8]. »

Ainsi donc, en mars 1982, quand Bombardier soumit sa proposition officielle à la MTA, sa soumission incluait un montage financier d'EDC qui équivalait à celui de la France. L'agence du gouvernement canadien offrait à la ville de New York un prêt de 563 millions de dollars américains au taux de 9,7 pour 100.

Ravitch espérait depuis le début signer avec Bombardier, mais il se débrouilla pour que le Canada dispute le match avec les autres soumissionnaires. Ses tactiques exaspérèrent Beaudoin : « Je me suis souvent chamaillé avec eux. Ils jouaient à toutes sortes de jeux avec nous. Je leur ai dit : "Nous offrirons les meilleures conditions possibles, mais nous ne le ferons qu'une fois et uniquement en même temps que les autres soumissionnaires[9]." »

Le lundi après-midi, à 15 heures, New York invita les soumissionnaires à présenter leur offre finale. Beaudoin remit sa soumission à Ravitch en mains propres. Non seulement il avait réussi à concurrencer les conditions financières des Français, il offrait en outre une voiture-passagers Kawasaki identique à celles qui étaient déjà en production, réduisant ainsi les coûts d'entretien du réseau. Bombardier accepta également de réaliser 40 pour 100 de la construction des voitures aux États-Unis et d'acheter pour 104 millions de dollars de pièces dans l'État de New York.

« Je vous ferai savoir en fin de journée si ça passe ou si ça casse », dit Ravitch à Beaudoin.

Les gens de Bombardier regagnèrent leur hôtel. À 17 heures 30, toujours sans réponse de la MTA, Beaudoin commença à s'agiter. « Appelle la secrétaire de Ravitch et demande-lui ce qui se passe », dit-il au vice-président au marketing. La secrétaire lui fit savoir qu'ils n'avaient « pas fini ; ils discutent encore ; nous vous rappellerons ».

À 18 heures, le président de la MTA appela Beaudoin. « Nous sommes très intéressés par votre offre, dit Ravitch, et nous aimerions faire affaire avec vous. Mais il y a deux ou trois petites choses que nous devons discuter avant de mettre au point notre engagement. »

Beaudoin se rendit aux bureaux de la MTA et les deux hommes s'assirent pour négocier les yeux dans les yeux. C'était une sorte de joute d'endurance où Beaudoin excellait. Ravitch lui annonça qu'il voulait imposer un plafond au taux d'inflation du prêt prévu au contrat, et qu'il lui faudrait aussi une caution de bonne fin, autrement dit, une lettre de garantie pour la somme de 325 millions de dollars. Les cautions de bonne fin n'étaient pas faciles à obtenir. Bombardier avait présenté une garantie de 100 millions à la MTA, mais les banques avaient refusé de lui consentir un montant supérieur.

Il était 18 heures 30. Ravitch s'excusa en disant : « Je dois me rendre à un salon mortuaire. Je reviendrai au bureau vers 21 h 30. Nous discuterons de cela à mon retour. »

Plus tard ce soir-là, Beaudoin se montra implacable : « J'insiste pour obtenir une assurance de votre part contre un taux d'inflation supérieur à 3 pour 100, dit-il. En ce qui concerne la caution… désolé. Je ne peux pas obtenir davantage. » Ils discutèrent jusque tard dans la nuit. À la fin, Ravitch accepta. À minuit, s'étant mis d'accord, ils s'en furent trinquer dans un pub voisin de la MTA. Ravitch dit : « Il va falloir que je dise aux Français qu'ils n'ont pas été retenus. »

Le lendemain matin, vers 8 heures, le téléphone sonna dans la chambre d'hôtel de Beaudoin. C'était Ravitch. Il dit : « J'ai réfléchi. Votre caution de bonne fin de 100 millions de dollars ne me convient pas du tout. Il me faut une caution de 325 millions ou je ne signe pas. » Une conférence de presse était prévue pour midi le jour même. Ravitch fit savoir clairement à Beaudoin que, sans une garantie de

325 millions de dollars, l'affaire tomberait à l'eau et la conférence de presse n'aurait pas lieu.

Beaudoin en avait par-dessus la tête des tactiques du New-Yorkais, mais il s'efforça de rester calme. « Je vais voir ce que je peux faire, répondit-il, mais je ne peux rien vous promettre. Je vous l'ai déjà dit, 100 millions de dollars, c'est le maximum que j'ai pu obtenir. »

« À votre guise, rétorqua Ravitch. Moi, je vous répète que sans une caution de 325 millions, l'affaire tombe à l'eau et nous n'aurons rien à annoncer aux médias. Appelez-moi au plus tard à 11 heures ce matin. »

Beaudoin réussit à rejoindre Sylvain Cloutier qui dirigeait alors le programme EDC : « Sylvain, j'ai un gros problème. Nous sommes sur le point de signer, mais [Ravitch] insiste pour avoir une garantie de 325 millions de dollars et les banques refusent d'aller au-delà de 100 millions. Si je ne lui donne pas une réponse positive d'ici 11 heures, tout est foutu. »

« Le gouvernement ne peut pas agir aussi vite, fit le directeur d'EDC. Il faut que tu comprennes. »

« Je m'en fous, rétorqua Beaudoin. Je te dis quelle est ma situation. Il faut que je trouve cette caution quelque part. »

« Je vais voir ce que je peux faire », dit Cloutier.

À 10 heures 30, il appela Beaudoin : « Je l'ai. J'ai obtenu pour toi une caution de 225 millions de dollars. Si tu crois pouvoir te dispenser de ta garantie de 100 millions, ne la dépose pas. Nous assumerons seuls les 225 millions. »

Beaudoin courut au bureau de Ravitch. En route, il se demanda quelle stratégie adopter. Devrait-il offrir en garantie les 325 millions qu'avait exigés Ravitch ou se contenter des 225 millions d'EDC ? « Je pense que je vais lui offrir une caution de 225 millions et lui dire que j'ai fait tout ce que j'ai pu. »

En entrant dans le bureau de Ravitch, il ne perdit pas une seconde : « Dick, j'ai fait tout mon possible, j'ai tout mis sens dessus dessous, et je suis parvenu à trouver 225 millions de dollars. Malheureusement, je n'ai pas pu obtenir davantage. Est-ce qu'on peut s'entendre ? »

Ravitch répondit : « Oui. »

La conférence de presse eut lieu. Pour célébrer, Ravitch avait commandé une bouteille de mauvais mousseux à bouchon de plastique, et ils le burent dans des verres en plastique. « M'étonne pas ! », conclut Beaudoin à part soi.

La nouvelle du coup de maître de Bombardier alimenta aussitôt les conversations de la classe politique. Il s'agissait du plus important contrat d'exportation remporté par une entreprise canadienne, et le gouvernement fédéral rayonnait de fierté. Même le PQ dut reconnaître le rôle qu'Ottawa avait joué dans cette transaction. Le ministre québécois de l'Industrie, Rodrigue Biron, dut admettre que le gouvernement fédéral avait fait «du beau travail», mais il s'efforça tout de même de tirer un peu la couverture vers lui en déclarant que le Québec s'était aussi penché sur le dossier. Le ministre du Développement économique Bernard Landry fut beaucoup moins poli. Il fit remarquer sarcastiquement à l'Assemblée nationale que les Québécois devaient habituellement se contenter des prestations d'assurance-chômage et du bien-être social qui leur venaient d'Ottawa, et qu'il était donc «tout à fait normal» que leurs impôts soutiennent l'économie de la province.

Dans le reste du pays, la réaction ne fut guère plus enthousiaste. Le député conservateur Sinclair Stevens nota avec amertume que le gouvernement fédéral avait fait économiser 300 millions de dollars à la ville de New York, mais qu'«il n'offrait pas un cent aux commissions canadiennes de transport». Ce même gouvernement, ajouta-t-il, avait paralysé Via Rail en réduisant ses services. Les conservateurs des provinces de l'Ouest se demandaient pourquoi Ottawa n'était pas disposé à prêter de l'argent aux fermiers en difficulté et aux petites entreprises[10]. Le président de la Commission de transport de la Colombie-Britannique, Jack Davis, protesta publiquement contre ce qu'il disait être une largesse inutile. «Que rapporte cette générosité aux Canadiens? demanda-t-il. Un millier d'emplois dans la région de Montréal dans la construction de voitures-passagers conçues au Japon. Teneur nationale: *grosso modo* 60 pour 100. Des emplois moins nombreux que n'en créeraient la construction domiciliaire, la construction d'hôpitaux, etc.[11].»

À Washington, William Brock était furieux. Le plus important agent de commerce de l'administration Reagan se disait depuis longtemps frustré par la façon dont les pays étrangers faisaient fi des règlements sur le crédit à l'exportation. Et voilà que le Canada pénétrait le marché américain et portait préjudice à Budd, le seul de tous les soumissionnaires ayant une usine aux États-Unis, en faisant profiter MTA d'une subvention illégale à l'exportation. Brock affirma qu'il «n'hésiterait pas à recommander l'usage de la force» pour obliger les nations étrangères à respecter le règlement[12].

Mais les Américains non plus n'étaient pas des enfants de chœur. Le Congrès américain avait voté une loi privilégiant l'achat de biens américains (*Buy America Act*) en vertu de laquelle les États et les municipalités qui bénéficiaient d'un soutien fédéral devaient opter le plus possible pour des produits américains dans leurs acquisitions d'équipement de transport-passagers. Bombardier avait ouvert son usine de Barre, dans le Vermont, précisément pour contourner ce problème.

Mais cela n'empêcha nullement Budd de tenter de mettre des bâtons dans les roues de son concurrent canadien. L'entreprise basée au Michigan vit dans ce conflit une occasion pour elle de tenter une nouvelle fois sa chance. Elle y alla de quelques manœuvres à Washington, saisit le Département du commerce d'un recours voulant que la soumission de Bombardier ait été injustement subventionnée et exigea un droit compensateur. Les alliés de Budd dans le mouvement ouvrier appuyèrent sa cause et demandèrent au président Reagan de faire valoir son autorité pour adopter des mesures de rétorsion afin de contrer ce qu'ils jugeaient être une pratique commerciale déloyale. Un comité sénatorial entreprit d'examiner à la loupe le contrat de New York tandis qu'un haut fonctionnaire de l'administration Reagan reprocha au Canada son «chauvinisme économique».

Soudain, l'affaire du siècle conclue par Bombardier ne tenait plus qu'à un fil et les relations commerciales entre le Canada et les États-Unis paraissaient être en péril. La tempête à Washington inquiétait Ed Lumley à un point tel qu'il donna l'ordre aux fonctionnaires fédéraux de se retenir de discuter du fameux contrat avec les journalistes[13]. Il entreprit aussitôt de se livrer à de fortes manœuvres politiques dans les coulisses du gouvernement. «Je suis allé voir le secrétaire au Trésor, Donald Regan, et je lui ai dit: "Si quelqu'un venait vous couper l'herbe sous le pied dans votre propre arrière-cour, que feriez-vous?" New York était notre arrière-cour[14].»

Le président du conseil de la MTA, Ravitch, se demandait pourquoi New York était ainsi prise à partie. D'autres grandes villes américaines – Washington, D.C., Atlanta, Boston, Philadelphie et Chicago – avaient fait l'acquisition de voitures-passagers de fabrication étrangère, et s'étaient même servies de l'argent du gouvernement américain pour y parvenir. Ravitch s'était efforcé d'obtenir les meilleures conditions possibles pour éviter d'avoir à rajuster le prix du ticket de métro. Un droit compensateur hausserait le coût final de l'opération de 100 millions de dollars et augmenterait de 5 cents par jour les frais de transport des usagers. C'est ce message qu'il s'en fut transmettre à Washington, où il défendit vigoureusement la soumission de Bombardier. L'annulation du contrat, dit-il, « paralyserait la reconstruction » du réseau de métro de la ville, qui était dans un état de décrépitude avancé.

Cet appui était le bienvenu pour Bombardier, mais l'administration Reagan sembla accorder sa faveur à Budd, et les fonctionnaires américains entreprirent de se comporter comme s'ils voulaient donner à ces Canadiens interlopes une bonne leçon dans l'art du financement abusivement subventionné. Budd entreprit des négociations avec la Banque d'import-export des États-Unis afin d'obtenir à son tour du financement pour le contrat du métro de New York. Le gouvernement américain, qui faisait manifestement valoir son autorité, demanda à l'organisation internationale du commerce mondial de l'époque, le GATT (Accord général sur les tarifs douaniers et le commerce), de décider si Ottawa avait enfreint ses obligations internationales.

Pendant ce temps, la MTA demeurait résolument fidèle à Bombardier. Au bout du compte, Budd formula des demandes démesurées. L'entreprise exigea de Washington une subvention de 250 millions de dollars américains, ce qui fut loin de plaire à Ronald Reagan qui s'était fait élire sur la promesse de diminuer la taille du secteur public et d'assurer une plus grande autosuffisance à l'industrie. À la mi-juillet 1982, le secrétaire au Trésor Donald Regan déclara que les États-Unis donneraient le feu vert à Bombardier et décréta que le prêt consenti par Ottawa n'avait pas été le facteur décisif de cette attribution. La soumission canadienne était plus avantageuse sur le plan du prix, des délais de livraison, de l'application technique, du rendement et de la création d'emplois pour l'État de New York. Budd abandonna la partie et Bombardier remporta la victoire.

Les hommes politiques américains n'étaient guère ravis. Le sénateur de la Pennsylvanie, John Heinz, fit observer que les concurrents commerciaux des États-Unis tel le Canada se réjouiraient de cette décision et « en profiteraient pour exporter leur chômage chez nous ». La décision de la MTA d'acheter de Bombardier équivalait à acheter un téléviseur volé, dit-il. C'est une décision qui « incite ainsi les criminels à voler avec la complicité de l'acheteur[15] ».

Le département du Commerce statua que la soumission de Bombardier avait bénéficié d'une subvention de 137 millions de dollars, mais opta pour ne pas imposer au Canada un droit compensateur parce que la MTA aurait été tenue de le verser, ce qui aurait entraîné une augmentation du tarif des transports à New York.

À Ottawa, c'était la fête. Mais le gouvernement Trudeau était-il allé trop loin? Selon un rapport émanant du Trésor américain, le Canada – et non la France – avait été le premier de ces deux pays à déroger au règlement sur le financement subventionné. Toujours selon ce même rapport, le Canada aurait pu économiser quelque 67 millions de dollars s'il avait été un peu plus attentif aux télécopies reçues des Français. La France, disait ce rapport, «s'était efforcée de respecter les exigences de l'OCDE», mais ses tentatives pour en discuter avec EDC avaient été vaines. La France avait renoncé aux termes de l'entente uniquement après que le Canada eut fait de même. «Manifestement, la concurrence de la France n'avait jamais été aussi importante que le pensait le Canada[16].»

Finalement, il y eut une baisse des taux d'intérêt du marché, la MTA ne reçut aucune subvention sur le prêt d'EDC et cette agence du gouvernement canadien réalisa un bénéfice intéressant. Mais un économiste aurait pu se poser la question suivante: quel coût de renonciation le Canada dut-il assumer en accordant ce prêt? Cet argent aurait-il pu servir à de meilleures fins? Les représentants du gouvernement fédéral s'étaient vantés de ce que le contrat de New York créerait de 15 000 à 20 000 emplois, mais en réalité il préservait des emplois existants au lieu d'en créer de nouveaux. Les emplois qui auraient été abolis en raison d'une réduction du carnet de commandes furent conservés. Une part importante du travail, soit l'assemblage final, se ferait dans l'État du Vermont, aux États-Unis. Lors de la signature du contrat définitif en novembre 1982, on sut que la main-d'œuvre à l'usine de La Pocatière passerait de 625 à 1 000 employés sur une période de 5 ans. Il n'y avait certes pas de quoi se vanter.

«Au bout du compte, l'appui du gouvernement a été un facteur positif en dépit des critiques, affirme Yvon Turcot. Mais en toute honnêteté, cela n'a pas été le seul. D'autres éléments sont entrés en ligne de compte. Sans aide gouvernementale, aurions-nous obtenu ce contrat? Je l'ignore. Mais ce n'est pas pour cette raison que Bombardier l'a emporté. Le meilleur atout de l'entreprise a été d'avoir acquis une licence d'exploitation de techniques brevetées, comme cela avait été le cas pour le métro de Montréal. Le gouvernement n'a rien eu à voir là-dedans. Bombardier a fait cela tout seul, en toute équité[17].»

Bombardier bénéficiait alors régulièrement de l'aide financière du gouvernement fédéral pour ses ventes de locomotives et d'équipements de transport en commun. L'image de Bombardier en tant qu'entreprise subventionnée s'était cristallisée. Turcot n'était pas de cet avis : « C'était une entreprise exportatrice dont la croissance avait été phénoménale ; ses exportations étaient par conséquent phénoménales. Sa taille l'obligeait à allouer une gigantesque tranche de son budget aux exportations. Qu'il se soit agi de Bombardier n'avait rien à voir là-dedans ; c'était la taille de l'entreprise qui faisait foi de tout[18]. »

Le financement d'EDC avait joué un rôle majeur dans l'octroi du contrat de New York. Mais si, pour la MTA, ce marché était du bonbon, il n'en allait pas de même pour Bombardier. Laurent Beaudoin avait joué l'avenir de son entreprise. S'il échouait à New York – comme cela avait été le cas pour d'autres fournisseurs – il risquait la faillite. Il était coincé entre l'arbre et l'écorce : il avait promis de livrer les voitures du métro au coût de 803 000 dollars chacune, ce qui représentait *grosso modo* 37 000 de moins l'unité que la MTA payait à Kawasaki pour des voitures-passagers de même modèle. Autrement dit, il vendait la technologie japonaise moins cher que les Japonais eux-mêmes. La rentabilité potentielle était très réelle : les analystes estimèrent que Bombardier pourrait hausser ses revenus de 200 à 250 millions de dollars par an et ses bénéfices annuels d'environ 8 millions. Mais pour y parvenir, il fallait que l'entreprise puisse construire ces voitures efficacement et à prix d'aubaine.

C'est alors que Raymond Royer entra en scène. Le président de l'unité du transport en commun de Bombardier avait été responsable de la livraison réussie des voitures de métro à Montréal, à Chicago, à Portland, au New Jersey et à la ville de Mexico. Il devait livrer une marchandise de qualité tout en respectant les délais. Il occupait un bureau au-dessus d'un entrepôt de motoneiges de la Rive-Sud de Montréal et il s'assoyait régulièrement au volant de son Audi à moteur turbo pour faire la navette entre La Pocatière et Barre, au Vermont, afin de coordonner les activités de ces deux usines.

Le plus grand défi de Royer consistait à s'assurer que les voitures du métro fonctionneraient tel que prévu. Lorsque, en 1985, 10 de ces voitures furent expédiées à New York pour une période d'essai d'un mois, les critiques furent négatives. Les essais furent interrompus en raison de problèmes de freinage et d'accélération, ce qui incita un délégué syndical de New York à dire que les voitures de Bombardier étaient des «citrons». «Nous voilà pris avec un équipement de très mauvaise qualité. Ces voitures-passagers sont épouvantables», dit-il. Mais il avait tenu ces propos pendant un conflit contractuel entre le syndicat et la MTA ; la Commission des transports elle-même ne semblait pas se préoccuper outre mesure de ces incidents de parcours. Les systèmes de traction et de freinage des voitures de Bombardier, qui ne provenaient pas du même fournisseur que ceux des voitures Kawasaki, nécessitaient quelques ajustements mineurs[19].

Bombardier se trouvait néanmoins dans une situation délicate. Lors de l'inauguration officielle des voitures en juin, d'autres problèmes avaient fait surface, notamment le mauvais fonctionnement des portes. En outre, les vandales avaient eu vite fait de trouver un moyen pour barbouiller les voitures supposées être «à l'épreuve des graffitis[20]». Qui plus est, les fusibles sautaient constamment, certains attelages devaient être remplacés et les dispositifs de confinement des arcs électriques sous la voiture s'usaient prématurément. La MTA suspendit les livraisons jusqu'à ce que des solutions soient trouvées à ces problèmes[21].

Des rumeurs circulaient voulant que la MTA annule le contrat. Les défauts de fabrication des voitures Bombardier occupèrent les manchettes des tabloïds new-yorkais et des nouvelles télévisées. En raison de la masse de problèmes qui retardaient les livraisons, l'entreprise dut procéder à 200 mises à pied aux usines de La Pocatière. Bombardier se démena pour que le sous-traitant Westinghouse Electric répare les systèmes électriques qu'il lui avait fournis, mais la patience de la Commission de transport tirait à sa fin. «Nous voulons des voitures fonctionnelles, déclara, non sans un soupçon d'exaspération, un porte-parole de la MTA. Ces voitures sont chez nous depuis déjà huit mois et elles ne fonctionnent toujours pas.» Si Bombardier se révélait incapable de procéder à 30 jours consécutifs d'essais exempts d'incidents, le contrat risquait d'être résilié[22].

Des hommes politiques de New York entrèrent dans la danse. Un des adjoints du sénateur d'État Fritz Leichter insinua que, manifestement, les fabricants québécois de motoneiges avaient eu les yeux plus grands que la panse. Les ingénieurs de la MTA auraient laissé transpirer des renseignements confidentiels concernant l'apparition de certains problèmes de structure, notamment des fentes dans le soubassement. Bombardier répliqua qu'il s'agissait plutôt de marbrures et qu'un peu de soudure suffirait à les réparer[23].

L'heure de vérité était venue. Ainsi que le dit le président de la Commission de transport : « Nous voulons bien nous montrer raisonnables, mais jusqu'à un certain point. Notre patience a des limites. » Il fallait à Bombardier, à raison de 24 heures par jour, 30 jours consécutifs d'essais sans anicroche pour éviter la résiliation du contrat. Les tests reprirent et l'horloge marqua les secondes jusqu'à la date limite, mais Laurent Beaudoin se demanda dans quel bourbier il s'était fourvoyé. Le contrat de New York était un tournoi depuis le début : Beaudoin avait dû se battre pour obtenir une licence d'exploitation des Japonais, puis pour obtenir d'Ottawa un montage financier, puis pour affronter un ouragan politique à Washington, D.C., et enfin pour forcer Westinghouse à réparer ses composants électriques. Chaque étape avait été une épreuve. Et voilà que tout ce pour quoi il s'était battu risquait de lui filer entre les doigts si un autre problème surgissait.

Au tout début de 1986, il reçut enfin la réponse attendue. New York approuvait les voitures de métro puisqu'elles avaient été fonctionnelles dans 93 pour 100 des cas pendant les 30 jours qu'avaient duré les essais. Bombardier avait enfin pris sa revanche.

À la conclusion de la période d'essai, Beaudoin joua de son influence pour soutirer au gouvernement des appuis supplémentaires. Il insista pour que le fédéral continue de cautionner les crédits à l'exportation. Sans le soutien d'EDC, il n'aurait jamais pu remporter son combat à New York. Le gouvernement conservateur envisageait de privatiser EDC, mais Beaudoin le mit en garde. « Le gouvernement ne doit rien changer aux règles du jeu, dit-il. L'obtention d'un important contrat de vente peut dépendre de l'accessibilité à d'avantageuses conditions de crédit consenties par le gouvernement canadien[24]. »

Beaudoin répétait ce même message depuis longtemps. Il insistait de plus en plus sur la nécessité pour Bombardier de négocier des contrats et des ententes de financement avec les différents paliers de gouvernement. En retour, l'entreprise ouvrait des emplois à la main-d'œuvre, fournissait des occasions de placement et investissait dans la croissance industrielle, les progrès technologiques et le développement économique du Québec. Plusieurs centaines de fournisseurs canadiens devaient leur existence à Bombardier, souligna-t-il, et ils n'hésitaient pas à se servir de cet avantage pour trouver des points d'ancrage dans d'autres marchés.

Il disait aussi que des entreprises comme Bombardier ne pourraient pas conquérir le monde si le gouvernement ne leur témoignait pas une certaine partialité. Un traitement préférentiel de la part des dirigeants leur était indispensable. Cet aspect chicotait d'autant plus Bombardier que l'entreprise avait été exclue de nombreux marchés dans le reste du Canada.

Calgary et Edmonton avaient acheté des trains légers sur rail d'une entreprise allemande, tandis que Vancouver et la province de l'Ontario s'étaient approvisionnés auprès d'un fournisseur britannique. «Les Canadiens n'ont peut-être pas assez de maturité pour faire confiance aux différents éléments de la société», avait alors affirmé Raymond Royer. La tentative de Bombardier de transiger avec Calgary avait été une «bien triste expérience, dit-il. Je voyais bien que le fait que nous soyons établis dans l'est du pays aggravait la perception négative qu'ils avaient de nous.» Il n'avait pas eu besoin d'employer le mot «Québécois». Il était indéniable que des sentiments anti-québécois aient agité certaines régions du pays, et Bombardier avait l'impression d'en être une des victimes[25].

Ainsi donc, l'équipe de mercaticiens de Bombardier tourna plutôt son attention vers les États-Unis. Los Angeles, Dallas, Denver, Minneapolis et Houston avaient toutes besoin d'un système de transport et Bombardier s'était déjà créé une réputation enviable aux États-Unis grâce au succès du contrat de New York. Les chicanes politiques à Washington au sujet du financement d'EDC avaient placé Bombardier sous les feux de la rampe. «À la suite de toute cette publicité, l'intérêt pour notre entreprise et nos produits monta en flèche partout dans le monde», affirma un des responsables de la mercatique chez Bombardier[26].

La croissance de la compagnie était due dans une large mesure aux transports en commun. Cette réalité ne satisfaisait pas Beaudoin. Étant donné la situation peu reluisante du secteur ferroviaire MLW et compte tenu du fait que celui de la motoneige atteignait à peine son seuil de rentabilité, il jugea que l'entreprise devait diversifier encore plus ses activités afin de mieux répartir ses risques et de favoriser la croissance de la compagnie.

Mais c'est presque fortuitement que prit forme son intérêt pour l'acquisition de Canadair et de son produit phare, le biréacteur d'affaires Challenger.

CHAPITRE 5

Le « vol à l'arraché » de Canadair

Le concepteur du biréacteur Challenger était une figure légendaire dans l'univers restreint de l'aviation canadienne. Né dans une éminente famille juive de Tchécoslovaquie, Harry Halton s'en fut étudier à Londres en 1938. Peu après, Hitler envahit la Tchécoslovaquie et la famille entière de Halton périt dans l'Holocauste. Doté d'une formation en électrotechnique, il émigra au Canada en 1948 et fut aussitôt embauché par Canadair où il se hissa rapidement au poste de directeur du secteur de l'ingénierie. En 1975, la malchance frappa de nouveau Halton quand une intervention chirurgicale visant l'ablation d'un kyste à son épine dorsale tourna mal et le rendit paraplégique[1].

Pendant son séjour à l'hôpital, les négociations concernant la vente de Canadair au gouvernement fédéral par sa compagnie mère, l'entreprise américaine General Dynamics Corp., étaient en cours. Ottawa était intervenu pour sauver une industrie aéronautique chancelante qui périclitait en raison de, la douce indifférence de ses propriétaires étrangers. En 1974, le gouvernement Trudeau avait acheté de Havilland Aircraft of Canada Ltd. à sa compagnie mère, Hawker Siddeley, qui appartenait à des intérêts britanniques. Puis il négocia l'acquisition de l'entreprise montréalaise Canadair qui avait connu une période très prospère dans les années 1960 mais dont les effectifs étaient passés de 9 000 à 2 000 employés[2].

Le président de Canadair, Fred Kearns, rendit visite à Halton à l'hôpital pour lui soumettre son idée. Il était d'avis que, entre les mains du gouvernement, Canadair serait vite éclipsé par de

Havilland si l'entreprise ne proposait pas un projet enthousiasmant. Il appréhendait de le voir devenir un simple fournisseur de pièces, une sorte d'officine douteuse pour le reste de l'avionnerie canadienne. Kearns, qui avait piloté un avion pendant la guerre, avait l'impression d'être « aux commandes d'un Spitfire pendant qu'un Messerschmidt me [collait] aux fesses[3] ». Il lui fallait trouver une solution pour empêcher Canadair de s'écraser.

Son idée? Un biréacteur d'affaires. Le génial et excentrique Américain William Powell Lear avait conçu le LearJet, le premier petit avion à réaction privé qui ait eu du succès. Lear envisageait maintenant la construction d'un avion d'affaires de 14 sièges, le LearStar 600 – ayant une portée de 8 000 kilomètres et pouvant atteindre une vitesse maximale de 970 km/heure – et il était à la recherche d'un partenaire. Un premier client s'était déjà manifesté, le service de messageries américain Federal Express qui souhaitait acheter 40 de ces avions pour le transport de marchandises. En écoutant les propos de Kearns, Halton fut frappé par la similitude entre le concept de Lear et le sien : un an plus tôt il prévoyait déjà la nécessité de développer une nouvelle génération de petits avions civils en appliquant une technologie de pointe à la mise au point des ailes et du système de propulsion. Kearns et Halton décidèrent alors d'investiguer le LearStar 600. Un mois plus tard à peine, Canadair avait négocié une convention d'option avec Lear[4].

Le projet était risqué. Le milieu des affaires américain s'était amouraché du biréacteur d'affaires, mais personne n'ignorait que ce marché était très instable. En période de prospérité, les entreprises pouvaient s'offrir le luxe d'un avion d'affaires, mais en période difficile, elles s'en passaient. Qui plus est, Canadair devait affronter la très forte concurrence d'autres avionneurs qui avaient déjà mis au point leur propre biréacteur d'affaires.

Le nom de William Lear était connu et accrocheur, mais en matière de design il n'avait pas grand-chose à offrir. Sur le plan de l'ingénierie, Canadair devait se débrouiller tout seul. Lear n'était pas d'un abord facile ; il venait rôder dans l'usine de Canadair et il harcelait les ingénieurs, si bien que le ton montait parfois. Un jour, après que Halton eut opté pour un concept offrant une cabine plus large et plus haute, Lear, furieux, interrompit un déjeuner d'affaires du conseil d'administration de Canadair en brandissant une maquette de l'aéronef en hurlant : « On jurerait Fat Albert avec une rhinoplastie[5] ! »

En 1977, l'avion, rebaptisé Challenger, était devenu le chouchou de Halton. C'était une question de vie ou de mort pour Canadair qui devait absolument faire mouche et y parvenir avant que des rivaux tels Gulfstream, Lockheed et Dassault ne mettent leur propre avion d'affaires sur le marché. Les ingénieurs de Canadair étaient aux prises avec un climat de pression implacable, compte tenu surtout du fait que le principal client, Federal Express, n'avait de cesse d'exiger des changements au concept de l'avion, changements qui en augmentaient le poids et les coûts de fabrication. Le motoriste Avco Lycoming démontra qu'on ne pouvait compter sur lui. Les essais en vol furent affectés de problèmes interminables. Mais Halton et son équipe trimèrent sans relâche, si bien que, le 25 mai 1978, 19 mois à peine après qu'ils eurent reçu leur feu vert, le premier Challenger quitta le hall de montage devant 5 000 employés et invités. Le ministre de l'Industrie Jean Chrétien, coiffé d'une casquette des Expos, grimpa sur un tracteur et déclara qu'il remorquerait l'avion lui-même. Kearns parvint à le convaincre de laisser les spécialistes s'en charger[6].

Le Challenger était une réussite remarquable ; il s'agissait du premier avion à réaction privé à large fuselage. Mais le marché évoluait rapidement. En raison de nouveaux règlements régissant l'aviation commerciale aux États-Unis, FedEx était autorisé à utiliser de plus gros avions de fret, si bien que la société de messagerie annula sa commande d'appareils Challenger. Kearns promit de construire une version allongée du Challenger afin de répondre aux besoins de FedEx, et les ingénieurs de Canadair se mirent au travail. Cette décision avait une très grande portée. On avait dû suspendre la production d'une version allongée du Challenger 610 en raison du resserrement croissant des liquidités de Canadair, mais le germe d'un avion plus grand avait été semé. Quelques années plus tard, sous la gouverne de Bombardier, le projet de version allongée du Challenger devint le premier Regional Jet. Cet avion, qui fut l'une des plus grandes réussites de l'histoire de l'avionnerie, marqua l'entrée de Bombardier dans les ligues majeures.

En 1982, les taux d'intérêt étaient montés en flèche, les frais de développement de produit aussi et une récession globale sévissait. Les clients à court d'argent annulèrent leurs commandes de Challenger et Ottawa en fut quitte pour payer une montagne de factures. La catastrophe financière croissante chez Canadair semblait

bien démontrer que le gouvernement n'avait que faire d'une avionnerie. Canadair, omettant de s'astreindre à une approche disciplinée
fondée sur les résultats, avait dilapidé des sommes folles pour ce
joujou. Le Challenger était un avion remarquable, mais en 1982 le
coût de ce programme avait atteint le chiffre astronomique de
1,5 milliard de dollars, tandis que le carnet de commandes plafon-
nait au tiers des ventes projetées. Ottawa plaça la compagnie sous
la tutelle d'une société de portefeuille fédérale, la Corporation de
développement des investissements du Canada. La CDIC s'empressa
de réduire la valeur de Canadair de quelque 1,3 milliard de dollars.

Les journalistes d'enquête, notamment ceux de l'émission *The
Fifth Estate* de la Canadian Broadcasting Corporation (CBC), se
mirent allégrement le nez dans les affaires internes de Canadair et
multiplièrent les allégations de mauvaise gestion. Chaque divulga-
tion abaissait le moral des troupes et de nombreux employés s'at-
tendirent à ce qu'Ottawa mette la clé sous la porte. Mais à quelque
9 000 mètres d'altitude, la réalité était très différente. Les clients ado-
raient leur Challenger. En 1983, la revue américaine spécialisée *Business & Commercial Aviation* mena une enquête qui révéla que la très
grande majorité des entreprises propriétaires d'avions Challenger
étaient extrêmement satisfaites de ce produit[7]. L'avion était promis
à un bel avenir, à la condition qu'on trouve un moyen de tirer Canadair de son marasme financier.

Au cours des derniers mois de son mandat, le gouvernement libéral redressa la situation de la compagnie. La dette de 1,35 milliard de
dollars fut rayée des livres et transférée à une nouvelle société filiale
de la CDIC pour être acquittée en temps et lieu par les contribuables
canadiens. Son bilan maintenant équilibré et l'entreprise n'ayant plus
à assumer les coûts du développement du Challenger, Canadair pouvait enfin opposer une concurrence féroce aux autres avionneurs.

Le gouvernement libéral entreprit discrètement de lui trouver
un acquéreur. Le ministre de l'Industrie Ed Lumley approcha Boeing
et lui proposa d'acheter en même temps Canadair et de Havilland;
mais l'entreprise américaine n'était pas intéressée par ce coup double[8]. Aux élections de septembre 1984, Brian Mulroney s'empara du
pouvoir et les conservateurs annoncèrent leur intention de privatiser Canadair et de Havilland.

Les Canadiens, lassés de subir les contrecoups de la mauvaise
gestion du gouvernement Trudeau, se disaient favorables à la pri-

vatisation des sociétés d'État, concept déjà très à la mode dans le reste du monde. Lavé de sa dette, Canadair devenait une proposition très alléchante. L'acquéreur récolterait un beau panier d'actifs, incluant non seulement le biréacteur d'affaires Challenger, mais aussi l'avion-citerne CL-215, des avions-robots de surveillance militaire, des services d'entretien technique, des fabricants de composants aéronautiques, ainsi que la pièce de résistance : la possibilité de développer le Challenger en un avion encore plus remarquable. Le gouvernement conservateur lança officiellement un appel d'offres.

Laurent Beaudoin n'avait jamais songé à pénétrer le marché de l'aéronautique. Sa seule véritable expérience du monde de l'aviation avait eu lieu en 1970 alors qu'il avait failli s'écraser en tentant d'obtenir son brevet de pilote. Il venait à peine de décoller quand il décida d'ajuster son siège. Le siège recula brusquement jusqu'au fond de l'habitacle et Beaudoin, immobilisé par la sangle, parvint à rejoindre les commandes de justesse. « J'avais atteint tout juste assez d'altitude pour me tuer », plaisanta-t-il plus tard. Cet incident mit fin à son expérience de pilotage[9].

L'histoire de son acquisition « fortuite » de Canadair commença en 1986 lorsque son offre d'achat d'une compagnie ferroviaire fut rejetée. Beaudoin s'était mis dans la tête d'acquérir la Urban Transportation Development Corp. qui appartenait au gouvernement de l'Ontario. Le but premier de l'entreprise était de promouvoir les transports en commun et la recherche de solutions de rechange à la congestion du réseau de voies rapides de la province.

Les ingénieurs de la UTDC avaient conçu un métro surélevé, le Skytrain, dont Vancouver s'était porté acquéreur. La technologie était prometteuse, mais l'entreprise publique devint un gouffre financier pour les contribuables. En 1986, le gouvernement ontarien de David Peterson prit la ferme décision de privatiser la compagnie. La UTDC avait engouffré 160 millions de dollars en fonds publics dans cet aérotrain, et elle était responsable de centaines de millions de dollars supplémentaires en réparations si cette nouvelle technologie occasionnait des préjudices ou des dommages à ses clients[10].

Les possibilités du Skytrain séduisaient Beaudoin. Il réunit un groupe de travail qui prépara une soumission. Il semblait bien s'être classé en tête, et David Peterson conclut le marché par une poignée de main. Mais quelques jours plus tard, Peterson appela Beaudoin et lui dit qu'il ne pouvait aller de l'avant, puisqu'un autre soumissionnaire s'était présenté. Ce fut une amère déception pour Beaudoin. Selon lui, la poignée de main d'un premier ministre valait autant que sa signature au bas d'un contrat. (Beaudoin est tout de même parvenu à mettre la main sur la UTDC quelques années après.)

Dans les 24 heures qui suivirent l'échec de sa transaction avec le gouvernement de l'Ontario, Beaudoin reçut un appel d'un mercaticien de l'industrie aéronautique, qui lui demanda s'il serait intéressé à acquérir Canadair, l'avionnerie montréalaise en difficulté que le gouvernement canadien offrait à la ronde. La proposition intrigua Beaudoin. Au lieu de démanteler le groupe de travail de la UTDC, il lui confia l'examen de Canadair et de son biréacteur d'affaires Challenger. « Si nous avions pu acheter la UTDC, nous ne nous serions jamais arrêtés à Canadair. La gestion de ces deux compagnies aurait représenté pour nous un trop grand défi[11]. »

Un samedi du printemps de 1986, à son domaine de Knowlton dans les Cantons de l'Est, Beaudoin reçut à déjeuner quelques intervenants potentiels afin de discuter d'une soumission possible. Parmi ces joueurs pivots, il y avait Don Lowe, ancien président de Pratt & Whitney Canada, en qui Beaudoin voyait le futur président de Canadair. Le président de FedEx, Fred Smith, était également présent, car Beaudoin cherchait un associé dans le partage des risques.

Après qu'ils eurent discuté du projet pendant un certain temps, Fred Smith choisit de ne pas investir directement dans l'affaire, mais il demeura intéressé à acheter des avions de transport de Canadair. Beaudoin devrait s'aventurer seul[12]. Même pour un entrepreneur qui avait fait un prodigieux bond en avant en passant de la motoneige aux voitures de métro, c'était un très gros changement. Il avait quelques notions d'avionnerie (dans le passé, Bombardier avait été propriétaire du fabricant montréalais de trains d'atterrissage Héroux Inc.) et il connaissait un peu le Challenger. Il avait assisté à une présentation de l'appareil dont il avait examiné des dessins et des maquettes. Mais les risques associés à une acquisition dans un secteur tout à fait nouveau étaient considérables et auraient certes découragé un entrepreneur moins hardi.

Beaudoin ne voyait pas les choses sous cet angle. Il réfléchit avant tout à ce que pouvait être la contribution de Bombardier. Sa position était claire : « Nous sommes des constructeurs et nous savons ce qu'est une usine de montage. Notre spécialité est le marché-créneau, et nous y excellons.» Le besoin de poursuivre la diversification des activités de l'entreprise le poussait. Les secteurs du transport en commun et de la motoneige ne suffisaient pas à assurer l'avenir de l'entreprise. Bombardier devait pouvoir multiplier ses assises.

Convaincre son conseil d'administration fut une autre paire de manches. Les membres de la famille n'avaient pas oublié les dures années 1960 et 1970, quand ils avaient été contraints de réhypothéquer leurs résidences pour maintenir l'entreprise à flot. Le contrat pour le métro de New York avait été une autre de ces transactions qui donnent des sueurs froides. Le débat autour de Canadair fut passionné, car, encore une fois, Bombardier devrait jouer quitte ou double. L'entreprise n'avait pas vraiment d'argent pour acheter Canadair et, avec cette acquisition, elle pénétrerait un secteur auquel elle ne connaissait rien. Le Challenger était un excellent produit, mais la minceur du carnet de commandes avait de quoi inquiéter. Comment parviendrait-on à corriger cette situation? Les directeurs avaient gardé un souvenir amer de l'acquisition du constructeur de locomotives MLW[13].

«J'ai dû faire des pieds et des mains pour les convaincre, se remémore Beaudoin. Ils s'inquiétaient de ce qui nous arriverait si nous restions pris avec des Challenger invendables. Je crois bien que ce fut la seule fois où le conseil dut soumettre un projet au vote[14].»

Certains des plus proches conseillers de Beaudoin étaient très réticents à acquérir Canadair, notamment le responsable des stratégies de gestion Yvan Allaire, qui discutait régulièrement avec Beaudoin des stratégies de direction et de diversification. Selon Allaire, acheter l'avionneur c'était acheter «un panier de crabes». Il fut invité à participer à une table ronde à la télévision de Radio-Canada, dont le thème était: «Qui serait assez fou pour acheter Canadair[15]?»

La réponse à cette question était éloquente: pratiquement personne. Après avoir fouillé le globe pendant plus d'un an à la recherche d'un acheteur, le ministre conservateur de l'Industrie Sinclair Stevens dut se contenter d'une courte liste d'entreprises canadiennes de moindre importance. La vive opposition qu'avaient dû essuyer les conservateurs au moment de la vente de de Havilland à la compagnie américaine Boeing avait découragé les grandes avionneries étrangères. Les critiques avaient alors laissé entendre que le gouvernement Mulroney se départait de notre patrimoine aéronautique.

En vérité, Canadair, dont les ventes totalisaient moins de 400 millions de dollars, était une entreprise trop petite et trop risquée pour intéresser un gros acheteur. Mais une compagnie indépendante plus audacieuse et énergique serait peut-être capable de bien épauler la turbulence du secteur aéronautique et d'en sortir victorieuse. La liste des acheteurs potentiels se réduisait ainsi à trois consortiums aéronautiques canadiens et à deux soumissionnaires extérieurs à l'industrie : le fabricant de pièces d'automobile Magna International Inc. et l'*outsider* Bombardier. Beaudoin avait une fois de plus réussi à se frayer un chemin parmi les chevaux sur la piste et à se positionner près de la rampe intérieure. Il savait ce que désirait Ottawa : un acheteur susceptible de garder la technologie et le secteur recherche-développement de Canadair entre des mains canadiennes, et capable d'assurer la croissance de l'emploi, particulièrement à Montréal. L'important caucus de Brian Mulroney au Québec se montrerait défavorable à toute transaction qui risquerait de réduire la présence de Canadair dans cette ville[16].

Au départ, Magna avait été un candidat populaire, sauf sur deux points : le fait que l'entreprise avait son siège social en Ontario et la révélation fort embarrassante voulant que son cofondateur ait consenti un prêt sans intérêt de 2,6 millions de dollars au ministre de l'Industrie Sinclair Stevens[17]. En juin 1986, la lutte se livra entre Bombardier et le consortium Société canadienne aérospatiale et de technologies Limitée, composé du financier torontois Howard Webster et du groupement allemand d'entreprises Dornier.

Au moment de l'annonce des résultats, la victoire de Bombardier n'étonna personne. Le gouvernement fédéral voulait céder Canadair à une entreprise canadienne et il n'était que trop heureux de voir la soumission d'une entreprise québécoise l'emporter sur les autres. Bombardier obtint Canadair pour une chanson : 123 millions de dollars en espèces pour une compagnie évaluée à 257 millions. En obtenant une entreprise libre de dettes, Bombardier parviendrait à dégager des bénéfices sur sa gamme de produits avec la vente de 15 appareils Challenger seulement. Dans la lettre d'intention que Bombardier signa avec Ottawa, l'affaire semblait très rentable – ce qui contribue à démontrer les formidables aptitudes de Laurent Beaudoin à la négociation.

Le fédéral accepta d'indemniser Bombardier pendant cinq ans contre toute réclamation antérieure et d'assurer l'entreprise contre les pertes nettes pendant quatre ans. Il offrit d'assumer une partie des frais d'assurance jusqu'à concurrence de 90 pour 100 au cours des cinq premières années advenant le cas où Bombardier éprouverait de la difficulté à souscrire une assurance pour Canadair à un coût avantageux.

Le gouvernement s'engagea aussi ouvertement à défrayer jusqu'à concurrence de 35 pour 100, ou 10 millions de dollars, toute modification majeure pouvant être apportée au Challenger, notamment le remplacement du moteur ou des ailes, ou l'allongement du fuselage. Ces contributions remboursables seraient versées dans le cadre du Programme de productivité de l'industrie du matériel de défense (PPIMD), créé dans le but de renforcer la présence du Canada dans les secteurs de la défense et de l'aéronautique. Le gouvernement canadien demeurerait propriétaire du concept du Challenger et, en fondant ses calculs sur la vente annuelle de 25 appareils, Bombardier s'engageait à verser à Ottawa des redevances totalisant 173 millions de dollars en vingt et un ans. Pendant les deux premières années, Ottawa avait en outre le droit de renoncer à ces redevances contre un paiement forfaitaire de 20 millions de dollars – option que le gouvernement ne tarda pas à exercer[18].

Le fédéral n'avait pas encore épuisé les clauses attrayantes. Il entendait aussi affecter jusqu'à 14 millions de dollars au développement d'un nouveau moteur pour le bombardier CL-215 et jusqu'à 5 millions $ à de nouvelles machines de production. Il consentit en outre à financer les ventes d'appareils par l'entremise d'Exportation et développement Canada et ce, en dépit du fait qu'EDC exigeait en temps normal un contenu canadien de 60 pour 100. La teneur canadienne du Challenger, dont le système de propulsion était fabriqué aux États-Unis, ne dépassait pas 52 pour 100.

Enfin, trois indices majeurs permettaient de supposer que le gouvernement entendait octroyer à Canadair un contrat d'une valeur de 1,4 milliard de dollars pour le soutien technique des nouveaux avions de chasse CF-18 qu'Ottawa avait commandés au géant américain de l'armement McDonnell Douglas. Ottawa nia à l'époque avoir fait cette promesse. Mais en vertu d'une clause de la lettre d'intention, Bombardier s'engageait à verser à Ottawa une redevance calculée sur la valeur de tout contrat octroyé pour le CF-18[19]. Le futé Laurent Beaudoin avait insisté pour que cette clause soit incluse dans la lettre d'intention, car il espérait ainsi inciter Ottawa à confier à Bombardier le contrat de soutien technique de ses avions de chasse.

S'agissait-il d'un accord de compérage? Le débat autour de la transaction de Canadair a fait rage pendant près de vingt ans, et de nombreux critiques n'ont pas hésité à affirmer que Bombardier avait «volé» Canadair au gouvernement fédéral. Cette perception négative, que Laurent Beaudoin jugeait profondément injuste, a perduré longtemps.

«Le gouvernement avait tenté de vendre Canadair à des entreprises du monde entier, insiste-t-il. Il avait lancé un appel d'offres international. De grandes sociétés telles que Boeing avaient manifesté un certain intérêt. Au bout du compte, Boeing porta son choix sur de Havilland. Le gouvernement avait radié la dette des livres de Canadair, mais tous les soumissionnaires en profitaient. Personne n'aurait voulu de cette entreprise si cela n'avait pas été le cas. Les seuls produits que le gouvernement pouvait vendre à l'époque étaient le Challenger – qui se vendait très peu – et l'avion-citerne CL-215. C'était tout. Nous prenions des risques énormes. J'ai demandé au gouvernement: "Qu'allons-nous faire si nous ne pouvons pas liquider notre inventaire?" Car, au début, nous n'étions pas certains de pouvoir vendre les avions Challenger. Ottawa n'a pas voulu garantir l'inventaire. C'est vrai que nous n'avons pas eu à débourser beaucoup pour acquérir Canadair, mais l'entreprise ne rapportait rien[20].»

Le fait est que le gouvernement fédéral n'occupait guère une position de force. Il n'était pas question pour lui de fermer les portes de Canadair, car il devait encore rembourser la dette que cette entreprise avait contractée au nom des contribuables et parce que cette fermeture le contraindrait à verser d'importantes indemnités de licenciement à ses 5 000 employés. Les soumissionnaires savaient parfaitement qu'Ottawa était dans une situation difficile.

Il était clair, par ailleurs, que quiconque achèterait Canadair assumerait un risque énorme. L'industrie aéronautique se remettait très difficilement de la grave récession de 1981-1982 qui avait réduit de moitié la demande pour les avions d'affaires. Puisque le Challenger devait affronter la concurrence féroce d'appareils tels que le Gulfstream et le Falcon, même Ottawa n'était pas certain que Canadair soit viable ou que le Challenger puisse trouver des acheteurs. La réputation de l'appareil avait souffert de la pauvre performance de son moteur original fabriqué par Avco Lycoming. À preuve: le gouvernement choisit de renoncer aux 173 millions de dollars de redevances que lui auraient rapportés les ventes futures du Challenger et de percevoir plutôt un forfait moindre de 20 millions de dollars. Cela montre bien à quel point le gouvernement jugeait l'affaire risquée.

Selon un analyste financier d'expérience qui suivait Bombardier de près, il était faux de prétendre que l'acquisition de l'avionneur avait été une véritable aubaine. « Le soir même de la transaction, j'ai participé à une rencontre d'analystes chez Canadair. J'ai pu constater que la situation était désastreuse, que les perspectives d'emploi au sein de l'entreprise étaient nulles, et ainsi de suite. Ce n'était pas du tout réjouissant. Et que s'est-il passé ? L'acquisition de Canadair a permis à Bombardier de devenir l'une des plus grandes sociétés industrielles au Canada. Je doute qu'une autre entreprise ait pu faire mieux[21]. »

La réalité se situe à mi-chemin des concessions d'Ottawa et de l'opportunisme de Beaudoin. Bien sûr, il a négocié cet achat à un bon prix et il a obtenu de généreux appuis du gouvernement fédéral. Mais cela ne l'a pas amené au-delà de la ligne de départ et il lui restait à faire le parcours d'obstacles. Canadair n'écoulait que 12 appareils Challenger annuellement et le marché des avions d'affaires était réputé instable. Beaudoin devrait vendre chaque année 15 appareils pour atteindre un seuil de rentabilité et 25 pour dégager des bénéfices qui justifieraient sa transaction. D'autre part, il savait que les ingénieurs de Canadair avaient envisagé de construire une version allongée du Challenger et que ce biréacteur d'affaires pourrait donner naissance à un produit encore plus rentable. Un an plus tard, le Regional Jet de Canadair fut lancé sur le marché. Ce pari de 250 millions de dollars allait devenir la plus grande réussite de l'entreprise.

Le vrai cadeau était sans doute l'actif immobilier inclus dans la transaction de Canadair, soit un terrain de 182 hectares situé derrière l'usine de Canadair à Saint-Laurent, dans la banlieue de Montréal. Cet emplacement comptait aussi un aéroport, mais celui-ci ferma ses portes quand Bombardier Aéronautique déménagea ses installations à Dorval et à Mirabel. L'entreprise disposait donc d'un immense terrain, la dernière parcelle de lots non bâtis de l'île de Montréal. Compte tenu de la pénurie de terrains résidentiels dans l'île, la valeur de cette propriété promettait d'augmenter de façon significative. En vertu de l'entente signée avec le gouvernement fédéral, Bombardier avait le droit de conserver le produit de la vente de ses terrains dans la mesure où ce produit servait au financement de nouvelles installations.

Selon les états financiers de 1987, le coût de détention du terrain et de l'aéroport était évalué à 27 millions de dollars. En 1992, Bombardier s'était entendu avec la municipalité de Saint-Laurent pour la construction, sur cet emplacement, d'un vaste complexe domiciliaire dont l'objectif était de freiner l'exode des habitants vers les banlieues de l'extérieur de l'île. Les planificateurs estimaient que le développement immobilier associé à ce projet atteindrait une valeur d'environ 1,1 milliard en quinze ans, soit l'équivalent de 8 000 unités d'habitations pour 25 000 résidants. On prévoyait l'aménagement de parcs de quartier, de places publiques et de petites esplanades entourées de résidences selon un motif en damier inspiré du plan d'urbanisme de la ville de Savannah, en Georgie[22]. Le rendement financier de Bombardier provenait de la vente de lots aux entrepreneurs en construction et de gains en capital inattendus, hommages des contribuables.

S'il est possible de qualifier Laurent Beaudoin d'opportuniste parce qu'il a su profiter des largesses du gouvernement, on ne saurait nier la vision entrepreneuriale dont il a fait preuve. N'a-t-il pas fait de Canadair un chef de file mondial de l'industrie aéronautique ? N'a-t-il pas créé ainsi des milliers d'emplois et généré des centaines de millions de dollars en recettes fiscales pour les différents paliers de gouvernement ? On en viendra peut-être avec le temps à voir les rapports entre Bombardier et le gouvernement sous l'angle d'un partenariat entre le public et le privé, d'une relation privilégiée ayant bénéficié aux deux parties. L'intense bagarre politique qui a accompagné l'octroi du contrat de soutien technique des chasseurs CF-18 montre à quel point ces liens s'étaient resserrés.

CHAPITRE 6

Le vol du CF-18

Bombardier avait fait l'acquisition de Canadair au cours d'une période de rétivité croissante au Québec. Dans les années 1980, Toronto avait connu un boom phénoménal. La ville s'était remplie de gratte-ciel éblouissants et peuplée de riches banquiers en placements, pour une part en raison de l'exode des Montréalais amorcé plus de vingt ans auparavant pour des motifs politiques. Au Québec, la ferveur nationaliste avait monté d'un cran et beaucoup d'entreprises et d'investisseurs manifestaient leur mécontentement en quittant la province.

À Montréal, cependant, on ne voyait pas les choses du même œil : un grand nombre de Québécois étaient convaincus que la prospérité de l'Ontario, en comparaison de laquelle le Québec faisait figure de parent pauvre, était due à la volonté délibérée du gouvernement fédéral de favoriser l'Ontario au détriment du Québec.

Dans cette atmosphère lourde, le milieu des affaires montréalais se prononça ouvertement dans le débat sur l'unité nationale. Les griefs étaient nombreux et bon nombre de chefs d'entreprise endossaient le point de vue du Parti Québécois selon lequel Montréal et le Québec ne recevaient pas leur «juste part» des ressources fédérales. Grâce à l'accord canado-américain sur les produits de l'industrie automobile, l'Ontario récoltait les fruits de cette industrie. Le Québec affirmait devoir bénéficier de l'industrie aéronautique (qu'il détenait déjà à 50 pour 100).

Laurent Beaudoin n'avait guère envie de sermonner les différents paliers du gouvernement et de leur dire ce qu'ils devaient faire ou ne pas faire. Mais d'autres étaient heureux de s'en charger, notamment la présidente du Bureau du commerce de Montréal. Selon Manon Vennat, la vente de Canadair à Bombardier ne suffisait pas si elle n'était pas assortie du contrat de 1,4 milliard de dollars pour le soutien technique des CF-18. « Montréal a reçu moins que sa juste part [des appuis du gouvernement fédéral], dit-elle à l'annonce de la vente de Canadair. L'octroi du contrat [pour les CF-18] corrigerait cette situation[1]. » Des sociétés, des professionnels de l'industrie et des universités firent front commun pour exercer des pressions sur Ottawa.

Le gouvernement fédéral était habitué à ce genre de récriminations. Depuis l'élection du PQ en 1976, le verre du Québec était à moitié vide aux yeux des nationalistes francophones. Mais dans le reste du pays, on jugeait que ce verre était beaucoup trop plein et que le gouvernement fédéral faisait l'impossible pour ménager les susceptibilités du Québec et satisfaire tous ses caprices. Certaines déclarations, en vertu desquelles Bombardier était depuis le départ le favori des députés de Brian Mulroney au Québec pour l'acquisition de Canadair en 1986, venaient renforcer ces soupçons. Puis on découvrit qu'une clause de la lettre d'entente entre Bombardier et le gouvernement prévoyait le versement d'une redevance à Ottawa si Bombardier obtenait le contrat d'entretien des CF-18.

Aux yeux de certains analystes, cette clause faisait partie intégrante du prix d'achat négocié. Mais le gouvernement fédéral affirmait ne s'être en aucun cas engagé à octroyer le contrat des CF-18 à Bombardier. Ottawa n'était du reste pas en mesure de faire une telle promesse. Le processus d'appel d'offres avait déjà été enclenché, opposant le consortium de Canadair au groupe mené par Bristol Aerospace, une entreprise de Winnipeg propriété britannique, ainsi qu'à un consortium chapeauté par IMP Aerospace Ltd., de Darmouth, en Nouvelle-Écosse.

L'enjeu était un contrat de vingt ans pour les services techniques de réparation et de remise en état des chasseurs CF-18 en provenance des usines de McDonnell Douglas Corp. de St. Louis, dans le Missouri. L'avionneur américain avait obtenu le contrat de construction de 138 chasseurs Hornet pour le ministère de la Défense nationale. En échange de cet octroi, le constructeur s'engageait à effectuer des acquisitions volontaires compensatoires auprès de fournisseurs canadiens dans le but d'injecter de l'argent dans l'économie du pays. Le gouvernement fédéral s'était engagé à son tour à confier d'importants contrats de sous-traitance à des entreprises québécoises. Mais ces promesses étaient lentes à se matérialiser et, compte tenu d'un taux de chômage à double chiffre, la patience des Québécois s'émoussait[2].

Ottawa était d'autant plus sur les dents que cette question avait commencé à révéler des fêlures dans la fragile coalition montée par Mulroney entre les conservateurs de l'Ouest du Canada et les nationalistes québécois. Tant le ministère de la Défense nationale que le ministère des Approvisionnements et Services avaient fait savoir clairement en mai 1986 que leur préférence allait à Bristol Aerospace de Winnipeg, qui avait déjà fait ses preuves dans l'entretien d'aéronefs. Un grand climat de confiance régnait à Winnipeg. « Il est clair que Montréal ne peut pas tout avoir », déclara le maire de Winnipeg, non sans un soupçon de naïveté.

Mais Montréal voulait tout avoir, justement. Une rumeur circulait selon laquelle le gouvernement fédéral entendait répartir le travail entre les deux villes, mais la Chambre de commerce de Montréal refusait ce compromis qu'elle jugeait inacceptable. Elle refusait de se voir donner des miettes et insistait pour que l'industrie aéronautique canadienne soit concentrée à Montréal.

Norman Cherry, le prolixe président du syndicat des machinistes de Canadair, était d'un autre avis. Cherry, qui allait plus tard être élu député libéral à l'Assemblée nationale du Québec, fit valoir que l'important n'était pas « d'opposer le Québec et l'Ontario ou le Québec et le Manitoba ». Tout tournait autour de la technologie et de l'expertise nécessaire pour assurer l'entretien des CF-18. Il était préférable que ce contrat soit octroyé à des Canadiens plutôt qu'à une entreprise sous contrôle étranger telle que Bristol, propriété du motoriste britannique Rolls-Royce. Le CF-18 était un laboratoire volant rempli d'ordinateurs et d'équipements de haute technologie. Il représentait pour Canadair une importante occasion d'apprentissage pouvant déboucher sur d'autres contrats de services techniques et sur la création de nouveaux produits[3].

Yvon Turcot, le futé conseiller en affaires publiques de Laurent Beaudoin, avait déjà fait valoir ce point de vue. Depuis des années, Turcot fondait l'image de l'entreprise sur deux étais majeurs : premièrement, les Québécois tirent une très grande fierté de Bombardier et, deuxièmement, l'entreprise est un agent de progrès dans l'économie canadienne par la façon dont elle acquiert de l'étranger des licences d'exploitation de techniques brevetées pour ensuite les développer ici. «J'avais mis au point ce plaidoyer, et il était excellent, dit-il. Bristol et Rolls-Royce ne font qu'un. Et Bristol ne vend que des services d'entretien. Nous pouvons apprendre de nouvelles technologies et de nouvelles techniques qui contribueront à la croissance de Bombardier. Voilà pourquoi ce contrat nous revient. Il ne s'agit pas seulement de fournir des services techniques de réparation et de remise en état, mais bien de faire profiter une entreprise canadienne, plutôt qu'une entreprise britannique, de ces progrès technologiques. Mon argument tenait debout. Mais les gens de Winnipeg n'étaient pas de cet avis[4].»

Le climat était tel que les hommes politiques québécois ne tardèrent pas à jouer des coudes. Robert Bourassa, qui avait repris le pouvoir au Québec comme premier ministre libéral, connaissait très bien Brian Mulroney. Les deux dirigeants politiques se rencontrèrent à la résidence de Bourassa qui se porta à la défense du dossier Bombardier. Selon lui, le contrat des CF-18 revêtait une importance capitale pour le développement des industries québécoises de haute technologie. Et il était également important pour un homme politique qui s'inquiétait toujours de savoir si les séparatistes gagnaient du terrain – aspect du problème qui donnait de sérieux maux de tête à Mulroney. Le premier ministre s'efforça tout de même de réduire les attentes en déclarant que le contrat des CF-18 n'allait «ni sauver le Québec ni le détruire».

En un sens, ce n'était pas faux. L'enjeu dépassait maintenant de beaucoup la valeur du contrat. Pour Canadair, les CF-18 équivalaient à des recettes annuelles d'environ 30 millions de dollars pour les vingt ans du contrat. Ce n'était pas rien, mais cela ne suffirait pas à favoriser ou à détruire l'entreprise. En termes d'emploi, on parlait d'un gain de quelque 300 postes, pas plus. Les représentants officiels de Canadair étaient d'avis que l'entreprise retirerait davantage de bénéfices de ce contrat à moyen terme si elle parvenait à tirer parti de son nouveau savoir-faire technologique pour construire un avion-école, par exemple.

Mais d'un autre point de vue, Mulroney avait tort. Il s'agissait bel et bien d'une décision de vie ou de mort. Il y avait belle lurette que les aspects politiques de ce marché avaient éclipsé ses aspects économiques. L'octroi du contrat des CF-18 avait tout à voir avec le pouvoir et le trafic d'influence à Ottawa, tout à voir avec quelles régions du pays pouvaient le mieux orienter le groupe conservateur, et tout à voir avec la fusion des intérêts de Bombardier et des intérêts québécois. Il avait aussi tout à voir avec l'exaspération des provinces de l'Ouest qui estimaient que les bassesses du gouvernement fédéral envers le Québec avaient assez duré.

En fait, l'octroi du contrat avait tout à voir avec la brillante négociation de Laurent Beaudoin. On comprenait maintenant clairement pourquoi Bombardier avait offert une redevance à Ottawa sur le contrat des CF-18 au moment de l'acquisition de Canadair. Pour rendre plus attrayante sa volonté d'assurer le soutien technique et la remise en état des CF-18, Bombardier avait renchéri en offrant de verser à Ottawa un forfait immédiat de 4 millions de dollars plutôt que d'étaler ses redevances sur vingt ans. (Jugeant cette offre inconvenante, le gouvernement la rejeta.) Bombardier n'avait certes pas l'habitude de vouloir ainsi empiler les billets de banque dans la main d'Ottawa, et l'on estima qu'un tel geste lui conférait l'avantage puisque cette somme venait s'ajouter au produit de la vente de Canadair à Bombardier. Cette tactique souleva la colère des autres soumissionnaires. Ken Rowe, le président d'IMP Aerospace, parla d'«amateurisme ridicule» et ajouta qu'une telle façon de faire frôlait «la zone grise des manœuvres incitatives». On en vint à se demander si le gouvernement n'était pas enclin à se laisser acheter[5].

Mais au ministère de la Défense nationale, les décisions ne se prenaient pas ainsi. On tenait compte des compétences techniques, des antécédents et des systèmes d'ingénierie. On ne s'inquiéterait pas de savoir si une entreprise était canadienne ou si ses propriétaires étaient étrangers, si elle avait son siège social au Québec ou au Manitoba, ou si elle était disposée à payer Ottawa rubis sur l'ongle pour obtenir un contrat. Compte tenu de ses réalisations, le Ministère avait porté son choix sur Bristol. Quand la nouvelle se répandit, le gouvernement conservateur fut contraint de tenir ses amis et agents politiques du Québec loin de la décision finale. Le porte-parole libéral de l'opposition qualifia la bataille des offres pour le CF-18 de «pire exemple de favoritisme qui soit de la part des conservateurs», ce qui relevait manifestement de l'hyperbole puisque la réputation du gouvernement était déjà largement ternie par de tels scandales[6].

Tandis que le débat faisait rage au Conseil des ministres, la ministre des Approvisionnements et Services Monique Vézina laissa entrevoir la décision du gouvernement. Les premiers ministres des provinces de l'Ouest appuyaient Bristol, et les conservateurs québécois faisaient pression pour Canadair. « Je ne vois pas comment, dit-elle, il serait possible de fonder une telle décision sur un différend entre régions du pays. » Elle insinuait par là que le contrat irait au meilleur et plus bas soumissionnaire, ce qui fut loin de rassurer le Québec[7]. Le Conseil des ministres était confronté au dilemme suivant : on le blâmerait pour des raisons politiques s'il octroyait le contrat à Canadair, mais les nationalistes l'éreinteraient si le contrat allait à une compagnie sous contrôle étranger.

Constatant la précarité de sa situation, Bristol acheta une pleine page de publicité dans le *Globe and Mail* pour clamer que sa soumission répondait le mieux aux intérêts du Canada[8]. Il y avait du vrai dans cette déclaration. Soixante-quinze représentants de trois ministères avaient examiné les soumissions à la loupe pendant plus d'un mois, et en avaient évalué chaque détail. Ils fondaient leurs recommandations au Conseil du Trésor sur la performance technique, le prix et les retombées économiques régionales. Bristol récolta 926 points sur un total possible de 1 000, contrairement à Canadair qui dut se contenter de 843 points. La soumission de Bristol était aussi plus basse, faisant état d'un coût de 100,5 millions de dollars contre 104 millions pour Canadair. Les spécialistes conseillaient vivement au gouvernement d'octroyer le contrat au consortium Bristol (qui avait aussi des entrepreneurs à Toronto, à Ottawa et à Montréal)[9]. Pendant que ceci se déroulait, Bombardier, qui n'avait pas encore achevé sa prise de contrôle de Canadair, était restée dans l'ombre. Mais la nouvelle du bon positionnement de Bristol incita Laurent Beaudoin à déclarer publiquement qu'il était de toute première importance pour le Canada de s'assurer que la technologie des CF-18 n'aboutirait pas entre les mains d'intérêts étrangers.

« Le gouvernement fédéral veut rapatrier cette technologie, dit Beaudoin à l'époque. La soumission de Canadair est la seule qui rende une telle chose possible. » Le syndicat des machinistes y alla de son grain de sel. Le président de la section locale, Norman Cherry, déclara que des « marchandages de coulisse » au ministère de la Défense nationale privaient Canadair de son dû. Cherry ajouta qu'à la fermeture des appels d'offres en novembre 1985, Canadair avait présenté la soumission la plus basse, mais que la Défense avait autorisé Bristol à se représenter et à réduire ses coûts de quelque 13 pour 100. De toute évidence, Canadair mettait le paquet[10].

Bristol, qui avait cru en sa victoire, se résignait maintenant à perdre la partie en raison des pressions extraordinaires des lobbyistes québécois. La décision finale revenait officiellement au Conseil du Trésor, mais, manifestement, un comité du Conseil des ministres aurait le dernier mot. La politisation explicite du processus d'adjudication portait atteinte aux réputations et semblait rebuter certains fournisseurs étrangers de l'industrie de la défense. Par exemple, le constructeur allemand Daimler Benz annonça qu'il se retirait de la course pour la livraison aux forces armées canadiennes d'une flotte de 1 400 camions lourds. Quelle raison invoquait-il? Bombardier avait été autorisé à soumissionner après la date limite pour la remise des soumissions.

Le 31 octobre 1986 – fête de l'Halloween – les six membres du Cabinet du premier ministre Mulroney qui formaient le Conseil du Trésor se réunirent à 7 heures du matin pour prendre leur décision. Coïncidence : la vente de Canadair à Bombardier était officiellement conclue le même jour. Pendant que les journaux du matin annonçaient que le contrat des CF-18 irait à Canadair, les lieutenants de Mulroney s'efforçaient déjà de limiter les dégâts. Benoît Bouchard, un des poids lourds du Conseil des ministres, lança un appel au calme : « Je ne veux pas que cette décision suscite l'animosité de certaines régions du pays. » Mais les députés des provinces de l'Ouest au caucus conservateur ne voulurent rien entendre. Ils étaient furieux d'avoir été ainsi rejetés par la fonction publique. Le libéral manitobain Lloyd Axworthy résuma ainsi la situation : Bristol avait été le meilleur soumissionnaire mais le pire stratège. Après tout, Mulroney était québécois et ses députés lui avaient remis en mémoire une importante réalité purement mathématique : le Québec occupait 75 sièges à la Chambre des communes et le Manitoba, 14[11].

Le président du Conseil du Trésor, Robert de Cotret, se chargea d'annoncer officiellement et de justifier la décision du gouvernement. Oui, avoua-t-il, Bristol avait présenté la meilleure et la plus basse soumission. Mais Ottawa avait avant tout tenu compte du fait que le transfert de technologies dont bénéficierait Canadair aiderait une avionnerie canadienne à soutenir la concurrence à l'échelle mondiale. L'ennui est que le transfert des technologies ne faisait pas partie des modalités d'ouverture des soumissions. Que devait-on penser du système d'appel d'offres et de la fiabilité du gouvernement?

Et s'il suffisait à une compagnie d'être sous contrôle étranger pour se voir exclure du processus, comment pouvait-on concilier ce fait avec l'engagement supposé du gouvernement à favoriser le libre-échange et l'entreprise privée? Brian Mulroney avait axé son programme électoral sur sa volonté d'apporter un correctif aux conséquences néfastes des politiques du gouvernement de Pierre Elliott Trudeau sur les investissements étrangers au Canada. À en juger par l'octroi du contrat des CF-18, il s'y prenait d'une bien étrange façon.

Mulroney déclara avoir pris cette décision extrêmement difficile «dans l'intérêt de la nation». C'était tourner le fer dans la plaie de Winnipeg. Cette ancienne métropole de l'économie des Prairies s'étiolait depuis que le gouvernement fédéral avait déménagé le centre d'entretien d'Air Canada à Montréal, privant ainsi Winnipeg de 1 000 emplois. Les Manitobains connaissaient le long et le large de l'intérêt de la nation : il était plutôt rare qu'ils en fassent partie.

Les années 1980 furent des années de séismes politiques au Canada : le référendum québécois, la lutte pour le rapatriement de la Constitution, les conflits linguistiques, les querelles autour de l'accord de Meech et la controverse suscitée par l'accord de libre-échange. En fait de dommages à l'unité canadienne, le fiasco des CF-18 figurait en tête de l'échelle sismique. Le premier ministre du Manitoba, Howard Pawley, était hors de lui face à ce qu'il jugeait être une trahison envers sa province. Il dit, à propos de Mulroney : «Pour être sincère, je n'ai aucune confiance en lui. Comment pourrais-je ne pas douter de sa parole?» Pawley avait été estomaqué d'apprendre la nouvelle par les médias. Le premier ministre avait promis de l'appeler personnellement, mais il ne l'avait jamais fait.

Pis, Pawley était convaincu que le gouvernement Mulroney avait caché son jeu. «Environ 10 jours avant l'annonce de la décision du gouvernement, se remémore Pawley, je m'étais entretenu personnellement avec Mulroney qui m'avait assuré qu'aucune décision n'avait encore été prise. Il m'avait également donné l'impression de ne pas avoir beaucoup fouillé le dossier. Il m'avait réitéré son amitié pour les provinces de l'Ouest et rappelé qu'il ne les avait jamais laissées tomber. Il avait fait référence aux opérations de sauvetage de deux banques albertaines et aux subsides accordés aux producteurs de céréales. Cette conversation avait eu lieu le jour des élections en Saskatchewan où son bon ami Grant Devine espérait être réélu[12].»

Selon Pawley, le gouvernement avait déjà fixé son choix sur Bombardier, mais «avait opté pour n'en rien dire afin de ne pas nuire à Grant Devine». Tout cela contredisait les promesses du gouvernement fédéral. «Brian Mulroney et son ministre responsable des provinces de l'Ouest, Jake Epp, un Manitobain, s'étaient engagés à ne pas prendre de décision politique. Ils avaient fait part publiquement, et à plusieurs reprises, de cet engagement envers la province et répété que la décision du comité technique reposerait sur le bien-fondé de la soumission et sur le prix offert.»

À vrai dire, Bristol avait demandé à Pawley et au maire de Winnipeg de rester à l'écart des manœuvres de couloirs. «Bristol nous a dit: "Écoutez, nous savons que notre offre est la meilleure. Nous savons aussi que si nous nous engageons dans un bras de fer politique, ce sera perdu d'avance compte tenu du nombre de députés manitobains et du nombre de députés québécois qui siègent à la Chambre des communes. Autrement dit, ne vous mêlez pas de ça. Nous allons les prendre au mot et remporter la victoire au mérite[13].»

Dans l'Ouest du Canada, la réaction à la décision du gouvernement fut virulente. Le président de la Winnipeg Chamber of Commerce se contenta de dire: «Cette décision équivaut à un suicide politique pour Brian Mulroney[14].» La presse écrite réagit promptement et avec indignation. «Le dernier acte de la comédie des CF-18 souligne la nature frauduleuse de toute cette affaire, pouvait-on lire dans le *Winnipeg Free Press*. La prétendue décision du Conseil des ministres ne représente rien d'autre qu'un ultime effort de la part du gouvernement pour dissimuler un acte de grossière indécence politique.» Le *Calgary Herald* déclara que cette décision reflétait «les réalités de la politique fédérale – les trois partis politiques "légitimes" ont leur siège dans la région centrale du Canada, leurs appuis proviennent de la région centrale du Canada, leurs dirigeants sont originaires de la région centrale du Canada et leur principal objectif est l'expansion de la région centrale du Canada».

Les conservateurs avaient remporté haut la main les élections de 1984 en Alberta et les deux tiers des sièges dans les trois autres provinces de l'Ouest. Le soir des élections, ils s'étaient vantés d'avoir recréé l'ancienne coalition de Mackenzie King entre le Québec et l'Ouest du Canada. «Il n'est pas question pour nous de fouler aux pieds ou de renoncer à l'un ou l'autre membre de cette association d'intérêts», jura le député de Calgary Centre, Harvie Andre[15].

Mais il s'agissait au mieux d'une alliance précaire. Les Canadiens de l'Ouest et les Québécois ne parlaient pas le même langage et ne comprenaient guère leurs motivations respectives. Les récriminations des gens des provinces de l'Ouest, en veilleuse depuis que des tensions mijotaient au Québec, avaient commencé à se manifester. Il ne s'agissait pas tant d'un sentiment francophobe ou anti-Québécois que d'une volonté bien arrêtée de faire en sorte que toutes les régions du pays bénéficient des mêmes traitements. La liste de leurs griefs relatifs à l'économie remontait jusqu'à la politique nationale de John A. Macdonald, et ils étaient persuadés que l'administration éloignée d'Ottawa refusait d'admettre les inégalités économiques du pays. Pourquoi l'Ouest du Canada devait-il se contenter d'expédier ses ressources naturelles dans les provinces de l'Est pendant que les emplois intéressants dans la haute technologie allaient à Canadair et à Montréal?

L'onde de choc provoquée par l'octroi du contrat allait secouer le paysage politique pendant des années. Pour certains Canadiens de l'Ouest, le fédéral avait commis un acte d'une malveillance égale à celle du Programme énergétique national du gouvernement Trudeau. De l'avis de Howard Pawley, c'était une des principales raisons pour lesquelles le soutien de l'Ouest à l'accord de Meech – la malheureuse tentative de Mulroney pour que le Québec reconnaisse officiellement la nouvelle Constitution – s'était effondré. L'intensité de la colère qui balayait l'Ouest du pays étonna Pawley. Lors d'une réception dans le cadre d'une conférence des premiers ministres tenue à Vancouver quelques semaines plus tard, des gens de la Colombie-Britannique l'abordèrent et lui firent part de leur déception eu égard à l'octroi du contrat des CF-18. «Jusque-là, j'étais porté à croire que cette affaire ne touchait que le Manitoba. Ce fut une révélation pour moi d'apprendre qu'elle piquait aussi au vif les habitants des autres provinces de l'Ouest[16].»

Au bout de quelques mois, la fissure qui divisait le pays fut évidente. «Le fait que l'Ouest du Canada soit maintenant dépourvu des mécanismes politiques qui lui auraient permis de canaliser ses frustrations aggrava la colère et le sentiment de trahison engendrés par le contrat des CF-18», écrit Peter C. Newman dans *The Canadian Revolution: From Deference to Defiance*. Les mouvements de protestation du passé – le Crédit social, les Cultivateurs unis de l'Alberta – n'existaient plus depuis belle lurette. L'affaire des CF-18 eut pour effet de convaincre les gens des provinces de l'Ouest que ni Mulroney ni Bombardier ne méritaient leur confiance. Quelques mois plus tard, le Parti réformiste du Canada voyait le jour. C'était, dit Newman, «la première fois dans l'histoire qu'un avion engendrait un parti politique».

Au Québec, la situation était diamétralement opposée. Des centaines d'ouvriers rassemblés dans la cafétéria de Canadair accueillirent l'annonce de l'octroi du contrat des CF-18 avec des cris de joie. On vanta les mérites de Mulroney et de Robert de Cotret, ainsi que ceux de Jean Chrétien qui avait quitté la politique et qui avait agi comme conseiller juridique auprès des employés de Canadair dans la vente de l'entreprise à Bombardier. On aurait compris qu'un touriste à sa première visite au Canada se soit demandé si Montréal et Winnipeg étaient sur la même planète. Le président de la Chambre de commerce de Montréal déclara sans sourciller que «le gouvernement a pris cette décision dans l'intérêt de l'économie du pays tout entier et non pas en fonction de considérations politiques régionales». Les groupes de pression québécois s'étaient persuadés que ce qui était bon pour Canadair était bon pour le Canada. Il était beaucoup question de la façon dont le contrat des CF-18 stimulerait la croissance des industries de pointe dans la région de Montréal.

En réalité, sur la base de documents émanant du ministère de la Défense en vertu de la *Loi sur l'accès à l'information,* il a été démontré que le «transfert de technologie» tant vanté par Canadair était purement fictif. McDonnell Douglas en était le propriétaire exclusif, elle ne pouvait servir que dans les limites du contrat des CF-18 et Canadair ne pouvait en bénéficier que «par osmose». Ces documents mentionnaient en outre que des «considérations régionales» étaient à l'origine du changement de cap de la fonction publique quand elle avait choisi de favoriser non plus Bristol mais Bombardier. Un sous-ministre fit allusion à la «réaction chatouilleuse du Québec» qui regrettait que l'Ontario ait à ce point profité des retombées du contrat octroyé à McDonnell Douglas pour la construction des avions de chasse[17].

Ironie du sort: McDonnell Douglas avait rempli ses obligations contractuelles grâce à la construction de deux usines en territoire québécois – une à Bromont et une à Montréal. Selon certaines notes de service du gouvernement, sur l'ensemble des contrats toujours en vigueur qu'avait octroyés le ministère de la Défense, le Québec en avait reçu pour une valeur de 2,8 milliards de dollars, tandis que la part de l'Ouest du Canada avait plafonné à 351 millions de dollars. Le Québec s'était vu octroyer l'équivalent époustouflant de 60,2 pour 100 de tous les contrats du gouvernement canadien, ce qui excédait de loin les 7,6 pour 100 accordés aux provinces de l'Ouest[18].

« Je me suis dit après coup que l'aspect le plus important du contrat des CF-18 est qu'il a contribué à diversifier les activités de l'entreprise », dit un ancien employé de Bombardier. Pas mal de gens ont cru que cette technologie pourrait favoriser d'autres secteurs commerciaux. Cela n'a jamais été le cas, bien qu'elle ait contribué à l'expansion du secteur des services d'entretien des avions militaires. Vous savez, les Américains contrôlaient rigoureusement ces technologies. Nous en servir et ensuite les réorienter vers d'autres champs d'activités était extrêmement difficile[19]. »

Dans une allocution prononcée en janvier 1988, Laurent Beaudoin remercia publiquement le milieu des affaires montréalais d'être intervenu auprès du gouvernement. « L'octroi du contrat de soutien technique des CF-18 aura été exemplaire de l'esprit de réussite qui anime les Montréalais quand les partenaires sociaux, économiques et politiques font front commun pour une même cause. Il constitue un "excellent exemple" de la volonté du gouvernement fédéral de faire de Montréal une métropole mondiale de l'industrie aéronautique[20]. »

Mais pour Bombardier, cette victoire fit l'effet d'une bombe à retardement. En dépit de tout ce qu'on avait pu en dire, ce marché ne permit pas à l'entreprise de réaliser d'importants bénéfices ni de créer beaucoup d'emplois. Il n'était que l'une des nombreuses concessions que le gouvernement accordait à la compagnie. Les vrais problèmes firent surface plus tard, quand les ennemis de Bombardier, massant leurs troupes, basèrent leur plan d'attaque sur le contrat des CF-18 et que la réputation de l'entreprise dans le reste du pays en souffrit terriblement.

Pour autant que les audacieuses stratégies mercatiques de Bombardier aient mis son nom sur toutes les lèvres et lié les intérêts supérieurs de l'économie québécoise au succès de l'entreprise, le reste du pays se montrait soupçonneux, voire hostile, à son égard. Le Parti réformiste d'abord, puis l'Alliance canadienne qui lui a succédé, ont scruté pendant des années les registres du financement public de Bombardier. La moindre subvention, le moindre prêt, le moindre crédit d'impôt a donné lieu à un commentaire voulant que Bombardier soit l'entreprise qui profite le plus des largesses du pays. Cela faisait l'affaire des Canadiens de l'Ouest pour qui l'entreprise participait ni plus ni moins à un complot du Québec, complot encouragé et soutenu par un gouvernement fédéral allié toujours à l'affût des votes québécois.

Yvon Turcot avait mis en place la stratégie d'ensemble, mais près de dix-huit ans plus tard il tira la conclusion suivante : « Je ne pense pas que l'octroi de ce contrat ait été positif pour Bombardier. Après coup, je serais porté à en douter. Premièrement, il n'a pas été très rentable. Ensuite, la presque totalité du Canada anglais s'est tournée pour ainsi dire en permanence contre l'entreprise. Cela a été l'élément charnière. Tout bien considéré, il aurait sans doute mieux valu que la soumission de Bombardier ne soit pas retenue[21]. »

Comme conséquence à ce fiasco, le milieu des affaires se défia du processus d'adjudication des contrats du gouvernement. Plusieurs chefs d'entreprise, exaspérés par la manière dont s'était déroulé l'appel d'offres pour les CF-18, firent connaître publiquement leur mécontentement. Un contrat de livraison de 1 400 camions lourds à l'armée canadienne était encore en suspens et la présence de Bombardier parmi les soumissionnaires faisait des vagues.

Le processus d'adjudication du contrat de soutien technique des CF-18 avait soulevé « la confusion et l'inquiétude », déclara le directeur de la mercatique pour le secteur des moteurs diesels de General Motors, qui se demandait si la compagnie présenterait en même temps que Bombardier une soumission pour l'octroi du contrat des camions lourds. « On semble se demander si les possibilités de création d'emploi interviennent dans l'octroi des contrats et dans quelle mesure le gouvernement favorise certaines régions du pays. » GM soumissionnait en collaboration avec une entreprise d'Allemagne de l'Ouest, et Bombardier avait formé un partenariat avec la société américaine Oshkosh Truck Co. Le troisième soumissionnaire était l'entreprise de Sainte-Thérèse sous contrôle américain Canadian Kenworth, en association avec la société suédoise Saab[22].

Bombardier se rendit compte du problème qu'elle avait provoqué au Canada anglais et résolut de le résoudre en incluant dans sa soumission la promesse de construire une usine à Calgary. « Bombardier est d'emblée perçue comme une compagnie québécoise, admit à cette époque un cadre de direction de l'entreprise. Un de nos

objectifs à long terme est de devenir une entreprise à l'échelle nationale.» La proposition concernant Calgary semble avoir été incluse à
la dernière minute, après que le ministère de la Défense eut amendé
sa commande à la hausse. Bombardier affirma qu'il serait logique de
construire une usine en Alberta étant donné l'importance de la commande du Ministère. Mais ses concurrents y virent une tactique désespérée et s'inquiétèrent de savoir si le contrat des camions lourds
ne serait pas une reprise de l'affaire des CF-18. Bombardier fit valoir
son expérience en tant que fournisseur de véhicules militaires ; l'armée utilisait déjà la camionnette d'une demi-tonne Iltis fabriquée
par Bombardier en vertu d'une licence avec Volkswagen, ainsi qu'un
camion de 2,5 tonnes construit avec le concours d'American
Motors[23].

Au bout du compte, Bombardier perdit le contrat au profit d'un
consortium de l'Ontario. Les représentants officiels de l'armée décla-
rèrent que le camion Bombardier ne satisfaisait pas leurs exigences.
Cette fois, l'entreprise victorieuse avait soigneusement évité tout
lobbying. Mais la politique avait sans doute encore joué un rôle. Un
mouvement de ressac pancanadien prenait forme contre Bombardier, que le gouvernement conservateur n'avait de toute évidence
aucune envie d'alimenter.

CHAPITRE 7

Une fine mouche

Canadair fut le premier maillon d'une longue chaîne d'acquisitions à prix d'aubaine pour Bombardier. On peut dire que Laurent Beaudoin était incapable de résister à la tentation de s'emparer d'un perdant. Que ce soit dans le domaine ferroviaire ou dans celui de l'aviation, c'était toujours la même histoire : il était comme ces femmes qui tombent toujours amoureuses de types dans le pétrin. Peu importe le nombre de leurs cicatrices, leurs dépendances ou leur dossier judiciaire, elles se figurent que leur amour résoudra leurs problèmes et les remettra dans le droit chemin.

Sans doute peut-on voir là la raison de l'étrange fascination qu'a exercée sur Laurent Beaudoin une avionnerie de Belfast, cette ville d'Irlande du Nord profondément marquée par les guerres de religion.

À l'été de 1989, une renaissance discrète redonnait un certain espoir aux habitants de Belfast. Ce Beyrouth européen avait subi les ravages de décennies de violence entre catholiques et protestants. La campagne de l'Armée républicaine irlandaise qui était bien décidée à se débarrasser de la présence des Britanniques avait fait de Belfast un champ de bataille, et des barrières de sécurité ceinturaient les zones commerciales et les grands hôtels. Mais il était également visible que la ville bénéficiait de nouveaux investissements : des grues de chantier déblayaient les ruines des édifices bombardés et l'on voyait surgir à leur place des centres commerciaux ou des immeubles résidentiels. Trois cents nouveaux restaurants avaient ouvert leur porte à Belfast dans les cinq dernières années et de grandes chaînes de magasins, notamment Laura Ashley et Marks and Spencers, y avaient installé leurs pénates. Les banquiers et les hommes d'affaires se déplaçaient encore en voitures blindées, mais l'optimisme était en hausse. Le Conseil de développement industriel de l'Irlande du Nord avait attiré des centaines de millions de dollars d'investissement étranger en vantant les vertus de la région : une impeccable morale du travail, une formation professionnelle subventionnée par l'État, des charges d'exploitation minimes[1].

L'un de ces nouveaux investisseurs était Bombardier. À Belfast, le groupe aéronautique en pleine expansion de Bombardier s'enrichit d'un nouveau membre. L'acquisition de Short Brothers Plc du gouvernement britannique en 1989 était calquée sur celle de Canadair : Laurent Beaudoin avait trouvé un perdant qu'il adorait et un gouvernement déterminé à vendre. Le gouvernement conservateur de Margaret Thatcher avait fait de la privatisation son cheval de bataille et vendu des atouts tels British Aerospace et Rolls-Royce. Quant à la firme Short Brothers, le gouvernement était pleinement justifié de s'en débarrasser. L'entreprise, couramment appelée Shorts, perdait de l'argent comme Exxon Valdez perdait du pétrole. Lorsqu'un des adjoints de Beaudoin visita l'usine, ce qu'il vit le stupéfia. « Je vous assure que la situation de Shorts était invraisemblable, se rappelle Yvan Turcot. Il y avait là des milliers d'employés qui se tournaient les pouces. Le gouvernement britannique dépensait des fortunes pour garder l'usine ouverte[2]. »

L'histoire de Shorts, animée et haute en couleur, remontait aux tout début de l'aviation. En fait, l'entreprise se vantait non sans raison d'avoir été le premier avionneur au monde. Avant de s'intéresser aux vols propulsés, ses fondateurs, les frères Horace, Eustace et Oswald Short, étaient des aérostiers. En 1908, ils firent la connaissance des frères Wright qui, cinq ans auparavant, avaient fait la première tentative réussie de vol contrôlé à Kitty Hawk, en Caroline du Nord. Horace Short leur présenta quelques esquisses basées sur leur biplan et les aviateurs américains lui en confièrent la construction. Ce fut la première tentative sérieuse de construction d'un aéronef. (Livré en 1909, cet avion ne put s'élever à plus de 10 centimètres du sol en raison de la faiblesse de son moteur, mais il se révéla beaucoup plus efficace après qu'on l'eut pourvu d'un moteur plus puissant[3].)

La Première Guerre mondiale marqua pour Shorts le début de la production en série grâce à la construction de bombardiers, de chasseurs, d'hydravions et même d'un dirigeable militaire de type Zeppelin. En 1943, le gouvernement britannique prit le contrôle de l'entreprise et, avec le temps, approvisionna l'armée en systèmes d'armes guidées. Cela nuisit à sa réputation auprès de l'Armée républicaine qui vit en Shorts le symbole même de l'occupation britannique et en fit la cible de ses campagnes de bombardement.

Pour Laurent Beaudoin, Shorts représentait tout autre chose. Comme cela avait été le cas pour Canadair, le gouvernement britannique avait effacé la dette de Shorts qui s'élevait à quelque 800 millions de dollars. Bombardier pouvait profiter de son expertise : elle perfectionnait le concept d'un jet régional semblable au Challenger à fuselage allongé en cours de développement chez Canadair. « Shorts s'est intéressée au marché des biréacteurs régionaux en même temps que Canadair. À Farnborough (Farnborough International Aerospace Exhibition – Exposition aéronautique internationale de Farnborough), ils ont présenté un modèle en vraie grandeur de la cabine de l'avion régional qu'ils s'apprêtaient à construire. J'ai dit à mes collègues "Vous devriez les approcher pour savoir si nous ne pourrions pas mettre nos programmes en commun." »

Beaudoin sut presque aussitôt que le gouvernement britannique entendait privatiser Shorts. Il rendit visite à Tom King, qui était alors secrétaire d'État pour l'Irlande du Nord.

« Nous sommes à élaborer un avion régional, lui dit-il, et je crois que notre facteur de risque est moins élevé que le vôtre. Vous commencez à pied d'œuvre, tandis que nous avons un point de départ – le Challenger. Notre investissement sera beaucoup moindre. Si vous disposez d'un budget pour un avion à réaction, consacrez-le plutôt à la modernisation de vos installations qui ne sont pas concurrentielles.

« Vous perdez 250 millions de dollars chaque année, poursuivit-il. Cela n'a aucun sens. Si vous êtes d'accord, nous aimerions étudier la possibilité d'acheter Shorts, mais à une condition. Nous vous consentirons le même pourcentage de travail sur le biréacteur régional que vous auriez si vous le construisiez vous-même. Quant aux sommes que vous envisagiez d'investir dans cet avion, vous les investirez par notre entremise dans la modernisation des usines de Shorts. »

Le boniment de Laurent Beaudoin était futé. Il savait ce qu'il en coûterait au gouvernement s'il refusait de vendre. L'entreprise construisait les ailes du Fokker 100 et elle avait un très gros contrat avec Boeing, mais elle ne rentabilisait rien de ce qu'elle touchait.

« Nous allons nous efforcer à nos risques et périls de rentabiliser ces projets, dit-il à King. Voici quelles seront vos pertes si vous faites cavalier seul. Vous investirez dans la compagnie les sommes que vous auriez consacrées à la remise à flot de vos projets. Grâce à ces sommes, nous sortirons Shorts de son marasme et nous en ferons une entreprise apte à soutenir la concurrence à l'échelle mondiale[4]. »

Au printemps de 1989, Bombardier se trouvait en excellente position pour faire cette acquisition, ne serait-ce que parce que tous les autres acheteurs potentiels s'en étaient désintéressés. Trente avionneries avaient manifesté leur intérêt dans la compagnie, mais le gouvernement britannique les avait presque toutes découragées en exigeant que l'entreprise ne soit pas démantelée. Seule Bombardier semblait disposée à respecter cette condition[5].

Au moment de l'annonce de la transaction, celle-ci semblait encore une fois avoir été possible grâce aux largesses des contribuables. Tout compte fait, le gouvernement avait injecté 1,5 milliard de dollars dans l'entreprise pour effacer ses dettes et améliorer ses installations. En plus de combler le déficit de la société, le gouvernement avait déboursé 232 millions pour le réoutillage de ses usines et la formation de son personnel, et il s'était engagé à dédommager Bombardier de ses pertes éventuelles de contrat jusqu'à concurrence de 550 millions de dollars.

Bombardier prit le contrôle de la compagnie au coût de 60 millions de dollars en liquide (sans aucune garantie d'emploi). Faut-il s'étonner si elle en était fière ? « Nous allons créer un autre Canadair, affirma le président Raymond Royer. Deux ou trois trimestres nous suffiront pour réaliser le redressement de Shorts. » Son optimisme s'appuyait sur le fait que Shorts était un des plus importants constructeurs d'ailes pour l'avion à réaction Fokker 100. Le carnet de commandes de Fokker pour 362 aéronefs représentait une valeur totale de 2 milliards de dollars.

L'étendue de ces largesses stupéfia même Margaret Thatcher. John Major, le futur premier ministre, était alors le ministre de second rang responsable de Shorts et le principal architecte de l'entente avec Bombardier. Il écrivit dans ses Mémoires que Thatcher avait rechigné à remettre la dette de Shorts et à dédommager l'entreprise canadienne de ses pertes éventuelles. « Bombardier n'était pas disposée à se porter acquéreur de Shorts sans une dot substantielle du gouvernement, mais Margaret n'entérinait pas les modalités que j'avais mises de l'avant», écrivit-il. Une violente querelle s'ensuivit, au cours de laquelle Major jura de démissionner si le gouvernement rejetait sa proposition. À la fin, constatant que, partout dans le monde, les gouvernements étaient les vaches à lait de l'industrie aéronautique, Thatcher accepta les conditions de Beaudoin[6].

Shorts allait se révéler utile, en dépit du fait que la situation politique à Belfast et le caractère explosif des syndicats ouvriers inquiétaient Bombardier. «Les syndicats ouvriers leur occasionnaient des tas d'ennuis; l'usine comptait pas moins de sept syndicats différents», se rappelle Beaudoin.

«Nous ne négocierons pas avec sept syndicats différents, fit-il savoir aux permanents syndicaux. Débrouillez-vous pour en venir à un consensus, car nous n'aurons de pourparlers qu'avec un seul d'entre vous. Et nous avons absolument besoin de nous mettre d'accord, car c'est votre dernière chance. Si nous ne parvenons pas à nous entendre, je ne pense pas que le gouvernement pourra continuer dans la même voie. Nous avons l'intention d'investir dans cette usine afin de la moderniser, et nous comptons sur votre collaboration[7].»

Les syndicats ouvriers se rallièrent; Beaudoin put réoutiller l'usine et l'intégrer au système de production de Bombardier. En quatre ans, l'entreprise avait doublé son chiffre d'affaires.

Mais ce ne fut pas une acquisition sans douleur. Bombardier était un employeur catholique et francophone dans une enclave protestante et anglophone. En outre, Shorts était toujours dans la ligne de mire de l'IRA. Au cours des deux ans qui suivirent l'acquisition de Shorts par Bombardier, l'usine, située dans une zone protestante de Belfast, fut bombardée au moins six fois. Heureusement, ces incidents eurent lieu après les heures de travail et on ne dénombra aucune victime.

Ces hostilités stupéfièrent Bombardier étant donné qu'il s'était sérieusement engagé à accroître les rangs des employés catholiques de l'entreprise (en effet, quatre ans plus tard, la représentation catholique au sein du personnel était passée de 5 à 13 pour 100)[8]. Mais l'Armée républicaine n'avait pas oublié que Shorts avait été un fournisseur de l'industrie militaire britannique et les tensions qui agitaient ce quartier de Belfast n'allaient pas s'apaiser de sitôt.

Cela étant, ce marché profita beaucoup à Bombardier. L'entreprise en vint à vendre l'aéroport de la ville de Belfast – dont Bombardier avait lancé les opérations – de même que l'unité de construction des missiles et l'unité des travaux d'entretien des équipements militaires tel le chasseur Tornado. Si l'on tient compte des sommes que la vente de ces secteurs avait rapportées à Bombardier et des 30 millions de livres Sterling que lui avait coûté l'acquisition de Shorts, l'entreprise de Beaudoin ne s'en était pas mal tirée du tout.

Si les rendements paraissaient élevés, les risques encourus l'étaient aussi. Shorts était handicapée par des syndicats ouvriers militants et par une technologie désuète. En tant que société d'État ne bénéficiant d'aucun investissement, elle avait dû s'endetter pour se procurer des capitaux. Au bout du compte, Bombardier avait été forcée de repartir de zéro. L'entreprise était parvenue à créer une assise industrielle ainsi que des emplois haut de gamme en Irlande du Nord, dans un contexte de violence endémique où peu de gens osaient s'aventurer. Bombardier avait plus que respecté sa part du marché.

Laurent Beaudoin avait édifié en très peu de temps un véritable empire aéronautique à partir de rejets acquis à prix d'aubaine. Il étendit cet empire en 1990 lors de l'acquisition de Learjet Corporation, un chef de file dans le domaine des jets d'affaires aux États-Unis, une société fondée par William Lear qui avait en partie inspiré le concept du Challenger. Encore une fois, Beaudoin avait négocié à son avantage l'acquisition d'une entreprise au carnet de commandes prometteur. Chaque fois, son choix du moment avait été impeccable.

Les transactions de Canadair et de Shorts s'étaient déroulées au moment où la privatisation des sociétés d'État était très à la mode et où les gouvernements concédaient volontiers tout et n'importe quoi aux acheteurs disposés à les en débarrasser. Beaudoin savait exactement combien il en coûterait aux contribuables pour que ces sociétés demeurent publiques. Après que leur gestion incompétente les eut ruinées, les gouvernements n'étaient guère disposés à assumer le coût politique et financier de la fermeture des avionneries qui faisaient vivre des milliers d'employés. Il avait été démontré, par exemple, que si Canadair était demeurée aux mains du gouvernement, les contribuables auraient dû assumer une somme supplémentaire de 330 millions de dollars pour l'entretien des aéronefs que la société avait déjà vendus. Beaudoin était fermement résolu à ce que Bombardier n'assume pas les erreurs passées du gouvernement. Il entendait acheter ces éléments d'actifs à la condition stricte de ne pas avoir à ramasser les pots cassés.

Si ces ententes avaient montré que Laurent Beaudoin était une fine mouche, la réputation de son entreprise dut en payer le prix. Bombardier ne parviendrait pas de sitôt à se délester de son image d'entreprise dépendante de l'État et habile à tirer un énorme parti d'actifs obtenus à rabais des contribuables.

En 1992, Beaudoin frappa juste une fois de plus lorsqu'il présenta une offre opportune pour l'acquisition du constructeur torontois de cellules d'aéronefs de Havilland et qu'il obtint le soutien des gouvernements fédéral et de l'Ontario.

De Havilland faisait depuis longtemps partie de l'avionnerie canadienne, mais l'entreprise n'avait jamais été rentable. Lorsqu'elle était propriété britannique, soit pendant la Deuxième Guerre mondiale, elle avait construit des bombardiers et des chasseurs, et elle s'était ensuite recyclée dans la construction d'avions de brousse, notamment les fameux Beaver et Twin Otter. Tout comme Canadair, l'entreprise de Havilland fut acquise par le gouvernement Trudeau au milieu des années 1970, soit au moment où l'entreprise produisait le Dash-7, un turbopropulseur régional à décollage et atterrissage courts. Mais sous la régie de l'État, l'entreprise accumula des pertes de près d'un milliard de dollars que les contribuables durent bien évidemment assumer.

Le gouvernement Mulroney avait privatisé de Havilland en même temps que Canadair en la vendant au géant américain Boeing selon une entente similaire à celle que signa Bombardier. Boeing acheta de Havilland pour une somme de 155 millions de dollars et bénéficia, sous forme de garanties, de l'appui d'Exportation et développement Canada et du Programme de productivité de l'industrie du matériel de défense. (Il semble bien que toute nation désireuse de se doter d'une industrie aéronautique doive payer pour l'obtenir.) Mais sous la gouverne de Boeing, les problèmes de de Havilland s'étaient aggravés. L'entreprise basée à Seattle y avait injecté des centaines de millions de dollars et avait réduit ses effectifs de 6 200 à 3 700 employés. Jusqu'à 1990, de Havilland n'était jamais parvenue à négocier même une seule entente avec les Travailleurs et travailleuses canadien(ne)s de l'automobile sans déclencher un arrêt de travail[9]. Boeing finit par baisser les bras, persuadée que l'entreprise ne parviendrait jamais à dégager des bénéfices compte tenu des ententes collectives en vigueur.

« Je crois qu'ils en sont venus à la conclusion qu'ils ne tenaient pas tellement à investir dans ce secteur et qu'ils n'y connaissaient pas grand-chose, se remémore Bob Rae, qui était alors premier ministre de l'Ontario. Les gens de Boeing étaient incapables de composer avec la culture d'entreprise de de Havilland. Je ne crois pas qu'ils aient su exploiter le marché des petits avions. Ce n'était pas leur rayon et ils n'y déployaient aucune imagination[10]. »

Mais de Havilland était l'un des plus importants employeurs de la région de Toronto, si bien que le gouvernement du Nouveau Parti Démocratique n'était pas du tout enclin à le laisser fermer boutique. Rae se lança dans la recherche frénétique d'un acheteur en laissant clairement entendre que le gouvernement de la province investirait dans l'entreprise et envisagerait également d'autres concessions.

« Nous en avons conclu, dit Rae, que notre participation serait indispensable parce que le fédéral se montrait méfiant [vis-à-vis de Boeing]. Nous avons mis sur pied un groupe d'étude pour examiner la situation de l'aréonautique en Ontario et nous avons constaté que cette industrie y serait inexistante sans de Havilland, qui en constituait le pivot. L'entreprise offrait des emplois de haute technologie à salaire élevé dans les domaines de l'ingénierie et du design. À la lumière de la structure économique de la province, on s'est dit que c'étaient là des emplois qu'on ne pouvait pas se permettre de perdre et que de Havilland était une entreprise difficilement remplaçable. »

Bombardier avait tâté le terrain en même temps que British Aerospace, mais le gouvernement semblait avoir trouvé son sauveteur : le consortium européen ATR, constructeur d'un turbopropulseur concurrent. Tant Ottawa que Boeing semblaient lui accorder leur faveur. Bob Rae ne partageait pas leur enthousiasme.

« Nous nous faisions du souci au sujet d'ATR, car il nous semblait que ce consortium n'offrait aucune garantie de réussite pour de Havilland. En fait, nous appréhendions beaucoup qu'ATR envisage de fermer la compagnie ou d'en diminuer considérablement les effectifs[11]. » Les soupçons de Rae furent confirmés lorsque la Commission européenne apposa un veto à cette transaction, alléguant qu'elle contrevenait aux normes de libre concurrence.

Avec le départ d'ATR, l'Ontario ne disposait plus que d'une option. Bombardier s'était montrée intéressée par l'acquisition de de Havilland mais y avait renoncé quand elle n'avait pas obtenu satisfaction. Et voilà que le gouvernement du NPD allait frapper à la porte de Laurent Beaudoin. « Nous avons eu une rencontre un soir à l'hôtel Royal York où j'étais présent à une réception. M. Beaudoin était là, en compagnie de Raymond Royer. Nous avons eu une réunion avec leurs représentants et les nôtres. On peut dire que c'est ce qui a déclenché les négociations.»

Au départ, Beaudoin était sceptique. Il n'avait pas oublié la façon dont le premier ministre précédent, David Peterson, avait manqué à sa promesse de vendre à Bombardier le constructeur de wagons de chemin de fer UTDC. Il en avait gardé un très mauvais souvenir[12].

Mais il semblait cette fois que Bob Rae ait voulu conclure un marché à n'importe quel prix et qu'il était même disposé à payer Bombardier pour prendre le contrôle de la compagnie. En tant que chef d'un gouvernement favorable au plein emploi, il n'était pas question pour lui de mettre la clé dans la porte d'une entreprise dont la fermeture ferait des milliers de chômeurs syndiqués.

«C'eût été une idée terrible de laisser cette compagnie fermer ses portes, dit Rae, sauf pour un partisan de la ligne dure qui croit fermement à un principe de destruction créatrice. Si vous regardez ce que le gouvernement a fait pour préserver le potentiel industriel de la province et pour permettre à l'industrie de survivre à une très pénible récession, vous constaterez que nous n'avons pas fait fausse route. Je n'ai aucun scrupule à le dire. Nous avons fait un usage intelligent des fonds publics et de l'appui de la population en resserrant des liens stratégiques avec un investisseur de premier plan.

«Premièrement, Boeing aurait pu tout aussi bien fermer l'usine et s'en aller. Deuxièmement, la province aurait pu en faire l'acquisition – c'est du reste ce que nous conseillaient un grand nombre de personnes : remettre de Havilland entre les mains de l'État. Ça me paraissait être une bien mauvaise idée. La troisième solution consistait à trouver un partenaire performant susceptible d'injecter de nouveaux capitaux dans l'entreprise. Nous avons opté pour cette dernière solution[13].»

De Havilland était aux prises avec des tas de problèmes ; le rendement de l'usine n'était pas conforme aux règles de l'art et la productivité ne répondait pas du tout aux normes de Bombardier. Les clients étaient rares. L'achat d'un biréacteur régional n'était guère plus coûteux que celui d'un turbopropulseur tel le Dash-8 produit par de Havilland. Si un géant de l'industrie comme Boeing ne parvenait pas à rentabiliser l'entreprise, qui le ferait ? Compte tenu de tout ce qui précède, Bombardier put négocier des conditions très favorables avec Boeing et avec les gouvernements concernés. « Au fond, de Havilland ne nous a rien coûté, dit Beaudoin. J'ai dit aux gens de Boeing : "Vous perdez 250 millions de dollars par an." Payer pour une compagnie qui perd de l'argent n'a aucun sens[14]. »

L'annonce de l'acquisition de de Havilland fut acclamée par 3 000 employés le 22 janvier 1992 dans un hangar de Downsview. Les conditions que Beaudoin était parvenu à soutirer des gouvernements provincial et fédéral en étonnèrent plus d'un. Bombardier déboursa 51 millions de dollars pour acquérir une participation de 51 pour 100 dans de Havilland. Le gouvernement de l'Ontario offrit une mise de fonds de 49 millions et négocia la possibilité de céder sa participation minoritaire à Bombardier au cours des quatre années suivantes. Les associés effectuèrent un paiement de 70 millions en liquide à Boeing dans le but d'acquérir des éléments d'actif d'une valeur de 260 millions ; en retour, ils absorbèrent des dettes de 190 millions contractées par de Havilland.

Ces sommes marquèrent le signal de départ de la participation des contribuables. Le gouvernement fédéral s'engagea ensuite à consentir à de Havilland 230 millions de dollars répartis sur trois ans au titre de la réorganisation de l'usine, de la formation du personnel, des exportations et de la recherche-développement. L'Ontario, pour sa part, fournit 200 millions sous forme de prêts aux actionnaires sur une période de trois ans et 60 millions en contributions remboursables au titre de la recherche-développement. En tout, les promesses d'aide et les investissements du gouvernement à l'égard de Bombardier totalisèrent quelque 600 millions, et ce, sans risque pour l'entreprise. Beaudoin déclara à l'époque que le seul risque encouru par Bombardier concernait son investissement de 51 millions en liquide, puisqu'elle rembourserait le gouvernement à la mesure des rendements obtenus. Quelle banque consent de telles facilités de crédit[15] ?

Rae justifia néanmoins cette transaction. « Nous avons récupéré notre investissement, sauf pour ce qui est des sommes consenties au titre de la recherche-développement. Notre prêt a été remboursé et nous avons conservé notre siège au conseil. Je crois que l'Ontario a conclu un excellent marché. Il faut aussi tenir compte des répercussions que la fermeture de l'usine aurait entraînées sur l'emploi, sur les recettes fiscales et sur le reste de l'industrie. Il faut envisager cet aspect des choses d'un point de vue pratique, non pas d'un point de vue idéologique[16].»

Beaudoin soutenait que ces investissements majeurs des gouvernements avaient été indispensables. «Nous cherchions un moyen de redresser la situation, de justifier cette transaction. Il importait de déterminer la nature de la participation gouvernementale au moment où nous continuions de perdre de l'argent, car il aurait été utopique de croire que nous pouvions dégager des bénéfices du jour au lendemain[17].»

Sceptiques, les analystes soutenaient qu'il était pratiquement impossible de rentabiliser la compagnie. «De Havilland n'a pratiquement aucune chance de s'en tirer sans d'importants appuis du gouvernement, dit un analyste de Prudential Bache Securities. Selon d'autres, la concurrence était féroce – les avionneurs européens et brésiliens disposaient d'une bonne demi-douzaine d'avions capables de rivaliser avec le Dash-8 – et l'entreprise ne pourrait survivre qu'en réduisant les salaires, solution que le syndicat avait d'emblée rejetée[18].»

Cela ne faisait aucun doute: le gouvernement avait offert de Havilland à Bombardier sur un plateau d'argent et l'avait assorti d'une montagne de largesses. Mais le verdict définitif devrait se faire attendre. Au cours des années qui suivirent, Bombardier investit des sommes importantes dans l'amélioration des turbopropulseurs et dans le développement d'une nouvelle génération d'avions très silencieux, dotés d'un système antibruit et antivibrations, les Q400.

«Bombardier a transformé un simple fabricant d'avions en une société aéronautique à exploitation diversifiée, dit Bob Rae. De Havilland était réputée pour être une usine de construction des Beaver, des Twin Otter et des Dash-7 et 8. Elle se consacrait uniquement à la construction intégrale de ces aéronefs. L'approche de Bombardier a été de dire: "Voilà, cette façon de faire les choses n'est ni très efficace ni très brillante. Nous allons construire ici les ailes du Learjet ainsi que d'autres éléments destinés à d'autres chaînes de montage. Toronto pourrait de la sorte devenir l'installation principale d'une entreprise internationale. Voilà ce qu'il faut faire." En agissant ainsi, l'entreprise maintiendrait le cap en ce qui a trait à la construction des Dash-8. Voilà donc ce qui s'est passé. C'est ainsi qu'une société peut diversifier des activités, ne pas mettre tous ses œufs dans le même panier. Une telle approche l'oblige aussi à soutenir la concurrence et à s'assurer que tout le monde comprend que les décisions d'investissement qu'elle devra forcément prendre vont beaucoup dépendre de la productivité et de l'efficacité de l'entreprise[19]. »

Mais les résultats furent décevants. Le marché des turbopropulseurs s'affaissa au moment où se développait celui des biréacteurs régionaux. Cette acquisition ne généra jamais les bénéfices auxquels Beaudoin s'attendait. « Ç'a été douloureux, avoue Beaudoin. Nos investissements dans de Havilland ont largement dépassé les rendements de la compagnie[20]. »

Bombardier dut finalement radier des centaines de millions de dollars en frais de développement pour ses Dash-8 Q400. Beaudoin avait cru faire une bonne affaire, mais s'il y en avait une dont il se serait passé, c'était bien celle-là.

CHAPITRE 8

Prêt pour le décollage

Laurent Beaudoin avait acheté un avion extraordinaire. Le programme Challenger si controversé avait certes coûté une fortune aux contribuables, mais devant son dernier rejeton, le 601, la clientèle était époustouflée. Le directeur du soutien technique chez Federal Express le qualifia de « meilleur avion jamais construit ». En 1984, l'avion mérita une reconnaissance internationale quand, battant tous les records dans sa catégorie, il franchit une distance de 37 800 kilomètres en un peu moins de 50 heures[1].

La plupart des analystes furent cependant d'avis que Bombardier aurait à affronter beaucoup de turbulence. Le marché des avions d'affaires stagnait en raison de la récession et bon nombre de biréacteurs moisissaient dans des hangars appartenant à de grandes sociétés. L'avenir incertain de Canadair depuis la privatisation de l'entreprise avait entraîné un exode du personnel de cadre et nui aux ventes des Challenger.

Le besoin de leadership se faisait sentir. Beaudoin entreprit de recruter une équipe de direction. Le dirigeant-clé – celui qui ferait de Bombardier un fer de lance de l'industrie aéronautique – était un fonctionnaire courtois et aimable du nom de Bob Brown, ancien sous-ministre adjoint au ministère de l'Expansion industrielle régionale (MEIR). Il avait été chaudement recommandé par le ministre libéral Ed Lumley comme une personne qui connaissait ce secteur de fond en comble et qui savait comment obtenir des fonds des programmes de retombées industrielles du gouvernement fédéral.

Au MEIR, Brown était responsable de tout, des télécommunications à l'aéronautique en passant par l'industrie automobile. Il avait joué un rôle majeur dans l'implantation au Canada de constructeurs automobiles japonais. Quand General Motors avait menacé de fermer son usine de Sainte-Thérèse, au nord de Montréal, Brown mit sur pied un programme de sauvetage visant à empêcher la fermeture de l'usine.

Au MEIR, qui soutenait depuis très longtemps le secteur de l'avionnerie, les rapports de Brown avec l'industrie aéronautique se passaient d'intermédiaire. Il dirigeait le Programme de productivité de l'industrie du matériel de défense qui, avec l'argent des contribuables, aidait des entreprises telles Canadair et de Havilland à développer de nouveaux produits. Il avait en outre formulé les modalités de la vente de Canadair à Bombardier. Brown et son équipe s'efforcèrent d'assainir le bilan, d'absorber les dettes et de mettre au point un plan d'affaires susceptible d'attirer les acheteurs potentiels. La question des mises à pied leur donna beaucoup de fil à retordre ; le mouvement ouvrier pressait le gouvernement de mettre fin aux licenciements.

Lorsqu'il reçut l'offre de Bombardier, Brown se retira de la vente de Canadair. Il s'en fut trouver Paul Tellier, qui était alors greffier du Conseil privé, et lui fit part de ses intentions. À quarante ans, il se trouvait à un tournant : rester sous-ministre encore quinze ans en faisant la tournée des ministères ou changer d'orientation. On le retira sur-le-champ de tous les dossiers Canadair. Dans la lettre de démission qu'il remit à Tellier, Brown jura de respecter le Code régissant les conflits d'intérêts qui lui interdisait pendant un an de transiger avec son ancien ministère[2].

Son entrée chez Bombardier témoigna néanmoins du resserrement des liens entre la compagnie et le gouvernement fédéral. Brown était un haut fonctionnaire fédéral modèle possédant quinze ans d'expérience au sein de plusieurs ministères. Diplômé du Collège militaire royal du Canada de Kingston, en Ontario, où il faisait partie de l'équipe de basket-ball, il avait servi trois ans dans les Forces canadiennes avant d'entrer dans la fonction publique en 1971. Faisant preuve de retenue mais néanmoins affable, il conféra une certaine discipline militaire à son poste de planificateur stratégique chez Bombardier.

Beaudoin avait fait un bon coup en engageant Brown. En vertu de la convention d'achat de Canadair, le Programme de productivité de l'industrie du matériel de défense du fédéral s'engageait à soutenir financièrement le développement d'un avion-robot de surveillance militaire, les modifications à l'avion-citerne de Canadair et l'allongement du fuselage du Challenger. Ce poste se mariait parfaitement à l'expérience de Bob Brown. En sa qualité de vice-président responsable du développement de l'entreprise, dès que prendraient fin ses douze mois de purgatoire, Brown deviendrait l'homme de pointe dans les négociations entre Bombardier et Ottawa[3].

Donald Lowe, un cadre supérieur possédant une expérience considérable dans l'industrie automobile et l'avionnerie, fut nommé président de Canadair. Au cours de ses cinq années à la tête de Pratt & Whitney Canada, Lowe avait ramené ce motoriste à la vie à la suite d'un pénible arrêt de travail d'une durée de vingt mois. Il avait également siégé au conseil de Canadair pendant un an et connaissait bien l'entreprise[4].

Il affrontait un avenir difficile. Une fois sa dette absorbée, Canadair avait réalisé un chiffre d'affaires de 27,6 millions de dollars en 1985 grâce à la vente, au gouvernement fédéral, de 12 Challenger neufs ou usagés. Mais le défi le plus grand de Lowe fut de transformer une entreprise du secteur public apparemment indifférente à ses résultats en une société audacieuse, axée sur les affaires. Cela ne promettait guère d'être facile compte tenu de la vétusté de ses systèmes d'information. Un mois après son entrée en fonction, Lowe ne parvenait toujours pas à savoir quels étaient les gains de Canadair sur chacun de ses produits ou les pertes que ceux-ci entraînaient. Lorsqu'il parlait de rendement, de productivité, de limitation des coûts et de pénétration du marché aux employés de l'ancienne société d'État, il avait autant de succès que s'il s'était adressé à eux en chinois. « Nous entrons dans un monde nouveau, leur dit-il, mais si nous faisons naufrage, personne [à Ottawa] ne viendra plus nous lancer une bouée de sauvetage[5]. »

Lowe et Beaudoin démantelèrent la structure d'entreprise de Canadair et créèrent des secteurs distincts pour les avions d'affaires, les avions-citernes, les avions-robots de surveillance militaire et les contrats de sous-traitance. Cette décomposition de l'entreprise en centres de profits donna lieu à un contrôle plus serré des coûts et à des rendements supérieurs. Canadair pourchassa la rondelle et obtint un contrat de 1,7 milliard de dollars pour la construction de composants des Airbus A330 et A340. Ce contrat, ajouté au contrat de soutien technique des CF-18, représentait une source de revenus intéressante et stable.

Mais ce n'était là qu'un amuse-gueule. Lowe et Beaudoin n'étaient pas sans savoir que le véritable atout de Canadair, l'élément susceptible de métamorphoser le petit avionneur Bombardier en un géant mondial de l'industrie, était la possibilité d'allonger le fuselage du Challenger afin de transformer ce petit avion d'affaires pouvant accueillir 12 passagers en un avion à réaction commercial ayant une capacité de 50 sièges et affichant une distance franchissable de 600 à 1 000 milles marins (1 111 à 1 852 kilomètres). Après tout, le Challenger était un avion à large fuselage pouvant accueillir quatre passagers de front. Et les ingénieurs de Canadair avaient beaucoup travaillé à développer une version allongée du Challenger, le 610, longtemps mise en veilleuse.

C'est alors qu'Eric McConachie fit son entrée. McConachie, un type élancé originaire d'Edmonton, maîtrisait à la perfection le langage coloré de l'industrie aéronautique. Il avait fait des études de génie aéronautique au Massachusetts Institute of Technology (MIT) et à Stanford, et amorcé sa carrière professionnelle dans l'établissement de plans de vol à l'ancien Canadien Pacifique, à Vancouver. Il vint s'installer à Montréal où il prit la direction du département de la mercatique de Canadair, qui était alors sous contrôle de General Dynamics. McConachie s'occupa de la vente de chasseurs, d'avions-citernes et de turbopropulseurs, mais quand ce secteur connut un ralentissement, il en profita pour se lancer en affaires à son compte. En 1967, il mit sur pied un cabinet-conseil sans pour autant perdre de vue ses anciens collègues de Canadair. Au début des années 1980, il connaissait parfaitement le concept du Challenger 610 auquel ses anciens collègues s'étaient attaqués. L'idée d'un fuselage allongé l'enthousiasmait beaucoup, car cette notion lui semblait répondre à un besoin croissant de l'aviation commerciale aux États-Unis[6].

La rentabilité de l'aviation commerciale a toujours été problématique, mais dans l'ambiance férocement combative des années 1980, c'était encore plus difficile. Le gouvernement américain avait déréglementé cette industrie en 1978, soumettant les tarifs passagers, les sélections d'itinéraires et les services à la loi du libre marché. Cette décision métamorphosa l'aviation commerciale qui, de petit club d'initiés, devint une arène tumultueuse et concurrentielle où toute personne capable de réunir les capitaux nécessaires à l'achat de quelques aéronefs pouvait se lancer en affaires. Si vous dirigiez une ligne aérienne, vous pouviez voler n'importe où et aussi souvent que vous en aviez envie en pratiquant les tarifs passagers de votre choix. Il s'ensuivit une prolifération de compagnies aériennes qui se livrèrent une concurrence encore jamais vue.

Les transporteurs se firent difficilement à la loi darwinienne de la survivance du plus fort. Au début des années 1980, l'aviation commerciale américaine avait opté pour un système opérationnel dit en étoile. Les grandes lignes aériennes établissaient un aéroport pivot – United à Chicago, Delta à Atlanta, American à Dallas – d'où leurs appareils rayonnaient pour desservir de nombreux points secondaires. Les lignes régionales en vinrent à s'associer à de gros transporteurs, ajoutant des rayons à la roue. Ainsi, un nombre plus restreint d'appareils desservait un nombre plus élevé de destinations tandis que la planification des opérations et l'entretien des avions étaient concentrés en un point unique. Mais ce système de réseau en étoile déplaisait aux passagers. Si vous vouliez vous rendre, par exemple, de Green Bay, dans le Wisconsin, à Boise, dans l'Idaho, vous deviez faire un crochet jusqu'au pivot de Chicago et changer d'avion. Votre voyage n'en était que plus long et plus désagréable.

Les lignes aériennes prenaient aussi conscience des points faibles de ce système circonscrit par la distance qu'il était possible de parcourir en un espace de temps donné, soit du point de départ au pivot où il fallait arriver à temps pour ne pas rater sa correspondance vers une autre destination. Sur les courtes distances desservies par des avions turbopropulsés, l'itinéraire maximal était d'environ 175 kilomètres (200 milles marins). Il y avait des limites au diamètre de l'étoile.

McConachie constata qu'un avion à réaction régional pourrait franchir de plus grandes distances et rafler la clientèle d'un aéroport pivot concurrent. Il pourrait aussi éviter complètement ce pivot et transporter ses passagers de point à point, ce qui était impossible avec un turbopropulseur dont la vitesse et le rayon d'action sont insuffisants. Mais si l'on parvenait à développer un avion capable de franchir une plus grande distance, par exemple un biréacteur régional, il pourrait aller n'importe où, et l'on assisterait à une véritable explosion du marché[7].

Le beau de l'affaire était que Canadair possédait déjà un tel avion, mais il fallait le modifier et l'allonger un peu. « Nous discutions de cette question depuis un certain temps déjà, dit McConachie. Nous savions que Canadair serait bientôt à vendre, que le gouvernement baisserait les bras et que quelqu'un s'emparerait de la compagnie. Je me disais que le moment n'avait jamais été mieux choisi pour faire valoir un aéronef qui me paraissait très intéressant.

« Les gens de Canadair avaient déjà allongé le fuselage de l'appareil d'environ 3 mètres, ce qui était nettement insuffisant. Ils en avaient produit deux versions : une version destinée au marché des affaires et l'autre au marché commercial. Dans ce dernier cas, ils n'étaient pas très avancés pour deux raisons. Premièrement, un allongement de 3 mètres n'était guère rentable. Ça ne jouait pas du tout. Deuxièmement, la force motrice de l'avion était loin d'être adéquate. »

La direction de Canadair mit ce projet en veilleuse, mais McConachie et son cabinet-conseil continuèrent de le potasser. McConachie identifia très vite les problèmes potentiels. Il présenta une proposition à Canadair, qui était encore à cette époque la propriété du gouvernement. Mais le chaos régnait, l'entreprise n'avait aucun budget disponible et personne ne savait qui en ferait l'acquisition. « C'était difficile de faire pire, dit McConachie. Ces types-là erraient dans le noir en cherchant un commutateur. La situation n'était pas drôle du tout. En outre, le marché était calme dans tous les secteurs de l'économie. On coupait dans les dépenses, militaires et autres. C'était très pénible. L'entreprise avait perdu une partie importante de son personnel. »

McConachie trouva néanmoins une oreille sympathique chez Canadair en la personne du vice-président directeur Dick Richmond, un vétéran de l'industrie. Dick Richmond comprit quelle était son intention et il l'incita à persévérer dans sa recherche.

Tout était dans le circuit d'attente quand Canadair appartenait à l'État, mais la situation se renversa de bout en bout quand Bombardier s'en porta acquéreur. La perspective de développer un Challenger allongé était une des raisons qui avaient incité Laurent Beaudoin à acheter Canadair. Mais ce projet comportait une part de risque énorme. « Je passais mon temps à répéter à tout le monde que le Regional Jet pourrait compter pour 50 pour 100 de la valeur marchande de Bombardier», dit Yvan Allaire. Pourtant, la demande était loin d'être évidente.

«Tout le monde était persuadé qu'il n'y avait pas de marché pour un avion à réaction de 50 places. "C'est un marché de turbopropulseurs, disaient-ils, et ça le restera. Un avion à réaction coûte beaucoup plus cher: à construire, à acheter, à entretenir. Vous ne ferez jamais d'argent avec un biréacteur de 50 places."»

Mais Beaudoin n'était pas homme à tenir compte de telles idées reçues. Il devinait que l'avion régional pourrait remplacer le turbopropulseur sur des distances limites supérieures à 255 kilomètres (300 milles marins), car à partir d'une telle distance, l'avion à réaction est plus économique à garder en service. Mais c'était là un saut dans l'inconnu. Beaudoin disposait d'un produit à la logique infaillible, mais aucun acheteur ne se montrait intéressé. «Évidemment, ce sont les États-Unis qui ont renversé cette situation quand ils ont développé le marché du transport régional, dit Allaire. Tout le paysage de l'industrie s'est transformé quand les lignes aériennes ont opté pour le transport-passagers de point à point à bord de biréacteurs. Cela a donné un élan formidable au marché, un élan qui n'avait pas été prévu[8].»

Beaudoin donna le feu vert à McConachie pour réaliser une étude de marché afin d'évaluer l'intérêt que susciterait un avion régional à réaction. Les acheteurs potentiels se montrèrent favorables, mais les constructeurs concurrents d'avions turbopropulsés dirent à Bombardier que le projet échouerait. «Les autres avionneurs jetaient des pierres dans notre jardin; ils se sentaient très menacés. De Havilland (qui appartenait alors à Boeing) était contre nous et disait: "Ça ne marchera pas." Ce fut aussi le cas de Saab, de Fokker, d'ATR.» Mais McConachie savait que le rêve n'était pas impossible: il y avait un monde de différence entre un jet-long courrier rapide et un turbopropulseur bruyant et lent.

Eric McConachie avait beau n'en rien dire, il prenait peu à peu conscience de l'argument clé en faveur de l'avion régional à réaction. Plus il évaluait les coûts de construction d'un nouvel aéronef, plus il se rendait compte que Canadair dominerait les cieux. La concurrence serait rare, car les autres avionneurs n'avaient pas les moyens de rattraper Canadair. «Si nous n'avions pas eu le Challenger, ça n'aurait jamais été possible. Le Challenger nous a donné une belle longueur d'avance. Nous n'aurions jamais pu partir de zéro.»

Les coûts associés au développement d'un nouveau type d'aéronef sont astronomiques. Sur papier, la construction d'un avion coûte 20 millions de dollars par siège. Cette constante ne s'est jamais démentie, de la conception du Boeing 747 à la nouvelle génération des Airbus 380 à deux étages en passant par le Concorde. En 1998, quand les ingénieurs de Bombardier commencèrent à s'amuser avec le tout nouveau design d'un biréacteur de 100 sièges, la formule était la même et les coûts projetés furent de 2 milliards.

Le Regional Jet de Canadair était beaucoup plus économique à construire puisqu'il était déjà payé en grande partie. Le gouvernement fédéral ne s'était pas contenté de radier du bilan les créances irrécouvrables de Canadair. Il avait pris les années passées à développer le Challenger, les 1,3 milliard de dollars que lui avait coûtés ce programme, les essais, les erreurs et les triomphes des ingénieurs et des équipes de production de Canadair, et il en avait fait cadeau à Bombardier. Cela représentait un avantage énorme.

Pour construire un nouvel avion à réaction, «il faut une bonne dose de courage et beaucoup d'argent, dit McConachie. Le gouvernement avait consacré beaucoup de temps et d'argent au Challenger avant de s'enliser dans les problèmes. Mais il avait déjà investi beaucoup, si bien qu'il était inévitable que quelqu'un en profite.» Bombardier en profiterait et aurait par conséquent une longueur d'avance sur le reste de l'industrie. «J'étais pas mal certain que les autres ne pourraient pas nous suivre. Dans la plupart des cas, ils auraient joué leur entreprise. Je me disais que notre seul concurrent possible serait Embraer, car il s'agissait à l'époque d'une société d'État. Mais les autres ne pouvaient tout simplement pas financer un tel projet.»

Avant son acquisition par Bombardier, Shorts avait élaboré le concept et la maquette d'un jet régional que l'entreprise n'avait pas les moyens de construire, car le gouvernement de Sa Majesté ne lui aurait pas accordé son soutien. Fokker travaillait au F-100, mais son gabarit ne convenait pas vraiment au marché régional. Et pour finir, le produit ne convenait pas à Boeing. «Boeing se disait que vendre un jet régional était aussi difficile que vendre un 757, dit McConachie; et ses bénéfices provenaient de la vente de gros avions.» De toute façon, le secteur des turbopropulseurs de de Havilland lui donnait du fil à retordre. Autrement dit, le ciel s'ouvrait pour Bombardier.

À l'automne 1987, McConachie présenta une dernière fois le biréacteur régional au conseil d'administration de Bombardier. Tout se passa très bien ; les directeurs ne lui posèrent aucune question embarrassante (mais le débat fit rage plus tard, en son absence). « Nous avons obtenu le feu vert pour entamer certains travaux préparatoires et pour solliciter des clients. » Peu après, le président de Canadair, Don Lowe, lui offrit de reprendre son poste chez Canadair.

« Si tu crois au concept d'un avion régional, pourquoi ne pas revenir chez nous et t'efforcer d'en vendre quelques-uns ? » avait dit Lowe.

Ainsi, McConachie devint le premier employé du programme du biréacteur régional, responsable de la mercatique, des ventes et des services à la clientèle. Le Challenger « était un formidable outil de mise en marché, dit-il. Il suffisait d'atterrir quelque part, de montrer l'avion aux clients potentiels et de leur dire : "Voilà de quoi il aura l'air. Si on allait faire un tour ?" Ils étaient époustouflés. L'avion décollait comme une fusée. » Les exploitants de lignes aériennes régionales, habitués aux turbopropulseurs patauds et bruyants qui vous secouaient et vous rendaient sourds, n'en revenaient pas. « Les clients ne pouvaient pas imaginer le confort d'un tel avion. »

Bientôt, l'ampleur du marché fut évidente. McConachie reçut quantité d'appels de gros transporteurs désireux de se lancer dans le transport régional. « Les grandes lignes s'y intéressaient. Quand ces types-là ont compris qu'ils étaient sur le point de se faire piquer leur principale source de revenus, ils ne tenaient pas à ce que cela arrive. Quelqu'un de Continental m'a appelé et m'a demandé des prix pour 50, 75 et 100 appareils. Ces chiffres-là font dresser les cheveux sur la tête. C'est inévitable : vous lâchez un juron. À une époque où les constructeurs vendaient un ou deux appareils à la fois, c'était tout un changement. Bombardier transformait toute la dynamique de l'industrie[9]. »

En 1989, la construction du modèle de 50 places fut entreprise, mais il y avait beaucoup d'obstacles à franchir. Donner 6 mètres de plus à un fuselage, ça ne se fait pas tout seul ; pour y parvenir, il faut d'abord résoudre plusieurs problèmes techniques. Pour les ingénieurs affectés à ce travail, le Challenger n'était pas l'avion idéal, mais il offrait néanmoins quelques possibilités. L'appareil ayant été conçu pour le transport de palettes de Federal Express, sa structure était solide et pouvait tolérer un allongement. Il comportait des rangées de quatre sièges où l'on était un peu à l'étroit, mais il serait possible d'installer deux paires de sièges de part et d'autre d'une allée centrale de 50 centimètres de largeur. La hauteur de plafond n'était guère généreuse, mais suffisante. « Ce n'était pas vaste, dit McConachie, mais pour une durée de vol d'une heure à une heure et demie, ça pouvait aller. » (Plus tard, quand augmenteraient la distance franchissable et la durée en vol de cet appareil, cet état de choses poserait problème, surtout dans le cas du modèle pouvant accueillir 86 passagers. On comparerait défavorablement le long et étroit tube de cigare de Bombardier aux spacieux biréacteurs de 90 et 110 sièges d'Embraer.)

Une décision prise au début de la construction fut à l'origine de cette cabine restreinte. Quand l'ancien président de Canadair Fred Kearns et l'ingénieur en chef Harry Halton avaient conçu le Challenger 600, ils en avaient gravement sous-estimé le poids. « La série 600 n'avait qu'une faible portée », se remémore McConachie, « de même qu'un moteur sous-performant. Ils cherchaient à l'alléger par tous les moyens ; on aurait dit une navette spatiale. »

Pour la clientèle des avions d'affaires, la question du poids était primordiale puisque les coquilles vides que leur présentait Bombardier étaient ensuite finies et décorées selon les spécifications du client. Ces intérieurs luxueux alourdissaient toujours indûment l'appareil. Selon une anecdote qui circulait chez Canadair, Halton et Kearns étaient entrés dans la cabine d'un 600 et avaient dit : « Il pèserait moins lourd s'il était juste un peu plus petit. » Ils avaient retranché un peu de sa circonférence, ce qui l'avait allégé un tout petit peu, mais pas assez. Quand vint le moment d'installer des rangées de quatre sièges, chaque centimètre comptait ; on regretta beaucoup l'espace manquant. Les ingénieurs n'avaient de cesse de répéter : « Seigneur... si seulement ces gars-là n'avaient pas mis leur nez dans notre avion[10]... »

La liste des modifications nécessaires à la transformation de cet appareil en avion à réaction pour le transport des passagers était longue. « Il nous a fallu beaucoup repenser le réacteur, dit McConachie. Ce n'était pas tant la force motrice qui posait problème, mais le fait que les deux moteurs étaient différents, si bien qu'on ne pouvait pas les intervertir sans d'abord les démanteler – ce qui était un cauchemar du point de vue commercial. Il a fallu allonger les ailes et les volets de courbure. Et aussi percer une trappe d'évacuation dans l'habitacle, car celui du Challenger n'ouvrant pas sur la cabine, nous avons dû le doter d'une issue supplémentaire pour des raisons de sécurité. Pour ce faire, nous avons dû déplacer plusieurs instruments de bord. Et puis, il nous a fallu installer une sortie de secours face à la porte de chargement avant.»

Ces modifications étaient très coûteuses pour une entreprise de la dimension de Bombardier. Même si l'on ne tenait pas compte de l'engagement initial du gouvernement dans le programme Challenger, le jet régional exigeait un investissement supplémentaire de 350 millions de dollars. Le conseil d'administration n'avait pas la tâche facile. Cette somme représentait plus de la moitié de l'avoir des actionnaires et le marché, bien que prometteur, était loin d'être assuré.

Bombardier avait pu obtenir les plans du Challenger pour une chanson et cela lui avait procuré des avantages considérables, mais l'entreprise sollicita néanmoins de nouvelles faveurs du gouvernement. Cette fois, Bombardier demandait 100 millions au titre de la recherche-développement dans le cadre du Programme de productivité de l'industrie du matériel de défense (PPIMD). Bob Brown, qui avait naguère dirigé ce programme, n'eut aucune difficulté à obtenir les fonds nécessaires, bien que le montant final fût légèrement inférieur à celui qui avait été sollicité : 86 millions de dollars, versés à parts égales par Ottawa et Québec. Ce soutien au développement était indispensable, avait-il dit, car Bombardier n'était pas en mesure, financièrement, d'entreprendre un projet de construction de cet ordre.

«Cela nous a rapporté au bout du compte, mais, comme toujours, nous prenions un risque, affirme McConachie. Nous répartissons les coûts non récurrents entre X appareils et nous pensons les récupérer au terme du cycle de production, mais c'est loin d'être toujours le cas. On joue à un jeu dangereux ; il faut beaucoup croire au marché.» McConachie croyait au marché. Au cours de ses trois ans en poste, il a signé des lettres d'intention et obtenu des acomptes sur la vente de 139 avions régionaux, bien que ces préventes n'aient pas toujours débouché sur une livraison ferme. «Tout dépendait du poids et de la performance de l'appareil. On me demandait : "Pouvons-nous décoller ici, atterrir là, faire ceci ou cela[11] ?"»

En 1989, le premier client fut le transporteur de troisième niveau City Line, filiale de Lufthansa, qui commanda six Regional Jets et prit une option sur six autres appareils. Le prix de chaque avion avait été fixé à 15 millions de dollars américains, mais Lufthansa bénéficia d'une remise. McConachie était mercaticien et il estimait juste d'accorder des conditions avantageuses à ses clients. Il se rendit vite compte que Laurent Beaudoin s'intéressait de très près à l'établissement du prix. « Nous n'étions pas toujours d'accord, dit McConachie en riant, et le plus souvent c'est lui qui avait le dessus. Je discutais longtemps avec lui. Je faisais valoir mon point de vue. Mais il devait tenir compte des résultats. Il disait : "Tu ne peux pas le vendre à ce prix-là." »

Une remise sur le prix de vente fut aussi accordée à Sky West, une ligne aérienne basée à St.George, une petite ville de l'Utah. « Ils devaient me rappeler à minuit au plus tard, sinon ça ne jouait pas, dit McConachie. Ils m'ont rappelé, et ils ont obtenu 10 appareils à très bon prix. Leur flotte consistait surtout en turbopropulseurs Brasilia, construits par Embraer. C'était un petit transporteur, mais il est parvenu à trouver son financement. Nous leur avons demandé un acompte de 150 000 $ par avion à la signature. Ils ont dû dénicher 1,5 million de dollars. Ce fut un jour à marquer d'une pierre blanche pour eux. »

Au Salon de l'aéronautique de Paris, en 1989, McConachie recueillit les acomptes de plusieurs lignes aériennes européennes et signa aussi un contrat avec son premier client canadien, Air Nova, du groupe Air Canada. Air Nova prit livraison d'un appareil aux couleurs d'Air Canada, mais, ainsi que se le remémore McConachie, Air Canada n'était pas au courant. Quand les cadres de direction d'Air Canada ont vu cela, ils ont dit : « À quoi ça rime ? »

Le vent commençait sérieusement à tourner. En 1991, Canadair reçut de Comair Inc., un transporteur régional correspondant pour Delta Airlines, sa commande la plus importante jusqu'à cette date, soit 20 biréacteurs et une option pour 20 autres appareils. En 1991, quand les deux premiers aéronefs en production furent mis à l'essai en vol et que le programme compta 1 300 employés, McConachie reprit les activités de son cabinet-conseil. On prévoyait livrer 436 appareils en dix ans. L'avenir était très prometteur[12].

Mais après un début enthousiasmant pour le RJ, Bombardier traversa une zone de turbulence qui lui fit perdre de l'altitude. Dès le lancement du programme, l'économie s'effondra. Personne n'achetait plus rien. Bombardier constata qu'en dépit des efforts de mise en marché de McConachie les commandes fermes étaient rares. « Quand nous avons pris connaissance des modalités des contrats et des paragraphes en petits caractères, nous nous sommes rendu compte qu'il s'agissait bien plus de lettres d'intention que de contrats en bonne et due forme, dit un ancien employé de Canadair. Les lignes aériennes devaient verser des acomptes importants qui assureraient notre fonds de roulement au début de la construction. Mais puisqu'il ne s'agissait pas de contrats fermes, l'argent ne se matérialisa pas. Les deux premières années ont été très difficiles; l'économie était en plein marasme; nous avons dû faire des miracles[13].»

Deux jours avant la livraison projetée des Regional Jets de Canadair à Comair, un modèle de série du RJ, en attente de certification, s'écrasa dans les environs de Wichita, au Kansas, au cours d'une vérification en vol, tuant les trois membres de son équipage. Tout le personnel de Canadair fut sous le choc. Il fallait rassurer les investisseurs et les clients éventuels sur l'avenir du programme. «Il nous a fallu composer avec le marché boursier et rassurer la clientèle afin de ne perdre aucune commande, dit l'ancien employé. Cela nous a fait faire un bond en arrière. On imagine difficilement les risques énormes que nous avons dû prendre et les conditions pénibles que nous avons dû affronter pour parvenir à lancer ce programme[14].»

Le lancement du Regional Jet n'a certes pas été le seul défi que Bombardier ait eu à relever depuis son entrée dans l'univers de l'aéronautique. Les entreprises dont elle avait fait l'acquisition ressemblaient aux pièces de plusieurs casse-tête différents. Laurent Beaudoin a eu le génie de les agencer de telle sorte que le tout valait beaucoup plus que la somme de ses parties.

Quand il a eu fini son bricolage, l'usine de Canadair à Montréal était en tête du groupe; c'est là qu'on assemblait les Challengers et les biréacteurs régionaux, et c'est là qu'on fabriquait des composants pour des avionneurs tel Airbus. En Irlande du Nord, Shorts fournissait les matériaux composites et les fuselages des biréacteurs régionaux et d'affaires. À Downsview, de Havilland assemblait le Dash-8 et le nouveau jet d'affaires Global Express, tandis qu'un atelier de peinture mettait la dernière main aux appareils de Bombardier. À Wichita, Learjet construisait les petits avions d'affaires. Cette synergie fut rendue possible par l'intelligence des décisions de la direction de Bombardier: elle imposait au groupe un système de fabrication commun, mais elle décentralisait la gestion et favorisait l'esprit entrepreneurial des employés[15].

Cette stratégie fut efficace parce qu'elle était appuyée par un développement de produits et une mise en marché rationnels.

Bombardier avait réuni une équipe d'ingénieurs de premier plan, capables, en dix ans, de concevoir un nombre remarquable de nouveaux produits. Durant cette période, Bombardier développa plus d'aéronefs qu'Airbus ou Boeing. L'entreprise put ainsi offrir à ses clients non seulement d'excellents avions mais aussi toute une gamme d'appareils parmi lesquels choisir des modèles encore plus performants[16].

En 1998, sa famille de biréacteurs d'affaires incluait le Learjet 31A, le biréacteur léger supérieur Learjet 45, l'avion à réaction intermédiaire Learjet 60, l'avion d'affaires à large fuselage Challenger 604 et le biréacteur à très long rayon d'action Global Express. La catégorie des jets régionaux offrait aux lignes aériennes le choix entre les séries CJR 100 et 200 pouvant accueillir 50 passagers, la série CJR 700 de 70 sièges et les turbopropulseurs Dash-8, de de Havilland, de 37, 50 ou 70 sièges.

Cette ambitieuse stratégie de développement fut justifiée par le boom économique des années 1990 au cours duquel, en raison d'une réelle effervescence des voyages en avion, la demande pour de nouveaux appareils atteignit des niveaux records. L'industrie du transport aérien connut en 1997 les bénéfices les plus élevés de son histoire. L'expansion des lignes aériennes régionales fut deux fois plus rapide que celle des gros transporteurs et les commandes d'avions régionaux connurent une hausse de 50 pour 100 sur celles de l'année précédente. Cette année-là, le carnet de commandes de Bombardier Aéronautique totalisa 400 appareils pour une valeur de 10 milliards de dollars.

Bombardier avait réussi par ses seuls moyens ou presque à doter le Canada d'une industrie aéronautique à l'échelle mondiale. Au cours des dix années écoulées depuis son acquisition de Canadair, elle avait investi quelque 5 milliards de dollars dans l'aéronautique au Canada. Durant cette période, l'embauche avait presque doublé pour atteindre les 20 000 emplois, avec une masse salariale de 2 milliards. La croissance de Bombardier entraîna dans son sillage celle des 3 000 fournisseurs canadiens qui faisaient affaire avec l'entreprise. L'excédent commercial du pays se mesurait à l'importance du carnet de commandes de Bombardier. En devenant un secteur de pointe de l'économie canadienne, l'aéronautique offrait de plus en plus de possibilités d'emploi. Au Québec, les ingénieurs, dessinateurs, techniciens et machinistes en aéronautique furent si en demande que l'entreprise se plaignit de la pénurie de main-d'œuvre et que les collèges d'enseignement technique et les universités se hâtèrent de combler cette lacune par de nouvelles séries de cours.

Compte tenu de ses réalisations éblouissantes et de sa phénoménale contribution à l'économie du pays, Bombardier pouvait affirmer que les appuis gouvernementaux dont elle avait bénéficié au fil des ans en avaient pleinement valu la peine. Mais quiconque se penchait sur la montée en flèche des profits de l'entreprise et du cours de son action, sans parler de la fortune personnelle des membres de la famille Bombardier, était en droit de se demander pourquoi ce soutien de l'État lui avait été nécessaire. Il y avait là, tout au moins, matière à débattre.

L'action de Bombardier offrait d'excellentes perspectives de hausse et était très prisée. Entre 1983 et 1989, quand les gouvernements du Québec et d'Ottawa relâchèrent une fois de plus les cordons de leur bourse en faveur du RJ, et compte tenu du fractionnement de l'action, le titre de Bombardier augmenta de valeur par un multiple de 16. Même si les avantages l'emportaient sur les coûts, était-il juste et équitable que cette seule entreprise extrêmement prospère reçoive de tels appuis? L'avion régional avait été une très grande réussite, mais son gigantesque carnet de commandes était dû en grande partie aux facilités de crédit considérables qu'Exportation et développement Canada avait consenties aux acheteurs (exactement comme la vente de voitures, par Bombardier, au métro de New York avait été tributaire d'un prêt d'EDC à la Commission de transport de la ville). Par exemple, la transaction de 1991 avec Comair avait nécessité un prêt bancaire de 395 millions de dollars américains, garanti à 90 pour 100 par EDC.

Au tout début du programme d'avions régionaux, un grand nombre d'acheteurs potentiels étaient des lignes aériennes en démarrage ayant peu de liquidités et des marges de crédit insuffisantes. Ces nouvelles entreprises ne pouvaient pas acheter d'avions sans y être aidées, mais elles ne parvenaient pas à trouver de bailleurs de fonds. Le risque financier était manifeste: ces nouvelles lignes aériennes pourraient bien ne pas générer de revenus-passagers suffisants pour payer leurs avions. En l'absence de prêteurs privés, le gouvernement du Canada prit la relève et, par l'entremise d'EDC, consentit des prêts entièrement remboursables aux clients, américains et européens surtout, de Bombardier, aux conditions du marché. EDC s'attendait à retirer des profits de ces marchés, et ce fut le plus souvent le cas.

Mais, au bout du compte, c'est le contribuable qui assuma ce risque financier. Au milieu de 1998, la dette accumulée des clients de Bombardier se chiffrait dans les milliards de dollars.

Ottawa soutenait que cette attitude était tout à fait normale pour un organisme de crédit à l'exportation, et qu'elle avait son pendant aux États-Unis, en Europe et au Brésil. Au reste, s'il ne venait pas en aide aux entreprises canadiennes en finançant leurs opérations d'exportation, le risque était grand de favoriser ainsi les entreprises étrangères soutenues par leur gouvernement respectif. C'était absolument vrai. La situation de l'industrie aéronautique mondiale ressemblait de plus en plus à celle de l'industrie de l'agriculture, totalement dépendante de l'État. Et pas seulement en ce qui avait trait au crédit à l'exportation.

Au terme de l'année fiscale 1998, le fédéral avait consenti 312 millions de dollars en prêts à Bombardier Aéronautique au titre de la recherche-développement, et il s'était engagé à lui verser 87 millions supplémentaires pour le développement de son biréacteur régional de 70 sièges. En 1998, la contribution totale du gouvernement au développement et à la recherche s'élevait par conséquent à près de 400 millions de dollars, somme que Bombardier n'était tenue de rembourser que si ses projets se révélaient des réussites commerciales. Selon ses prévisions de 1998, l'entreprise serait en mesure de rembourser 372 millions au gouvernement – soit 93 pour 100 des sommes reçues[17].

Selon Bombardier, le calendrier de remboursement du prêt reflétait la réalité de l'industrie aéronautique. Environ quatre ans d'investissements et de travaux de mise au point précédaient la certification d'un aéronef et il fallait ensuite compter de quatre à sept ans avant qu'un programme atteigne son seuil de rentabilité. Quelque dix ans ou plus pouvaient donc s'écouler avant que les bailleurs de fonds d'un programme aéronef soient remboursés. Peu de banquiers étaient disposés à attendre aussi longtemps, et c'est pourquoi le gouvernement était justifié, disait-on, d'agir comme prêteur de dernier recours. On affirmait que le gouvernement pouvait se permettre d'attendre patiemment pendant que ses capitaux d'amorçage aidaient à la germination d'une réussite commerciale. Chez Bombardier, de nombreux programmes aéronefs étaient jeunes et ne rapportaient pas encore aux contribuables. Le montant des remboursements au gouvernement augmentait à la mesure de leur évolution.

En guise d'exemple, Bombardier fit référence à son avion régional, dont le coût avait été de 250 millions de dollars. Le gouvernement avait appuyé ce programme à l'aide d'un prêt de 86 millions au titre du développement, somme que se partageaient par la moitié le Programme de productivité de l'industrie du matériel de défense à Ottawa et la Société de développement industriel à Québec. Au moment de la livraison du 200e avion régional en 1997, non seulement le gouvernement commença à récupérer son capital, il perçut en outre un pourcentage de redevances basé sur la réussite commerciale du programme. Cette année-là, il toucha 9 millions de dollars de redevances sur un total prévu de 49 millions pour la durée de vie du programme d'avions régionaux[18].

Cela ne ressemblait guère aux méthodes pratiquées par les banques qui exigeaient toujours une garantie d'emprunt. Cette fois, le remboursement dépendait de la réussite commerciale du produit tandis que les contribuables assumaient le risque d'un échec. Pour certains, ce risque en valait la peine, ce qui prouvait une fois de plus que Bombardier s'était toujours fiée au gouvernement pour dégager des bénéfices. Le cadeau d'un avion avait présidé au remarquable succès de Bombardier Aéronautique. L'entreprise continuerait sur cette lancée et récolterait encore d'autres appuis sous forme de subventions et de cautionnements de prêts, resserrant ainsi ses liens avec le gouvernement. Ce modèle était déjà bien implanté dans un autre secteur d'activités de la compagnie – le secteur ferroviaire.

CHAPITRE 9

Les blues du chemin de fer

Le soir du 18 février 1988, le train LRC de Via Rail entre Montréal et Toronto tomba en panne avec à son bord 200 passagers en détresse qui grelottaient de froid. Il n'y avait ni électricité ni chauffage, et les passagers devaient s'emmitoufler dans leurs manteaux et s'éclairer avec des allumettes ou un briquet. «On pouvait voir notre haleine, dit une passagère. Il y avait là des personnes âgées et des bébés; ce fut très pénible pour eux.» Le train fut finalement remorqué jusqu'à la gare centrale de Toronto peu avant minuit, avec 6 heures et 42 minutes de retard sur l'horaire. Dans les mots d'un porte-parole de Via Rail, ce trajet avait été «horrible». Déjà, le train avait quitté Montréal avec deux heures de retard à cause de problèmes non spécifiés affectant le matériel roulant, puis il fut encore retardé aux environs de Brockville, en Ontario, en raison d'un arrêt de fonctionnement des signaux automatiques. Une des deux locomotives tomba en panne entre Kingston et Belleville, et la seconde à Coburg. Les passagers réclamèrent un remboursement comptant qu'on leur refusa, leur offrant plutôt des bons de transport[1]. Ces péripéties rendaient parfaitement compte de la situation lamentable de la société d'État Via Rail et du train LRC, fabriqué par Bombardier, dont elle s'était naguère tant vantée.

Cet acronyme, LRC – pour léger-rapide-confortable – aurait aussi bien pu désigner un train Lent, Ruineux et Caduc. Sa technologie devait révolutionner le transport par rail en permettant au train de s'incliner par rapport à la verticale dans les virages. L'idée consistait à réduire la force centrifuge ressentie par les passagers tout en augmentant la vitesse de déplacement du train sans rien changer à l'assiette des rails. Cette technologie avait été mise au point par MLW-Worthington, le constructeur montréalais de locomotives dont Laurent Beaudoin avait fait l'acquisition au milieu des années 1970. En partie financé par le soutien fédéral à la recherche, le train LRC devait ouvrir de nouveaux marchés à l'industrie du matériel ferroviaire tant en Amérique du Nord qu'en Europe et servir de complément aux projets de transport-passagers que Bombardier avait réalisés, notamment à New York. Mais comme tout ce que faisait MLW, ce train était un véritable gâchis.

Les années 1989 et 1990 furent très excitantes pour l'aéronautique, mais au sol, l'industrie du rail n'en menait pas large. La stratégie ferroviaire de Bombardier reposait sur l'intuition de Laurent Beaudoin selon laquelle le transport des voyageurs par chemin de fer, qui avait pris du recul après la Deuxième Guerre mondiale en raison de la popularité croissante de l'automobile, était mûr pour un retour. La circulation automobile, la pollution et l'augmentation du prix de l'essence éveilleraient la nostalgie des romantiques voyages en train. En Europe et au Japon, en raison de la densité de population, le transport par rail avait acquis énormément d'importance et Beaudoin croyait qu'une telle renaissance, en Amérique du Nord, n'était plus qu'une question de temps.

En bon anticonformiste toujours à la recherche d'une aubaine qui échappe aux autres, il évalua l'industrie du matériel ferroviaire et constata qu'elle se composait de perdants écrasés par des années de faible rentabilité, gravement sous-capitalisés, aux prises avec des installations désuètes, pessimistes quant à l'avenir et disposés à liquider leur entreprise – autrement dit, tout ce qui l'attirait. Avec une résolution tenace, Beaudoin se lança dans l'acquisition de compagnies de chemin de fer et de contrats de licence des deux côtés de l'Atlantique. Le marché potentiel lui plaisait : le transport-passagers par rail était régi par des organismes d'État, soit des acheteurs fiables et réguliers qui puisaient dans les goussets des contribuables pour soutenir ces chemins de fer déficitaires et qui dépensaient ensuite allégrement cet argent en périodes de boom ou de récession. S'il est une chose que savait faire la direction de Bombardier, c'était négocier avec les gouvernements.

En premier lieu, Beaudoin acheta MLW, y compris ses problèmes syndicaux et ses locomotives peu fiables. La technologie LRC de MLW lui semblait prometteuse dans la mesure où le gouvernement fédéral accepterait d'en faire l'essai chez Via Rail. Ottawa avait créé Via en 1977 grâce à l'actif passagers du CN et du Canadien Pacifique, et lui avait confié le mandat d'agir en tant que centre national de service aux passagers. Mais Via n'avait guère d'avenir. Le chemin de fer était entravé dès le départ par un matériel roulant désuet et par les paiements onéreux qu'il devait faire au CN et au Canadien Pacifique. En raison de magouilles politiques, Via fut contrainte d'emprunter des itinéraires peu profitables. Puis, quand les pertes commencèrent à s'accumuler, le gouvernement força la compagnie à effectuer d'importantes réductions de service qui déplurent souverainement aux passagers. En désespoir de cause, Via prêta une oreille attentive au boniment de vente de Bombardier au sujet du LRC. La société d'État lui passa une commande pour 22 locomotives et 50 voitures, au coût de 236 millions de dollars, afin de desservir le couloir Québec-Windsor[2].

Il était prévu que le nouveau matériel roulant serait introduit sur les parcours passagers réguliers à l'automne de 1981. La veille du jour prévu, Via rappela les voitures en raison de «petits pépins» qui réclamaient son attention. Les pépins en question étaient loin d'être petits, puisqu'il s'agissait d'un défaut du système de freinage. C'était de mauvais augure, et le programme fut confronté à des tas d'obstacles. Beaudoin déclara que ce rappel faisait partie des risques d'exploitation habituels associés au lancement d'une nouvelle technologie. Il se peut, avoua-t-il, que Via ait mis le LRC en service prématurément, sans lui avoir accordé toute l'attention technique nécessaire[3]. Au cours des années qui suivirent, il devint clair que le produit lui-même était désastreux. La suspension était inefficace, le système d'ouverture automatique des portes avait des ratés, les dommages au circuit hydraulique et les pannes d'électricité étaient fréquents. Plus de 200 modifications furent nécessaires[4].

Par certains côtés, Beaudoin avait eu raison. Le LRC était un prototype conçu pour piquer la curiosité des acheteurs et offrir aux ingénieurs la possibilité de raffiner une technologie qui n'avait pas encore fait ses preuves. Mais son taux d'échec n'aidait en rien sa mise en marché. Amtrak, le service passagers américain sous contrôle fédéral, qui accepta de faire l'essai de 2 locomotives et de 10 voitures LRC sur ses liaisons interurbaines, retourna ce matériel à son propriétaire après des pannes répétées. En 1985, le ministre conservateur des

Transports Don Mazankowski ressemblait à s'y méprendre au propriétaire d'une équipe de baseball perdante au moment où il accorde son vote de confiance au directeur-entraîneur : « Je suis persuadé que Bombardier continuera à fournir du matériel ferroviaire à Via Rail. » Dans le même souffle, Mazankowski ajouta que Via Rail ferait l'acquisition de « matériel éprouvé » pour le service transcontinental qui venait d'être rétabli[5].

Le LRC mourut de sa belle mort à l'hiver de 1992, quand toute la flotte fut retirée temporairement du service à la suite de trois bris d'essieux en un mois. Cette décision fut prise après que le Bureau de la sécurité des transports du Canada eut mis Via Rail en garde contre la possibilité de déraillements et de pertes de vie si les essieux n'étaient pas réparés. Les trains furent remis en état vaille que vaille et continuèrent à assurer le service dans le couloir Québec-Windsor, mais la construction du LRC prit fin.

En repensant à cette controverse, Laurent Beaudoin affirme que la technologie du LRC aurait pu être efficace si le gouvernement fédéral l'avait soutenue davantage. « C'est ça, notre problème, dit-il. Le gouvernement n'a investi que 10 millions de dollars dans le développement du LRC. Tandis qu'en France, le gouvernement a investi des milliards pour faire en sorte que le train à grande vitesse fonctionne correctement. C'était une première expérience pour nous, ici au Canada ; si nous avions pu consacrer plus d'argent au perfectionnement du système, il aurait pu fonctionner. [...] J'ai supplié le gouvernement je ne sais plus combien de fois. J'ai dit : "Vous voulez développer un train efficace, mais vous vous êtes engagés à n'en acheter que 10 et voilà que c'est déjà fini ?" En France, quand ils ont mis au point le TGV, le gouvernement a commandé 200 trains, soit 2 000 wagons[6]. »

Un rêve avait pris fin, un autre voyait le jour. Le LRC n'avait été rien de plus que le TGV du pauvre, tandis que d'authentiques TGV sillonnaient l'Europe et le Japon. Les trains à grande vitesse avaient enflammé l'imaginaire des voyageurs et le portefeuille des gouvernements qui les subventionnaient. Contrairement au LRC, que les problèmes n'épargnaient pas, les trains à grande vitesse étaient efficaces dans la mesure où ils pouvaient rouler sur une voie réservée, libérée des convois de marchandises et des passages à niveau.

Les Chemins de fer nationaux du Japon avaient inauguré leur service ferroviaire à grande vitesse en 1964. Le train *shinkansen* atteignait la vitesse de 240 kilomètres/heure, parcourant une distance de 1 100 kilomètres en un peu plus de 6 heures. Le TGV français occulta cet exploit en 1983 avec des trains pouvant atteindre une vitesse de 300 kilomètres/heure, réduisant de moitié la durée du parcours Paris-Lyon. Puis ce fut au tour des trains à sustentation magnétique, qui flottent littéralement au-dessus d'un champ magnétique. Le premier train flottant japonais fut construit en 1988. Il atteignait une vitesse record de 500 kilomètres/heure.

La direction de Via Rail rêvait de trains à grande vitesse depuis 1984. Même si le marché canadien semblait rendre ce rêve impossible, la seule existence de celui-ci suffisait à justifier la raison d'être de la pitoyable société d'État. Via Rail ne parvenait pas à couvrir ses coûts d'exploitation sans le soutien du Parlement et elle était incapable de faire en sorte que ses trains soient à l'heure. Ses nombreuses réductions de service à travers le pays avaient soulevé la colère des voyageurs. Mais en dépit de tous ces ennuis, les dirigeants de Via n'avaient qu'à proférer les mots « train à grande vitesse » pour se persuader que la société était promise à un brillant avenir.

Bombardier accompagnait Via Rail dans cette fantasmagorie. L'entreprise avait acquis les droits nord-américains du TGV du consortium européen GEC Alsthom. En vertu de cette licence, Bombardier devait construire les voitures et les doter de systèmes à propulsion électrique fournis par Alsthom. Les dirigeants de Bombardier et de Via Rail se regardaient dans les yeux et partageaient le même désir : un moyen de transport rapide et écologique, moins coûteux que le transport aérien ; un train de très haute technologie qui puisse être vendu partout en Amérique du Nord. Ce rêve commun marqua le début d'une longue histoire d'amour entre Bombardier et Via Rail, mais les amoureux durent attendre la bénédiction d'Ottawa pour consommer leur mariage.

En 1989, les critiques poussaient Via Rail à améliorer son équipement et ses services. L'entreprise préféra faire le point sur le transport ferroviaire à grande vitesse en faisant une étude. Ce rapport d'une valeur de 4 millions de dollars démontrait qu'un train à grande vitesse dans le couloir Montréal-Ottawa-Toronto pourrait atteindre son seuil de rentabilité et commencer à couvrir ses frais en vingt ou trente ans. Un tel train contribuerait à délester les aérogares en faisant concurrence aux lignes aériennes sur le plan des horaires et du prix des titres de transport. Mais ces recommandations étaient suspectes. Les prévisions optimistes du rapport eu égard à l'achalandage supposaient que les passagers des lignes aériennes opteraient pour le TGV s'ils réalisaient une économie de 30 pour 100 sur le prix du billet. C'était oublier que les transporteurs aériens pourraient réagir en réduisant leurs tarifs. L'assertion voulant que le TGV atteindrait son point mort en fonctionnant à 30 pour 100 de sa capacité était peu crédible.

Le véritable problème résidait dans la taille du marché. Le TGV français s'appuyait sur une population de 16 millions d'individus dans son seul couloir Paris-Lyon, soit plus ou moins le double du marché potentiel entre Montréal et Toronto. À cela s'ajoutait le coût. Le rapport sous-estimait le montant que devraient assumer les contribuables, évaluant celui-ci à 3 milliards de dollars. C'était déjà une somme énorme si l'on compte que des réductions de service supplémentaires devraient être réalisées afin d'assurer le confort des voyageurs d'affaires entre Montréal et Toronto. En fait, ces 3 milliards frôlaient plutôt les 6 milliards si on leur ajoutait les frais de financement et les coûts associés au remplacement des passages à niveau par des passages supérieurs routiers. Ces détails n'empêchèrent nullement Bombardier d'arguer auprès de Via Rail qu'un tel «avion roulant rempli de gadgets électroniques» représentait un excellent investissement de haute technologie pour le Canada, que le pays pourrait facilement l'exporter n'importe où dans le monde et s'en servir pour affermir l'assise industrielle de la nation[7].

Le ministre des Transports de l'époque, Benoît Bouchard, prit immédiatement ses distances par rapport à cette proposition. Mais le concept du transport ferroviaire à haute vitesse que les services de mercatique de Bombardier vantaient avec beaucoup de dynamisme se révéla tenace. Il refit surface en 1995 quand les gouvernements du Québec et de l'Ontario publièrent une étude qui approuvait la technologie du TGV dans le couloir Québec-Windsor. Sans aller jusqu'à entériner le projet, cette étude préférait la technologie de Bombardier à celle d'un constructeur suédois concurrent (qui proposait un train pendulaire pouvant rouler sur les voies existantes). Grâce au TGV de Bombardier, le trajet entre Montréal et Toronto serait ramené à 2 heures et 18 minutes.

La mention du coût de cette opération produisit un effet choc : 18,4 milliards de dollars. Le transport ferroviaire à grande vitesse ressemblait de plus en plus à un rêve chimérique en dépit des 19 millions de voyageurs que l'on prévoyait servir jusqu'en 2025.

Le rapport reconnaissait que le secteur privé serait incapable d'assumer pareil investissement et de générer un rendement acceptable. Soixante-dix pour cent au moins du coût d'investissement devrait être assumé par les contribuables. Même l'option d'un service limité dans le couloir Montréal-Ottawa-Toronto serait ruineuse, puisqu'on l'évaluait à 10,7 milliards. Au moment où, partout au Canada, les gouvernements se débattaient avec des déficits et un taux d'endettement élevé, il était peu probable que ce train puisse quitter la gare[8].

Cela aurait dû mettre fin au rêve d'un train à grande vitesse hautement subventionné dans le couloir Québec-Ontario à faible densité de population. Mais pour le premier ministre du Canada Jean Chrétien et le premier ministre du Québec Lucien Bouchard, l'approbation d'un transport ferroviaire à grande vitesse était synonyme de bon gouvernement et ils incitèrent Bombardier à amender son projet et à le leur présenter à nouveau. En 1998, l'entreprise et ses fournisseurs de matériel ferroviaire financèrent une autre série d'études qui mettait de l'avant un projet toujours aussi prohibitif quoique moins coûteux. Ce projet pour un lien Québec-Toronto était évalué à 11,1 milliards de dollars ; les deux tiers de cette somme devraient être assumés par le gouvernement. Ce projet avorta également[9].

Par quelque bout qu'on le prenne, le train à grande vitesse n'allait nulle part. Il avait fait l'objet de nombreuses études et avait été rejeté tout aussi souvent, si bien qu'on aurait dû le mettre pour de bon au rancart. Mais au cours de ses derniers mois au pouvoir en 2003, au moment où il s'apprêtait à céder la place à son rival Paul Martin, Jean Chrétien remit le rêve à grande vitesse sur les rails. Bombardier avait développé un nouveau produit, la locomotive JetTrain, qui utilise une technologie de moteurs d'avion. Le JetTrain, tout en n'étant pas aussi rapide que le TGV, réduirait tout de même la durée du trajet Montréal-Toronto de 90 minutes, soit à environ 3 heures. Entre-temps, Jean Pelletier, l'ancien chef de cabinet de Jean Chrétien, avait été nommé à la présidence de Via Rail et cherchait un moyen de concrétiser le rêve collectif d'un train à grande vitesse. En août 2003, le ministre des Transports David Collenette déclara que le transport ferroviaire à grande vitesse jouissait de nombreux appuis au Conseil des ministres : « Je sais que le premier ministre s'intéresse à cette question[10]. »

Selon Laurent Beaudoin, il était indispensable en premier lieu de construire une voie réservée au transport-passagers, car un tel système ne serait jamais fonctionnel si les trains de passagers et les trains de marchandises occupaient les mêmes voies. «Avec Chrétien, nous nous efforcions d'affecter certaines voies au transport des passagers et d'autres au transport des marchandises. Ensuite, il ne restait plus qu'à décider entre un train qui roule à 320 kilomètres/heure et un train qui roule à 200 kilomètres/heure[11].» Mais l'opinion générale voyait là ni plus ni moins qu'un projet commémoratif destiné à inscrire Jean Chrétien dans les manuels d'histoire aux frais du contribuable. Quand l'équipe de Paul Martin prit le pouvoir, ce projet fut enterré. Le gouvernement ne dépenserait pas d'argent pour un train à grande vitesse qui soit aussi un monument à Jean Chrétien.

L'influence légendaire de Bombardier sur Ottawa resta sans effet dans ce dossier. «Nous étions très déçus, avoua Beaudoin. Voilà bien un secteur où le Canada aurait pu devenir un chef de file, surtout avec un voisin aussi important que les États-Unis. Si nous avions pu mettre ce mode de transport en évidence et démontrer son efficacité, nous aurions eu un marché potentiel très important aux États-Unis.» Il éprouvait le sentiment de subir les contrecoups d'une politique régionaliste rigide et de la réaction défavorable du gouvernement fédéral aux exigences du Québec. La question du couloir ferroviaire à haute vitesse «a toujours opposé l'est et l'ouest, dit-il. Si vous investissez autant d'argent au Québec et en Ontario, que vous reste-t-il pour les provinces de l'Ouest? Au bout du compte, rien n'a été fait.

«Il faut une volonté politique pour réaliser ce genre de projet au Canada, croit-il. Il faut que quelqu'un dise: "Je vais faire en sorte que ce projet se réalise, sinon il ne verra jamais le jour[12]."»

La principale stratégie de mise en marché de Bombardier avait été la vente du TGV aux États-Unis. Mais l'entreprise se rendit vite compte que les hauts-fonds du gouvernement américain étaient aussi traîtres à naviguer que ceux du gouvernement canadien.

L'entreprise prit des moyens dynamiques dans les années 1980 pour devenir le premier fournisseur de matériel ferroviaire et de transports en commun. Certains constructeurs en difficulté tels Budd et Pullman oscillaient au bord du gouffre, incapables qu'ils étaient de survivre dans un marché où les marges bénéficiaires étaient quasiment inexistantes. Ils consentirent à vendre leurs plans à Bombardier, notamment ceux du Superliner, une voiture de train à deux niveaux utilisée par Amtrak sur ses trajets transcontinentaux. Bombardier eut ainsi accès à un vaste marché potentiel dont elle s'empara rapidement. Compte tenu de son expertise en conception et construction de matériel roulant en aluminium et en acier inoxydable, compte tenu de son éventail de produits allant des voitures de métro et des trains de banlieue aux monorails et aux réseaux de transport-passagers, compte tenu de ses usines américaines telle l'usine de construction de wagons de chemin de fer de Barre, dans le Vermont, l'entreprise fut très en demande par-delà la frontière américaine.

L'avenir s'annonçait rose pour le chemin de fer à grande vitesse. En 1989, on évaluait le marché américain pour de nouveaux services ferroviaires à plus de 50 milliards de dollars, dont une part importante était affectée aux trains à grande vitesse. Le besoin paraissait évident : l'encombrement du réseau routier et des aéroports était en hausse constante, et les trains intervilles d'Amtrak n'étaient pas en mesure d'offrir des solutions de rechange adéquates puisque leur vitesse moyenne ne dépassait pas 25 km/h. En 1989, Gilbert Carmichael, directeur des chemins de fer nationaux américains (Federal Railway Administrator), affirma devant un comité du Sénat être « d'avis que le transport ferroviaire à grande vitesse et les trains flottants sont promis à un brillant avenir aux États-Unis[13] ». Il fit état d'un trajet proposé Miami-Orlando-Tampa, en Floride ; il ajouta que la Californie et le Nevada étudiaient la possibilité d'un itinéraire entre Los Angeles et Las Vegas, et qu'un lien entre Dallas, Houston et San Antonio était également à l'étude. L'Ohio proposait la construction d'un train à grande vitesse entre Cleveland et Cincinnati.

L'équipe de mercatique de Bombardier avait beau vanter les mérites du TGV aux États américains, tout reposait sur le financement. Les contribuables étaient allergiques à la moindre subvention, surtout si celle-ci entraînait une hausse de leurs impôts. Les bailleurs de fonds privés devraient assumer la plus grande part de risque, mais ils voulaient que le gouvernement leur vienne en aide en émettant des obligations pouvant être exemptées d'impôt.

Le Texas représentait le marché le plus prometteur de Bombardier : sa législature avait approuvé la construction d'un TGV au coût de 5,8 milliards de dollars à la condition que cette somme ne provienne pas des fonds publics. En contrepartie, les administrateurs privés étaient autorisés à fixer eux-mêmes le prix des titres de transport et à servir de la bière aux passagers lorsque le train traversait des comtés prohibitionnistes. Le directeur de la Commission des chemins de fer du Texas dit en plaisantant que le gouvernement envisagerait sans doute volontiers d'injecter des fonds dans ce projet dans la mesure où ceux-ci serviraient à doter la locomotive de cornes de Longhorns et les roues d'enjoliveurs en peau de lézard[14]. Bombardier en fut quitte pour être le dindon de la farce. L'entreprise fut invitée à faire partie du consortium responsable du projet, victoire qui permit d'envisager la percée du TGV en Amérique du Nord. Mais cela ne devait pas être. Le financement ne se matérialisa pas et le projet du Texas mourut de sa belle mort.

Bombardier ramassa les pots cassés et se tourna plutôt vers la Floride où le projet de lien entre Miami, Orlando et Tampa semblait plus prometteur. Dès 1988, elle avait été l'une des deux entreprises invitées à soumettre une proposition de service ferroviaire à grande vitesse. Mais, 16 ans plus tard, ce projet était encore enlisé dans les terrains bourbeux de la politique floridienne. En 1996, le gouvernement de la Floride avait octroyé à Bombardier la concession du chemin de fer à haute vitesse et promis qu'un partenariat secteur public/secteur privé en assurerait le financement. Mais, dès son élection, le gouverneur républicain Jeb Bush exigea une révision de l'entente afin que le consortium Bombardier assume une part plus grande de risque. Le TGV venait de dérailler une fois de plus.

En 2003, Bombardier tenta à nouveau sa chance avec le JetTrain en le dotant d'un moteur d'avion adapté au transport par rail. L'entreprise fut choisie – en même temps que son partenaire américain, le géant de la construction Fluor Corp. – pour la construction d'une voie ferroviaire à grande vitesse entre Tampa et Orlando. Mais même les défenseurs du transport par rail ne croyaient guère à ce projet. Jeb Bush était encore en poste et il s'opposait toujours autant au financement public. Il était peu probable que le capital nécessaire de 2,1 milliards de dollars puisse être amassé[15].

L'impossibilité de doter les États-Unis d'un service ferroviaire à grande vitesse de style européen avait beaucoup à voir avec les différences culturelles. Les Européens s'attendaient à ce que leurs gouvernements leur viennent en aide ; les Américains étaient réfractaires à une telle idée. En Europe, où il y a des gares pratiquement à tous les coins de rues, le transport par rail fait autant partie des mœurs que le café-croissant du matin. En France, par exemple, le TGV est devenu très rentable pour le gouvernement dès lors que les passagers ont découvert les avantages de ce mode de transport. Les

Américains sont quant à eux trop entichés de leurs automobiles pour accepter de délaisser leurs voies rapides à moins qu'une saturation du réseau routier sans solution possible ne les y pousse. Les banlieues, où résident de plus en plus d'Américains, ont été conçues en fonction du transport automobile. L'habitude des voyages en train ne viendrait pas facilement à ces populations.

Aux États-Unis, le lobbying est un fait concret; Beaudoin était fermement convaincu que les industries de l'aviation commerciale et de l'automobile avaient agi de concert pour tuer son projet floridien. «Le lobby de l'industrie automobile est très, très puissant. Le projet de la Floride en fait foi. Pourquoi Bush s'est-il opposé à un projet qui visait à relier Tampa et Miami quand il existe déjà une voie de chemin de fer entre ces deux villes?»

Il inventoria les itinéraires pouvant se prêter au transport ferroviaire à grande vitesse: Los Angeles-San Diego; Seattle-San Francisco; Chicago-Detroit. «Je ne crois pas que, de nos jours, un service ferroviaire transnational soit une bonne idée; il devrait plutôt desservir des marchés spécifiques. Le besoin existe, et je m'évertue à le dire depuis 20 ans[16].» Mais personne ne voulait en entendre parler.

En dépit de son échec avec le TGV, Bombardier avait dans sa mire un autre gros contrat aux États-Unis. Amtrak, le service passagers national, était à la recherche de nouvelles applications technologiques qui puissent raviver son couloir Washington-New York-Boston. Il désirait un train rapide qui puisse rouler sur les voies existantes, et la techonologie de Bombardier lui paraissait adéquate. Cette fois, Laurent Beaudoin dominerait la situation et signerait le plus important contrat ferroviaire de toute l'histoire de l'entreprise. Mais cette réussite allait lui coûter cher: une interminable bataille juridique avec Amtrak, des pertes importantes et, au pays, la controverse suscitée par la décision d'Ottawa de prêter à Amtrak le milliard de dollars nécessaire à l'acquisition des trains de Bombardier.

Amtrak avait été créée en 1971, soit six ans avant sa cousine canadienne Via Rail, pour libérer les chemins de fer américains en difficulté de leur secteur passagers déficitaire. Contrairement à Via, Amtrak bénéficiait du soutien politique du gouvernement américain. Tout au long des années 1970 et 1980, le Congrès s'était opposé aux efforts de la Maison Blanche pour sabrer dans le financement d'Amtrak. Pendant cette période, le chemin de fer reçut du gouvernement des subsides directs et indirects de plus de 14 milliards de dollars américains pour renouveler son matériel roulant, pour couvrir ses déficits de fonctionnement et pour améliorer ses voies. Les reporters attitrés du Congrès constatèrent que la Union Station de Washington, située à quelques pas du Capitole, avait été rouverte et dotée de boutiques de luxe, de restaurants chics et de salles de cinéma. Le financement du gouvernement semblait rapporter. Amtrak couvrait une part beaucoup plus importante de ses charges d'exploitation que ne le faisait Via Rail. Les fonds publics lui avaient permis d'acheter des voitures-passagers éblouissantes et modernes, tandis que Via Rail devait se contenter de matériel digne de figurer dans un musée des chemins de fer[17].

Bombardier était devenue un des plus importants fournisseurs d'Amtrak quand elle avait obtenu auprès de fabricants américains des licences pour la construction de voitures Superliner à deux étages. En 1991, l'entreprise signait un contrat majeur d'une valeur de 535 millions de dollars pour la conception et la construction d'une nouvelle version de cette voiture, le Superliner II. Les 195 voitures, qui devaient être assemblées à La Pocatière et à Barre, dans le Vermont, devaient être mises en service entre Chicago et Los Angeles[18]. Manifestement, Bombardier devenait un instrument majeur de l'expansion d'Amtrak aux États-Unis grâce à ce contrat – prélude à un accord encore plus important entre les partenaires.

Amtrak s'efforçait depuis plusieurs années d'améliorer le service de ses itinéraires les plus fréquentés – entre Washington, New York et Boston – et de s'approprier une partie de la clientèle de l'aviation commerciale. Chaque année, 11 millions de passagers empruntaient les trains du couloir nord-est d'Amtrak. Mais entre New York et Boston, par exemple, Amtrak transportait une personne contre six qui lui préféraient l'avion. Ses trains Metroliner qui, souvent, devaient ralentir aux passages à niveau et dans les courbes, mettaient sept heures et demie à parcourir ce trajet. La direction espérait que la modernisation de cette ligne ferroviaire en ferait une vitrine du transport par rail aux États-Unis, qu'elle attirerait trois millions de passagers de plus chaque année et qu'elle l'aiderait à accroître son chiffre d'affaires annuel de 200 millions de dollars. Amtrak atteindrait peut-être enfin son seuil de rentabilité[19].

Lorsque, en mars 1996, il fut annoncé que la construction du train Americain Flyer avait été confiée à Bombardier et GEC Alsthom, beaucoup de choses en dépendaient. Le train American Flyer assurerait la liaison New York-Boston à une vitesse de 240 kilomètres/heure. Cette vitesse n'égalait pas celle du TGV, mais elle était de beaucoup supérieure à celle des trains d'Amtrak en service et raccourcissait de deux heures la durée du trajet. Amtrak pourrait dès lors augmenter le prix du billet pour le rapprocher des prix des services de navette aérienne. La réussite de ce service lui permettrait aussi d'introduire un train similaire dans le sud-ouest, le long du golfe du Mexique et en Californie. On parla d'une renaissance du rail aux États-Unis. Les nouvelles voitures seraient dotées de prises pour le branchement d'ordinateurs portables et de modems, et tout était prévu pour le «divertissement électronique» des voyageurs. Les locomotives seraient équipées du dernier cri en matière d'ordinateurs et le service des voitures Bistro serait amélioré. Ainsi que l'affirmait le président de la compagnie de chemins de fer, «aux États-Unis, le service ferroviaire voyageur est de retour[20]».

Mais certaines personnes auraient dû s'inquiéter: l'American Flyer devait pouvoir compenser l'action centrifuge en s'inclinant dans les courbes. Quiconque se souvenait de la courte et malheureuse existence du LRC aurait eu raison de douter de l'efficacité de ce nouveau train.

Pour Bombardier, ce contrat d'une valeur de 611 millions de dollars américains pour la construction de 18 trains était le plus important depuis celui du métro de New York quinze ans plus tôt. Amtrak devait quant à elle assumer à une énorme obligation. En dépit de tout l'argent qu'y avait englouti le gouvernement américain, cette compagnie ferroviaire était encore déficitaire et elle risquait de perdre son financement si elle ne remédiait pas à sa situation précaire. Une chose semblait sûre: Amtrak ne pouvait amasser les fonds nécessaires à l'acquisition des trains de Bombardier sans un quelconque soutien financier. Il était fort peu probable que ce soutien lui vienne de Washington. Entre les mains des républicains, le Congrès avait imposé un plafond aux subventions d'investissement dont bénéficiait la compagnie ferroviaire, et il refusait d'approuver les demandes de financement que lui soumettait le président Bill Clinton[21].

Bombardier avait éclipsé deux consortiums internationaux: le premier avait à sa tête la compagnie allemande Siemens et l'autre, le groupe helvético-suédois Asea Brown Boveri. Au bout du compte, l'entreprise canadienne fut bien positionnée en raison des mesures de financement qu'elle proposait. Exportation et développement Canada prêtait à Amtrak la somme dont elle avait besoin. Il s'agissait du plus récent des prêts totalisant un milliard de dollars qu'EDC avait consentis au chemin de fer américain pour lui permettre d'acheter les produits de Bombardier. Compte tenu de la situation financière précaire d'Amtrak – selon certains, l'entreprise était au bord de la faillite – ce prêt du gouvernement fédéral fut beaucoup critiqué lorsqu'il fut rendu public trois ans plus tard. Les défenseurs du transport par rail au Canada en furent offusqués et ils se demandèrent pourquoi une agence gouvernementale s'évertuait à aider Amtrak quand le gouvernement fédéral persistait à refuser à Via Rail les capitaux dont elle avait besoin.

Le directeur de la division des Prêts commerciaux d'EDC était Eric Siegel, à l'emploi de cette société d'État depuis plus de vingt ans. Il demeura insensible à ces critiques. La compagnie ferroviaire respectera l'échéancier de ses remboursements et EDC en tirera des profits, assura-t-il. L'argent ne viendrait pas des contribuables canadiens puisque EDC avait une capacité d'autofinancement. Siegel affirma qu'EDC prêtait à Amtrak selon les mêmes critères qu'elle prêtait à d'autres entreprises. Les agences de crédit telles Standard & Poors lui attribuaient une cote de solvabilité, si bien qu'Ottawa n'avait pas à s'« inquiéter » de la voir déposer son bilan. « Amtrak a toujours été digne de foi à nos yeux, dit-il à l'occasion d'une rencontre au siège social d'EDC à Ottawa. Son évaluation a du reste bénéficié de notre association[22]. »

Il estimait rassurant de savoir que le gouvernement des États-Unis répondrait des obligations financières d'Amtrak en cas de difficulté. « Il n'y a pas de doute que l'exploitation d'Amtrak dépend en partie du soutien du gouvernement américain. Cette entreprise a toujours bénéficié – et bénéficie encore – d'importants appuis du Congrès. » Un bailleur de fonds pourrait se pencher sur cette possibilité de financement, décider de consentir ou non un prêt à l'entreprise, et évaluer ses risques par après. « Notre expérience avec Amtrak a été tout à fait positive ; elle a toujours rigoureusement respecté les conditions de remboursement. En contrepartie, je crois que Bombardier et le Canada tout entier ont beaucoup profité de la livraison des voitures transcontinentales d'abord et, plus récemment, du train à grande vitesse du couloir nord-est. EDC n'en est pas à ses premières armes en matière de transport à terre ; nous avons fait affaire avec la Commission de transport de New York ainsi qu'avec d'autres commissions de transports en commun, si bien que notre expérience dans ce domaine est considérable[23].»

Ces propos semblaient convaincants jusqu'à ce qu'on examine de plus près les avantages industriels que le Canada retirait d'une telle entente. Le crédit à l'exportation peut se défendre dans la mesure où il affecte positivement la balance commerciale. Les entreprises canadiennes développent une efficacité relative plus grande. Si nous excellons à exporter nos produits tout en améliorant notre productivité, le niveau de vie augmentera. Bien entendu, on peut aussi arguer que, dans un marché libre, la vente des produits d'exportation devrait dépendre de la qualité et du prix de ceux-ci, non pas d'un prêt du gouvernement. Mais dans le cas d'Amtrak, le problème était autre. En vertu des politiques d'approvisionnement du gouvernement américain, une partie importante du travail devait être réalisée dans les usines américaines de Bombardier. Au moment de la signature de l'entente, un porte-parole de Bombardier avait annoncé à des journalistes de New York que la proportion des travaux effectués aux États-Unis, surtout aux usines de Bombardier à Plattburgh, à New York et à Barre (Vermont), excéderait largement les 50 pour 100. Le représentant de Bombardier ajouta que l'entreprise envisageait d'offrir des contrats de sous-traitance à des fournisseurs répartis dans quelque 20 États américains[24]. Dans ces circonstances, qu'obtenait le Canada en échange de son argent?

Une équipe d'ingénieurs fit l'essai du train Amtrak sur une ligne expérimentale dans le désert du Colorado en le faisant rouler 16 heures par jour parmi les serpents à sonnette, les cactus et les occasionnelles hardes d'antilopes. Les gourous de la mercatique lui avaient donné le nom d'Acela Express, censé véhiculer l'idée d'accélération et d'excellence. Les ingénieurs s'étaient d'abord penchés sur le problème de l'inclinaison qui avait tant nui au LRC vingt ans auparavant. L'Acela devait s'incliner dans les virages grâce à 21 ordinateurs installés dans sa locomotive. Ces systèmes informatiques, captant la vitesse du train et l'angle d'inclinaison des voies, dictaient ensuite à chaque voiture-passagers son degré d'inclinaison – qui ne pouvait excéder 4,2 degrés dans un sens ou dans l'autre. Les ingénieurs avaient constaté que l'inclinaison successive plutôt que simultanée des voitures était plus confortable

pour les passagers. Une compensation complète de l'action centrifuge risquait de provoquer le mal des transports, si bien que les
ingénieurs s'efforcèrent plutôt d'en neutraliser la force latérale dans
une proportion de 60 à 70 pour 100[25].

Sur la ligne expérimentale du désert du Colorado, un problème
fit rapidement surface : l'usure excessive des roues, particulièrement
dans les virages. Le consortium Bombardier annonça qu'il lui serait
impossible de respecter les délais de livraison des premiers trains.
Un porte-parole de la compagnie blâma le concepteur français du
châssis, alléguant que celui-ci était trop rigide. Mais puisque les
essais ont justement pour but d'identifier les accrocs et de leur apporter des correctifs, personne ne s'en inquiéta outre mesure[26].

Sans doute aurait-on dû s'en inquiéter. Cet indice montrait une
fois de plus que les choses allaient plutôt mal pour l'Acela. Un
modèle de locomotive avait déraillé à l'usine de Barre, dans le Vermont. On découvrit que les goujons de roues étaient trop courts. Il fut
ensuite rapporté que les voitures avaient environ 10 centimètres de
trop en largeur pour tirer le meilleur parti possible de la technique de
suspension dans les virages. En 2000, le consortium accusait un retard
d'un an sur son échéancier de construction et de livraison. Fébriles,
les dirigeants d'Amtrak annoncèrent qu'ils réclameraient des dommages de quelques douzaines de millions de dollars. « Ce projet est
entravé par les retards depuis le début, dit avec exaspération un
directeur de la compagnie ferroviaire. Et tant que Bombardier ne
nous livrera pas un train jugé acceptable, nous ne tiendrons rien pour
acquis. » Bombardier incita les gens d'Amtrak à se montrer patients :
ne mettait-on pas à l'essai une technologie de pointe sur une voie
ferrée vieille d'un siècle[27] ?

L'Acela fut mis en service au début de 2001, mais les problèmes
continuèrent. Le train était en retard sur l'horaire dans environ
30 pour 100 des cas et les demandes de remboursement des voyageurs insatisfaits étaient trois fois plus élevées que dans les prévisions d'Amtrak. Seuls 11 des 20 trains commandés avaient été livrés.
Le service ininterrompu entre Washington et New York fut annulé
en raison d'un manque d'achalandage et il n'avait pas encore été instauré entre Boston et New York. Il n'y avait pas lieu de s'étonner si
on s'inquiétait chez Amtrak : la compagnie ferroviaire ne disposait
plus que de 16 mois pour devenir autosuffisante ainsi que le lui avait
ordonné le Congrès[28].

Au moment où l'Acela aurait dû prendre sa vitesse de croisière surgit le pire obstacle de tous. En août 2002, toutes les voitures Bombardier furent retirées du service quand une inspection révéla que, dans 80 pour 100 des cas, les supports d'amortisseurs étaient gravement fissurés. Ces supports avaient été conçus pour réduire le mouvement de balancement du train. Les problèmes de fixation commençaient à décourager les partisans américains du transport ferroviaire qui voyaient s'amenuiser leurs espoirs de voir des trains à grande vitesse sillonner les États-Unis. Compte tenu des problèmes tant décriés qui affectaient le nouveau matériel roulant d'Amtrak, les subventions fédérales et régionales pour le financement de projets ferroviaires seraient d'autant plus difficiles à obtenir[29].

Il était inévitable que ce désastre aboutisse au tribunal. Amtrak allégua qu'après cinq ans de retards et d'échecs le comportement et la fiabilité des voitures continuaient de chuter. Le président de la compagnie ferroviaire jura qu'il ne commanderait plus un seul train Acela. Bombardier répliqua que bon nombre de problèmes étaient dus au fait qu'Amtrak n'avait pas modernisé ses voies, négligence ayant nécessité un an et demi d'essais supplémentaires. Amtrak utilisait des équipements que Bombardier jugeait désuets. Les deux entreprises se poursuivirent l'une l'autre en justice aux États-Unis.

L'affaire traîna pendant un an et demi, puis, en 2004, les parties conclurent un arrangement à l'amiable à la suite d'une rencontre entre Paul Tellier et le président d'Amtrak, David Gunn. Bombardier dut imputer un dernier montant de 139 millions de dollars sur ses revenus ; depuis le début de la triste histoire du train Acela, les pertes totalisaient quelques centaines de millions. En réalité, Bombardier avait signé un très mauvais contrat avec Amtrak. « Nous avons été stupides de signer cela, dit Tellier, qui hérita de ce bourbier lorsqu'il prit les rênes de l'entreprise. Le président d'Amtrak m'a dit : " Paul, je suis d'accord avec toi ; tu perds ta chemise. Mais écoute-moi bien : Bombardier a signé ce contrat, ce qui signifie que vous êtes quand même tenus de respecter certaines clauses de garanties dont nous savons tous les deux qu'elles ne tiennent pas debout. » Tellier attribua ce fiasco à l'obsession d'expansion à tout prix de Bombardier[30].

La réputation de l'entreprise souffrit beaucoup plus que son bilan de cet échec. Le train Acela resta en service, mais le marché américain, naguère si prometteur, se resserra de plus en plus, du moins en ce qui avait trait au transport à grande vitesse. Bombardier continua de construire un grand nombre de voitures de métro et de trains de banlieue aux États-Unis, et, avec 50 pour 100 du marché, l'entreprise demeura l'un des plus importants fournisseurs de matériel ferroviaire en Amérique du Nord. Mais l'avenir du transport par rail n'était guère reluisant de ce côté-ci de l'Atlantique. Bombardier se tourna vers l'Europe, où elle aspirait à devenir un fer de lance de l'industrie. Mais pour occuper le premier rang sur le continent européen, il faut relever tout un éventail de défis.

CHAPITRE 10

Un petit-déjeuner à l'européenne

Un événement historique marqua le début de l'odyssée de Bombardier en Europe.

Vingt-cinq mètres au-dessous du plancher océanique de la Manche, des équipes de forage françaises et britanniques transpercèrent la dernière paroi de roc calcaire qui les séparait. On se serra la main et on sabla le champagne. C'était en décembre 1990. Le très vieux rêve d'un tunnel sous-marin qui relierait la Grande-Bretagne et la France était enfin devenu réalité.

Napoléon lui-même avait imaginé un tel tunnel; en effet, les plans les plus anciens dataient de 1802, quand un ingénieur français conçut le projet d'ouvrir une voie sous la Manche aux véhicules hippomobiles. On entreprit, puis on abandonna deux fois les opérations de creusage, soit en 1881 et en 1975. Cette fois, il n'était plus question de reculer.

Trop d'argent et d'efforts avaient été investis dans l'Eurotunnel, devenu avec le temps le symbole même de l'unification de l'Europe. L'Union européenne allait de l'avant, tendant vers l'intégration des économies des pays membres dès 1992. Les isolationnistes britanniques, dont la première ministre Margaret Thatcher, s'étaient enfin ralliés à l'opinion voulant que l'Eurotunnel méritait des appuis – politiques sinon financiers. Son gouvernement conservateur avait insisté pour que la note aille à des investisseurs privés et non pas aux gouvernements. Elle n'avait pas eu tort. Quand les équipes de forage françaises croisèrent enfin les équipes de forage britanniques, le coût du projet, qui avait plus que doublé, était évalué à 19,5 milliards de dollars[1].

Un an plus tôt, un consortium dont Bombardier faisait partie s'était vu octroyer un contrat de 800 millions de dollars pour la livraison de 252 voitures-passagers pour la navette de l'Eurotunnel. Cela représentait une victoire importante, la première vraie percée de l'entreprise sur le marché européen. La participation de Bombardier était aussi rentable sur le plan de la visibilité que sur le plan des revenus. Bombardier planifiait depuis longtemps son entrée en Europe; elle était une des rares entreprises canadiennes à s'intéresser à l'échéance de 1992 pour la création d'un marché unique pour les marchandises, les services et les fonds d'investissement.

L'objet de la fascination de Bombardier était évident. L'Europe représentait le plus important marché mondial pour le transport des voyageurs par chemin de fer. Selon certaines prévisions, la demande de matériel roulant atteindrait les 4 milliards de dollars par année, soit environ quatre fois plus qu'en Amérique du Nord. Sur le continent, les acheteurs de matériel ferroviaire étaient les gouvernements, qui bénéficiaient de fonds quasi illimités et pour qui le transport par rail représentait un service public subventionnable. Ces gouvernements avaient en outre développé des préoccupations écologiques. Libérer les réseaux routiers congestionnés de l'Europe en incitant les automobilistes à préférer le train à la voiture ne pouvait que favoriser l'environnement.

La création d'un marché unique avait pour but d'accroître l'efficacité de l'économie européenne et de permettre aux pays membres de soutenir la concurrence sur le plan mondial. On affirmait de plus en plus que l'Europe s'était laissée distancer dans la course à la croissance. Les États-Unis étaient de l'avant grâce à l'Accord de libre-échange nord-américain; le Japon avait connu un boom sans précédent au cours des années 1980. Les pays asiatiques en développement, notamment la Chine, faisaient des pas de géant. Que pouvait donc faire l'Europe pour entrer dans la danse?

À l'image du reste de son économie, l'industrie ferroviaire de l'Europe se débattait dans un impossible bourbier de barrières protectionnistes et de mesures préférentielles. Par exemple, 16 constructeurs de locomotives se partageaient le marché, contrairement aux États-Unis où ils n'étaient que 2. Mais le marché unique devait remédier à cette situation. Les compagnies de chemin de fer ne seraient plus tenues de favoriser les fournisseurs locaux, et les soumissionnaires pourraient provenir de n'importe quel pays de l'Union européenne. Ce fait incita Bombardier à implanter ses propres usines en Europe. Le nouveau marché qui s'ouvrait devant elle lui paraissait énorme : différents ministres des Transports planifiaient d'investir 200 milliards de dollars en 20 ans dans la modernisation des lignes de chemin de fer existantes et dans la construction d'un réseau à grande vitesse devant relier entre eux les pays membres de l'Union[2].

L'Europe présentait aussi un autre point d'intérêt. Grâce à son marché ferroviaire le plus développé au monde, l'Europe disposait d'une technologie qui faisait défaut à l'Amérique du Nord. « L'Europe était un fer de lance de l'industrie ferroviaire, dit Beaudoin. La technologie était là ; au Japon aussi, mais pour nous, l'Europe permettait des contacts plus faciles. Quand nous avons commencé à mettre sur pied notre secteur des transports en commun à la fin des années 1970 et dans les années 1980, nous nous sommes dit que, pour dominer ce marché, il nous faudrait acquérir une technologie européenne. Il nous faudrait aller en Europe et faire l'acquisition d'une entreprise européenne qui nous donnerait accès à ces techniques. » C'est ainsi que dans les années 1980 Laurent Beaudoin investit une petite somme dans une société belge qui fabriquait des voitures de métro, des véhicules légers sur rail et des voitures de trains intervilles. « Pour rester en tête de cette industrie en Amérique du Nord à la suite du contrat du métro de New York, pour prendre de l'expansion, nous devions nous ménager un accès à la technologie de pointe[3]. »

Laurent Beaudoin pouvait tirer parti de ses talents de négociateur dans ce marché extrêmement politique. Il savait traiter avec les gouvernements, il savait ce qu'ils voulaient et comment structurer une soumission qui réponde à leurs exigences. Francophone, il était à l'aise dans les milieux européens et il fut en mesure de rehausser le profil de Bombardier sur le continent. Après tout, depuis la fin des années 1960 il se rendait souvent en Autriche où Bombardier avait acheté la société Rotax qui construisait les moteurs de ses motoneiges. Rotax était aussi propriétaire d'une entreprise de construction de trams qui produisait du matériel roulant pour la Commission de transport de la ville de Vienne. « Les premières années, quand j'ai commencé à transiger avec Rotax en Autriche, j'ai vite développé de bons contacts avec ces gens. Je suis retourné très souvent en Europe, où je me sens bien. Pour moi, faire des affaires en Europe ou en Amérique du Nord, c'est du pareil au même. On m'a très bien

accueilli en Europe, je me suis habitué aux façons de faire des Européens et j'ai développé d'excellentes relations avec eux[4]. »

Bombardier s'était fait d'autres alliés parmi les bailleurs de fonds
institutionnels européens après avoir damé le pion au constructeur
britannique de matériel de défense GEC et à l'avionneur néerlandais
Fokker pour l'acquisition de la firme aéronautique Short Brothers en
Irlande du Nord. Beaudoin mit longtemps à préparer le terrain en
nouant des relations avec les plus grands industriels du continent.
« Je sais, pour avoir beaucoup voyagé à ses côtés, dit son associé Yvon
Turcot, que le courant passait très facilement entre Laurent et les
autres hommes d'affaires. Ils se reconnaissaient entre eux. Cela
n'avait aucune importance qu'il transige avec quelqu'un de très français ou de très *british*. Cela ne créait pas d'obstacle entre eux, car une
force commune les animait. Ils se respectaient et ils étaient disposés
à négocier[5]. »

Tout en mettant sa stratégie européenne en œuvre, Beaudoin
compléta l'absorption de la société belge de voitures ferroviaires dans
laquelle il avait investi. BN Constructions ferroviaires et métalliques
fut intégrée à Bombardier en 1989. La même année, il fit l'acquisition du deuxième constructeur de matériel roulant de France, ANF
Industrie, un fournisseur du TGV, dont le carnet de commandes évalué à 550 millions de dollars rassemblait des livraisons aux chemins
de fer nationaux et au métro de Paris. Ainsi flanqué de BN et d'ANF,
Bombardier s'était très bien positionnée pour participer à l'appel
d'offres de l'Eurotunnel. La commande initiale de l'Eurotunnel en
1989 fut bientôt suivie d'une autre pour la livraison de 30 trains à
grande vitesse destinés au couloir Londres-Paris.

L'aventure européenne était enclenchée. Mais qu'avait acheté
Bombardier en absorbant BN et ANF Industries ? Selon Yvon Turcot,
ces usines étaient des « gouffres sans fond », des champs de bataille
où les entreprises ferroviaires européennes déficitaires avaient perdu
leur dernière guerre. En raison de pratiques de travail inacceptables,
personne d'autre que Beaudoin ne croyait que ces deux sociétés puissent être rentables. « Il s'était mis dans la tête d'acheter des entreprises au bord de la faillite ou du moins en très mauvaise posture.
L'important était qu'il y trouve un personnel qualifié et un certain
savoir-faire. La spéculation financière n'intéressait pas Bombardier
et elle n'était pas non plus une société de portefeuille. Elle faisait du
redressement d'entreprises[6]. »

Beaudoin était persuadé qu'avec une injection de capitaux et de savoir-faire ingénioral et mercatique ces épaves pouvaient être métamorphosées en joyaux. «On s'efforce toujours de les obtenir pour une chanson, dit-il, mais ces entreprises possèdent des technologies de pointe. Ce qui nous intéressait le plus était de savoir ce que nous pourrions en faire[7].»

Cette stratégie aurait pu fonctionner si l'Eurotunnel ne s'était pas mis dans le pétrin. Le consortium franco-britannique qui finançait le projet affronta très tôt une grave crise financière. Il y eut des prises de bec avec le contracteur principal, TransManche Link, car les coûts montaient en flèche et la construction accusait du retard. Un groupe de 200 banques internationales avait consenti un prêt de 8 milliards de dollars pour financer le projet, mais ce montant se révéla largement insuffisant. Une émission d'actions permit d'amasser des capitaux supplémentaires de 1,6 milliard, mais en 1989 l'évaluation des coûts du projet complété atteignait les 13 milliards. Techniquement, l'Eurotunnel manquait à ses engagements et les banques pouvaient tirer leur révérence à n'importe quel moment. Si elles l'avaient fait, il ne serait resté de tout cela qu'un demi-tunnel. Les banquiers ont gardé la tête froide dans l'espoir que les contracteurs finiraient par s'entendre[8].

Au début, ce fut un vain espoir. Bombardier fut immédiatement confrontée à TransManche Link qui passait son temps à modifier les spécifications des voitures-passagers. Ce chaos força l'usine BN de Bombardier en Belgique à interrompre la production, puisque personne ne savait au juste ce qu'il fallait construire et comment. La querelle publique entre les deux entreprises s'intensifia et incita Beaudoin à engager Michel Lord au poste de vice-président, communications et relations publiques, et à lui confier la responsabilité de trouver une solution à ce conflit. «Dès mon entrée en fonction, nous étions en gestion de crise, se remémore Lord. Nous avions décidé d'interrompre la livraison des trains de l'Eurotunnel, car on ne nous payait pas. Et ils modifiaient constamment le cahier des charges. La situation était très critique[9].»

Le conflit menaçait de se retrouver devant les tribunaux, précédent qui aurait beaucoup perturbé le secteur ferroviaire de Bombardier. Certains des contrats majeurs de l'entreprise – le contrat avec Amtrak pour les trains Acela, la commande de l'Eurotunnel, la fusion du géant berlinois du rail Adtranz en 2000 – se retrouveraient entre les mains des avocats. Étaient-ils acceptables? Laurent Beaudoin était-il un négociateur moins brillant que sa légende voulait nous le faire croire? L'entreprise signait-elle des ententes en aveugle, sans se soucier des risques toujours possibles?

Les contrats originels pour l'Eurotunnel représentaient une valeur totale de 836 millions de dollars. En 1993, en raison des changements aux plans qu'exigeait le contracteur, Bombardier réclama un montant additionnel pharamineux de 760 millions en appuyant sa réclamation de 250 000 pages de documents afférents. « Les chiffres qu'ils brandissaient étaient tout simplement monstrueux, dit Sir Alastair Morton, le chef de la direction de l'Eurotunnel. Ils disaient en essence: "Payez-nous maintenant ou nous ne vous livrerons pas la marchandise." » Si les choses allaient si mal, se demanda Morton, pourquoi Bombardier n'avait-elle pas fait son chahut plus tôt? « Puisqu'ils savent qu'ils vont perdre une fortune sur ce contrat qui tire à sa fin, comment se fait-il qu'ils viennent tout juste de s'en rendre compte? » Il se dit que Bombardier et d'autres contracteurs espéraient forcer les gouvernements britannique et français à sauver le projet en y injectant des fonds publics – mais Bombardier rejeta cette interprétation[10].

En décembre 1993, Beaudoin s'en fut à Londres rencontrer les membres de la direction de l'Eurotunnel et de TransManche. Ils conclurent un accord selon lequel Beaudoin acceptait un règlement partiel de 381 millions de dollars, soit 157 millions comptant et des actions d'Eurotunnel pour une valeur de 25 millions. Cela eut pour résultat de faire de Bombardier l'un des plus importants actionnaires du tunnel et d'associer sa réussite financière à la sienne. Bombardier se porta en outre acquéreur de 4,7 millions d'actions supplémentaires, envisageant cette acquisition comme un placement.

Mais Beaudoin admit plus tard que Bombardier aurait sans doute dû mieux se renseigner avant de s'aventurer dans le projet de l'Eurotunnel. « Toute transaction comporte des risques. Nous aurions sans doute pu mieux évaluer celui-là. Il se peut qu'au début nous ayons sous-estimé les risques inhérents au projet, surtout si l'on tient compte de sa complexité croissante. » Le travail entrepris par Bombardier pour l'Eurotunnel fut l'un des plus complexes et détaillés que l'entreprise ait jamais eu à réaliser. Les voitures étaient immenses, et il fallait tenir compte de nombreuses contraintes de poids, de comportement et de sécurité que dictait le contexte très particulier du tunnel[11].

Les ingénieurs de Bombardier durent recourir à des matériaux légers d'usage courant dans l'avionnerie. Ils durent mettre au point des extérieurs résistants à la corrosion en raison de l'air humide et salin de la Manche. Les voitures de haute technologie étaient entièrement informatisées, de la climatisation à la ventilation en passant par le système de roulement et de freinage. De nouvelles normes de résistance au feu furent atteintes[12].

L'Eurotunnel fut une réalisation technique majeure mais aussi une amère déception pour les investisseurs. « L'Eurotunnel promettait d'être l'affaire du siècle, dit Michel Lord. Mais ce fut un désastre pour nous. Le secteur ferroviaire perdait de l'argent à cause de lui. Nous réalisions des recettes, mais nous ne dégagions pas de bénéfices en raison du dépassement de coûts. Bombardier avait prévu une provision pour cette escalade, et c'était très douloureux[13]. »

Quand fut complétée la livraison des voitures et que l'Eurotunnel fut ouvert au public, Beaudoin espéra tout de même que l'entreprise soit une réussite financière. Mais le tunnel accumula des pertes pendant un certain temps et la valeur des actions de Bombardier diminua de 234 millions de dollars. En 1998, l'entreprise vendit ses actions à une banque d'investissement pour 60 millions à peine, clôturant ainsi le premier malheureux chapitre de son histoire européenne.

La mésaventure de l'Eurotunnel donna lieu à une réflexion prolongée sur la réorganisation des opérations européennes de Bombardier. L'entreprise possédait des installations en Autriche, en Belgique, en France et en Grande-Bretagne (depuis son acquisition, en 1990, du constructeur britannique de voitures ferroviaires Procor Engineering). Mais Bombardier comprenait peu à peu combien il pouvait être difficile de transiger avec l'Europe. On aura beau vanter les mérites d'un marché unique, pour se voir octroyer un contrat dans l'un ou l'autre des pays membres il fallait quand même tenir compte des coutumes locales. Il fallait aussi souvent posséder une usine sur place pour augmenter ses chances d'obtenir le contrat. Si Bombardier voulait parvenir à se tailler une place enviable en Europe, elle devrait avant tout accroître sa présence sur le terrain.

Beaudoin scruta le paysage à la recherche d'acquisitions potentielles et en dénicha une en Allemagne : une entreprise familiale d'Aachen, près des frontières belge et néerlandaise. Waggonfabrik Talbot, fondée en 1838, était la propriété de la famille Talbot depuis cinq générations. L'entreprise construisait des voitures-passagers et des wagons de marchandises pour une clientèle établie aux Pays-Bas, en Allemagne, en Suisse et en Scandinavie. Avec ses 1 250 employés et un chiffre d'affaires de quelque 300 millions de dollars, elle était rentable, en plus d'être située dans un pays où Bombardier avait besoin d'une tête de pont[14].

Les contacts personnels de Beaudoin en Europe lui furent utiles. Il connaissait le membre de la famille Talbot qui était propriétaire de l'entreprise, car il s'était efforcé en vain de faire l'acquisition d'une manufacture de trams appartenant à cette même société. « Nous en discutions depuis le début des années 1980, mais il a fini par vendre sa compagnie de trams à Siemens. Juste avant de mourir, il m'a dit : "Je vous en dois une. Si vous voulez acheter Talbot, je suis prêt à vendre[15]." » La transaction fut conclue en 1995 au coût de 130 millions de dollars. L'investissement rapporta des dividendes dès l'année suivante, quand l'entreprise décrocha un contrat de 340 millions pour la livraison de 360 voitures de trains de banlieue destinées aux chemins de fer nationaux allemands.

Mais en dépit de cette acquisition, Bombardier n'était pas encore un joueur de premier plan en Europe puisque sa part du marché se limitait à 7 pour 100. L'entreprise ne rapportait pas autant qu'on l'avait espéré. Au cours de l'exercice 1997, la livraison de trams en Autriche et en Belgique enregistra des pertes et entraîna à sa suite le groupe tout entier. Beaudoin jugea opportun d'augmenter sa part de marché, plus particulièrement en Europe de l'Est.

L'euphorie suscitée par la chute du mur de Berlin s'était apaisée et les entreprises envisageaient d'une manière plus réaliste les perspectives d'investissement qu'offrait l'ancien bloc communiste. Le boom attendu ne s'était pas produit. Un immense marché les attendait derrière l'ancien Rideau de fer, mais il était assorti de difficultés majeures. En Allemagne de l'Est, par exemple, les salaires étaient trop élevés et la productivité insuffisante. Les entreprises est-allemandes jouissaient d'un marché captif lorsqu'elles vendaient au bloc soviétique ; mais ce contexte qui leur avait été favorable n'existait plus et, maintenant, elles n'étaient pas assez concurrentielles pour exporter leurs produits.

Un exemple de cela était la société Deutsche Waggonbau AG, aux environs de Berlin. Avant la chute du régime communiste, ses 21 usines de voitures ferroviaires exportaient 90 pour 100 de leur production, principalement aux Soviétiques, ce qui faisait de ce manufacturier l'un des plus importants constructeurs mondiaux de wagons de chemin de fer. Il donnait du travail à 25 000 personnes et son marché s'étendait de l'Europe de l'Est à la Chine. Après l'unification de l'Allemagne, l'entreprise fut privatisée et fit l'objet d'une réorganisation. Le nombre de ses usines fut ramené à 6 et elle compta moins de 5 000 employés. Ses exportations ne représentèrent plus que 30 pour 100 de sa production.

En 1997, au moment où le propriétaire de Deutsche Waggonbau – une firme de placement américaine – mit l'entreprise en vente, Laurent Beaudoin cherchait à pénétrer le marché de l'Europe de l'Est. Le fait que l'entreprise ait modernisé ses usines lui plut. Il cherchait en outre à concurrencer les géants européens de l'industrie du rail – des entreprises importantes jouissant d'excellents contacts politiques, notamment la société allemande Siemens, le conglomérat franco-britannique GEC-Alsthom et Adtranz, une société de fraîche date qui résultait de la fusion des secteurs ferroviaires d'Asea Boveri et de Daimler-Benz. Bombardier n'avait pas le choix : il lui fallait être enclume ou marteau. « Si Bombardier n'achetait pas Deutsche Waggonbau, un concurrent mettrait la main dessus, se remémore Michel Lord. Et nous passerions au cinquième rang[16]. »

Avec un chiffre d'affaires de 850 millions, la société allemande augmenterait les revenus du secteur ferroviaire de Bombardier et ferait plus que doubler le nombre de ses usines en Europe. Quand la transaction fut rendue publique, les analystes réagirent très positivement, comme ils le font souvent quand le marché s'emballe. Mais l'expansion de Bombardier n'entraîna pas des bénéfices accrus. En fait, elle entraîna en Europe une augmentation des charges. La raison d'être de cette volonté de pénétrer le marché de l'Union européenne – soit l'efficacité du marché unique – ne tenait plus. À vrai dire, les exploitations ferroviaires de Bombardier dans l'Union européenne étaient beaucoup moins efficaces et beaucoup moins rentables que ses exploitations nord-américaines.

Bombardier avait maintenant une douzaine d'usines sur les bras en Europe. En dépit du fait que les prescriptions relatives à la teneur en éléments locaux n'existaient plus et que la discrimination avait été interdite par l'Union européenne, nul n'ignorait qu'une société devait jouir d'une présence locale pour participer à un appel d'offres. Cela signifiait, dans la pratique, garder ouvertes des usines qui auraient dû fermer. Les analystes commencèrent à s'intéresser au coût de fonctionnement des installations européennes de Bombardier et laissèrent entendre que l'entreprise réaliserait des économies si elle fermait certaines installations de manière à consolider sa production[17]. Ces suggestions restèrent sans effet; les gouvernements et les syndicats ouvriers européens n'ont jamais facilité la fermeture d'usines et la mise à pied de la main-d'œuvre.

Entre-temps, les affaires commençaient à bouger en Grande-Bretagne pour Bombardier. L'entrepreneur Richard Branson, l'un des hommes d'affaires les plus prospères et les plus admirés du pays, était reconnu pour son goût pour la publicité mais aussi pour son sens astucieux des affaires. Branson avait transformé un petit investissement dans une maison de disques, Virgin Records, en un empire gigantesque qui incluait une ligne aérienne transatlantique et de nombreuses compagnies ferroviaires. Virgin Rail Group vit le jour lorsque Branson se porta acquéreur d'éléments d'actif mis en vente au moment de la privatisation de British Rail. En 1998, son réseau ferroviaire était en mal de matériel roulant neuf et de beaucoup d'entretien. Le public britannique boudait les services que lui procurait l'entreprise privée et Branson, entre autres, désirait remédier à cette fâcheuse situation.

C'est alors que Bombardier fit son entrée. En décembre 1998, l'entreprise signa avec Virgin Rail un contrat d'une valeur de 2,6 milliards de dollars pour la livraison de matériel ferroviaire et de services divers. Ce contrat était alors le plus important de toute son histoire. Le matériel incluait des trains pendulaires. Mais l'entente amenait surtout Bombardier à procurer à Virgin Rail, sur une période de 13 ans, des services haut de gamme allant d'un entretien de pointe au contrôle du trafic ferroviaire en passant par les communications et l'encaissement du prix des billets. Il s'agissait d'une première pour Bombardier qui désirait ne plus se limiter à la construction de matériel ferroviaire. Des contrats de service pourraient produire des revenus réguliers sur de longues périodes[18]. Pour la direction de Bombardier, les services représentaient le marché potentiel le plus prometteur de tout le domaine du rail.

Le secteur ferroviaire de Bombardier avait un chiffre d'affaires annuel de 3 milliards de dollars. Il manquait néanmoins quelque chose à la stratégie de croissance de l'entreprise dans ce secteur.

Laurent Beaudoin voulait être le numéro un de l'industrie. Ceux qui le dépassaient – Siemens, Alsthom, Adtranz – le plaçaient dans une situation intenable. Tous étaient en mesure de construire non seulement du matériel roulant, notamment des voitures-passagers, mais aussi les systèmes à propulsion électrique qui permettaient aux trains de rouler. Adtranz, pour sa part, envisageait de s'installer dans l'arrière-cour de Bombardier en Amérique du Nord et d'y rechercher très activement des contrats. Bombardier était vulnérable. L'entreprise fabriquait des véhicules ferroviaires, mais non pas des systèmes de propulsion. Ses concurrents pouvaient soumissionner pour l'ensemble d'un contrat, tandis que Bombardier devait se contenter d'en viser une partie seulement. Ses concurrents pouvaient refuser de former un partenariat avec Bombardier pour participer à un appel d'offres et essayer plutôt de rafler seuls tout le travail[19].

À l'été 2000, une occasion unique se présenta. DaimlerChrysler, la société mère d'Adtranz, mit en vente son secteur ferroviaire. Le mariage des géants de l'automobile Daimler-Benz d'Allemagne et Chrysler des États-Unis n'avait pas été un succès. Pour mettre de l'ordre dans ce chaos et concentrer son attention sur le secteur des voitures et des camions, DaimlerChrysler décida de sortir de l'industrie ferroviaire et de vendre Adtranz à l'acheteur le mieux indiqué, et au meilleur prix.

Les circonstances auraient dû dicter la prudence à Bombardier qui, déjà, s'embourbait en Europe. Au printemps 2000, l'entreprise mit à pied 1 200 ouvriers de ses installations allemandes. Elle avait en outre enregistré des pertes de 117 millions de dollars sur ses activités ferroviaires en Europe, surtout chez Deutsche Waggonbau. Il était déjà manifeste que Bombardier avait trop de marrons au feu dans cette partie du globe. Pourtant, Laurent Beaudoin sauta sur l'occasion qui lui était offerte de faire l'acquisition d'Adtranz. Si cette décision paraissait donner lieu à long terme à un investissement sûr, elle lui occasionna immédiatement toutes sortes de maux de tête.

Son empire ferroviaire européen était en place, pour le meilleur et pour le pire. Cette croissance s'était déroulée loin des projecteurs de son port d'attache. Elle eut lieu à une époque où les relations de Bombardier avec Ottawa et la participation de Laurent Beaudoin à un moment déterminant de l'histoire du Canada étaient passées au peigne fin.

CHAPITRE 11

Le fédéraliste

Le 25 octobre 1995. Il est minuit moins cinq à Québec – cinq jours avant la tenue du référendum historique sur la souveraineté-association. Le camp du Oui se hisse vers la première position dans les sondages et Laurent Beaudoin a été invité à prononcer une allocution à l'occasion d'un déjeuner d'affaires à Sainte-Foy, dans la banlieue de Québec. Les fédéralistes ont le cœur lourd et nombreux sont ceux qui craignent l'éclatement du pays. L'argent quitte discrètement la province, les entreprises mettent sur pied des plans d'urgence au cas où le Oui l'emporterait, et le rôle que, selon la rumeur, jouerait l'armée canadienne si les Québécois votaient pour la souveraineté-association en inquiète plus d'un. Le moment est venu pour les leaders les plus influents du Québec de se lever et de se faire entendre. Le moment est venu pour Laurent Beaudoin de lancer du fond du cœur un dernier appel à ses concitoyens.

Le fait même qu'il nous faille aborder encore une fois ce sujet a été une des surprises que nous a réservées notre histoire nationale. La question semblait bien avoir été réglée une fois pour toutes en 1980, quand les Québécois avaient rejeté la vision séparatiste de René Lévesque et qu'ils lui avaient refusé le mandat de négocier une «souveraineté-association» avec le reste du Canada. Par la suite, de nombreux Québécois avaient renoncé à leur rêve d'indépendance et s'étaient résignés à ne plus participer à un référendum sur cette question. L'expérience avait été très éprouvante: des membres d'une même famille s'étaient fait la guerre, des amis de longue date s'étaient brouillés à tout jamais. En réalité, personne ne tenait à revivre pareille épreuve.

Mais un revirement de fortune remit le Parti Québécois au pouvoir en 1994. L'isolement subi par le Québec lors du rapatriement de la Constitution par Pierre Trudeau poursuivait son action corrosive sur le tissu politique de la province. Des tentatives subséquentes pour amener le Québec à entériner la Constitution s'étaient révélées désastreuses ; les échecs spectaculaires de l'accord de Meech et de l'accord constitutionnel de Charlottetown avaient discrédité le fédéralisme aux yeux des nationalistes québécois.

Le premier ministre du Québec, Jacques Parizeau, conçut une brillante campagne pour le Oui qui mettait en veilleuse l'idée d'indépendance du Québec. Cette fois, le camp du Oui s'afficha comme « le camp du changement ». Ce slogan était tout juste assez vague pour attirer la population dans le camp souverainiste. Un grand nombre de Québécois ne voyaient aucun danger à voter Oui, seulement une façon d'exercer un peu de pression sur le reste du Canada. Parizeau et son équipe demeuraient flous quant à leurs intentions advenant une victoire (mais en coulisse, ils avaient mis au point un plan d'action dont le but consistait à réaliser unilatéralement l'indépendance du Québec).

Dès le début de la campagne référendaire, le camp indépendantiste se heurta à des difficultés. On ne se fiait guère à Parizeau pour vendre l'idée de la souveraineté. Les sondages montraient qu'il n'était pas populaire auprès des femmes. Au bout de deux semaines, le camp du Oui était en perte de vitesse. Puis un chambardement transforma complètement la dynamique de la campagne. Lucien Bouchard, l'énergique leader du Bloc Québécois, remplaça Parizeau à la tête du camp souverainiste. Bouchard avait démissionné de son poste de ministre du cabinet de Brian Mulroney pendant la crise du lac Meech et créé le Bloc Québécois quelques semaines plus tard. On dit qu'après avoir été ainsi trahi par son ami et ancien collègue, Mulroney demanda à sa femme de jurer qu'advenant son décès, elle interdirait à Lucien Bouchard d'assister aux funérailles.

Bouchard avait le don de susciter l'animosité de ses opposants, mais il était un militant exemplaire. Au cours des dernières semaines de la campagne référendaire, ses discours passionnés et son intarissable aptitude à gratter la vieille plaie des relations Québec-Ottawa galvanisèrent la population québécoise. Un francophone qui hésitait quant au camp pour lequel voter se rappelle avoir assisté à une allocution du Lucien Bouchard. Après avoir entendu les propos enflammés de Bouchard à l'adresse des Québécois, il devint un partisan du Oui, «parce qu'il y avait quelque chose dans l'air».

Laurent Beaudoin avait plaidé en faveur du Non. Il avait été l'un des rares hommes d'affaires québécois à défendre ouvertement et courageusement l'option fédéraliste, et il avait payé cher ses convictions. Dans le feu de la lutte féroce des partis adverses pour gagner le cœur et l'esprit des électeurs, on l'avait accusé de «cracher sur les Québécois». Cette accusation n'était pas venue d'un chef syndical exalté ni d'un étudiant à queue de cheval et à tatouage fleurdelisé, mais bien de Parizeau lui-même, qui ne tolérait pas que le plus grand homme d'affaires québécois s'oppose à la souveraineté. Beaudoin était maintenant prêt à réagir. Si, compte tenu des tensions qui avaient agité la dernière semaine de la campagne, le public venu entendre Laurent Beaudoin à Sainte-Foy manquait d'appétit pour le repas qu'on lui avait servi, il attendait son discours avec impatience.

Laurent Beaudoin raconta d'abord que, dans sa jeunesse, lorsqu'il était comptable à Québec, il habitait rue Toronto. Mais ce n'était pas pour cette raison qu'il était «si profondément attaché au Canada», dit-il, et il bifurqua aussitôt vers l'accusation dont il avait été victime. Les remarques «non fondées et insultantes» de Jacques Parizeau méritaient une réplique. Il avait été profondément blessé de se faire dire qu'il crachait sur les Québécois, car cette remarque allait manifestement à l'encontre de tout ce qu'il avait réalisé au Québec depuis trente-deux ans qu'il œuvrait chez Bombardier. L'histoire même de cette société était une preuve de son attachement au Québec. Durant cette période, «nous avons pris des risques et travaillé sans relâche afin d'édifier une grande entreprise québécoise», dit-il, une entreprise qui, maintenant, s'étendait à l'ensemble du pays et même au monde entier[1].

Chaque fois que ses décisions pouvaient avoir des répercussions importantes pour l'avenir de la société, il avait pris les intérêts du Québec à cœur, dit Laurent Beaudoin. En 1973, quand la crise du pétrole avait fait fondre le marché de la motoneige, il aurait pu vendre à des acheteurs étrangers comme beaucoup d'autres membres de l'industrie n'avaient pas hésité à le faire. En 1974, il aurait pu fermer l'usine de motoneiges de La Pocatière en raison de la baisse du chiffre d'affaires. Mais il avait préféré risquer le tout pour le tout, miser sur le métro de Montréal, convertir les installations de La

Pocatière en usine de montage de voitures de métro, engager et former des centaines d'ouvriers. Il avait gagné son pari : Bombardier construisit plus de 3 000 voitures de métro et de trains de banlieue et La Pocatière devint le moteur économique de la région.

À Valcourt, lieu de naissance de Joseph-Armand Bombardier, il aurait pu fermer boutique quand les ventes de Ski-Doo avaient dégringolé. Mais il avait préféré consolider ses opérations, maintenir le cap et étendre l'exploitation de l'entreprise à différents secteurs d'activité. Le rendement fut discutable au début, mais l'entêtement de Beaudoin finit par devenir rentable. La compagnie développa de nouveaux modèles de motoneiges et de motomarines, la chaîne de production fut bientôt en pleine activité et l'usine de Valcourt accrut sa main-d'œuvre de plus de 3 000 employés. Voilà ce qu'il avait accompli pour les Québécois des Cantons de l'Est.

Qu'en était-il de l'acquisition de Canadair ? Bombardier s'était vu octroyer des contrats pour la fabrication de composantes d'aéronefs ; l'entreprise avait investi 250 millions dans le Regional Jet et dans le remodelage de l'avion d'affaires Challenger et de l'avion-citerne de Canadair. Depuis cette acquisition, les effectifs des usines de Dorval et de Saint-Laurent étaient passés à 8 000 employés et Canadair était devenu un fer de lance de l'industrie aéronautique. Voilà ce qu'il avait accompli pour les Québécois de Montréal.

« Monsieur Parizeau, fit-il, c'est ça, selon vous, cracher sur les Québécois ? »

Près de 13 000 personnes étaient alors à l'emploi de la compagnie au Québec et de nombreuses autres travaillaient pour les 2 150 fournisseurs de Bombardier à travers la province. Au cours des 10 années précédentes, Bombardier avait investi plus de 2,25 milliards de dollars dans ses usines du Québec ainsi que dans l'équipement et la recherche-développement. L'entreprise avait toujours son siège social à Montréal et les actionnaires dirigeants de la société multinationale résidaient au Québec.

La fédération canadienne avait été le théâtre de ces réalisations et de cette prospérité. Dans le secteur de l'aéronautique, Canadair à Montréal et de Havilland à Toronto avaient fusionné en une seule entité canadienne. Dans le domaine ferroviaire, Bombardier avait fait l'acquisition, avec l'aide du gouvernement ontarien, de la Urban Transit Development Corp., basée en Ontario, et l'avait intégrée à son groupe ferroviaire international. Puisque Bombardier bénéficiait dans ces domaines du soutien actif de deux paliers de gouvernement, aurait-elle été justifiée d'abandonner sa famille canadienne?

Comme d'autres entreprises québécoises en vue – Canam Manac, Jean Coutu, Quebecor, Transcontinental, SNC-Lavalin – Bombardier visait le monde. Regardez, dit Laurent Beaudoin, quelles occasions ont été ainsi offertes aux Québécois. Un Québécois était président de la compagnie de Havilland à Toronto et des Québécois occupaient des postes importants chez Shorts, en Irlande, et chez Learjet, au Kansas. Ils occupaient des postes de direction dans les unités ferroviaires de Bombardier aux États-Unis et dans la filiale mexicaine Concarril. Des Québécois d'expression française travaillaient au projet du métro d'Ankara, en Turquie, et à un projet de train de banlieue à Kuala Lumpur, en Malaisie. D'autres faisaient l'essai de motomarines en Floride et d'autres encore géraient les ventes de motoneiges dans le Wisconsin.

Le fait que les chefs de la direction de Nortel, d'Alcan, de Chrysler Canada, de Pratt & Whitney et de Teleglobe soient tous francophones, prouvait que l'avenir des Québécois dans l'entreprise canadienne était illimité. Comment osait-on affirmer que les Québécois étaient des citoyens de seconde zone dans l'économie du pays? «Nous sommes aux commandes de notre développement économique, culturel et social, dit Beaudoin. Le Québec n'a jamais auparavant contrôlé à ce point sa propre destinée.» Quant à Parizeau et Lucien Bouchard, les chefs du camp du Oui dans la campagne référendaire, ils donnaient à penser qu'il leur serait possible de faire la loi et de dicter les lois du marché dans un Québec indépendant. Mais ils se gardaient bien de mentionner les coûts de cette autonomie: la dévaluation de la devise, la hausse des taux d'intérêts, le chômage.

En dépit de ses imperfections, la structure fédérale canadienne a favorisé la remarquable croissance des entreprises québécoises, ajouta-t-il. L'énergie et la créativité déployées par les Québécois pour transformer leurs institutions, moderniser leur société et assumer un rôle de premier plan dans la politique et l'économie nationales ont stupéfié le Canada. L'indépendance du Québec balancerait tous ces progrès à la poubelle, elle perturberait une économie prospère, entraînerait une hausse des impôts et une réduction des services à la population. Les Québécois, conclut-il, n'ont pas à choisir entre vice et vertu puisqu'ils profitent d'une double appartenance à leur province et à la nation canadienne. «J'ose espérer qu'ils diront Non, qu'ils rejetteront la séparation et qu'ils témoigneront ainsi de leur foi dans l'avenir de ce pays que nous avons édifié ensemble[2].»

Les accents passionnés de ce discours et le courage dont a dû faire preuve Laurent Beaudoin pour exprimer ainsi ses opinions étaient remarquables. En 1995, les hommes d'affaires québécois étaient portés à ne pas dévoiler leur pensée. La vaste majorité de ces chefs d'entreprise étaient des fédéralistes convaincus, mais la plupart n'osaient l'avouer par peur des conséquences. «Dans la plupart des cas, ils se taisaient et restaient chez eux, dit l'ancien vice-président de Bombardier Yvan Allaire. En privé, ils ne se gênaient pas pour exprimer leurs opinions, et Dieu sait qu'ils en avaient. Mais ils disaient: "Je ne peux pas parler, j'ai des clients et les syndicats vont me tomber dessus." Laurent Beaudoin a dit: "Ça m'est égal, je vais dire ce que j'ai à dire[3]."»

L'enjeu était important. Le gouvernement du Québec exerçait un contrôle si serré sur l'économie provinciale que rares étaient les hommes d'affaires disposés à l'aiguillonner si leur entreprise risquait d'en payer le prix. Ils pouvaient perdre d'importants contrats publics, des crédits d'impôt, des prêts et des subsides d'organismes provinciaux. La plupart des chefs d'entreprise en conclurent qu'il ne valait pas la peine pour eux de prendre position dans le débat référendaire. La politique et les affaires ne font pas bon ménage, se dirent-ils; le fait est que la société québécoise était profondément divisée sur la question de la souveraineté. Par respect pour les opinions divergentes de leurs actionnaires et de leurs employés, de nombreuses entreprises optèrent pour le silence.

Certains hommes d'affaires avaient durement appris leur leçon. Dans les débuts de la campagne référendaire, dans le cadre d'un rassemblement pour le Non, Claude Garcia, qui dirigeait une importante compagnie d'assurances québécoise, avait incité les fédéralistes non seulement à vaincre, mais à «écraser» le camp du Oui. Il voulait dire par là qu'il fallait que le Non l'emporte par une importante majorité afin d'éviter toute ambiguïté et pour que cette question soit réglée une fois pour toutes. Vus sous cet angle, ses propos étaient on ne peut plus rationnels. Mais Garcia fut abondamment pris à partie; les médias québécois ne virent dans sa déclaration qu'un manque de sensibilité envers les convictions souverainistes.

Elle démontrait clairement, dirent-ils, que les fédéralistes ne visaient pas seulement la victoire du Non, mais surtout la destruction du mouvement souverainiste tout entier. Garcia fut contraint de s'excuser publiquement et ses collègues du milieu des affaires montréalais en conclurent qu'ils feraient mieux de tenir leur langue.

Chez Bombardier, au contraire, aucune hésitation : personne n'allait empêcher Laurent Beaudoin de défendre son opinion. «Séparer le Canada en deux était une proposition insensée, dit-il quelque 10 ans plus tard. Je me suis toujours senti à la fois québécois et canadien. Cette question était pour nous d'importance capitale ; si nous voulions réussir à l'échelle mondiale, il nous fallait préserver l'unité nationale. Nous n'avions aucune raison fondamentale de nous séparer[4].»

Beaudoin avait participé activement à la campagne référendaire de 1980. Lors du référendum pancanadien de 1992, quand le gouvernement fédéral avait demandé aux Canadiens de ratifier l'accord de Charlottetown – un ensemble de réformes constitutionnelles garantissant au Québec un pouvoir accru – Beaudoin avait fortement défendu cette option. Il ne s'était pas contenté d'en parler favorablement, il avait publié un prospectus qui reproduisait un de ses discours en faveur de l'accord constitutionnel de Charlottetown et il l'avait expédié à ses 13 000 employés du Québec en même temps que leur chèque de paie.

Ce qui pouvait ressembler à l'exercice raisonnable du droit à la liberté d'expression d'un homme d'affaires désireux de protéger son entreprise fut jugé illégal selon la loi électorale du Québec qui exigeait que toute dépense ou toute publicité associée à la campagne référendaire soit chapeautée par le comité du Oui ou le comité du Non. Cette loi avait pour but de contrôler les dépenses référendaires et d'uniformiser les règles du jeu pour les camps adverses, mais on n'allait pas clouer le bec aussi facilement à Laurent Beaudoin. S'il avait quelque chose à dire à ses employés, il le leur dirait. Ce n'était pas la première fois qu'un de ses messages accompagnait leur chèque de paie. Le Directeur général des élections au Québec ne le vit cependant pas du même œil et il accusa Laurent Beaudoin de contrevenir à la loi électorale. Au bout du compte, l'entreprise plaida coupable devant un tribunal québécois et écopa une amende de 1 000 $.

Beaudoin avait énergiquement défendu l'accord de Charlottetown, car il était d'avis que cet accord représentait pour le Québec une solution de rechange acceptable entre l'indépendance et l'adhésion entière du Québec à la Constitution. Mais les électeurs canadiens (y compris ceux du Québec) rejetèrent cet accord, le Parti Québécois rafla le pouvoir en 1994 et le nouveau gouvernement se donna pour mission de tenir un autre référendum sur la souveraineté. Chez Bombardier, on se demanda si Beaudoin devrait participer à la campagne référendaire et, si oui, de quelle façon.

Yvon Turcot, le conseiller en affaires publiques de Beaudoin, était un partisan du Oui et refusa de s'en mêler. « Mais Laurent Beaudoin a été très correct, dit Turcot ; il m'a gardé comme conseiller même si je favorisais le camp adverse. Personnellement, je trouvais qu'il s'engageait trop dans cette histoire, que cela finirait par ternir son image. Mais on avait une haute opinion de lui. Et il devait décider pour le Oui ou pour le Non. Il a bien réfléchi, et ses convictions l'ont emporté sur ses autres considérations. L'histoire du Canada était en jeu. Il se sentait investi d'un devoir. Mais je suis sûr que les attaques qu'il a subies l'ont beaucoup affecté. Il n'en avait pas l'habitude ; c'était un homme d'affaires, pas un homme politique[5]. »

Yvan Allaire, depuis longtemps responsable des stratégies et des affaires corporatives de la société, avait joué l'un des rôles principaux dans l'organisation du comité du Non lors de la campagne référendaire de 1980. Allaire savait que la compagnie risquait gros si elle s'engageait trop dans le débat. « Puisque Bombardier était de toute évidence une entreprise québécoise exemplaire, elle pouvait avoir une énorme force de frappe, ce qui inquiétait beaucoup le camp adverse. » La réaction du camp du Oui serait forcément violente et amère. Beaudoin n'y était absolument pas préparé.

« Quand un homme d'affaires se lance en politique, il en tire inévitablement des leçons, dit Allaire. Il ne faut pas sous-estimer la férocité des hommes politiques. Je crois que Laurent Beaudoin ne s'attendait pas à ce qu'ils s'inspirent de quelques mots d'un de ses discours pour monter une campagne contre lui. » Beaudoin fut aussi très surpris quand certains consommateurs québécois qui n'avaient pas goûté ses propos expédièrent par la poste les clefs de leur motoneige à Bombardier en guise de protestation. « Mais il n'a jamais changé d'avis, et il n'a jamais rien regretté », dit Allaire.

On a dit, bien entendu, que Beaudoin remboursait ainsi le gouvernement fédéral pour toute l'aide que celui-ci lui avait prodiguée. Selon cette vision cynique, Ottawa demandait à Beaudoin de payer les violons et Beaudoin n'avait d'autre choix que plier l'échine. Cette opinion perturbait beaucoup Allaire. «J'étais présent quand il a décidé de s'engager dans la campagne référendaire; sa décision n'a rien eu à voir avec ce qu'en penserait Ottawa. Il a dit: "Je suis un citoyen du Québec; j'ai parfaitement le droit d'exprimer ma pensée, et je vais l'exprimer[6]."»

Un autre collègue de Laurent Beaudoin, le vice-président aux communications Michel Lord, partageait son point de vue et il était impatient de s'en prendre aux souverainistes. «C'était amusant. J'avais envie d'entrer dans la danse. Si nous nous en étions abstenus, j'aurais été un des nombreux responsables des relations publiques d'entreprises qui évitaient de répondre aux journalistes lorsque ceux-ci sollicitaient leur opinion sur telle ou telle déclaration de Monsieur Parizeau. Monsieur Beaudoin est un homme entêté. Il est absolument contre l'indépendance du Québec. Quand il croit à quelque chose, il est rare qu'il ne fasse pas valoir son point de vue ou qu'il se croise les bras. C'était lui le patron, il avait une idée en tête, et puisqu'il avait pris sa décision j'étais certain que rien ne le ferait changer d'avis.

«Le référendum annonçait une lutte serrée. Allions-nous baisser les bras et ne rien faire, tout simplement pour protéger nos intérêts commerciaux? Non. Nous n'allions pas nous inquiéter si certaines personnes décidaient de ne plus acheter nos produits. Il faut être fidèle à son idée. Je n'ai jamais tenté de conseiller Laurent autrement que dans sa manière de faire ce qu'il désirait faire. Nous traversions une période charnière de notre histoire et nous devions agir en tant que citoyens. Laurent Beaudoin, qui avait pris position dans le passé, se devait de persévérer et de demeurer constant[7].»

Avec le recul, on peut se demander si et de quelle manière une victoire du Oui aurait affecté Bombardier. Selon certains, une telle victoire aurait aidé l'entreprise puisqu'elle exportait ses produits. Si l'économie d'un Québec indépendant s'était détériorée, cela aurait sans doute entraîné une dévaluation de la devise et une baisse des salaires. La position concurrentielle de Bombardier sur les marchés internationaux aurait bénéficié d'une telle situation et la valeur de ses produits libellés en dollars américains aurait été meilleure que jamais.

À un moment donné, Beaudoin avait laissé entendre que son entreprise ne resterait sans doute pas au Québec si celui-ci accédait à son indépendance. «Si certaines conditions empêchent l'entreprise de fonctionner normalement, je crois qu'il me faudra prendre une décision dans l'intérêt des actionnaires[8]. » Cette remarque ne fut guère prise au sérieux. Certes, il était possible que Bombardier déménage son siège social, mais les usines seraient presque certainement restées au Québec. Beaudoin avoua plus tard qu'il n'avait préparé aucun plan d'urgence advenant la séparation du Québec. « J'ai dit ça pour secouer les gens un peu. Les responsables des relations publiques chez Bombardier m'avaient dit : "Ne dites pas ça ; ils vous citeront." Mais, bon sang, je voulais attirer l'attention[9]. »

En dépit des déclarations incendiaires du Parti Québécois contre Laurent Beaudoin, le gouvernement ne pouvait pas ignorer qu'une entreprise de l'envergure de Bombardier valait son pesant d'or pour une nation qui accède à son indépendance. Beaudoin avait entretenu des relations assez cordiales avec le PQ – peut-être pas avec Parizeau, mais certainement avec Bernard Landry. En sa qualité de ministre responsable du développement industriel, Landry avait contribué à mettre sur pied quantité de programmes destinés à faciliter la croissance de l'industrie aéronautique québécoise. Dans le plan directeur du PQ, l'aéronautique jouait un rôle prépondérant dans l'économie, aux côtés des compagnies pharmaceutiques, de la biotechnologie et de la technologie de l'information. Tout un éventail d'organismes relevant du gouvernement venaient en aide aux entreprises par des investissements directs, des garanties de prêt, des crédits d'impôt et des subventions.

La diligence du PQ à susciter de nouveaux investissements a impressionné Yvan Allaire. « Landry, surtout, dit-il, a beaucoup contribué à la croissance de l'industrie aéronautique. Aux salons du Bourget ou de Farnborough, la délégation québécoise était toujours très dynamique, beaucoup plus que la délégation canadienne. Oh ! bien sûr, ils ne nous faisaient pas de cadeaux, mais ils s'efforçaient d'intéresser d'autres entreprises à s'implanter chez nous et ils mentionnaient Bombardier comme modèle à suivre. Ils ont plutôt bien compris les réalités de ce secteur. »

C'est la raison pour laquelle Allaire n'a jamais vraiment appréhendé une réaction indésirable du gouvernement Parizeau envers Bombardier. « L'aéronautique était indispensable au Québec. Menacer Bombardier de recourir à des mesures de rétorsion, c'était se mettre la corde au cou. Nous ne risquions pas grand-chose. En fait, après le référendum, Landry a eu vite fait d'enterrer la hache de guerre[10]. »

Qu'est-ce qui avait motivé ces attaques contre Laurent Beaudoin ? D'une part, certaines personnes croyaient qu'il était dans les petits papiers d'Ottawa. En réalité, Beaudoin avait lui-même nourri cette perception quand il avait déclaré, dans le cadre d'un rassemblement du Non au début de la campagne référendaire, que son entreprise n'aurait jamais pu devenir un chef de file mondial si elle n'avait pas bénéficié des programmes d'aide à l'exportation du fédéral[11].

Pendant la campagne, le Bloc Québécois à Ottawa mit la main sur des documents confidentiels qui avaient transpiré du Conseil de l'unité canadienne, l'organisme défenseur du camp fédéraliste dans la guerre de propagande qui avait lieu au Québec. Ces documents faisaient état de subventions accordées à des entreprises québécoises, dont Bombardier, et disaient quels chefs d'entreprise s'étaient prononcés publiquement en faveur du fédéralisme. Aux yeux de Lucien Bouchard, ces documents prouvaient hors de tout doute qu'Ottawa exerçait un chantage sur les entreprises québécoises pour les forcer à voter Non. Mais Jean Chrétien se porta aussitôt à la défense de Beaudoin à la Chambre des communes, niant que ce dernier avait été forcé par Ottawa à s'engager dans la campagne référendaire. « Ce n'est pas lui qui va perdre sa chemise si le Québec se sépare, dit le premier ministre. Les ouvriers de ses usines risquent d'en souffrir beaucoup plus que lui. Laurent Beaudoin s'efforce de les protéger plutôt que de les pousser à s'aventurer dans l'inconnu comme le veut le Bloc Québécois[12]. »

En outre, on savait que Beaudoin avait sollicité des fonds auprès des employés de Bombardier. Un mois à peine avant la tenue du référendum, les cadres intermédiaires de Bombardier avaient été convoqués à une réunion avec la direction, et on leur avait demandé de contribuer au camp du Non. L'entreprise nia les y avoir poussés, affirmant que chaque contribution était volontaire. Mais elle reconnut que les personnes présentes avaient assisté à un petit discours tonifiant sur les effets néfastes de la séparation sur l'économie québécoise. Un cadre de direction de Canadair révéla que l'entreprise avait exprimé très précisément ses desiderata. Elle avait fortement encouragé les cadres supérieurs à y aller d'un don de 500 $ à 3 000 $ et de remettre leur chèque au vice-président des ressources humaines. Cette attitude intimida les employés : c'était un moyen efficace pour la direction de savoir qui contribuait ou ne contribuait pas à la cagnotte. Les cadres intermédiaires furent requis de pressentir leurs employés, mais plusieurs d'entre eux rechignèrent à le faire[13].

On peut comprendre leur réticence. En plein cœur du Québec, aux usines de Bombardier à La Pocatière ou à Valcourt, les ouvriers syndiqués étaient en très grande majorité de fervents partisans du Oui. Le chef du Parti libéral du Québec, Daniel Johnson, qui dirigeait la campagne pour le Non, put constater ce fait par lui-même lors d'une visite à l'usine de La Pocatière. Il s'attendait à y être accueilli chaleureusement par les employés de Laurent Beaudoin. Johnson voulait leur rappeler qu'un régime fédéral permet à des entreprises d'exportation telle Bombardier de prospérer. Mais à son arrivée il vit que des bannières et des affiches en faveur du Oui avaient été suspendues à la charpente. L'air sinistre, les gérants s'empressèrent de les en retirer[14].

Dans son allocution à Sainte-Foy, Laurent Beaudoin identifia les vraies raisons de la campagne de dénigrement orchestrée contre lui. «Indubitablement, l'une des répercussions les plus surprenantes et les plus dommageables de la campagne référendaire, dit-il, fut de créer des dissensions chez les Québécois, de transformer le débat en une lutte de classes et d'opposer les intérêts des ouvriers à ceux des hommes d'affaires et des entreprises.» Le discours de la campagne référendaire était dangereux et démagogique, car il laissait entendre à tort que le fédéralisme agissait différemment sur les employés et sur les dirigeants[15].

Au sein du mouvement ouvrier, le message pas très subliminal du comité du Oui et de ses alliés était que le fédéralisme bénéficiait du soutien d'«anges», c'est-à-dire de riches hommes d'affaires qui écrasaient les petits salariés pendant que le gouvernement leur graissait généreusement la patte. Le camp du Non recevait ouvertement l'appui de chefs d'entreprises prospères tels Laurent Beaudoin, Paul Desmarais de Power Corporation, Guy St-Pierre du géant de l'ingénierie SNC-Lavalin et Marcel Dutil de l'aciérie Canam Manac. De l'avis des mouvements ouvriers, ces chefs francophones d'industrie vivaient dans le confort et l'abondance, loin des préoccupations des petites gens. «Quand vous empochez 800 000 $ par an, la question des soins de santé ou celle de l'éducation ne vous préoccupe pas», déclara le ministre péquiste Guy Chevrette; il insinua que le véritable objectif de l'élite du monde des affaires était d'éliminer les programmes sociaux afin de siphonner les coffres des gouvernements au profit de leurs sociétés[16].

Ce message incendiaire cherchait à diviser les citoyens du Québec. Lorraine Pagé, qui dirigeait l'un des plus importants syndicats d'enseignants au Québec, le formula ainsi : « Le camp du Non rassemble les banques, les grandes sociétés, l'élite financière partisane du néolibéralisme », tandis que le camp du Oui recrutait ses adhérents parmi les groupes communautaires, les défenseurs des droits et libertés, les regroupements de femmes, les artistes et les jeunes. « D'un côté, il y a le pouvoir de l'argent, et de l'autre il y a plus d'un million d'individus qui croient à la souveraineté en tant qu'instrument de transformations sociales[17]. » Ainsi donc, tout en s'en prenant à Laurent Beaudoin parce qu'il avait sollicité auprès de ses employés des contributions à la campagne référendaire, les dirigeants syndicaux sollicitaient la contribution de leurs propres membres.

Ces attaques avaient quelque chose d'ironique. Ainsi que le fit remarquer Beaudoin quelque temps plus tard, « certains d'entre nous faisaient partie de la première génération de Québécois qui se soient lancés en affaires et qui aient réussi. On nous avait accolé le surnom de Québec Inc. Si vous remontiez jusqu'aux années 1940, les Canadiens français qui s'étaient taillé une place dans le monde des affaires ou qui avaient édifié des entreprises conséquentes étaient plutôt rares. Très peu de Canadiens français occupaient des postes de haute direction dans de grandes sociétés québécoises. Mais tout cela a changé au cours des années 1960, 1970 et 1980. Au moment du référendum, j'étais d'avis qu'on ne fait pas ses preuves en s'isolant des autres mais en cherchant à surpasser nos prédécesseurs[18]. »

Les partisans du Oui savaient les Québécois sensibles aux arguments économiques des prospères hommes d'affaires du Québec francophone. Leur tactique consista donc à détruire leur crédibilité. Mais ils s'aventuraient ainsi en terrain dangereux. Tout en profitant de l'influence des syndicats de travailleurs, le PQ n'eut de cesse de vanter la réussite des industriels francophones qui avaient créé au Québec des entreprises très prospères grâce aux nouvelles technologies et au libre-échange. Le succès de Québec Inc. avait un jour servi à défendre l'idée d'indépendance – ces hommes d'affaires n'étaient-ils pas la preuve que l'économie du Québec pouvait se suffire à elle-même ? Le PQ ne pouvait pas avoir le beurre et l'argent du beurre ; il ne pouvait pas faire des Laurent Beaudoin du Québec des héros plus grands que nature pour ensuite déboulonner leur statue en les accusant d'être les ennemis du peuple.

Ce manque de cohérence dans le raisonnement souverainiste émoussa les attaques que subissait Beaudoin dans l'esprit de bon nombre de Québécois qui continuèrent de voir en Bombardier un de nos plus grands modèles de réussite. En fait, les sondages montrèrent que les chefs d'entreprise l'emportaient de loin sur les dirigeants syndicaux en termes de crédibilité, puisque, selon les trois quarts de la population, les chefs d'entreprises avaient parfaitement le droit de dire ce qu'ils pensaient de la question nationale. Cela n'empêcha aucunement les forces du Oui de prendre à partie ces francophones prospères qui avaient reçu l'aide du gouvernement québécois et qui maintenant tournaient le dos à leurs concitoyens. Ainsi que l'écrivait le perspicace chroniqueur québécois Don Macpherson dans *The Gazette*, pour Jacques Parizeau, père de bon nombre de programmes d'aide et d'organismes qui avaient soutenu financièrement certaines des entreprises les plus prospères de Québec Inc., les dirigeants de ces sociétés se comportaient comme des enfants ingrats[19].

Lors du dépouillement du scrutin le 30 octobre, les premiers résultats en provenance des régions du Québec montrèrent une nette avance du Oui. Mais à mesure que progressait cette déchirante soirée, l'île de Montréal fit très légèrement pencher la balance du côté du Non. Le camp fédéraliste survécut au cauchemar et remporta la victoire par un cheveu, soit avec 50,6 pour 100 des votes contre 49,4 pour 100 pour le camp souverainiste – une marge de 53 000 votes seulement. Il y eut de très fortes allégations de fraude ; 86 000 bulletins de vote avaient été rejetés, dont une très forte proportion dans des circonscriptions fédéralistes. Dans ce qui a sans doute été le discours le plus fielleux de toute l'histoire politique du Québec, Jacques Parizeau reporta le blâme de la défaite souverainiste sur « l'argent et le vote ethnique ». Cette dernière gifle aux Laurent Beaudoin du milieu des affaires et aux citoyens non francophones du Québec contraignit un Parizeau disgracié à démissionner de son poste de premier ministre du Québec.

Beaudoin était devenu un point litigieux de la campagne référendaire, mais on ne saurait dire si ses interventions ont aidé la cause fédéraliste ou lui ont nui. Les allusions de Parizeau au pouvoir de l'argent ont conféré une importance accrue à l'influence que pouvaient exercer des chefs d'entreprise tels Laurent Beaudoin sur la campagne référendaire. La plupart des Québécois s'étaient déjà fait une opinion. Parmi les indécis, pour chaque personne que parvenait à convaincre un Laurent Beaudoin, une autre optait pour le camp adverse, déçue qu'un homme d'affaires tente de l'influencer. Mais on se disait de toute évidence que Bombardier était un agent, voire un partenaire du gouvernement fédéral. À force d'en parler, le camp souverainiste avait gravé cette perception dans la conscience collective. Dans l'ouest du pays, l'affaire des CF-18 avait suscité de vives réactions contre Laurent Beaudoin au sein du Parti réformiste, et voilà que, dans l'est, le Bloc Québécois prenait maintenant parti contre Bombardier. Au cours des années suivantes, quand Bombardier reçut des appuis croissants du fédéral et que s'amplifia le débat autour du parasitisme d'entreprise, Bombardier ne parvint pas toujours à apaiser les soupçons qui pesèrent sur chacune des sommes qu'elle toucha ni à effacer l'impression qu'elle était depuis toujours la fidèle et loyale servante du gouvernement fédéral.

Un an après le référendum, cette perception gagna en force quand un important contrat de défense fut octroyé à Bombardier sans qu'il y ait eu d'appel d'offres. Le gouvernement fédéral annonça qu'un consortium dirigé par Bombardier avait été choisi pour assurer l'entraînement au vol des pilotes de l'OTAN. Cet organisme était depuis quelque temps à la recherche de terrains d'entraînement à l'extérieur du continent européen, où la densité de population est forte et le Canada, grâce à ses bases aériennes de Moose Jaw, en Saskatchewan, et de Cold Lake, en Alberta, semblait tout indiqué.

En 1994, Bombardier avait officieusement demandé à Ottawa d'accueillir le programme de l'OTAN, étant donné que l'entreprise détenait déjà un contrat pour l'entraînement des pilotes des Forces armées canadiennes. En juin 1996, le gouvernement fédéral choisit Bombardier et en novembre, le contrat fut signé sans appel d'offres. Cet engagement d'une durée de vingt ans allait rapporter une somme de 2,85 milliards de dollars au consortium du secteur privé, dont 1,3 milliard à Bombardier. Bob Brown avait su profiter de l'occasion qui lui était ainsi offerte d'implanter Bombardier en Saskatchewan et en Alberta. C'était pour lui une façon de compenser le fiasco des CF-18 et de faire en sorte que, dans l'Ouest du Canada, on cesse de se dire que les contrats de Bombardier ne profitaient qu'au Québec.

Les représentants du gouvernement fédéral et Bombardier nièrent que ce contrat ait fait l'objet d'une entente secrète. Aucune autre entreprise n'avait voulu soumissionner, dirent-ils. Par exemple, le président d'Aérospatiale Canada déclara à l'époque qu'il était au courant de l'offre de l'OTAN, mais qu'il avait choisi de ne pas présenter de soumission pour des motifs strictement commerciaux. Le ministre de la Défense, Art Eggleton, soutint en outre que la privatisation du processus d'entraînement permettrait à Ottawa de faire des économies.

Bombardier promit d'assumer le risque financier que comportait l'entente. Le consortium privé devrait réunir les sommes nécessaires à l'achat d'avions-écoles, de dispositifs d'entraînement au vol et d'autres équipements. Bombardier, qui faisait grand cas de l'opinion publique dans les provinces de l'Ouest, déclara que ce contrat aurait des retombées économiques de quelque 512 millions en Saskatchewan, de 91 millions en Alberta et de 265 millions au Québec.

Cette déclaration n'eut pas pour effet de calmer le Parti réformiste. En Chambre, Preston Manning accusa Ottawa d'avoir enfreint ses propres règlements en n'annonçant pas publiquement l'octroi imminent d'un contrat n'ayant pas fait l'objet d'un appel d'offres. Bombardier et les représentants les plus importants du Parti libéral s'entendent « comme larrons en foire », dit-il, faisant par là allusion non seulement au rôle de Beaudoin dans la campagne référendaire mais aussi au fait que son entreprise avait versé 254 000 dollars dans la cagnotte du Parti libéral depuis 1995 et que le gendre de Jean Chrétien, André Desmarais, siégeait au conseil d'administration de Bombardier[20].

Selon Bob Brown, l'affaire ressemblait à une campagne de détraction. À Washington, le Département de la Défense acceptait couramment des propositions spontanées comme celles que Bombardier avait présentées à Ottawa. « Au Canada, dit-il, personne d'autre que Bombardier n'aurait pu présenter une soumission pour ce projet. On nous a injustement attaqués. On a détourné l'affaire à des fins politiques[21]. »

Sans doute. Mais le vérificateur général du Canada eut le dernier mot. En décembre 1999, Denis Desautels déclara que le contrat accordé à Bombardier était exemplaire du laxisme du gouvernement en matière d'adjudication de contrats. Trois ans plus tard, sa successeur Sheila Fraser formula une accusation nettement plus grave : le ministère de la Défense nationale avait déboursé 65 millions de dollars pour l'entraînement en vol de l'OTAN au Canada sans recevoir les services auxquels il était en droit de s'attendre. Des problèmes avec les avions-écoles – sous la responsabilité de Bombardier – s'étaient soldés par l'annulation de plus de la moitié des créneaux attribués aux pilotes canadiens. Cela avait entraîné un retard de deux ans et beaucoup ennuyé le ministère de la Défense qui n'avait aucun moyen de s'en tirer. Bombardier n'avait pas respecté une clause du contrat qui l'obligeait à créer une banque de données pour observer la fréquence d'utilisation du programme. Des querelles s'ensuivirent entre le ministère de la Défense et la compagnie à propos de qui devait quoi, et à qui. Selon Sheila Fraser, les conditions du contrat étaient beaucoup trop strictes, puisqu'elles obligeaient le ministère de la Défense à effectuer 40 versements semestriels de 31,4 millions de dollars, qu'il se serve ou non des aéronefs. Voilà qui en était fait de l'assertion d'Art Eggleton voulant que ce marché ferait économiser de l'argent à Ottawa. «Et on se demande pourquoi les Canadiens sont cyniques dès qu'on leur parle de Bombardier», en conclut le député de l'Alliance canadienne John Williams[22].

Six mois après le rapport accablant de Sheila Fraser, Bombardier annonça son intention de vendre le secteur d'entraînement en vol de l'OTAN dans le cadre du plan de redressement de l'entreprise mis de l'avant par Paul Tellier. Ce programme de courte durée et fort problématique cadrait mal avec l'avenir de l'entreprise. Mais le dossier était loin d'être clos. En mars 2004, Paul Tellier suspendit le processus de vente sous prétexte que les prix offerts étaient insuffisants. Il conserva le secteur de l'entraînement militaire et ouvrit ainsi la voie à une autre controverse, encore une fois autour de l'octroi d'un contrat du gouvernement fédéral à Bombardier touchant les CF-18.

Il est sans doute exagéré d'affirmer que Laurent Beaudoin a su tirer parti du soutien qu'il a accordé au fédéralisme à un moment charnière de l'histoire canadienne. Mais cela ne met pas Bombardier à l'abri d'un examen minutieux de la façon dont l'entreprise aura pesé sur les politiques du gouvernement. L'industrie aéronautique canadienne a su se faire entendre et, avec ou sans référendum, l'influence de Bombardier à Ottawa a été indiscutable.

CHAPITRE 12

Qui veut danser
doit payer les violons

Les lobbyistes de Bombardier à Ottawa étaient rares, car l'entreprise pouvait s'en passer. Bob Brown et Laurent Beaudoin y avaient d'excellents contacts et n'hésitaient jamais à rappeler aux ministres et aux fonctionnaires du gouvernement l'importance du rôle de leur entreprise dans l'économie canadienne. Ils étaient du reste représentés officiellement à Ottawa par l'Association des industries aérospatiales du Canada – le Gordie Howe des groupes de pression, un vétéran qui savait jouer du coude dans les coins et qui pouvait se vanter d'avoir une impressionnante carte de pointage.

Si les industries canadiennes de l'aéronautique bénéficiaient d'un soutien financier disproportionné de la part du gouvernement, c'était beaucoup en raison des efforts de Peter Smith, un initié avisé, possédant d'excellents contacts, qui connaissait les décideurs à Ottawa et qui savait comment les faire entrer dans la danse. Smith avait été président de l'association pendant les années de vaches grasses de l'industrie, et il prit sa retraite en 2003. Pendant ce temps, Bob Brown exerça deux mandats à titre de président du conseil d'administration, ce qui permit à Bombardier d'influencer les politiques du groupe de pression. Ils n'avaient pas de scrupules à obtenir des prêts gouvernementaux qui soutenaient l'emploi et encourageaient les investissements.

Avec Bombardier à sa tête, l'industrie aéronautique canadienne était devenue la troisième en importance dans le monde, celles de l'Union européenne n'en formant qu'une seule, immédiatement après les États-Unis. En 2003, elle rassemblait une main-d'œuvre de quelque 80 000 individus dans 400 entreprises à travers le pays. Depuis 1990, elle avait plus que doublé son chiffre d'affaires pour atteindre les 22 milliards de dollars, devenant ainsi le plus grand exportateur canadien de produits de haute technologie. Des compagnies canadiennes comptaient parmi les chefs de file mondiaux dans le domaine des avions régionaux, des jets d'affaires, des hélicoptères commerciaux, des moteurs à turbine, des simulateurs de vol, des trains d'atterrissage et des applications des techniques spatiales.

Le Canada avait pu se hisser à ce rang enviable en dépit d'un budget de la défense rabougri par comparaison avec ceux de ses deux plus forts concurrents. « Le Canada doit composer avec une anomalie de marché, dit Smith, en raison de la petitesse de son marché domestique et d'un budget de défense très limité. » Cet aspect était au cœur de la question : dans l'industrie aéronautique, la technologie prend sa source dans les applications militaires. Boeing, par exemple, a accès à des ressources démesurées grâce à ses contrats avec le département américain de la Défense, et puisqu'elle demeure propriétaire de ces techniques elle peut ensuite leur trouver des applications commerciales. Par exemple, en modifiant la comète nauséeuse KC-135 pour en faire le Boeing 707, Boeing a pu bénéficier de l'énorme soutien financier des contribuables américains[1].

Les choses avaient commencé ainsi au Canada également. Au cours de la Deuxième Guerre mondiale, le Canada devint un centre de fabrication militaire au service des forces alliées. Les techniques de construction d'ailes ou de moteurs pour les avions des usines Vickers ou A.V. Roe à Toronto trouvèrent au bout du compte une application commerciale, jetant ainsi les bases de notre avionnerie nationale.

Après la guerre, la production dans l'industrie de la défense atteignit des sommets encore plus élevés. Au début des années 1950, quand planait la menace soviétique, l'accroissement du potentiel militaire absorbait jusqu'à 40 pour 100 des dépenses fédérales, soit l'équivalent de 4,6 pour 100 du produit national brut. Il fut un temps où le pays pouvait se le permettre. Puis, John Diefenbaker fut élu. En 1959, devant la menace d'une récession et l'augmentation des charges du gouvernement, Diefenbaker mit fin au programme excessivement coûteux de construction du nec plus ultra en matière d'avions de chasse, le supersonique CF-105. Le chasseur Avro Arrow, ainsi qu'on l'avait baptisé, mourut de sa belle mort. Mais comme le signale l'historien militaire Desmond Morton, « le mythe du plus fabuleux avion de l'histoire était né ». Le chasseur Arrow, élégant et futuriste, était devenu le symbole même de l'avenir de l'industrie aéronautique canadienne. Sa mise au rebut fut un désastre pour l'industrie ; elle entraîna 17 000 mises à pied et un exode des ingénieurs en aéronautique vers les États-Unis[2]. À certains égards, l'industrie ne se remit jamais vraiment de cette défaite.

À la suite de la mort du chasseur Avro Arrow, on supplia le gouvernement canadien de sauver l'industrie aéronautique. Le CF-105 aurait pu susciter des investissements très importants dans le domaine technologique, favoriser les exportations et les produits dérivés commerciaux. Avec l'évanouissement de ces perspectives de commercialisation, le marché canadien devenait trop restreint pour soutenir une industrie de l'avionnerie. Ottawa consentit à aider les entreprises canadiennes à percer le marché de la défense au sud de la frontière. Un accord canado-américain sur le partage de la production de défense fut signé, permettant à des entreprises canadiennes d'obtenir des contrats militaires aux États-Unis et de retenir certaines applications technologiques à des fins commerciales. Puisque ce programme était qualifié de militaire, il n'était pas soumis aux règles commerciales et ne pouvait être contesté.

Cela se révéla insuffisant. Les représentants de l'industrie persistaient à dire qu'ils n'avaient pas les bons atouts : les marchés étrangers leur étaient fermés ou difficiles à pénétrer ; les gouvernements étaient propriétaires de nombreux avionneurs et de nombreuses lignes aériennes ; les nouveaux produits mettaient très longtemps à atteindre leur seuil de rentabilité. Dans ces circonstances, disaient-ils, aucune banque commerciale n'acceptait de leur prêter l'argent dont ils avaient besoin pour financer le développement d'un nouveau moteur ou d'un nouveau concept d'aile. Ils avaient besoin de partager les risques avec un associé : le contribuable.

Partout dans le monde, les gouvernements soutenaient généreusement leur industrie aéronautique. Si le Canada voulait danser, il devrait lui aussi payer les violons. Au cours des années 1970 et au début des années 1980, les entreprises aéronautiques du monde entier étaient la propriété de leur gouvernement, y compris Canadair et de Havilland. Il ne fut guère difficile de persuader Ottawa de prendre soin de ses enfants. Résultat : 1982 vit naître le Programme de productivité de l'industrie du matériel de défense, un cadeau à peine déguisé aux entreprises aéronautiques canadiennes. Grâce au PPIMD, les entreprises purent facilement puiser dans les goussets des contribuables. Les sommes dont bénéficiait ainsi l'industrie étaient dites « remboursables sous condition », mais lorsque le programme fut abandonné en 1995, l'échelle des remboursements était pour ainsi dire inexistante. Ottawa fut vertement critiqué pour sa gestion négligente des fonds publics et pour son incapacité à faire respecter ses contrats. En réalité, le gouvernement n'avait jamais eu l'intention de se faire rembourser.

Fred Bennett connaissait les dessous de ce qu'il dit plus tard avoir été une forte pression politique en faveur de l'octroi de prêts à des firmes aéronautiques. Bennett a été le directeur du bureau de l'Analyse financière et économique à Industrie Canada jusqu'en septembre 1997, quand il accepta une indemnité pour départ volontaire et choisit de poursuivre ses études de doctorat en philosophie. Il avait la tâche d'analyser les requêtes de fonds de plusieurs firmes, dont Bombardier et Pratt & Whitney. Ses supérieurs minaient sa patience en le pressant de reformuler ses recommandations pour qu'elles soient favorables aux demandes de prêts.

« Je me contentais de préparer mes rapports et de les remettre à mes supérieurs, dit-il. Je me disais que les hommes politiques sont élus par le peuple, que ce sont eux, par conséquent, qui prennent les décisions, pas moi. Mais je refusais qu'on m'oblige à dire que certaines demandes étaient économiquement viables quand elles ne l'étaient pas. Selon moi, deux et deux font quatre. Si le ministre décide que deux et deux font cinq, c'est son affaire, mais je ne l'écrirai pas en noir sur blanc. Je ne voyais pas pourquoi on insistait pour que je le fasse. S'ils étaient si décidés à faire des analyses bidons, payer des types comme moi pour les réaliser équivalait à jeter l'argent par les fenêtres[3]. »

Fred Bennett était muni d'excellents titres de compétence : un baccalauréat spécialisé en économie de l'Université de Western Ontario et une inscription au palmarès du doyen ; une quatrième place à l'examen de l'Ontario Institute of Chartered Accountants en 1973 ; des cours de formation en gestion de la Columbia University et du MIT (Institut de technologie du Massachusetts). « J'ai été le premier de ma famille à étudier à l'université. Il ne m'a donc pas été possible d'y étudier l'histoire ou la philosophie ; il fallait que mes études soient commercialement viables. »

Après avoir travaillé pour la firme comptable Peat Marwick pendant six ans, il obtint un poste à la Direction de l'analyse d'Industrie Canada. Il insistait pour faire les choses correctement. Lorsqu'un projet aéronautique lui paraissait extrêmement rentable pour une entreprise, il n'hésitait pas à le dire. Mais ses supérieurs n'appréciaient pas son attitude. On lui demandait souvent de reformuler ses rapports. « On me pressait souvent de démontrer qu'un financement était indispensable », dit-il. Un jour, le directeur du secteur aéronautique l'appela et lui dit : « Je croyais que nous avions convenu de faire les choses ainsi », et Bennett répondit : « Je n'ai rien convenu de tel. » Une autre fois, on lui dit de déchirer son rapport. À plusieurs reprises, ses supérieurs ne lui demandèrent même pas de préparer une analyse, sans doute, supposa-t-il, parce qu'ils ne tenaient pas à avoir en mains des documents allant à l'encontre de leur décision. « C'est ce que veut le ministre », se contentaient-ils de dire.

Voici comment les choses devaient se passer : en premier lieu, Bennett étudiait l'aspect financier d'un projet afin de déterminer s'il était « pauvre » ou « riche ». Pouvait-il être entrepris sans le soutien du gouvernement ? « S'il pouvait aller de l'avant de toute façon et s'il pouvait atteindre un taux de rendement précis, le soutien du gouvernement ne servirait à rien d'autre qu'à transvaser l'argent des contribuables dans la poche des actionnaires. Ça, c'était la première étape. Ensuite, il fallait procéder à une analyse des retombées économiques. Voulons-nous que ce projet soit entrepris ? Est-il suffisamment rentable en termes de main-d'œuvre, de revenus d'exportation et tout le bataclan pour qu'on estime qu'il profitera aux contribuables ? Toutes ces décisions se fondent sur les prévisions de ventes[4]. »

Selon ce modèle, le créneau d'admissibilité d'un projet était passablement étroit. S'il était prévu qu'il générerait beaucoup de bénéfices avant impôts, ce qui augmenterait sa valeur commerciale, l'entreprise pouvait presque inévitablement compter sur un excellent taux de rendement et n'avait nul besoin d'un apport financier extérieur. Si, d'autre part, il s'agissait d'un projet à risques élevés ayant un faible taux de rendement pour le secteur privé, mais apte à susciter des emplois et des revenus d'exportation, il était sans doute admissible à un prêt du gouvernement.

« Dans certains cas, même s'il s'agissait d'un projet à taux de rendement supérieur, l'entreprise pouvait invoquer d'autres arguments : "Nos concurrents sont subventionnés." Ou encore : "Si nous enclenchons ce programme en Irlande du Nord ou ailleurs, nous pouvons nous aussi recevoir des appuis du gouvernement local." Le nœud de la question était donc le suivant : si le gouvernement désire que ces projets soient réalisés ici, il lui faut soutenir l'industrie. Qui veut danser doit payer les violons. »

Bennett et ses collègues n'ignoraient pas que Bob Brown, qui avait été sous-ministre adjoint à Industrie Canada, était au service de Bombardier. Brown était encore au ministère quand le gouvernement avait vendu Canadair à Bombardier ; Industrie Canada avait participé à cette transaction. « Le Ministère s'était chargé de presque toute l'analyse, dit Bennett, si bien que Bob Brown était intervenu dans le dossier. Je suis absolument certain qu'il s'est conformé au Code régissant les conflits d'intérêt et l'après-mandat des fonctionnaires quand il est entré chez Bombardier. Mais tous les employés du Ministère avaient travaillé sous ses ordres. »

Grâce à l'appui de Brown, entre 1982 et 1994 Bombardier a touché plus de 245 millions de dollars du PPIMD et d'autres programmes d'Industrie Canada dans le but de financer 21 projets de son secteur aéronautique[5]. Une partie de ces sommes a été attribuée bien avant l'acquisition de Canadair par Bombardier, mais quelque 175 millions ont servi au financement de projets postérieurs à cette acquisition, notamment le développement du Regional Jet et celui des véhicules aériens de surveillance militaire. « Bombardier était typique de l'industrie, dit Bennett. Mais elle avait plus d'influence que quiconque. »

Bennett se souvient d'une réunion où la discussion portait sur un produit de Bombardier déjà si rentable qu'il ne nécessitait aucun subside. Le directeur du département de l'aéronautique fut très clair : il s'était entretenu avec Bob Brown. Bennett reçut le message de « gérer les chiffres ».

Certes, le gouvernement pouvait faire ce qu'il voulait de l'argent des contribuables sous réserve des lois fédérales et de l'obligation de rendre compte. Mais entendre dire que les fonctionnaires du gouvernement étaient trop stupides ou trop incompétents pour exiger le remboursement des sommes versées à même le PPIMD rendait Bennett encore plus furieux que de devoir trafiquer ses chiffres. « Nous n'étions pas aussi bêtes. Je savais négocier un contrat. Dans la plupart des cas, si les prêts n'étaient pas remboursés, c'est qu'il devait en être ainsi.»

Les clauses du contrat étaient parfois délibérément vagues et n'exigeaient de remboursement que si l'entreprise réalisait «un bénéfice juste et raisonnable». En quoi consiste un bénéfice juste et raisonnable? Pour être davantage en conformité avec les accords relatifs à l'Organisation mondiale du commerce, le gouvernement dut orchestrer des ententes pour des subsides qui n'en avaient pas l'air: autrement dit, des prêts qui respectaient les conditions du marché. (Selon Bennett, cela a toujours été illogique: «Si c'était vrai que nos prêts reflétaient strictement les conditions du marché, pourquoi le faisions-nous? Pourquoi l'entreprise n'empruntait-elle pas d'une banque commerciale?»)

Industrie Canada estimait au jugé le nombre d'aéronefs ou de moteurs d'avions que l'entreprise pourrait vendre – mettons, 500. «Mais le contrat stipulait que les remboursements commenceraient quand l'entreprise en aurait vendu 600. Et si elle parvenait effectivement à en vendre 600, l'entente pouvait être renégociée.» Bennett se rappelle avoir mis au point une telle entente au téléphone, un jour qu'il se trouvait dans le bureau d'un sous-ministre adjoint. «Nous avons planifié le calendrier des remboursements de façon qu'il n'y en ait aucun[6].»

Cela convenait tout à fait à l'Association des industries aérospatiales du Canada. Peter Smith confirma que la notion de remboursement était pure fiction. «Le PPIMD, avoua-t-il, n'a jamais été très sévère en ce qui avait trait au calendrier de remboursement. Le fait de demander un remboursement permettait au gouvernement d'éviter la controverse qu'aurait pu susciter la générosité de son financement.» En incluant cette clause, le gouvernement espérait que la rentabilité du projet qu'il finançait lui permettrait d'augmenter le budget de son programme[7]. Rembourser? Pourquoi diable l'industrie l'aurait-elle fait? Aux États-Unis, le gouvernement soutenait les deux tiers de la recherche-développement en aéronautique par des subsides et des prêts. Les gouvernements de l'Union européenne en finançaient la moitié.

C'est le fabricant de moteurs Pratt & Whitney Canada, propriété de United Technologies de Hartford, au Connecticut, qui a le plus profité du soutien du PPIMD avec 723 millions de dollars pour 33 programmes différents. Le fait que Pratt et Bombardier aient toutes deux leur siège social au Québec a intensifié la controverse. En réalité, Bombardier et Pratt & Whitney se sont toutes deux engagées à respecter leur contrat de prêt et à rembourser le gouvernement, mais dans certains cas elles ont jusqu'en 2025 pour ce faire. Le prêt consenti à Bombardier pour le Regional Jet a été entièrement remboursé. Compte tenu du succès commercial phénoménal de cet aéronef, on pourrait certes en conclure que cet investissement a été le meilleur de tous les investissements du gouvernement fédéral. Mais l'entente a créé un précédent de dépendance. Tendre à nouveau la main en a été facilité d'autant.

Fred Bennett n'aimait pas cette situation. Il était d'avis que le soutien du gouvernement à l'industrie était une erreur parce qu'il est très difficile à cibler. Qui peut dire avec certitude qu'une entreprise aéronautique mérite un plus grand soutien qu'une aciérie? «Cela conduit à la politisation de l'entreprise», dit-il. Les fonctionnaires tendent à devenir «captifs» des compagnies qu'ils servent, avec pour résultat que les impôts de toutes les entreprises ne profitent qu'à un petit nombre d'entre elles. «Il est préférable, il me semble, de laisser le secteur privé se charger du financement des entreprises. Selon moi, l'intimité entre Bombardier et l'État, si elle ne débouche pas sur de la corruption pure et simple, favorise néanmoins une relation incestueuse qui m'apparaît problématique de mon point de vue de citoyen[8].»

Peter Smith soutient que les contribuables ont énormément profité des retombées des appuis du PPIMD compte tenu des sommes investies. Ce programme a affirmé la réputation du Canada dans le domaine de l'aéronautique, sur le plan international sinon à l'intérieur du pays. Les percées technologiques considérables réalisées ici ont eu lieu en dépit de l'exode des ingénieurs canadiens engagés par la NASA ou par les entrepreneurs américains des contrats de défense. «Songeons aux sommes modestes qui ont été investies, dit-il. En fait de ventes, on parle de millions, pas de milliards. Les retombées positives de cet investissement prennent toutes sortes de formes que les critiques et les médias ne mentionnent jamais: la création d'emplois, les innovations technologiques, l'impôt des particuliers, l'impôt des sociétés, l'activité économique résultant de la croissance du produit intérieur brut. Nous n'avons pas honte de dire au gouvernement, pardon, mais si vous voulez une industrie aéronautique canadienne prospère, vous devez entrer dans la danse.»

À ceux qui demandent pourquoi les firmes aéronautiques n'empruntent pas aux banques, comme nous le faisons tous, Smith répond : « Aucun projet de recherche-développement n'est assorti d'une garantie de succès à 100 pour 100. Même s'il débouche sur un nouveau produit, rien ne nous assure que ce produit trouvera des acheteurs. Il faut un partage des risques. Puisque les banques commerciales refusent ce partage, qui l'assumera[9] ? »

De 1982 à 1995, le PPIMD a offert 2,2 milliards de dollars dont ont surtout profité les compagnies aéronautiques. Lors de sa révision du programme en 1995, le vérificateur général en conclut que ces prêts s'appuyaient trop souvent sur des « prévisions optimistes de ventes et de retombées économiques ». Au moment où le gouvernement accélérait sa lutte contre le déficit, le PPIMD était de plus en plus vulnérable. En 1995, il n'avait récupéré que 6,5 pour 100 des sommes prêtées. La décision de mettre fin au programme du PPIMD assena un dur coup aux entreprises aéronautiques canadiennes. Elles se mobilisèrent en un temps record.

L'Association des industries aérospatiales s'en fut jouer des muscles sur la Colline parlementaire. Le ministre de l'Industrie de l'époque, John Manley, avait tenté en vain d'empêcher le démantèlement du PPIMD, et voilà qu'on lui disait que, si la recherche-développement n'obtenait pas de nouveaux appuis financiers, le Canada perdrait son industrie aéronautique. « Quand ils ont sabré dans le PPIMD, dit Smith, nous avons été très clairs ; nous avons dit au gouvernement : "Voici quelles seront les conséquences si vous cessez de soutenir cette industrie." » Les investissements émigreraient au États-Unis, là où les contribuables avaient l'habitude de signer des chèques à l'ordre des entreprises aéronautiques attributaires des contrats de défense. Les entreprises américaines disposaient d'un fonds de recherche de 6 milliards, financé par le gouvernement fédéral : l'argent ne provenait pas seulement du département de la Défense, mais aussi de plusieurs organismes fédéraux – la Federal Aviation administration (Bureau fédéral de l'aéronautique), la NASA (Agence spatiale américaine), la National Transportation Agency (Office national des transports). Au sud de la frontière, l'argent pleuvait. Au sein du complexe militaro-industriel américain, les entreprises qui obtenaient des subventions au titre de la recherche-développement brevetaient leur technologie après la construction d'un prototype. Elles pouvaient donc par la suite lui trouver à peu de frais des applications commerciales. En Europe, le développement d'un avion commercial de la compagnie Airbus, appartenant à un consortium de gouvernements nationaux, était directement subventionné sans que personne y trouve à redire.

Moins d'un an après sa mise à mort, le PPIMD fut remplacé par un nouveau programme appelé Partenariat technologique Canada, qui disposait d'un budget de 150 millions de dollars et qui, aux dires de Smith, était le rejeton d'un « lobbying intense ». Officiellement, Partenariat technologique Canada avait été conçu pour répondre aux besoins des entreprises canadiennes de haute technologie dans leur ensemble, pas seulement de celles du secteur aéronautique. Puisqu'on avait beaucoup reproché au PPIMD de dépanner en quelque sorte des pères dénaturés qui ne payaient pas leur pension alimentaire, le gouvernement avait été contraint de camoufler son soutien de l'industrie aéronautique en intégrant d'autres secteurs à ce nouveau programme, notamment la biotechnologie et la science de l'environnement. Dans les faits, les deux tiers des fonds disponibles étaient réservés à l'aéronautique. L'industrie réagit en se lamentant d'avoir à partager une cagnotte déjà minuscule avec des moins que rien. Qu'avaient-ils fait pour le Canada ? Pourquoi venaient-ils solliciter l'aide du gouvernement fédéral ? Où en était la recherche-développement dans le domaine de la biotechnologie comparativement à l'aéronautique ? Leur technologie était-elle équivalente à celle qu'on pouvait trouver dans les usines d'un avionneur ou d'un motoriste ? Et leurs salaires ?

Smith était déçu de la minceur des soutiens réservés à l'aéronautique. En conformité avec les règles commerciales, un plafond de 33 pour 100 avait été imposé au gouvernement pour le financement d'un quelconque projet. Et puisque le budget militaire canadien était pour ainsi dire inexistant, les entreprises établies au pays devraient assumer leurs propres dépenses de mise en valeur. En outre, le gouvernement Chrétien jura qu'il allait exiger le remboursement des prêts consentis aux entreprises, ce qui fut loin de réjouir Peter Smith. « Idéalement, nous n'aurions pas dû rembourser. Nous avons cherché un compromis ; s'il n'y avait pas d'autre moyen d'instaurer un nouveau programme, de toute évidence, nous, en tant qu'association, aurions à en persuader nos membres[10]. »

L'Association n'était pas non plus heureuse de l'enveloppe allouée au PTC. Le budget annuel de 150 millions avait tout l'air d'une «contrainte artificielle», selon Smith. Ce dernier ne se gêna pas pour dire au gouvernement qu'il voulait pour l'industrie un accès illimité aux fonds publics. «Nous ne voulions surtout pas qu'une somme d'argent prédéterminée oriente le développement des technologies aéronautiques, car il n'était pas impensable qu'une nouvelle génération de Regional Jets, une nouvelle génération de moteurs, une nouvelle génération de simulateurs de vols et une nouvelle génération d'hélicoptères voient le jour en même temps.»

Moins d'un an plus tard, l'Association avait convaincu le gouvernement libéral de faire passer le budget annuel du programme à 250 millions de dollars. Comme par hasard, Ottawa mit sur pied une «commission consultative» où certaines des entreprises aéronautiques les plus importantes, dont Bombardier, étaient représentées.

Pratt & Whitney avait souvent répété qu'elle réduirait ses investissements au Canada si le gouvernement n'injectait pas davantage de fonds publics dans l'industrie. En janvier 1997, elle eut sa récompense : une contribution de 147 millions du PTC. Les deux tiers de la somme durent être alloués au développement d'un nouveau moteur pour le turbopropulseur Dash-8 de Bombardier que construisaient les usines de Havilland. Le mode de répartition était classique : pour chaque dollar de soutien fédéral, le secteur privé investit de trois à quatre dollars de son propre argent. Dans le cas qui nous occupe, la contribution de Pratt totalisa 550 millions – ce qui n'était pas rien.

La contribution du gouvernement canadien ne satisfit pas le président de Pratt & Whitney Canada, David Caplan. Cinq mois plus tard, il déclara : «Il se pourrait que bientôt le Canada soit trop petit pour une industrie aussi vaste que la nôtre.» Apparemment, le succès ne se suffisait pas à lui-même. Il appelait des soutiens accrus. «D'autres nations sont plus que disposées à débourser les sommes nécessaires pour devenir des joueurs de premier plan de l'industrie aéronautique, dit-il dans une allocution prononcée à Montréal. «Elles comprennent que ce pourrait bien être là le secret de leur prospérité en ce début du nouveau millénaire[11].» Caplan n'était pas très populaire à Ottawa. Deux ans après avoir touché ses 147 millions de dollars, il avait licencié 1 600 ouvriers à travers le pays. Il n'en continuait pas moins de solliciter l'aide du gouvernement. Pratt avait des installations de recherche en Floride pour la mise au point d'un moteur pour applications militaires. Si le gouvernement fédéral ne crachait pas l'argent, il pourrait transférer là-bas le travail à faire.

Lorsque Allan Rock prit le relais comme ministre de l'Industrie, les fonctionnaires du ministère exercèrent des pressions pour qu'il réduise les sommes réservées à l'aéronautique. Les critiques se multipliaient. Tant le Parti réformiste que la Fédération canadienne des contribuables mordaient dans le gâteau des subsides aux grandes entreprises. D'autres dirigeants d'industrie voulaient savoir pourquoi l'aéronautique se régalait de chateaubriands tandis qu'eux devaient se contenter de Kraft Dinner. Peter Smith rétorqua : qui a créé ce fonds ? qui produit des résultats ? Il dit au gouvernement : « Si vous voulez que d'autres secteurs aient accès à ce financement, au lieu de nous en faire payer les frais, augmentez votre budget. » Il était difficile de convaincre le public de ce que l'aéronautique, une industrie vieille de cent ans, faisait partie de la nouvelle économie.

Une fois de plus, le Québec et l'Ouest canadien s'affrontèrent de chaque côté de la clôture. Smith consacra beaucoup de temps à « instruire » les députés réformistes et, plus tard, de l'Alliance canadienne, tels Werner Schmidt et Rahim Jaffer, les porte-parole de l'opposition en matière d'aéronautique. À son idée, ils ne comprenaient pas la raison d'être du programme, à leurs yeux synonyme du Québec. Ils ne se mettaient pas dans la tête que Bombardier était maintenant une multinationale avec des installations en Irlande, à Toronto, à Wichita. Il leur demanda s'ils avaient pesé l'un contre l'autre le soutien du gouvernement à Bombardier et le soutien du gouvernement aux agriculteurs[12].

Bombardier rouvrit d'anciennes plaies des provinces de l'Ouest quand, en 1996, elle reçut de PTC un prêt sans intérêt de 87 millions de dollars pour la mise au point du Regional Jet de 70 places. Cette somme s'ajoutait aux quelque 160 millions que la compagnie elle-même avait investis dans ce projet. Selon l'entente, Ottawa percevrait une redevance à la suite de la vente des 400 aéronefs, mais cela n'apaisa nullement le réformiste Schmidt, qui demanda : « Quand donc l'assiette au beurre sera-t-elle vide ? » Il affirma que le fédéral avait fait cadeau de 1,2 milliard de dollars à Bombardier par l'entremise de tout un éventail de programmes.

Les réformistes se trompaient dans leurs calculs mais leur fureur était bien réelle. Au moment où Bombardier reçut son prêt de PTC, les Lignes aériennes Canadien international, de Calgary, se débattaient pour garder la tête hors de l'eau et conserver leurs 16000 employés. La compagnie Canadien international avait été un modèle à suivre jusqu'au combat qui l'avait opposée à Air Canada. Une garantie d'emprunt du gouvernement fédéral aurait permis au transporteur de se tenir à flot, mais Ottawa s'y opposa. Buzz Hargrove, le dirigeant syndical le plus en vue du pays, se demanda pourquoi le fédéral n'hésitait pas à venir en aide à une compagnie québécoise déjà très profitable, mais refusait de porter secours à une entreprise de l'Ouest du Canada[13].

À la suite de la tempête suscitée par ce prêt de 87 millions de dollars, l'industrie aéronautique prit conscience de la nécessité de sensibiliser l'opinion publique. Au cours de la campagne électorale fédérale de 1997, Peter Smith expédia des lettres détaillées aux députés des quelque 50 circonscriptions où des firmes aéronautiques avaient reçu une tranche du gâteau de Partenariat technologique Canada. À l'époque, Smith avait dit : « Un élément fort compréhensible de notre programme de sensibilisation consiste à dire aux députés : "Écoutez. Vous espérez être réélus. Savez-vous que des entreprises de votre circonscription ont profité de ce programme[14]"? »

La controverse fit que Bombardier hésita à faire appel encore une fois à ce programme. L'entreprise toucha en tout 144 millions de PTC, y compris un prêt destiné au développement d'une nouvelle version du Dash-8 de de Havilland. Pour ses biréacteurs d'affaires plus rentables, Bombardier se garda d'engager l'argent des contribuables. Elle partagea, par exemple, les frais de lancement du biréacteur d'affaires Global Express avec l'entreprise japonaise Mitsubishi Inc., fournisseur des ailes de l'aéronef, montrant par là qu'il était possible de trouver d'autres sources de financement que le contribuable canadien pour la recherche-développement. Par ailleurs, cela signifiait que les ailes seraient construites à l'étranger.

Les détracteurs du programme de soutien à l'aéronautique eurent leur revanche en 1998, quand l'Organisation mondiale du commerce (OMC) décréta que Partenariat technologique Canada était illégal. PTC s'était pris au piège d'un conflit commercial entre Bombardier et son concurrent brésilien, Embraer. Parmi les accusations et contre-accusations que se renvoyèrent les deux entreprises, le Brésil allégua que PTC octroyait des primes à l'exportation – ce qu'interdisent les règlements de l'OMC. Le commerce loyal est censé se fonder sur le coût de revient réel ; il ne doit pas nuire à la concurrence en misant sur des subsides du gouvernement. Considérant que environ

80 pour 100 des moteurs d'avion et des aéronefs construits au Canada grâce au soutien de PTC étaient vendus à l'étranger, l'OMC décréta que ces ventes à l'exportation dépendaient des fonds publics. Le gouvernement du Canada s'était incriminé lui-même au moment de l'annonce publique du programme en déclarant qu'il avait été conçu pour aider les entreprises canadiennes à introduire leurs produits sur les marchés étrangers. Ottawa s'était aussi vendu en exprimant le désir que ces contributions soient remboursables. Pour qu'une subvention soit remboursable, elle devait être appliquée à un produit spécifique : tel ou tel moteur, tel ou tel avion. Il fut donc facile à l'OMC de déterminer combien de ces produits subventionnés avaient été exportés à l'étranger.

Le jugement de l'OMC posait problème, mais, encore cette fois, l'Association des industries aérospatiales montra les dents. Les porte-parole de l'Association et ceux de PTC se rencontrèrent une bonne dizaine de fois afin de trouver des solutions pour sauver le programme. Il fut décidé qu'au lieu de verser au gouvernement des redevances sur les ventes, qui étaient plus susceptibles d'être considérées comme des exportations, les entreprises rembourseraient leur bienfaiteur en fonction de leur rentabilité totale. Si de nouvelles technologies dont la mise au point avait été financée par PTC contribuaient au succès d'une entreprise – par exemple un moteur moins polluant, un aéronef plus performant, le développement de matériaux composites – il était possible de contourner les règlements de l'OMC[15].

En 2000, le groupe de pression conclut un marché encore plus profitable : la part d'investissement du gouvernement dans tout projet d'aéronef passerait de 33 à 40 pour 100. En outre, les remboursements plafonneraient à 115 pour 100, ce qui voulait dire que pour chaque dollar investi le contribuable récolterait un maximum de 1,15 $.

La Fédération canadienne des contribuables et les autres détracteurs du programme continuèrent toutefois à s'attaquer à la question du remboursement. Ils n'avaient pas oublié la malheureuse affaire du PPIMD et ils étaient certains que PTC n'était pas plus en mesure de récupérer sa mise en dépit de ce que disait le gouvernement. Ils ne croyaient pas aux arguments de Peter Smith selon lesquels le Canada devait pouvoir soutenir la concurrence internationale dans le secteur aéronautique. Ils signalèrent que le programme n'offrait aucune garantie d'emploi, et ils rejetèrent les objections de Smith voulant que l'avenir aéronautique d'un pays dépende plus des développements technologiques que de la création d'emploi.

On se demandait pourquoi le gouvernement continuait à consentir des prêts puisqu'il n'avait perçu qu'une infime partie de ce qui lui était dû. Selon une étude effectuée en 1998 par la Fédération canadienne des contribuables, 15 pour 100 seulement des contributions remboursables versées par le PPIMD et PTC avaient été remboursées[16]. « Vous voyez-vous demander de telles conditions à votre propre agent de crédit ?, demanda Walter Robinson, directeur de la Fédération. Si nous vendons notre produit, nous vous rembourserons ; sinon, tant pis pour vous. On vous renverrait chez vous la queue entre les jambes. Mais pas si vous transigiez avec Industrie Canada[17]. »

Lors d'une investigation chez Industrie Canada en 1999, le vérificateur général constata que les objectifs de PTC et des autres fonds d'innovation dans la technologie étaient flous et qu'il était difficile d'en apprécier les résultats. En 2002, une étude de la Fédération des contribuables souleva encore plus d'interrogations : à cette date, PTC avait distribué près d'un milliard de dollars à des compagnies aéronautiques, soit une somme de 61 000 $ par emploi créé ou préservé. Mais le gouvernement était incapable d'estimer la proportion de ce montant qui lui serait remboursée. Certains projets avaient été rendus publics avant d'avoir été entérinés par le conseil des ministres et d'autres n'avaient jamais été dévoilés. En mars de chaque année, Industrie Canada avait une poussée de fièvre printanière qui lui faisait dépenser l'ensemble de ses crédits disponibles avant la clôture de l'exercice. Les sommes ainsi engagées en catastrophe au cours du dernier mois de l'année financière 2000-2001 totalisèrent 424,8 millions, soit un pharamineux 85 pour 100 de son budget total. Ces dépenses étaient-elles réfléchies, le résultat d'une évaluation par des fonctionnaires compétents, ou une façon de contourner la clause de péremption ?

En 2003, des documents obtenus en vertu de la *Loi sur l'accès à l'information* montrèrent que 3 pour 100 seulement du total de 1,5 milliard de dollars prêté depuis 1996 par l'entremise de PTC avait été remboursé. Les partis de l'opposition continuèrent de dénigrer PTC en le qualifiant de « caisse noire[18] ».

Peter Smith rétorqua qu'ils ne comprenaient pas une réalité très simple, soit que dans le cas d'un produit au cycle de vie de vingt ans, il fallait compter dix ans ou plus pour un remboursement. Pendant les quatre premières années de la période de production, l'entreprise ne rembourse rien. Elle doit ensuite compter sur six ou sept ans de ventes commerciales pour atteindre un seuil de rentabilité et verser ses premières redevances. Smith était confiant dans l'aptitude de Pratt & Whitney, le plus important bénéficiaire du programme, à rembourser 100 pour 100 des sommes dues « car elle se faisait une gloire d'y parvenir. Malheureusement, les entreprises individuelles ne peuvent dévoiler ces informations, car il serait alors possible d'en déduire le taux de participation du gouvernement et le calendrier de remboursement de l'entreprise, données qui sont assujetties au secret des affaires[19]. »

Smith était abasourdi de voir que l'industrie aéronautique était devenue la proie des critiques. Selon lui, les projets financés par PTC comportent peu de risques si on les compare aux projets à l'avant-garde de la science dans le domaine de l'environnement et de la bio-technologie. Après tout, les compagnies aéronautiques raffinent des technologies existantes, mettent au point un moteur de seconde génération ou allongent un biréacteur régional. Compte tenu du comportement passé de ces technologies, le gouvernement peut miser sur leur performance et en attendre des revenus. Smith soutint qu'Ottawa est beaucoup plus susceptible de se voir remboursé par des compagnies aéronautiques établies que par de jeunes entreprises de biotechnologie.

Sans doute est-ce vrai. Mais c'est précisément cela qui ennuyait les critiques tels que la Fédération des contribuables canadiens. Pourquoi le gouvernement subventionnait-il une technologie qui avait déjà fait ses preuves ? Pourquoi l'industrie aéronautique avait-elle besoin d'un associé pour partager ses risques si l'efficacité de ses technologies avait déjà été démontrée ? Le gouvernement n'aurait-il pas été plus justifié de soutenir des entreprises axées sur de réelles innovations scientifiques plutôt que des entreprises qui se contentaient d'allonger un avion régional pour faire passer sa capacité de 50 à 70 sièges[20] ?

À mesure qu'augmentait le nombre des contrats du secteur aéronautique, le directeur de PTC, Jeff Parker, s'inquiéta des risques que prenait le fonds en mettant trop d'œufs dans le même panier. Plusieurs compagnies exprimèrent leur frustration devant le manque de financement disponible. En 2003, le directeur du programme leur annonça qu'elles n'auraient plus accès au PTC, car le programme avait atteint son plafond. S'exprimant au nom de ses clients, Peter Smith dit : « Très bien, ce que vous me dites là, mettez-le par écrit et nous irons ailleurs. Aux États-Unis, par exemple. »

Il n'avait guère de tolérance envers les fonctionnaires qui entravaient la marche de l'industrie aéronautique vers la prospérité. « Jeff Parker ne sera plus là, grogna Smith, quand nous constaterons la réduction du taux d'emploi des trois prochaines années. C'est irresponsable. Toute l'industrie aéronautique subira pendant cinq ans les contrecoups de la décision d'un seul fonctionnaire. »

Mais il n'y avait pas que les fonctionnaires et les membres des partis de l'opposition qui en avaient jusque-là de l'avidité de l'industrie. Des groupes de pression tels que la Fédération canadienne de l'entreprise indépendante n'hésitaient pas à exprimer leur déception que certaines sociétés profitent aussi généreusement des largesses de l'État. L'attitude négative des exploitants de petites entreprises agaça souverainement l'industrie aéronautique. « J'aimerais qu'on se penche sur la liste des adhérents de la FCEI, dit Smith. Le dépanneur du coin en est membre, et il n'offre que des services. Regardez : ses membres sont propriétaires de boutiques de vêtements, de toutes sortes d'entreprises du secteur tertiaire ; ce ne sont pas des manufacturiers. Ni Manufacturiers et Exportateurs du Canada ni la Chambre de commerce ne nous adressent des reproches. Mais la FCEI le fait parce que ses membres ne sont pas des exportateurs. »

Au bout du compte, il s'agissait de savoir où aller chercher l'argent – dans le secteur public ou dans le secteur privé. Selon Smith, il n'y a pas, au Canada, « une seule banque assez importante pour assumer les risques associés à l'un ou l'autre de nos programmes aéronautiques. Une entreprise canadienne n'a guère le choix : elle doit s'installer à l'étranger ou y trouver du financement. » Il soutint que l'Asie et l'Amérique du Sud regorgeaient d'aspirants qui n'auraient pas dédaigné s'approprier une part de notre industrie.

Smith signala que plus de 60 pour 100 des firmes aéronautiques du Canada appartiennent à des étrangers et exploitent une exclusivité mondiale. Elles se sont installées ici parce qu'elles peuvent y profiter des retombées industrielles. À quoi est due la réussite canadienne de Pratt & Whitney ? Aux investissements de recherche-développement considérables, au fait que ce constructeur a développé ici même ses moteurs et qu'il dispose d'installations manufacturières ayant bénéficié de généreux appuis du PPIMD, et maintenant de PTC. «Si l'entreprise ne peut plus compter sur ces appuis, dit Smith, j'ose avancer qu'il faudrait moins de deux ans à Hartford pour sortir la recherche-développement de Montréal. À quoi servirait à cette société d'avoir des usines si elle perd son secteur recherche-développement? Tout s'envolerait en fumée.

«Le gouvernement canadien refuse-t-il de se rendre compte de l'importance de la croissance d'une industrie dont la valeur des extrants, de 1994 à aujourd'hui, mettons, est passée de 8 à 20 milliards de dollars? Je ne connais pas d'industrie dont la croissance ait été aussi phénoménale. Qui est responsable de la planification industrielle du pays? Le gouvernement a-t-il une stratégie en tête ou agit-il au petit bonheur la chance[21]?»

Il suffisait de se pencher attentivement sur les actions du gouvernement canadien pour se rendre compte que ses méthodes de soutien à l'industrie aéronautique ne relevaient pas du hasard. Un organisme fédéral avait été mis en place, dont la fonction était de consentir des prêts pharamineux à l'industrie aéronautique en toute connaissance de cause. Cette banque – Exportation et développement Canada – appartenait aux contribuables et allait bientôt se retrouver au cœur d'un débat sur le soutien du gouvernement fédéral à Bombardier et à d'autres compagnies aéronautiques.

CHAPITRE 13

Un petit coup de pouce des copains

Financer les ventes des biréacteurs d'affaires de Bombardier n'avait jamais présenté de difficultés, car les sociétés et les particuliers qui achètent des avions d'affaires sont en général richissimes : princes saoudiens, vedettes du rock, athlètes millionnaires. Ces individus et ces sociétés qui jouissent d'un généreux crédit bancaire pouvaient aussi, en cas de besoin, emprunter de Bombardier Capital, le secteur des services financiers de l'entreprise. Dans un tel contexte, le contribuable n'est guère indispensable.

Vendre le Regional Jet était une autre paire de manches. Il n'était pas destiné à une clientèle huppée buveuse de champagne, mais à monsieur Tout-le-monde. Quand Bombardier introduisit l'avion régional au début des années 1990, on ne savait trop quelle forme pourrait prendre le financement d'une telle acquisition, puisqu'on avait affaire à un nouveau produit et à un nouveau marché. La clientèle ne se composait pas d'une élite oisive ou de multinationales, mais bien de jeunes lignes aériennes qui n'avaient guère les reins solides. Elles n'avaient pas beaucoup de liquidités et les banques les regardaient d'un œil sceptique. Quand débuta la production du Regional Jet, Tim Myers, le directeur responsable du financement des ventes d'avions régionaux chez Bombardier comprit très vite qu'il avait affaire à « un tout nouveau marché ».

Même si Bombardier se trouvait en tête de liste, un grand nombre de concurrents desservaient le marché des avions régionaux avec leurs turbopropulseurs et d'autres types d'aéronefs. Ces concurrents s'appelaient Embraer, Fokker, British Aerospace, Saab, ATR, Fairchild-

Dornier. Le marché était très encombré à cette époque et tous ces avionneurs offraient de financer à 100 pour 100 les acquisitions de leurs clients. Ils prenaient les aéronefs en charge et les inscrivaient au bilan comme le font Ford ou General Motors lorsqu'ils louent un véhicule.

Les avionneurs n'avaient pas encore invité le marché financier, les banques ou de tierces parties à assumer le risque inhérent à ces transactions, si bien qu'ils les finançaient eux-mêmes. Mais Bombardier, dont le bilan était déjà trop sollicité, n'était pas en mesure d'assumer ce risque. À cette époque, les turbopropulseurs dominaient le marché et l'idée d'un avion à réaction régional était si neuve et si radicale qu'il devenait difficile d'attribuer une valeur à cet élément d'actif. Bombardier pouvait bien prêter 15 millions de dollars à un petit transporteur afin de lui permettre d'acheter un Regional Jet, mais quelle serait la valeur de cette garantie si le transporteur déclarait faillite?

Depuis l'ère des turbopropulseurs, les avions régionaux avaient occasionné des maux de tête aux directeurs de banques commerciales. Les banquiers préféraient les gros joueurs tels Boeing et Airbus. Ils savaient à quoi s'attendre de ces deux manufacturiers qui avaient une longue histoire, qui offraient toute une gamme de produits, qui possédaient une vaste clientèle et dont la valeur des actifs était depuis longtemps établie. Si une ligne aérienne manquait à ses obligations, ils n'avaient, pour ne pas perdre leur chemise, qu'à reprendre possession des avions et à les refiler à d'autres transporteurs. Du côté des turbopropulseurs, ce n'était pas aussi simple. Les avionneurs contrôlaient les flottes de turbopropulseurs en service et les remettaient eux-mêmes sur le marché en cas de manquement. Les banques appréhendaient de devoir concurrencer les avionneurs sur leur propre terrain si elles entraient dans ce jeu-là.

Ces questions eurent des répercussions sur les premiers avions régionaux à réaction lorsque ceux-ci virent le jour. «Au début, les prêteurs commerciaux n'étaient pas très à l'aise par rapport à ces avions, dit Tim Myers. Ils se demandaient quel créneau ils pourraient bien occuper.» Pour compliquer les choses, le nouvel avion fut lancé en 1992, soit en plein cœur d'une importante récession. Voilà que Bombardier, au pire moment du cycle économique, s'efforçait de vendre un nouveau produit révolutionnaire non seulement aux lignes aériennes, mais aussi au milieu financier. Mais les banquiers n'étaient pas intéressés.

«Dès le départ, nous avons su qu'il nous faudrait obtenir l'aide du gouvernement», dit Myers[1]. Une nouvelle étape prenait forme dans les relations intimes entre Ottawa et Bombardier. Le moment était venu de faire appel à l'agence de crédit du fédéral, aujourd'hui connue sous le nom d'Exportation et développement Canada.

Cette agence avait déjà financé la transaction évaluée à un milliard de dollars entre Bombardier et la Commission de transport de la ville de New York et elle s'apprêtait à financer l'acquisition, par Amtrak, du train à grande vitesse Acela de Bombardier. Au cours des douze années qui suivirent, EDC allait souscrire l'achat de plus de 400 Regional Jets et se constituer un portefeuille d'actifs aéronautiques excédant les 9 milliards de dollars. Sans un tel soutien financier, la réussite phénoménale de Bombardier dans le secteur aéronautique n'aurait jamais eu lieu. Mais le rôle d'EDC allait susciter de violentes controverses tant à l'étranger qu'au pays.

En existence depuis soixante ans, EDC offre de l'assurance-crédit aux exportateurs et du financement commercial aux clients de ces derniers. L'organisme a eu un passé souvent orageux et controversé. Le quasi-monopole de cette société sur le crédit à l'exportation, son accès privilégié à la cote de solvabilité du gouvernement canadien et le fait qu'elle soit exonérée d'impôt soulèvent depuis toujours la colère des banques et des compagnies d'assurance canadiennes qui se plaignent de ce qu'EDC leur oppose une concurrence déloyale et qui réclament son démantèlement. Un rapport commandé en 1999 par Ottawa avait semblé leur donner raison en mentionnant que le gouvernement devrait envisager la possibilité de privatiser EDC.

Bien qu'EDC ait beaucoup amélioré ses principes de bonne information ces dernières années, cette société fut beaucoup critiquée pour le mystère dont elle voilait la constitution de son portefeuille de prêts. Sous prétexte de secret commercial, elle refusait de divulguer des renseignements sur les bénéficiaires de ses prêts et sur les conditions de ses transactions. EDC n'était pas tenue de se conformer à la *Loi sur l'accès à l'information* et sa politique du secret contribua à nourrir les soupçons de ceux pour qui EDC était la tirelire de certaines entreprises canadiennes qui savaient user de leur influence à Ottawa.

À mesure qu'EDC rendait ses données publiques, son penchant pour le Québec devenait manifeste. En 1999, l'économiste Patricia Adams, de Probe International, analysa les données d'EDC et de Statistique Canada et en conclut que le Québec avait reçu deux fois plus d'aide d'EDC que le reste du pays pour chaque dollar de ventes à l'exportation. Bien que le Québec ait pesé pour un sixième des exportations nationales, il en avait touché jusqu'à un tiers des bénéfices[2].

Les politiques de prêts d'EDC dans les pays en développement et son indifférence apparente en ce qui concerne les répercussions écologiques de ses projets perturbent de plus en plus les environnementalistes et les ONG. EDC a contribué au financement du Barrage des trois gorges en Chine et de la mine d'or Omai en Guyane, deux projets désastreux pour l'équilibre écologique. L'agence a soutenu des fonderies, des raffineries et des entreprises pétrolières et gazières du monde entier qui n'auraient vraisemblablement pas répondu aux normes écologiques si elles avaient été situées au Canada. Ces critiques sévères ont finalement contraint l'agence gouvernementale à soumettre ses prêts à des audits environnementaux et à faire preuve d'une plus grande transparence.

EDC inspire encore d'autres inquiétudes, liées cette fois aux aléas de moralité. L'agence peut faire de la haute voltige dans le marché du crédit parce que les contribuables constituent son filet de sécurité. Certains des détracteurs d'EDC se demandent si les banques subventionnées par l'État font preuve de sagesse dans leurs décisions. Puisqu'elles ne sont pas soumises aux mêmes disciplines que les banques commerciales, jettent-elles l'argent par les fenêtres ?

Malgré tout, le milieu des affaires canadien répond en général d'EDC et fait grand cas de son expérience et de son professionnalisme. En 2003, EDC engagea la somme fabuleuse de 52 milliards pour soutenir des projets d'entreprises canadiennes dans le monde entier. En dépit de son importante percée des marchés étrangers, EDC est bien plus un instrument de politique intérieure qu'une banque commerciale. Son rôle consiste à s'emparer d'une plus grande part du commerce mondial au profit des entreprises canadiennes. Selon sa théorie, stimuler les exportations contribue à la croissance économique. Plus de 40 pour 100 de l'économie canadienne repose sur les exportations internationales. Les économistes soutiennent quant à eux qu'une balance commerciale positive contribue à rehausser le niveau de productivité et le niveau de vie.

Pour atteindre ses objectifs, EDC assume des risques plus grands qu'une banque commerciale, mais ses provisions pour dettes irrécouvrables sont aussi plus conservatrices. Bien qu'EDC soit une entité autonome fonctionnant selon des principes commerciaux, au bout du compte, elle est cautionnée par les contribuables et par l'engagement de courtoisie internationale réciproque du gouvernement fédéral. Cela signifie que les contribuables sont tenus de compenser toute atteinte à son capital de base et que la garantie du gouvernement fédéral est indispensable à son mode de fonctionnement. Quand EDC contracte des emprunts sur les marchés du crédit afin de financer ses opérations, elle profite de la cote de solvabilité triple A du gouvernement et bénéficie d'un taux d'intérêt préférentiel. Quand, en retour, elle consent un prêt aux clients d'un exportateur canadien, elle leur impose le taux du marché. L'écart entre les deux est très tentant et très rentable.

EDC a beau se dire indépendante, elle travaille en étroite collaboration avec ses commettants de la capitale fédérale. La société rend des comptes au Parlement par l'entremise du ministre des Affaires étrangères et du Commerce international. Elle prépare chaque année un Plan directeur qui doit être approuvé par le ministre. Le ministère des Finances surveille de près ses opérations de trésorerie et ses activités doivent observer certaines restrictions, notamment quant au seuil de qualité de ses investissements et à sa capacité annuelle de financement. Outre ces directives, un mandat statutaire définit sa vocation. Des représentants du ministère des Affaires étrangères et du ministère des Finances siègent à son conseil pour y faire valoir les points de vue du gouvernement. Chaque cas est l'occasion d'un dialogue avec eux et avec des représentants d'autres ministères sur les politiques et les volontés respectives du gouvernement et d'EDC.

D'une part, cette société s'autofinance ; après avoir reçu un premier cadeau de près d'un milliard de dollars en capital de la part des contribuables, elle assure son fonctionnement sans autres subsides du Parlement. Elle gère son compte d'entreprise sur une base commerciale dans le but de dégager des bénéfices et de protéger les contribuables. EDC a dû assumer quelques dettes irrécouvrables au fil des ans, mais ses revenus ont continué d'augmenter, faisant passer son capital social à plus de 2 milliards de dollars.

D'autre part, la société devient parfois le garçon de courses d'Ottawa et soumissionne au nom du gouvernement certains projets qui conviennent aux hommes politiques mais qu'EDC ne toucherait pourtant pour rien au monde. Dans ces rares occasions que l'agence elle-même juge trop risquées, elle transige par le biais du Compte du Canada, un compte distinct qui, bien qu'administré par EDC, est directement financé par les contribuables. Ces derniers, et non pas EDC, assument alors le risque de non-paiement. À quelques reprises, le Compte du Canada s'est révélé indispensable à Bombardier dans sa lutte contre son concurrent, l'avionneur brésilien Embraer.

Pour Eric Siegel, premier vice-président responsable des opérations de crédit d'EDC, ces deux comptes contribuent beaucoup à la solidité de la société. Selon lui, l'établissement d'un compte de société et d'un compte gouvernemental a été une très sage décision. Si le gouvernement désire réellement soutenir un projet dont EDC ne peut assumer les risques ou que l'agence doit refuser parce qu'elle a mis trop de ses œufs dans le même panier, il est possible d'emprunter une autre voie qui ne met nullement en péril l'intégrité de l'agence tout en permettant au gouvernement, dans sa sagesse, d'aller de l'avant. Selon Siegel, ces deux comptes servent aussi de freins et de contrepoids : grâce à eux, le gouvernement peut s'interroger sur la validité d'un projet. Si ce projet rebute EDC, le gouvernement est sans doute tout à fait justifié de s'en mêler[3].

« Il est intéressant de constater que le gouvernement s'est rarement servi du Compte du Canada », soutient Siegel pour justifier son existence. Des quelques milliers de transactions annuelles, seules quelques-unes ont été transigées par l'entremise du Compte du Canada, notamment la vente d'un réacteur nucléaire à la Chine. À cette occasion, EDC a assumé le quart du financement en l'imputant à son compte d'entreprise, tandis que le gouvernement a financé le solde grâce au Compte du Canada. Cette transaction, comme celles qui sont venues en aide à Bombardier, a un but stratégique. Le gouvernement a puisé dans le Compte du Canada pour soutenir Bombardier dans sa partie de bras de fer avec le Brésil parce qu'il jugeait son intervention importante pour l'avenir de l'industrie aéronautique canadienne.

En 2003, la capitalisation du Compte du Canada totalisait 13 milliards de dollars. Ses opérations ont été voilées de mystère mais, fait extraordinaire en soi, Bombardier en a été manifestement le principal bénéficiaire grâce à deux prêts très importants consentis à des lignes aériennes américaines. Combien d'autres entreprises canadiennes peuvent se vanter de posséder une marge de crédit puisée à même le Trésor public, ce même fonds qui sert à financer l'assurance-emploi, la Sécurité de la vieillesse, la défense nationale et les paiements de transfert aux provinces pour les soins de santé ? Qui d'autre a un tel accès aux fonds publics ?

EDC n'est pas unique. Tous les pays industrialisés possèdent une agence de crédit à l'exportation, créée dans le but de soutenir leurs entreprises installées à l'étranger et de procurer des liquidités aux vendeurs et aux acheteurs. Pour atteindre ces objectifs, certaines nations optent pour un système de financement direct par le gouvernement ou pour des crédits budgétaires annuels. C'est le cas des États-Unis. Le Congrès octroie chaque année environ 600 millions de dollars américains à l'Export-Import Bank ; ce capital sert essentiellement à cautionner des prêts commerciaux consentis par des banques privées.

Mais à certains égards, EDC est une agence très différente et beaucoup plus audacieuse. Elle est vite devenue une société commerciale offrant non seulement des garanties d'emprunt mais aussi des prêts directs. En raison de son important capital de base, elle a été en mesure de multiplier les prêts, si bien qu'elle s'est aventurée là où d'autres n'ont pas osé aller. Dans sa concurrence du secteur privé, elle a joui de deux immenses avantages : elle a eu accès au crédit du gouvernement et elle n'était pas assujettie à l'impôt. Certes, elle a versé quelques dividendes au gouvernement, mais elle a réinvesti l'essentiel de ses revenus, accroissant ainsi son capital de base, ce qui lui a permis de courir des risques plus grands, parfois trois ou quatre fois plus grands que n'aurait pu le faire une institution commerciale.

EDC a besoin d'un capital suffisant pour assurer ses activités de financement et d'assurance. Un vérificateur doit alors se poser la question suivante : s'est-elle constitué une provision suffisante contre les dettes irrécouvrables ? Évalue-t-elle et quantifie-t-elle les risques qu'elle court ? En 2002, la société a mis de côté un montant très important d'argent en guise de protection contre l'insolvabilité : quelque 6,5 milliards de dollars pour un actif total de 25 milliards. Ce montant englobait non seulement le capital social d'EDC mais aussi 4 milliards en provisionnement des pertes sur prêts. Son coefficient des pertes sur prêts est beaucoup plus élevé que celui de n'importe quelle banque commerciale. « Cela nous est possible parce que nous ne nous efforçons pas de maximiser les profits ni de rentabiliser la société au maximum, dit Siegel. Nous n'avons pas de capital-actions et nous ne nous efforçons pas de hausser le cours de notre action. Nous voulons une rentabilité qui profite aux entreprises canadiennes. Voilà l'essentiel[4]. » Mais ce coefficient signale autre chose : la possibilité que la qualité du crédit laisse à désirer.

Lorsque l'ancien Inspecteur général des banques, Michael MacKenzie, s'est penché sur le portefeuille d'EDC, il a pu constater que le coefficient de dettes irrécouvrables était beaucoup plus élevé que dans une institution commerciale. En fait, plus de la moitié des prêts en souffrance d'EDC avaient une cote de solvabilité insuffisante ou étaient jugés spéculatifs. Qui donc étaient ces emprunteurs ? Dans certains cas, il s'agissait d'emprunts souverains consentis au gouvernement de nations en développement et dépourvues de moyens. D'autres ont été accordés à des acheteurs de matériel de communications de Nortel. Mais la plus grosse part revenait aux clients de Bombardier. Quatre des cinq prises en charge les plus importantes d'EDC en 2002 concernaient des clients de Bombardier. Michael MacKenzie a conclu à la nécessité d'une surveillance indépendante plus grande sur EDC et sur ceux de ses emprunteurs qui étaient de mauvais risques. Un sur trois dollars prêtés par EDC allait à l'industrie aéronautique, et surtout aux acheteurs du Regional Jet. Plus de la moitié de ces sommes étaient allées à des transporteurs dont la cote d'investissement était insatisfaisante[5].

Eric Siegel n'est pas de cet avis. À ses yeux, la garantie d'emprunt est aussi importante que la cote de solvabilité de l'emprunteur. Vous représentez peut-être un risque de crédit pour l'institution qui vous consent une hypothèque, mais elle sait qu'elle s'emparera de votre résidence si vous manquez à vos obligations. En prêtant de l'argent aux transporteurs risqués qui désirent acquérir des avions de Bombardier, EDC possède une garantie : elle peut toujours reprendre possession des biréacteurs si l'emprunteur ne la rembourse pas[6].

Tout commence avec le transporteur régional américain Comair, une ligne d'apport de Delta, située en Ohio et en Floride. En 1991, ce transporteur commanda 20 Regional Jets et prit une option sur 20 aéronefs supplémentaires, pour une valeur totale de près de 400 millions de dollars. Ce contrat permit à Bombardier d'effectuer une percée sur le marché de l'aviation commerciale américaine, percée qui n'aurait jamais été possible sans le soutien d'EDC. Aucune banque n'acceptait de financer l'acquisition de Comair, si bien que l'agence fédérale appuya la transaction à près de 100 pour 100, assurant son financement et se portant garante de la valeur nette des aéronefs. L'affaire était sensée, aux dires d'Eric Siegel. «Il en résultait une croissance importante pour Comair, dit-il. Je crois que d'autres transporteurs se sont inspirés de Comair quand ils ont constaté le succès de cette ligne aérienne dont les avions régionaux rayonnaient depuis les aéroports pivots de Cincinnati et d'Orlando. Le marché a réagi promptement, et d'autres transporteurs se sont orientés dans cette voie. Nous avons donc participé au financement de quelques-unes des premières livraisons d'appareils. Mais EDC ne se lançait pas là-dedans à froid[7].»

En effet, la participation d'EDC dans le domaine de l'aviation commerciale remonte aux années 1960. L'agence avait financé la vente d'appareils Dash-7, Dash-8, Twin Otter, ainsi que de moteurs Pratt & Whitney, si bien qu'elle n'en était pas à ses premières armes. «Chaque fois qu'un nouvel appareil est lancé, dit Siegel, particulièrement un aéronef comme le Regional Jet, pour créer un climat de confiance il faut que quelques-uns de ces appareils circulent sur le marché. On peut alors commencer à leur attribuer une valeur résiduelle. Il n'est donc pas étonnant que Bombardier se soit adressée à EDC.» L'agence connaissait bien et le marché et la clientèle, et elle savait comment transiger[8].

Le type d'entente le plus courant, et qui fait depuis plusieurs années partie des mœurs de l'avionnerie, est le crédit-bail adossé. Il permet à un transporteur aérien (le bailleur) d'acquérir un avion sans en être le véritable propriétaire. L'appareil appartient à un tiers (le preneur) qui a versé un acompte d'environ 15 à 20 pour 100 du coût de l'aéronef pour ensuite louer celui-ci au transporteur aérien. Cet acompte correspond à la part d'actif de l'entente. Le solde de 80 ou 85 pour 100 est prêté à la tierce partie par le prêteur – dans le cas qui nous occupe, par EDC. Le transporteur aérien (le bailleur) est responsable des paiements de location-bail servant à rembourser la dette. Ce type de transaction est intéressant pour le preneur pour deux raisons. D'abord, l'amortissement lui procure souvent un avantage fiscal très important. Si vous devenez propriétaire d'un aéronef évalué à quelque 20 millions de dollars en versant un acompte de 4 millions, en vertu des lois fiscales des États-Unis vous avez droit à un amortissement comptable équivalent à la valeur totale de votre actif. Dans le cas d'une société rentable, cette transaction pourrait vous aider à mettre une partie importante de vos bénéfices à l'abri de l'impôt. Ensuite, il se pourrait que ce crédit-bail débouche sur une vente.

Puisque le preneur ne croyait guère à la valeur nette de son actif quand s'est transigée la vente d'appareils à Comair, EDC lui fournit une garantie. Le preneur savait donc que, si le transporteur (le bailleur) manquait à ses obligations, la valeur nette de son actif était couverte. Pour le transporteur, la location était plus économique que l'achat. Le crédit-bail adossé était la transaction préférée de l'avionnerie américaine, et nul ne connaissait mieux ce système qu'EDC.

Bombardier n'envisageait pas sa relation avec EDC comme une banale relation de service. C'était une relation vitale, indispensable non seulement parce qu'elle lui permettait de vendre ses aéronefs mais aussi de se délester d'une part de risque. Bombardier souhaitait réduire au maximum la dette inscrite à son bilan. Beaucoup d'autres constructeurs d'avions s'étaient ruinés pour avoir eux-mêmes financé la vente de leurs appareils. En négociant et, souvent, en cautionnant le crédit consenti aux acheteurs, EDC allégeait de beaucoup le fardeau financier de l'avionneur. Il est vrai que Bombardier assumait une certaine part de risque puisqu'elle consentait un préfinancement à ses acheteurs en attendant la finalisation d'un montage financier. L'entreprise offrait aussi des contre-garanties à EDC afin que l'agence ne soit pas vulnérable si un problème affectait la valeur de revente des appareils. Bombardier présentait ces engagements dans le passif de son bilan au titre d'éléments de passif éventuels afin que les actionnaires puissent en apprécier correctement le risque. Néanmoins, l'entreprise pouvait limiter ces enjeux financiers en collaborant avec EDC. Il s'agissait donc d'un arrangement tout à fait opportun, d'un partenariat réel.

Bombardier mit peu à peu sur pied une équipe de spécialistes du financement structuré, qui travaillèrent main dans la main avec le personnel d'EDC à Ottawa. Les commandes prenaient de l'importance, alléchant ainsi la société d'État. EDC entreprit de solliciter activement les clients de Bombardier. « EDC avait reçu mandat d'agir comme une institution financière, dit Tim Myers, et souhaitait se charger de nos transactions importantes, car celles-ci étaient rentables. Par conséquent, le démarchage n'était pas rare du tout[9]. »

Ces liens se resserrèrent encore plus en 1995. Le gouvernement de Jean Chrétien injecta dans l'agence 45 millions en garanties d'emprunts pour aider EDC à investir directement dans des sociétés canadiennes. Bombardier fut la première entreprise à profiter d'un tel marché ; il s'agit, dans son cas, d'une coparticipation en vue de la construction de cinq biréacteurs régionaux devant être loués par Air Canada. C'était là une variante inédite et bizarre du mandat d'EDC. L'agence devait en principe financer des ventes à l'exportation, non pas des ventes à une entreprise canadienne comme Air Canada. Mais, dans son discours du budget de 1995, le ministre des Finances Paul Martin avait annoncé l'intention du gouvernement de financer certains projets « d'intérêt national ». Qu'est-ce qui pouvait bien faire d'une vente d'aéronefs à Air Canada une impérieuse question d'intérêt national ? « Honnêtement, nous désirions appuyer cette vente », dit le ministre de l'Industrie John Manley. Bombardier ressentait fortement la concurrence des avionneurs européens Airbus et Fokker. La garantie de prêt du gouvernement fédéral était telle qu'elle réduisit de 20 pour 100 le coût d'emprunt que dut assumer Air Canada[10].

Ce fut le début d'un temps nouveau pour EDC et Bombardier. Les deux sociétés mirent sur pied une coentreprise, CRJ Capital Corp., devant financer la construction de 50 à 75 avions à réaction de Canadair pour des transporteurs étrangers. EDC créa une nouvelle filiale spécialisée dans le financement structuré, susceptible de jouer un rôle plus important que celui de prêteur et d'assureur des clients de Bombardier[11].

La liste des clients continua de s'allonger : Mesa, SkyWest, Horizon Air, Atlantic Coast Airlines, Atlantic Southeast Airlines. Compte tenu de la croissance du marché dans les années 1990 et de la réussite manifeste du produit, les prêteurs commerciaux furent moins hésitants à participer. Il y avait des profits à réaliser, si bien que les invitations à soumissionner se multiplièrent. L'importance du rôle d'EDC diminua peu à peu (du moins lorsque Bombardier n'était pas en concurrence avec le Brésil), l'écart entre les taux d'intérêt se rétrécit, montrant par là que la concurrence entre les prêteurs s'intensifiait. « Au début, quand les institutions prêteuses sont très hésitantes, il est clair qu'un des joueurs peut exiger des taux d'intérêt plus élevés, dit Eric Siegel. Mais ces taux d'intérêt correspondent au taux de risque, lui aussi plus élevé. » Quand s'affirma la popularité du Regional Jet, « les banques devinrent rapidement très actives dans l'industrie aéronautique », ajoute-t-il. Mais cette concurrence intense se traduisit par une diminution de la marge bénéficiaire disponible. « Je vous assure qu'en certaines occasions EDC ne se sentait pas du tout à l'aise avec ces marges[12]. »

Une hausse de la concentration de risque contribua aussi à accroître son inquiétude. EDC s'était exposée à d'énormes risques auprès des plus importants clients de Bombardier aux États-Unis, plus particulièrement Delta, Mesa et SkyWest. Cette concentration alarma les services de gestion des risques de la société d'État. La place trop grande qu'occupait l'aéronautique dans le portefeuille de prêts d'EDC inquiétait de plus en plus le président du conseil, Patrick Lavelle. Il rencontra Bob Brown à plusieurs reprises pour le prévenir de ce qu'il y avait des limites à ce qu'EDC pouvait assumer. L'agence était au service de l'économie canadienne tout entière, non pas d'une entreprise exportatrice unique.

Le personnel de direction d'EDC reçut l'ordre de vendre certains prêts aéronautiques à d'autres institutions financières afin de libérer le portefeuille de l'agence. La prudence s'imposait cependant, car vendre à perte risquait de gruger le capital. En 2001, Lavelle écrivit au Conseil des ministres pour signaler les risques excessifs que prenait l'agence dans certains secteurs, notamment celui de l'aéronautique, et le conseil d'administration d'EDC imposa un plafond de 8 millions de dollars au financement des clients de Bombardier. Au départ de Lavelle à la fin de l'année, le financement qu'EDC consentait aux clients de Bombardier avait été ramené très près de ce seuil. La clientèle de Bombardier œuvrait dans une industrie violemment secouée par les faillites et les révisions à la baisse des cotes de crédit à la suite des attaques terroristes du 11 septembre[13]. La cote de solvabilité des principaux transporteurs avait été réévaluée à la baisse ; quelques lignes régionales telles que SkyWest, Atlantic Coast et d'autres s'étaient vu attribuer une cote favorable, mais pour bon nombre d'entre elles, la cote était négative. «Il y a des limites au nombre d'œufs qu'on peut mettre dans le même panier – par secteur, par pays, par contrepartie», explique Siegel. EDC avait augmenté sa provision pour pertes sur prêts dans le secteur aéronautique, compte tenu de la détérioration de la santé de cette industrie.

La qualité de sa garantie – un actif très en demande – mitigeait quelque peu ce risque inhérent. «Si on observe l'industrie de près, dit Siegel, on se rend compte que le biréacteur régional de Bombardier est l'arme de choix de tous les transporteurs. Tout le monde en veut. S'ils n'en ont pas ils en veulent tout de suite, et s'ils en ont déjà, ils en veulent d'autres.» C'était rassurant.

«Lorsque nous prêtons à un transporteur, nous avons un droit de rétention sur l'appareil, ce que ne reflète pas notre cote de solvabilité. Une entreprise peut se voir attribuer une cote BB négative, voire une cote C, mais nous bénéficions d'un droit de gage, ce qui représente une sécurité supplémentaire. Aux États-Unis, la législation sur la faillite prévoit que le prêteur peut reprendre possession de l'aéronef en très peu de temps si les termes du contrat ne sont pas respectés[14]. »

La participation d'EDC au financement des biréacteurs régionaux avait donné d'excellents résultats, avec des remboursements pratiquement ininterrompus. Il était pourtant évident que cette société d'État avait atteint la limite de ce qu'elle pouvait consentir à Bombardier. Tout comme le fonds de PTC, elle avait vidé sa tirelire. Cela ne plaisait pas du tout à Bombardier. Pendant un certain temps, les dirigeants de l'entreprise soutinrent que les prêts accordés à ses clients étaient les plus performants du portefeuille d'EDC. Pourquoi ne pas les multiplier ?

Lorsque Yvan Allaire, vice-président exécutif et responsable des stratégies et des affaires corporatives de Bombardier, rencontrait les gens d'EDC, il leur répétait toujours le même message : « C'est votre plus beau portefeuille, celui qui vous rapporte le plus. Il vous aide à absorber vos pertes dans d'autres secteurs. Quels que soient les chiffres, si vous prêtez, vous ferez de l'argent. » Allaire était parfaitement conscient du problème. Si EDC avait trop prêté aux transporteurs, le plus simple était de vendre certains de ces contrats à d'autres institutions financières pour faire de la place à d'autres prêts. La réticence d'EDC par rapport à cette solution l'exaspérait de plus en plus. « Dans ce domaine, voici ce qu'on fait habituellement : on prend un portefeuille et on le vend. Mais EDC refusait de vendre. Bien entendu, il faut aussi savoir quand vendre. Mais ils ont raté de très belles occasions. Le marché a été parfois très favorable. Ils auraient pu vendre[15]. »

Les raisons de la réticence d'EDC furent vite très claires. Les prêts à large marge bénéficiaire de Bombardier protégeaient l'agence contre les prêts douteux consentis à d'autres industries, notamment dans le secteur très chancelant des télécommunications. Bombardier en était venue à envisager EDC comme sa marge de crédit personnelle, mais la société d'État avait un autre ordre du jour. Les prêts à l'aéronautique inscrits à ses livres comptables étaient des biens créditeurs importants, et elle ne tenait pas à perdre ce coussin financier.

Une personne de l'extérieur aurait pu formuler l'interrogation suivante : si les prêts aéronautiques sont si profitables, pourquoi

Bombardier doit-elle transiger avec la banque des contribuables ? Si la location d'appareils est si rentable, il ne doit pas manquer d'institutions financières canadiennes disposées à en profiter ?

Faux, soutenait Bombardier. Aux dires d'Yvan Allaire, il y avait de bonnes raisons pour qu'EDC assure ce financement et que d'autres s'y refusent. EDC savait où trouver des investisseurs. Seule EDC possédait à la fois l'expérience et l'expertise nécessaires pour transiger avec les transporteurs. « Leur coût d'opération est beaucoup moindre, insistait Allaire. Demandez à n'importe quel banquier qui s'est aventuré là-dedans. EDC joue parce qu'elle comprend très bien cette industrie, elle connaît les transporteurs, elle connaît la valeur nette de son bien, tout se fait en fonction de cette valeur nette et non pas en fonction de l'évaluation du transporteur. Si EDC doit reprendre possession des appareils, elle peut les refiler à quelqu'un d'autre et elle sait aussi ce qu'il lui en coûtera[16]. »

Il est quelque peu contre-intuitif d'accepter cette ligne de pensée. On nous demande de croire qu'un établissement du secteur public possède une meilleure connaissance des marchés qu'un établissement du secteur privé. Peut-être est-ce vrai. Peut-être les banques à charte canadiennes ont-elles choisi de ne pas s'embarquer dans la location d'aéronefs parce que l'aventure est trop compliquée, trop coûteuse et qu'il est trop difficile de concurrencer EDC. Mais en plaçant tous ses œufs dans le panier d'EDC, Bombardier a développé une dépendance à une agence du gouvernement qui n'est pas une source inépuisable d'argent. Quand les lignes aériennes américaines ont vu baisser leur cote de solvabilité, EDC a consacré une plus grande proportion de son capital aux provisions pour pertes sur prêts et a dû réduire le total de ses prêts à l'industrie. Elle avait pratiquement atteint le seuil de ce qu'elle pouvait consentir à Bombardier quand s'est engagée la Bataille du Brésil. Cette guerre commerciale s'est amplifiée et le besoin d'un soutien financier accru s'est fait amèrement sentir. Cette aide supplémentaire n'a pas reçu l'approbation du Comité de gestion des risques d'EDC mais bien celle de Jean Chrétien et de son Conseil des ministres. Et le Canada a dû mesurer son aptitude à soutenir l'industrie aéronautique canadienne à la détermination d'un pays concurrent de faire de même pour son industrie aéronautique nationale.

CHAPITRE 14

Les Brésiliens

Dans un musée aux abords de Rio de Janeiro, un vaisseau de verre encastré dans une sphère plaquée or renferme le cœur d'Alberto Santos-Dumont. Une statue ailée brandit fièrement cette sphère en mémoire du plus célèbre des aviateurs brésiliens. Presque inconnu hors de son pays natal, Santos-Dumont n'en est pas moins, pour bon nombre de Brésiliens, le premier homme ayant réussi à faire voler un avion. Ce contemporain des frères Wright vivait à Paris au tournant du siècle dernier ; il était un pionnier de la montgolfière et, aux dires de certains, il tenta de faire voler un avion avant que ne l'imitent les frères Wright. Au reste, quand ces derniers réussirent leur premier vol, un journal proclama en manchette : «Deux émules du grand Santos-Dumont à Dayton[1].»

Tandis que les frères Wright devenaient de plus en plus célèbres, Santos-Dumont sombrait dans la dépression et, plus tard, dans la folie parce que ses réalisations n'étaient pas reconnues. Il fut enfermé dans un hôpital psychiatrique où il tenta de se jeter par la fenêtre. Dans *Wings of Madness*, son biographe, Paul Hoffman, raconte comment on surprit un jour l'inventeur en train de creuser sa propre tombe. Le «transformateur martien» – qui fut sa dernière invention – aurait réchauffé le cœur de Joseph-Armand Bombardier : il combinait un moteur rotatif et une paire de skis[2].

L'esprit d'Alberto Santos-Dumont plane encore sur le Brésil. Les réussites aéronautiques du pays, d'autant plus remarquables qu'elles ont été réalisées en dépit des fluctuations de l'économie nationale, reflètent sa vision. C'est maintenant au tour de l'avionneur Empresa

Brasileira de Aeronautica SA, ou Embraer, de brandir le flambeau. Cette société est devenue le plus important concurrent de Bombardier dans la course au rang de troisième avionneur au monde, après Boeing et Airbus. Le soutien gouvernemental dont elle jouit égale, voire excède, celui que le gouvernement fédéral consent à Bombardier. Les Canadiens qu'inquiètent les appuis reçus du gouvernement par Bombardier par l'entremise du PPIMD, de PTC, d'EDC et d'autres programmes ont dû prendre conscience du fait que les contribuables brésiliens accordent un soutien pharamineux au concurrent le plus féroce de Bombardier. Ce qui n'était au début qu'un débat philosophique sur les mérites des subventions gouvernementales s'est vite transformé en une guerre commerciale totale mettant en jeu des milliers d'emplois et des investissements de plusieurs milliards de dollars.

Embraer est une des rares réussites dans un Brésil à l'affligeante économie. La réforme des marchés au début des années 1990 – la déréglementation, la privatisation, la libéralisation des investissements étrangers – devait marquer l'émergence d'une nouvelle période de croissance en faisant du Brésil un pays davantage axé sur l'exportation et sur la concurrence. Après avoir été propriété de l'État pendant deux décennies, Embraer elle-même fut privatisée. Mais le plan directeur du gouvernement pour initier une relance économique n'eut pas les résultats escomptés. On espérait que des investissements étrangers déferleraient sur le pays, stimuleraient la création de nouvelles entreprises et donneraient de l'élan au savoir-faire technologique du Brésil. Mais les capitaux étrangers servirent essentiellement à la prise de contrôle des entreprises brésiliennes.

Au fur et à mesure que les mutinationales étrangères dominaient l'économie, le Brésil assistait à la détérioration de ses compétences locales en matière d'innovation, de recherche et d'ingénierie. Les importations de technologies et d'équipements étrangers montèrent en flèche, ce qui nuisit aux producteurs locaux. Il y eut un glissement des exportations de produits à forte valeur ajoutée. Selon une étude des Nations unies publiée en 2002, la participation du Brésil aux exportations mondiales de produits de haute technologie dans les domaines de l'aéronautique, de l'électronique et des communications passa de 0,6 pour 100 en 1985 à 0,26 pour 100 en 1991, et même à 0,19 pour 100 en 1995[3]. Le Brésil n'avançait pas, il reculait.

Embraer constitue une remarquable exception à la règle. L'entreprise fut catapultée presque du jour au lendemain dans les hautes sphères de la réussite. Aussi récemment qu'en 1995, les exportations brésiliennes de produits de haute technologie totalisaient moins de un milliard de dollars américains, dont une part minuscule – moins de 1 pour 100 – revenait à Embraer. Deux ans plus tard, au Salon de l'aéronautique de Paris, l'entreprise signa des contrats d'une valeur de 6,6 milliards de dollars américains. En 1999, elle était devenue la plus grande société d'exportation du Brésil, puisque ses ventes à l'étranger valaient 1,7 milliard de dollars. L'année suivante, ce total grimpait à 2,7 milliards[4].

Comment cela avait-il été possible ? « Le succès remarquable d'Embraer est certainement dû à une réorganisation massive de l'entreprise, tant sur le plan de la production que sur le plan des affaires, à la suite de sa privatisation dans les années 1990 », en conclut l'étude des Nations unies. « Toutefois – et sans doute est-ce là le plus important – cette réussite est également attribuable aux programmes à long terme de développement institutionnel et technologique subventionnés par l'État, programmes dont la formation remonte aux années 1950. » Embraer est exemplaire de la manière dont un nationalisme économique fervent peut sauver une industrie de la noyade par ses propres moyens.

Le siège social d'Embraer est situé dans un paysage bucolique à 80 kilomètres de São Paolo, dans le parc industriel São José dos Campos. Ce technoparc a vu le jour dans l'optimisme de l'après-guerre qui déferla sur les pays en développement. « Après la Deuxième Guerre mondiale, dit Henrique Costa Rzezinski, l'élégant vice-président aux relations extérieures chez Embraer, on a beaucoup discuté du rôle des forces aériennes et de celui de l'industrie aéronautique dans l'avenir du pays. On a alors décidé de mettre sur pied un plan stratégique pour l'édification d'une industrie aéronautique nationale. On a commencé par créer une école de génie aéronautique avec la collaboration du célèbre Institut de technologie du Massachusetts (MIT). Le premier à occuper le poste de doyen était chef du département aéronautique du MIT à la même époque. Notre institut était calqué sur le MIT ». Un centre des techniques aérospatiales a aussitôt été créé afin que les nouveaux ingénieurs brésiliens puissent mettre en application certaines de leurs idées novatrices[5].

La société Embraer fut créée en 1969 par l'État qui aspirait à une totale autonomie technologique. L'entreprise avait pour but de rassembler toutes les aptitudes nécessaires à chaque étape du cycle de production : recherche, design, développement de produits et fabrication. L'État appuya l'entreprise par une aide financière et technique, et des cols bleus furent recrutés au sein de l'industrie automobile pour être affectés aux chaînes de montage.

En premier lieu, Embraer conclut une entente de collaboration avec la compagnie américaine Piper Aircraft pour produire de petits appareils. Son premier avion, l'Ipanema, fut lancé au moment où le monde entier dansait la samba au son du grand succès d'Astrud Gilberto, *La Fille d'Ipanema*. Peu après, deux turbopropulseurs furent développés avec succès : le Bandeirante de 19 sièges (*bandeirante* est un mot portugais qui signifie «pionnier») et le Brasilia de 30 sièges. Ces aéronefs jouirent d'une réputation mondiale et raflèrent un quart du marché des turbopropulseurs[6]. Un programme du gouvernement brésilien portant le nom de Finex permit à Embraer de financer les ventes d'exportation de ses appareils à des lignes aériennes du monde entier, et ce, à des conditions très avantageuses.

L'une des grandes ironies de l'histoire d'Embraer est le rôle qu'a joué le Canada dans son lancement. Au milieu des années 1960, Pratt & Whitney Canada vit dans le Brésil un client potentiel. Dick McLachlan, un des directeurs de la mercatique chez Pratt & Whitney à Montréal, se rendit à l'improviste au Brésil afin de susciter l'intérêt des Brésiliens pour son turbomoteur, le PT-6. Il y fit la connaissance d'un groupe d'ingénieurs aéronautiques extrêmement doués, dont plusieurs avaient reçu leur formation en France et parlaient trois langues. Il y détecta aussi une concurrence probable importante de la part d'un motoriste français. Afin d'obtenir des contrats pour la construction des moteurs du Bandeirante et du Brasilia, Pratt accepta de fournir à Embraer un soutien financier et technique. L'ironie de la chose est que les moteurs achetés par Embraer n'auraient jamais pu être mis au point sans l'aide financière importante que Pratt reçut du gouvernement du Canada par le biais de programmes tels que le PPIMD. Le lien entre le Canada et Embraer était indéniable[7].

En 1989, une concurrence directe s'installa entre le Brésil et le Canada. Embraer rêvait déjà de produire un biréacteur régional, même si l'entreprise accusait un retard de trois ans par rapport à Bombardier dans ce domaine. À la suite de l'acquisition de Canadair en 1986, Bombardier avait acheté les plans d'ingénierie du Challenger allongé et avait entrepris de développer son avion à réaction régional. Pour lui opposer une concurrence sérieuse, Embraer devrait se hâter.

« Les deux seules entreprises aéronautiques qui envisageaient alors la construction d'un jet régional étaient Bombardier et Embraer, dit Rzezinski. Personne d'autre ne croyait qu'un tel projet puisse être rentable. Chaque entreprise envisageait la chose de son propre point de vue. Bombardier occupait déjà un créneau important du marché des jets d'affaires. Elle envisageait de faire de son [Challenger] un avion régional. Chez Embraer, notre approche était différente. Nous avions un turbopropulseur qui occupait une part enviable du marché, et nous nous demandions quelle allait être pour nous la prochaine étape. Nos deux entreprises savaient bien qu'il existait un marché potentiel, mais la position d'Embraer sur la ligne de départ était des deux la moins avantageuse[8]. »

En effet, le développement du ERJ-145 de 50 sièges d'Embraer fut très mouvementé, alourdi de retards et de modifications techniques. Selon les plans originaux, son fuselage était une version allongée de celui du turbopropulseur Brasilia, mais ses moteurs étaient placés à l'avant des ailes. Après deux ans de rabibochages de ce design, Embraer décida d'installer les moteurs sur le tronçon arrière du fuselage. Le vol inaugural du ERJ eut lieu six ans après le début des travaux. Tout comme le développement du Challenger avait coûté une fortune au gouvernement fédéral, le programme du ERJ grugea des sommes d'argent phénoménales et menaça la survie d'Embraer en tant que société d'État.

Au début des années 1990, une récession mondiale frappa l'industrie de l'aéronautique. La faiblesse de la devise brésilienne entraîna une hausse majeure des taux d'intérêt et l'effondrement du crédit. Le gouvernement refusa de financer plus avant les dépassements de coûts pour la mise au point d'un biréacteur régional et les surcharges du programme Finex d'aide aux ventes à l'exportation. Chez Embraer, cette période reçut le nom de « crise ». Les commandes du porte-étendard de l'entreprise, le turbopropulseur Brasilia, baissèrent à mesure que se détériorait sa situation financière, et la compagnie dut se résoudre, pour survivre, à mettre à pied 8 000 travailleurs. Le grand rêve aéronautique brésilien paraissait tout à coup bien fragile.

La solution à ce problème fut de vendre l'entreprise à des investisseurs privés. En 1992, le gouvernement brésilien annonça un programme national de privatisation des entreprises, dont Embraer faisait partie. Deux ans plus tard, un consortium d'entreprises et de caisses de retraite locales placées sous la direction d'un important conglomérat fit l'acquisition de la compagnie pour 265 millions de dollars américains. Afin de rendre l'entreprise plus alléchante, le Brésil avait imité le comportement du gouvernement canadien dans la vente de Canadair : il avait radié du bilan la dette de la compagnie. Les nouveaux propriétaires purent ainsi assumer les frais de lancement du ERJ et l'aéronef eut une chance de s'en tirer.

Mais Embraer devait encore affronter des obstacles majeurs et des retards dans son programme d'avions à réaction. «La mise au point de cet aéronef eut lieu en pleine période de crise, se remémore Rzezinski. Vous imaginez à quel point il nous a été difficile d'obtenir des appuis. Il nous a fallu attendre la conclusion de la privatisation pour que ce projet devienne prioritaire. Les gens qui avaient fait l'acquisition d'Embraer investirent des sommes considérables dans le projet d'avion régional, car ils croyaient sincèrement qu'il pouvait réussir. Ils prirent cette décision, tout en sachant pertinemment que la partie serait déjà bien avancée à leur arrivée sur le marché. Mais ils choisirent d'aller de l'avant en dépit de ce handicap.»

Les nouveaux propriétaires comprirent très vite que le Brésil ne pouvait plus espérer se tirer d'affaire seul dans le domaine de l'aéronautique. En 1993, des partenariats à risques partagés furent créés avec des fournisseurs du monde entier. «Nous avons mis du temps à leur vendre notre projet. Ça a été très, très difficile, dit Rzezinski. Nos gens ont dû faire le tour du monde pour trouver des partenaires[9].» Une société espagnole s'engageait à fournir les ailes, les compartiments réacteurs et les trappes de train d'atterrissage. Un fournisseur belge fournissait le tronçon avant et le tronçon arrière du fuselage. Un contractant chilien construisait les stabilisateurs horizontaux et les commandes de direction. La cabine et la soute à bagages étaient conçues et fabriquées par une firme américaine. Ces partenaires investirent environ 100 millions dans le projet en échange d'une participation minoritaire dans le ERJ.

On était très loin de l'autonomie dont Embraer avait naguère rêvé, mais c'était une solution réaliste au manque de liquidités de l'entreprise. Et en dépit de cette injection de capitaux privés, Embraer manqua d'argent pour mener son projet à bien. La Banque nationale brésilienne de développement économique et social (BNDES), le pendant brésilien d'Exportation et développement Canada, lui prêta 100 millions de dollars. La BNDES allait devenir l'associé le plus important de l'entreprise et consentir à ses clients des montages financiers que Bombardier serait tout simplement incapable d'égaler[10].

Au printemps de 1996, Continental Express, un transporteur régional en pleine expansion et filiale de Continental Airlines, cherchait à étendre son réseau au-delà de ses principaux aéroports pivots de Newark, Cleveland et Houston. Il envisageait l'acquisition de 25 avions régionaux au coût de 500 millions de dollars et laissait entendre que d'autres commandes suivraient, des options pour l'achat de quelque 175 appareils supplémentaires, pour une valeur de plusieurs milliards. Jusque-là, le marché des avions régionaux avait appartenu à Bombardier. L'entreprise montréalaise savait qu'elle devrait un jour affronter de la concurrence, mais ses autres rivaux potentiels avaient vacillé et Embraer avait dû composer avec de longs délais avant que son avion régional ne devienne disponible. Embraer était prête à entrer dans la danse. David Siegel, qui était alors président de Continental, rendit visite à Embraer afin d'inspecter la marchandise de l'avionneur brésilien. Embraer offrait ses appareils au coût de 14,5 millions de dollars l'unité, ce qui était beaucoup moins que les 18 millions que coûtaient les avions de Bombardier[11].

La mauvaise nouvelle fut connue quelques mois plus tard. Bombardier avait non seulement perdu le contrat, elle était aussi confrontée à un problème colossal : un de ses concurrents avait accès aux ressources du Trésor brésilien pour vendre ses produits au rabais. Bob Brown calcula que la bonification du taux d'intérêt consenti à Continental par la banque d'État BNDED ramenait effectivement le prix de chaque appareil à 12,5 millions de dollars. Bombardier ne pourrait jamais se mesurer à Embraer dans ces conditions. Quand Bombardier se plaignit de ce que ces tactiques violaient les lois du commerce international, les Brésiliens reprochèrent au gouvernement canadien de soutenir Bombardier par ses programmes TPC et EDC. Manifestement, une épreuve de force se préparait[12].

Il devenait clair également qu'Embraer n'allait pas disparaître du paysage. Quelques mois plus tard, Bombardier fut abasourdie de constater qu'Embraer venait de conclure un autre marché important pour la livraison de 42 ERJ à American Eagle, un transporteur affilié à American Airlines. American avait proposé à Bombardier d'égaler les conditions de l'avionneur brésilien, mais l'entreprise montréalaise n'avait pas été en mesure de le faire. Comme prix de consolation, American acheta 25 jets régionaux de 70 sièges en cours de développement chez Bombardier.

La perte de ces contrats fut très difficile à avaler pour Laurent Beaudoin et Bob Brown. Selon eux, avec sa plus grande vitesse de croisière et son long rayon d'action, le CRJ-200 était un appareil supérieur au ERJ-145. Mais l'avion d'Embraer était plus léger et son coût d'exploitation était moindre. En fait, David Siegel, président de Continental Express, avoua qu'il n'avait pas l'intention d'acheter l'avion de Bombardier, car il lui préférait celui d'Embraer en raison de ses qualités techniques et des commentaires très positifs des passagers[13]. Les frais de financement, fort avantageux, venaient en sus.

Bombardier ne pouvait pas feindre la surprise. Embraer avait été un concurrent féroce sur le marché des turbopropulseurs bien avant l'avènement des biréacteurs régionaux. Les Brésiliens avaient fait sentir leur présence dès les années 1970, quand leur Embraer 120 se trouva nez à nez avec les Dash-7 et Dash-8 de de Havilland. Le financement de ces ventes à l'exportation par le programme Finex fut une remarquable réussite. Ainsi que le fait remarquer Tim Myers, le directeur responsable du financement des avions régionaux chez Bombardier, « grâce à ce programme, les Brésiliens vendirent un grand nombre d'Embraer 120 aux États-Unis et mirent un frein sérieux au programme du Dash-8[14] ».

Des coulisses, Myers et son équipe regardaient nerveusement Embraer rassembler son arsenal financier en vue de la guerre des avions régionaux. Le problème initial d'Embraer était le même que celui qu'avait dû affronter Bombardier : comment convaincre les institutions prêteuses de soutenir la vente d'un avion à réaction qui n'avait pas encore fait ses preuves ? Les transporteurs américains préféraient prendre leurs appareils en crédit-bail, car c'était là la façon la plus économique d'augmenter leur flotte. Autrement dit, Embraer devrait trouver des bailleurs disposés à acquérir une participation dans chaque avion vendu et des prêteurs disposés à financer le prêt-bail.

Les Brésiliens, dit Myers, savaient que les avions de Bombardier avaient reçu un soutien financier important de la part des investisseurs, d'EDC et de certains prêteurs commerciaux. « Ils consultèrent donc leur clientèle – qui achetait surtout ses turbopropulseurs

EMB 120 – et lui dirent: "Comment allons-nous pouvoir financer cet avion?" N'oubliez pas que ces clients avaient déjà largement profité de subsides antérieurs. Ils créèrent aussitôt un autre programme subventionné, appelé ProEx. Essentiellement, ProEx offrait aux transporteurs des montages financiers à coût très abordable[15]. »

Le Brésil se mit à jouer les victimes et fit valoir que Bombardier occupait une position monopolistique sur le marché, qu'elle avait imposé son mode de financement dans l'aviation commerciale et qu'elle coupait l'herbe sous le pied aux entreprises moins favorisées. « Il nous est très difficile de dire ce qui se serait passé si nous n'avions pas eu les moyens de soutenir la concurrence, dit Rzezinski, d'Embraer. Il faut comprendre qu'il était extrêmement difficile, à cette époque, de percer le marché. Bombardier le dominait totalement[16]. »

ProEx allait devenir le point de mire de la guerre commerciale entre le Canada et le Brésil. Le but avoué de ce programme était de soutenir les ventes à l'exportation et de compenser les exportateurs pour ce que le gouvernement appelait « le risque brésilien » – soit les taux d'intérêt élevés qu'imposaient les banques commerciales du pays. Il mettait en quelque sorte de l'avant une « théorie stéroïdienne » du développement économique: en tant qu'économie émergente, le Brésil se décrivait comme un boxeur poids plume dans un marché où sa petitesse le desservait, dès lors qu'il osait faire concurrence à de grandes nations industrialisées. ProEx était par conséquent le stéroïde qui lui permettait de se battre contre un adversaire beaucoup plus fort que lui. Dans ce cas-ci, ce stéroïde prenait la forme d'une subvention directe à l'acheteur d'un avion à réaction d'Embraer, grâce à laquelle cet acheteur jouissait d'un prêt à taux d'intérêt bonifié. « Nous étions handicapés, dit Rzezinski, et nous le sommes encore, mais à cette époque-là il nous était très difficile de mettre sur pied une structure financière qui puisse concurrencer Bombardier. ProEx avait été conçu dans le but d'assurer une sorte de péréquation qui ajusterait nos taux d'intérêt à ceux du marché, étant donné que le loyer de l'argent est beaucoup plus élevé dans l'économie brésilienne qu'il ne l'est dans l'économie canadienne[17]. »

L'argument était attrayant, mais la direction de Bombardier le perça vite à jour. Dans le domaine de l'avionnerie, le « risque brésilien » était beaucoup plus fictif que réel, ainsi que le soutient Michael McAdoo, un membre de la direction de Bombardier qui avait hérité du dossier Embraer. La clientèle des transporteurs qui recevaient des prêts de ProEx achetait des actifs liquides qui pouvaient être facilement vendus n'importe où dans le monde. Un biréacteur régional n'était assorti d'aucun risque brésilien. L'avion avait beau avoir été construit au Brésil, dès qu'il volait pour American Airlines ou pour Continental, ces transporteurs avaient leur siège social aux États-Unis. Aucun risque brésilien n'était accolé au client ou au produit, et l'argument voulant qu'American Airlines devait bénéficier d'un taux d'intérêt inférieur lorsque cette ligne aérienne achetait un appareil brésilien ne tenait pas la route. « Là-dessus, dit McAdoo, nous avions des points de vue radicalement opposés[18]. »

Toutes divergences philosophiques mises à part, ProEx représentait une menace sérieuse pour Bombardier. Selon ce programme, le fameux risque brésilien équivalait à 3,8 points de pourcentage – soit plus ou moins la différence entre les taux d'intérêt consentis par les institutions financières brésiliennes et ceux des prêteurs des autres pays. Il y avait donc d'une part le taux du marché de l'aviation commerciale, c'est-à-dire le taux que devrait normalement payer un transporteur sur un emprunt contracté aux États-Unis. D'autre part, peu importe ce taux, si ce transporteur était un client d'Embraer, les contribuables brésiliens lui faisaient cadeau d'une réduction d'intérêt de 3,8 points de pourcentage. C'était une fichue bonne affaire.

Pour comprendre à quel point c'était une bonne affaire, comparons le taux d'intérêt accordé aux clients d'Embraer à celui que le gouvernement des États-Unis, l'un des emprunteurs les mieux cotés du monde, verse sur des obligations du Trésor de 10 ans. Quand la différence entre les taux d'intérêt du marché des transporteurs et le taux de rendement des obligations du Trésor était inférieure à 3,8 points de pourcentage, la ligne aérienne cliente d'Embraer profitait quand même de la réduction de 3,8 points de pourcentage, ce qui signifiait que le coût de son emprunt était inférieur au coût d'un emprunt contracté par le gouvernement des États-Unis. « C'est précisément ce qui s'est passé dans le cas d'American et de Continental, explique McAdoo. Quand American a signé ses premiers contrats avec ProEx, le transporteur avait l'une des meilleures cotes de solvabilité de toute l'industrie. Jusque-là, il avait dû payer 1,25 point de pourcentage au-dessus du taux d'intérêt des bons du Trésor. Et voilà qu'Embraer entre en scène et lui offre une réduction de 3,8 points de pourcentage. Pour un transporteur, c'était phénoménal. »

Ce marché entraîna de graves conséquences pour Bombardier : ProEx se trouvait ainsi à diminuer d'une valeur totale d'environ 2,5 millions par appareil le montant mensuel du remboursement pour toute la durée d'amortissement du prêt – généralement de 15 ou 18 ans. « Une réduction de 2,5 millions de dollars sur une acquisition de 20 millions était assez remarquable, dit McAdoo. On nous disait : "Pourquoi ne réduisez-vous pas votre marge bénéficiaire pour les concurrencer ?" Mais nos marges, dans le secteur aéronautique, ne sont que de 3 pour 100. Où voulez-vous qu'on coupe de 10 ou 12 pour 100 le prix d'un appareil[19] ? »

Sur le coup, Tim Myers et son équipe de financement ne surent comment réagir. « Les conditions d'emprunt d'Embraer étaient extrêmement avantageuses, et il nous fallait très vite trouver une façon d'affronter cette situation, se remémore Myers. Une solution consistait à dire à l'Organisation mondiale du commerce : "C'est déloyal ; ils n'ont pas le droit de faire ça." » L'autre était d'accélérer la course aux armements. Et, en effet, l'histoire du conflit entre Bombardier et Embraer fait beaucoup songer au livre de Barbara Tuchman, *Août 14*, où il est dit que les puissances militaires du temps avaient consacré de telles dépenses à l'armement que la Première Guerre mondiale était inévitable.

Une des nouvelles armes d'Embraer était la garantie de placement, un instrument financier grâce auquel les investisseurs qui participaient à la transaction savaient que la valeur de leur investissement ne diminuerait pas et qu'ils ne couraient aucun risque en cas de non-paiement de location-bail. Embraer avait convaincu son motoriste – Rolls-Royce – de garantir à 100 pour 100 la valeur de l'actif, si bien que, maintenant, l'avionneur pouvait offrir non seulement un crédit subventionné aux transporteurs, mais aussi des garanties intégrales aux financiers de la transaction. C'était là une combinaison très efficace. Au tout début du développement de son jet régional, Bombardier avait eu recours aux garanties de placement d'EDC, mais elle s'était distancée de cette pratique à mesure que se renforçait la confiance du marché envers son produit. Et voilà que ces garanties redevenaient nécessaires, fût-ce pour que les règles du jeu avec Embraer soient équitables[20]. Mais où Bombardier trouverait-elle ces garanties ? Encore une fois, les contribuables lui donnèrent la réponse attendue.

Le gouvernement du Québec s'enorgueillissait depuis longtemps de son industrie aéronautique, qui faisait contrepoids à l'industrie automobile de l'Ontario. Bombardier, Pratt & Whitney, Bell Helicoptères, le fabricant de trains d'atterrissage Héroux Devtek, le conglomérat aéronautique Dowty PLC : toutes ces entreprises avaient d'importants investissements au Québec où plusieurs d'entre elles avaient été attirées par des allégements fiscaux et d'autres mesures incitatives. Lorsque Bombardier inaugura une usine d'assemblage d'aéronefs de 175 millions de dollars à l'aéroport de Mirabel, au nord de Montréal, elle reçut une aide financière du gouvernement québécois. La province avait déclaré Mirabel zone franche afin d'inciter les entreprises exportatrices à y construire des installations. Bombardier avait eu droit, entre autres cadeaux, à un congé de 10 ans sur l'impôt sur le revenu et l'impôt sur le capital, à une exonération de ses contributions au régime provincial d'assurance-maladie et à des crédits d'impôt remboursables[21].

Pour le gouvernement du Québec, l'aéronautique représentait une « grappe d'industries », un grand groupe d'activités semblable à un amas stellaire qui attirait les fournisseurs et les contractants dans sa constellation. Plus grand serait cet amas, plus il attirerait d'investisseurs, croyait-il. Le Québec vantait le coût abordable de son électricité, son réservoir de main-d'œuvre spécialisée et les ingénieurs que formaient ses universités. Le gouvernement lui-même était disposé à investir directement si nécessaire.

Une société appelée Investissement Québec (IQ), qui investissait de façon stratégique dans des secteurs clés, faisait partie de l'appareil gouvernemental. Lorsque Bombardier se lança en quête de garanties de placement susceptibles de concurrencer celles d'Embraer, l'entreprise sollicita l'appui d'Investissement Québec. En 1996, lorsque Embraer rafla des contrats importants, Bombardier persuada Investissement Québec de créer une réserve de 450 millions de dollars en garanties de placement qui puissent supporter les ventes futures du Regional Jet.

« Nous nous sommes penchés sur IQ, se remémore Réjean Bourque, cadre de direction chez Bombardier, et nous avons développé un instrument financier en collaboration avec le gouvernement. Le gouvernement garantissait l'élément d'actif. Il créait une réserve de garanties et nous lui fournissions un filet de sécurité, si bien que, s'il y avait manquement aux paiements, nous leur apportions un certain renfort. C'était un investissement pratiquement sans risque.» Ce filet de sécurité était inscrit aux livres de Bombardier au titre d'«élément de passif éventuel» – c'est-à-dire une obligation pouvant apparaître en raison de circonstances précises[22].

Dans le cas qui nous occupe, le gouvernement agissait au même titre qu'une compagnie d'assurance. Il touchait une prime initiale du transporteur pour enclencher la garantie, et une prime annuelle par la suite. Les contribuables ne déboursaient rien, mais ils assumaient la dette en cas de manquement. Selon Bombardier, il était peu probable que cela se produise, car le programme était structuré de façon que le premier appelé au remboursement en cas de non-paiement soit Bombardier. Les contribuables représentaient une solution de dernier recours.

C'était vrai, mais la valeur d'une garantie du gouvernement était considérable. Quiconque offrait une telle garantie devait être en mesure de la financer, et le coût d'un tel financement pour le gouvernement du Québec était de beaucoup inférieur à celui que devait assumer le Brésil ou les associés privés d'Embraer. Cette mesure qui, au départ, avait tout simplement pour but de contrer la position favorable d'Embraer conféra un avantage certain à Bombardier.

Souvent, de grandes banques américaines et européennes détenaient un intérêt dans les biréacteurs de Bombardier. Le rendement de ce placement correspondait à un taux annuel, similaire à un intérêt obligataire, dont le rang était supérieur à celui du paiement de location-bail. En d'autres termes, elles étaient payées en premier, et voilà que les contribuables québécois devenaient les gardiens de cette situation privilégiée. Un tel niveau de confort plut aux acheteurs. Le partenariat entre Bombardier et Investissement Québec s'intensifia au point où, en 1993, la réserve de garanties du gouvernement frôla le milliard.

Les Brésiliens n'appréciaient pas du tout cette situation qu'ils jugeaient provocatrice. Si Embraer offrait ses propres garanties de placement, celles-ci provenaient du secteur privé par l'entremise de son motoriste, et non pas du gouvernement. «Elles étaient par conséquent beaucoup plus coûteuses, et c'est ce qui faisait toute la différence, soutient Rzezinski. Il est très facile de procéder à une analyse des coûts. Bien sûr, nous pouvons offrir des garanties, mais à quel prix? Cela affecte directement notre bénéfice net. Les garanties des Canadiens sont beaucoup plus abordables que les nôtres. La différence est énorme; c'est le plus important avantage concurrentiel que Bombardier a sur nous encore aujourd'hui[23].»

Tandis que les ingénieurs financiers combattaient sur un front, le gouvernement canadien déclenchait d'autres hostilités en soumettant le Brésil au jugement de l'Organisation mondiale du commerce (OMC). Yvan Allaire, alors vice-président exécutif, stratégies et affaires corporatives de Bombardier, prit ce dossier en charge. Bombardier était certaine de pouvoir faire valoir des arguments irréfutables sous le régime du droit commercial international. Lorsqu'elle émet un jugement dans une cause de subsides, l'OMC ne tient pas compte de ce qu'il en coûte au gouvernement pour subventionner une activité commerciale; elle s'intéresse plutôt aux avantages qu'en retire le bénéficiaire. Il importait peu que le Brésil débourse des sommes folles pour soutenir son industrie aéronautique; l'important était que les clients d'Embraer n'auraient jamais pu jouir d'un crédit aussi avantageux dans des conditions normales de concurrence. Bombardier avait un argument massue: la preuve manifeste que les clients d'Embraer obtenaient leur financement à un taux inférieur à celui du marché.

La cause de Bombardier avait beau être tout à fait légitime, il ne lui fut pas d'emblée facile de persuader le gouvernement de prendre des mesures défensives contre le Brésil. «Au début, ProEx agissait beaucoup dans l'ombre, dit Allaire. Déjà, pour les ventes des turbopropulseurs, ils avaient conclu ce genre de marché, mais ils étaient très discrets. Ensuite, nous avons commencé à voir clair dans leur jeu. Nous y sommes allés d'un de mieux, mais Ottawa a mis du temps à réagir. Il nous a fallu déployer beaucoup d'efforts et d'énergie pour convaincre Ottawa de la gravité de cette situation pour l'aéronautique canadienne. Ottawa a beaucoup de choses à régler; il doit établir des priorités. Le gouvernement avait des tas d'ennuis à l'époque, surtout avec les États-Unis, si bien que le Brésil ne faisait pas partie de ses priorités et il a fallu attendre longtemps avant qu'il reconnaisse l'importance de ce dossier[24].»

Le Canada n'avait jamais défendu sa situation commerciale par la force, lui préférant un pouvoir discret et des solutions diplomatiques. «Avec certains pays, cette tactique est efficace, dit Allaire; mais d'autres y voient un signe de faiblesse. Je crois que le Brésil est un pays plutôt énergique, et je ne pense pas qu'il aurait abandonné la partie si nous n'avions pas été aussi déterminés et méthodiques dans notre façon d'approcher l'OMC.»

Allaire préférait collaborer avec les vrais décideurs à Ottawa : les sous-ministres, les sous-ministres adjoints, les directeurs généraux. Il préparait des exposés à leur intention, de façon à bien leur expliquer comment étaient subventionnés les clients d'Embraer. Quand il avait ainsi préparé le terrain, il entrait en contact avec les ministres. Il savait qu'il était inutile de tenter de convaincre un ministre si les fonctionnaires du ministère n'avaient pas eux-mêmes une excellente maîtrise du dossier. «Je dois dire que, dès que le ministère des Affaires étrangères et du Commerce international eut décidé de s'en mêler, les gens d'Ottawa ont fait un excellent boulot[25].»

Le poids politique de Bombardier à Ottawa était énorme, mais tenter d'obtenir que le gouvernement se mêle du dossier comportait certains risques. Quels que soient les mérites des processus d'examen de l'OMC, ils traînaient en longueur. Et tandis que le cas Embraer se frayait un chemin dans le dédale de la bureaucratie du commerce, Embraer continuait d'attirer de nouveaux clients et de gruger la part de marché de Bombardier.

Au début, Ottawa opta pour la manière douce et le dialogue dans le but de convenir d'un arrangement à l'amiable. Mais le Brésil était beaucoup plus intéressé à parler des ententes «de bienveillance» que Bombardier avait conclues avec TPS et EDC que de ses propres transgressions. Le premier ministre Jean Chrétien rencontra le président brésilien Fernando Henrique Cardoso afin de discuter de leur différend. Ils optèrent pour la médiation et nommèrent des envoyés spéciaux chargés de conclure une entente. Le conflit entre Bombardier et Embraer avait déjà eu des répercussions sur les relations commerciales du Canada, anéantissant tout espoir d'un accord de libre-échange avec le Mercosur (une union douanière entre l'Argentine, le Brésil, le Paraguay et l'Uruguay). Bien vite, il apparut clairement que les efforts de médiation pour mettre fin au litige allaient échouer.

En mai 1998, les envoyés des deux pays – l'ancien ministre libéral Marc Lalonde et le représentant brésilien Luis Olavio Baptista – formulèrent leurs recommandations : celles-ci demandaient que les deux pays mettent fin à toute intervention financière dans leur industrie aéronautique respective. «De toute évidence, la qualité et le prix de leurs produits leur permettent de soutenir la concurrence», conclut ce rapport. Il demandait un arrêt provisoire des appuis financiers des deux gouvernements et proposait de nouveaux points de référence fondés sur le prix courant des aéronefs pour l'évaluation des subventions à l'industrie aéronautique. Les envoyés demandèrent aussi la signature d'un accord bilatéral entre le Canada et le Brésil, fondé sur les règlements de l'Organisation de coopération et de développement économiques (OCDE). Un moniteur-contrôleur veillerait à l'application de cet accord et aurait la capacité de procéder à une vérification des activités d'exportation des deux parties[26].

Le Canada approuvait cette solution du moment que l'accord bilatéral respectait les règlements de l'OCDE. Mais le Brésil s'y opposait pour des raisons évidentes : le consensus de l'OCDE sur les subventions à l'aéronautique aurait neutralisé son programme ProEx. Embraer n'aurait pas été en mesure d'offrir à ses clients une telle bonification des taux d'intérêt. Le Brésil justifia son refus en invoquant son statut particulier de pays en développement : il soutenait que les lois du commerce international devraient lui accorder un délai plus long pour qu'il puisse se conformer aux pratiques commerciales établies. Dans l'hypothèse la plus optimiste, cette allégation était suspecte, ainsi qu'allait le démontrer l'OMC.

Manifestement, les Brésiliens n'étaient pas enclins à faire des compromis. Ce n'était pas en vain qu'ils résistaient aux offres du Canada : ce qu'ils percevaient comme des mesures de rétorsion et une campagne d'intimidation les rendait furieux. La colère d'Embraer provenait surtout de ce que Bombardier avait décidé d'annuler une commande d'avions-écoles militaires Tucano. Bombardier, qui avait besoin d'avions-écoles pour le Programme d'entraînement en vol de l'OTAN, avait précédemment convenu d'acheter les Tucano brésiliens. Quand la guerre éclata avec Embraer, cette commande de 80 millions de dollars fut une des premières victimes.

En juillet 1998, on sortit les gros canons. Les deux pays saisirent l'OMC d'une plainte officielle l'un contre l'autre. Le Canada accusa le Brésil d'offrir des réductions illégales sur ses ventes d'appareils grâce au programme ProEx. Un fonctionnaire du ministère des Affaires étrangères et du Commerce international nia pour sa part que le gouvernement agissait dans l'intérêt de Bombardier. « Il est juste d'affirmer que ce litige a pour but de protéger la totalité de l'industrie aéronautique canadienne, dit-il. Certes, Bombardier est le plus important avionneur canadien, mais 400 entreprises et 60 000 emplois sont en jeu. » Embraer répliqua en déposant pas moins de cinq plaintes contre le Canada, qui concernaient principalement le prêt de 87 millions de dollars consenti à Bombardier par PTC et l'aide au financement en provenance d'EDC. « Le gouvernement fédéral et le gouvernement du Québec ont injecté des milliards de dollars dans Bombardier depuis cinq ans », soutint un porte-parole d'Embraer[27]. Pendant ce temps, le Brésil continuait de revendiquer son statut de pays en développement et de vanter l'héroïsme dont il faisait preuve puisqu'il se mesurait aux géants mondiaux de l'aéronautique en dépit de son handicap.

Envahis par la frustration, les spécialistes du commerce international qui tentaient d'évaluer les revendications rivales s'arrachaient les cheveux. « Qu'ils aillent au diable ! » lança Michael Hart, du Centre de droit et de politique commerciale de l'Université Carleton. « Ils sont coupables l'un et l'autre. Ils ont la main dans le tiroir-caisse depuis si longtemps qu'il est très difficile d'y voir clair[28]. »

Tout porte à croire que la culpabilité amoindrit le jugement. Quand l'OMC rendit sa décision en mars 1999, les deux adversaires se partagèrent la victoire. D'une part, le Canada fut victorieux parce que ProEx fut déclaré illégal et parce qu'il fut interdit au Brésil de revendiquer un quelconque statut particulier de pays en développement. D'autre part, deux décisions réjouirent le gouvernement brésilien : premièrement, les subventions à l'exportation de PTC furent déclarées illégales ; ensuite, l'opaque Compte du Canada d'EDC, soit le programme où puisait le gouvernement fédéral pour financer des projets que même EDC ne pouvait toucher, se vit interdire le soutien à l'exportation des avions régionaux.

Ces décisions auraient dû signaler la fin de toute l'affaire. En réalité, cela ne faisait que commencer.

CHAPITRE 15

L'heure de rendre des comptes

Mauricio Botelho était un homme très ambitieux. Le chef de la direction d'Embraer n'était pas satisfait de se mesurer à Bombardier, il voulait aussi faire mordre la poussière à des géants tels que Boeing et Airbus. Il voulait hisser fièrement le drapeau brésilien dans le ciel de l'industrie aéronautique pour que le monde entier le voie flotter. Certes, une passion nationaliste pour l'industrie aéronautique brésilienne coulait dans les veines de Botelho, mais quand il prit ses fonctions chez Embraer en 1995, il axa l'entreprise sur les marchés internationaux. C'était un homme pratique ; il n'ignorait pas qu'Embraer devrait se doter d'un plan d'affaires sur mesure si elle voulait triompher des géants de l'industrie.

Embraer dut prendre des décisions majeures quant à sa gamme de produits. Ses jets régionaux de 37 et 50 sièges concurrençaient les avions à fuselage allongé de 50 et 70 sièges mis au point par Bombardier. Les Brésiliens étaient d'avis que les transporteurs voulaient avoir accès à un plus grand choix d'appareils, notamment à un avion possédant une capacité de 90 passagers ou plus.

Mais le marché était de plus en plus encombré. Airbus construisait un petit avion à réaction, le A319. Boeing mettait au point un avion à réaction de 110 sièges, le 717. Un consortium américano-allemand, Fairchild Dornier, venait lui aussi d'entrer dans la danse avec un 32 places et planifiait le développement d'une famille d'aéronefs pouvant transporter jusqu'à 100 passagers. Pour qu'Embraer se mesure à de tels adversaires, elle n'avait pas le choix de faire un investissement considérable et risqué dans le design et la construction d'une toute nouvelle famille d'aéronefs.

Les ERJ déjà en service étaient des versions allongées du turbopropulseur Brasilia, mais leurs réacteurs étaient montés sur le fuselage arrière. Embraer souhaitait reléguer ce design aux oubliettes et installer les réacteurs à l'avant des ailes dans le but d'accroître le confort des passagers. En appliquant de nouvelles technologies, ses ingénieurs avaient dessiné une famille d'avions à réaction de 70, 98 et 108 places. Le concept de famille de produits s'appuyait sur le fait que les lignes aériennes appréciaient le principe de convergence ; il était plus économique, et plus facile pour les pilotes et les équipes de soutien technique, que les appareils présentent des caractéristiques communes. Lorsque l'avionneur réalisait sa première vente, il pouvait pratiquement remplir son carnet de commandes avec des livraisons d'avions du même type.

Mais Embraer n'était pas en mesure d'entreprendre seule un tel projet évalué à environ un milliard de dollars. Pour cette jeune compagnie privatisée depuis quelques années à peine, c'était une décision financière lourde de conséquences. Maintenant qu'elle était autonome et qu'elle n'avait plus accès à l'argent de l'État, elle devait se débrouiller seule pour mettre sur pied son programme d'avions à réaction. « Nous nous sommes tournés à 100 pour 100 vers le marché, dit Henrique Costa Rzezinski, le vice-président aux relations extérieures d'Embraer. Nous avons décidé de faire un premier appel public à l'épargne de 380 millions de dollars par l'entremise de la Bourse de New York et de la Bourse de São Paolo. Nous avons ensuite affecté au projet des ressources financières puisées dans nos fonds autogénérés. Enfin, nous avons obtenu 250 millions de nos associés dans le partage du risque, qui ont avancé aussi les sommes nécessaires à l'élaboration du projet. » Dans un clin d'œil à Bombardier, il ajouta : « Nous n'avons pas reçu un cent des contribuables[1]. »

Quand il fut décidé d'aller de l'avant, Embraer s'associa à 10 entreprises afin de partager le risque, notamment General Electric pour les moteurs à réaction, Honeywell pour le panneau de commande d'habitacle, et Kawasaki Heavy Industries pour les éléments des ailes. Environ 600 ingénieurs furent affectés au programme, dont la moitié provenait de chez Embraer et les autres de fournisseurs américains, espagnols et japonais. L'accès au Web permit aux ingénieurs de concevoir en ligne le design des appareils, ce qui contribua à ramener à 38 mois la phase de développement, alors que l'avion original de 50 sièges avait nécessité 60 mois de développement[2]. La certification des nouveaux appareils se fit attendre, mais le jour vint où les transporteurs qui en avaient fait l'acquisition ne tarirent pas d'éloges. Les avions, dotés de cabines plus spacieuses que ceux de Bombardier, présentaient l'aspect et la convivialité d'avions de plus grande dimension.

Bombardier aussi s'était interrogée sur l'opportunité d'ajouter un modèle d'avion plus grand à sa gamme de produits. Beaucoup de travaux d'ingénierie et de design avaient été consacrés à la conception d'un avion à réaction d'une capacité de 115 passagers. Tout comme les avions d'Embraer, il devait s'agir d'un modèle tout à fait nouveau et faisant appel à une technologie de pointe. Pendant quelque temps, tout semblait engagé dans la bonne voie. Le BRJ-X fut annoncé avec éclat au salon international de l'aéronautique de Farnborough en 1998. Mais deux ans plus tard, confrontée à un investissement potentiel d'un milliard de dollars qui aurait alourdi son bilan de dettes supplémentaires, Bombardier fit marche arrière. Une solution plus rapide et plus économique consistait à étirer encore un peu le fuselage du bon vieux Challenger de 70 sièges de Harry Halton pour le doter d'une capacité de 86 passagers. Cette décision fatidique fit économiser du temps et de l'argent à Bombardier, mais Embraer remplissait néanmoins son carnet de commandes. Chez Bombardier les rabat-joie se perdaient en conjectures : on ne se bousculerait guère au portillon pour acheter les avions de 86 sièges de Bombardier. Leur technologie était désuète et les passagers auraient l'impression d'être assis dans un tube de cigare.

De la part d'Embraer, aucune hésitation. «Notre décision était aux antipodes de la leur. Selon nous, le marché réclamerait un produit plus efficace», dit Rzezinski. Les gens d'Embraer prévirent que les transporteurs voudraient des avions plus petits, aux coûts d'exploitation plus faibles, et ils en tinrent compte dans leur design. «Nous avions aussi compris qu'un confort accru représenterait un facteur très important[3].»

La stratégie du Brésil fut, en partie, d'essayer de gagner du temps auprès de l'OMC afin de perpétuer le plus longtemps possible ses modes de financement. Ainsi, Embraer pourrait gruger la part de marché de Bombardier et grossir son carnet de commandes pour sa nouvelle famille d'avions. Les procédures d'attente s'enclenchèrent dès après la première décision de l'OMC en 1999. Au lieu de changer quoi que ce soit au fonctionnement de ProEx, le Brésil en appela de la décision. Quand il fut débouté de son appel, il n'apporta que des modifications de surface à son programme. Un diplomate brésilien haut placé confirma cette stratégie dans un entretien qu'il accordait en janvier 2001. « Le statut illégal de ProEx était connu dès le départ », déclara-t-il à l'organe de presse brésilien *Valor*. Le gouvernement « renvoya l'affaire à plus tard pendant des années, si bien que ProEx poursuivit ses activités et permit à l'entreprise de consolider sa situation sur le marché international ».

Afin de donner une illusion de conformité, le Brésil mit sur pied ProEx 2 – deuxième épisode, mais les critiques furent tout aussi mauvaises que pour le premier. Dans cette version remaniée, la bonification du taux d'intérêt passait de 3,8 points de pourcentage à 2,5, mais tous les autres mécanismes restaient en place. Le Canada soutint aussitôt que ce programme révisé ne respectait pas les lois du commerce. Il déposa une nouvelle plainte auprès de l'OMC dont la décision encore une fois ne favorisait pas le Brésil et le prévenait d'ajuster ses taux d'intérêts aux critères du marché.

L'un de ces critères était le consensus de l'OCDE concernant le crédit à l'exportation. Des économistes et des spécialistes du commerce s'étaient évertués longtemps à établir des points de référence qui leur permettraient de mesurer les uns aux autres les modes de financement au rabais de différents pays. L'OCDE établit un taux de référence équivalant à un point de pourcentage au-dessus du taux de rendement des obligations du Trésor américain. En pratique, en vertu du premier programme ProEx, une ligne aérienne ayant une mauvaise cote de crédit pouvait bénéficier d'une réduction supérieure à 3,8 points. Au bout du compte, un transporteur pouvait emprunter des sommes au Brésil à un taux très au-dessous de celui du marché de l'industrie aéronautique américaine. « Ce taux était remarquable », se remémore Michael McAdoo, de Bombardier. Dans les faits, le taux d'intérêt était le même pour toutes les lignes aériennes clientes d'Embraer, que leur cote de solvabilité soit bonne ou mauvaise[4].

Les membres de la direction de Bombardier commençaient à manquer d'air. Soutenue par ProEx, Embraer continua d'accumuler des commandes gigantesques de la part des transporteurs : de Cross

Air en 1999, une commande de 1,5 milliard de dollars pour 75 appareils; de Continental, au début de 2000, une commande valant près de 2 milliards pour 109 appareils et, la même année, une commande supplémentaire pour 65 appareils; d'American Airlines, une commande de 1,4 milliard pour 72 appareils. En tout et pour tout, Embraer réalisa la vente de 604 appareils pour une valeur totale de 12 milliards pendant que les processus d'évaluation de l'OMC traînaient en longueur.

Ces démarches eurent des conséquences phénoménales sur la part de marché de l'entreprise. En 1996, 26 pour 100 seulement des nouvelles commandes revenaient au nouveau venu brésilien, soit beaucoup moins qu'à Bombardier qui en raflait 53 pour 100. En 2000, il y avait eu un revirement complet de situation. Embraer avait maintenant 54 pour 100 du marché, et Bombardier 34 pour 100 à peine. Ce revirement s'était produit dans un marché en pleine expansion; pour l'ensemble de l'industrie, les commandes étaient passées du simple au double, soit de 336 appareils en 1996 à 686 appareils en 2000. Les Brésiliens coupaient l'herbe sous le pied de Bombardier et accentuaient de plus en plus l'avance que leur procuraient des modes de financement jugés illégaux.

«Imaginez un processus qui s'étire pendant quatre ou cinq ans au cours desquels l'OMC vous concède quelques victoires mais où vous perdez du terrain», dit McAdoo. Depuis la mise en vigueur de ProEx, le Brésil avait des commandes confirmées pour plus de 1 000 aéronefs et il avait engagé 3,7 milliards de dollars en bonification d'intérêts pour financer ces ventes. La chose à faire était de déclarer ces contrats nuls et non avenus, et c'est précisément ce que l'OMC s'évertuait à faire. Quand ProEx fut déclaré illégal, le comité de l'OMC dit au Brésil: «Eh bien, les gars, allez démonter vos montages financiers.» Mais Embraer répliqua: «Impossible, ce sont des ententes commerciales. À l'avenir, nous procéderons autrement, mais ce qui est passé est passé.»

Il y avait là de bonnes raisons de ne plus accorder foi au droit commercial international. «Le processus de révision de l'OMC, déplore McAdoo, est sans effet dans une industrie où de gigantesques contrats pour d'énormes volumes de production sont en jeu. Ce n'est pas comme dans l'industrie automobile qui met des véhicules sur le marché jour après jour. Si vous perdez un peu de votre marché, vous le récupérez très vite. Nous parlons de très grosses commandes qui risquent de ne pas vous être rendues si vous les perdez. Non seulement la commande vous échappe, mais vous risquez aussi que ces transporteurs ne s'approvisionnent plus chez vous pour alimenter leurs flottes[5]. »

Fin 2000, Bombardier transmit un message urgent à Ottawa : le Canada devrait faire des choix politiques importants dans le secteur aéronautique. Le Brésil persistait à défier les décisions de l'OMC et, ce faisant, à saper l'existence même d'un système commercial international fondé sur des règles précises. Si des pays délinquants pouvaient violer impunément les règles de l'OMC, cela voudrait dire un retour à la loi de la jungle en matière de commerce international. Qu'est-ce que le gouvernement fédéral avait l'intention de faire pour mettre fin à ces abus ? Si le Brésil continuait à avoir la partie belle, le Canada serait forcé d'assumer des pertes d'emploi et son industrie aéronautique subirait des dommages sans doute irréparables.

Mais il était difficile pour le Canada d'endosser de façon convaincante le rôle de victime. On pouvait certes avancer que le succès d'Embraer était dû en partie à sa gamme supérieure de produits. En outre, le Canada avait lui aussi été surpris à plonger la main dans la tirelire. L'OMC en avait conclu que PTC était illégal, car il s'agissait d'un programme d'aide aux exportations. Le recours au Compte du Canada pour le financement des ventes d'aéronefs avait aussi été descendu en flammes par l'organisation internationale. Et les prêts de quelques milliards bénéficiant d'un soutien public qu'EDC avait consentis à Bombardier avaient pu être offerts parce qu'EDC avait pu financer ses opérations à peu de frais grâce à la cote de crédit du Canada. À ce compte-là, les Brésiliens n'avaient pas tort de porter plainte.

« EDC emprunte au taux créditeur du Canada, qui équivaut à la moitié du taux d'intérêt créditeur du Brésil, signale Rzezinski, d'Embraer. EDC n'est pas tenue de dégager des bénéfices, mais si elle réalise des profits, elle ne verse pas de dividendes et elle ne paie pas d'impôts. En principe, le Brésil et les autres pays en développement peuvent faire de même. Mais compte tenu des coûts d'emprunt élevés que doivent assumer les gouvernements de ces pays, ils seraient perdants chaque fois puisque, pour offrir des termes équivalents à ceux que peuvent offrir des pays comme le Canada, il leur faudrait prêter cet argent à un taux d'intérêt largement inférieur à celui qu'ils doivent payer eux-mêmes pour l'obtenir. » Le Canada pouvait s'en tirer uniquement parce que l'OCDE – ce club des pays riches – le permettait. Rzezinski déplorait également que le Brésil ne puisse pas concurrencer les garanties d'endettement et d'actif que les gouvernements du Canada et du Québec offraient aux clients de Bombardier, car la cote de solvabilité du Brésil était loin d'équivaloir la leur[6].

L'ironie du sort voulut que les personnes qui désapprouvaient les appuis du fédéral à Bombardier commencèrent à prêter une oreille sympathique au Brésil. Un analyste qui suivait la compagnie remarqua que pareille chose n'était possible qu'au Canada. « Les Canadiens ont beau être fiers, ils ne sont jamais satisfaits de leurs réussites. Ils ne veulent pas crier sur tous les toits "Nous sommes canadiens et nous avons du succès". Et ils déplorent toujours que le gouvernement vienne en aide à une entreprise prospère. Résultat : ils se rangent du côté des Brésiliens. N'est-ce pas inconcevable que le Brésil soit le bon et le Canada le méchant ? On parle d'emplois, on parle de prospérité. Mais les Canadiens pourfendent le gouvernement parce qu'il veut favoriser un tel succès[7]. »

Certes, l'argument en faveur d'Embraer ne fut pas accueilli avec beaucoup d'enthousiasme à Ottawa où Bombardier poussait le gouvernement à réagir. Deux options se présentaient : d'une part, user de rétorsion envers le Brésil pour non-conformité à la loi ; l'OMC avait déjà autorisé une surtaxe sur les produits brésiliens importés au Canada jusqu'à concurrence de 1,4 milliard. D'autre part, le Canada pouvait aligner ses activités sur celles de ProxEx, même si cela signifiait enfreindre le règlement et risquer de provoquer la colère de l'OMC.

Recourir à des mesures de rétorsion sur les importations brésiliennes était une stratégie dangereuse, puisqu'il aurait fallu que le Canada impose une surtaxe sur des produits de consommation courante comme les oranges, le café ou les chaussures, surtaxe qui aurait affecté les consommateurs canadiens sans pour autant pénaliser Embraer. Selon Michael McAdoo, de Bombardier, « Ces mesures auraient été inefficaces. C'est là une faille majeure du processus de l'OMC. » Un pays comme le Canada commerçait relativement peu avec le Brésil ; à cette époque, contrairement aux États-Unis et à l'Union européenne, il n'achetait pas d'avions d'Embraer. Pour voir clair dans tout cela, imaginons que Bombardier ait eu son siège social aux États-Unis plutôt qu'au Canada. Washington aurait alors pu imposer 1,4 milliard de dollars de tarifs douaniers sur les importations américaines d'avions à réaction Embraer. Les Américains auraient pu atteindre Embraer en plein cœur avec une précision exemplaire et nuire considérablement à l'entreprise brésilienne sur son marché le plus important. Embraer aurait aussitôt mis fin à ses pratiques et le problème aurait été réglé. Malheureusement, le Canada ne disposait pas d'un tel pouvoir.

Le gouvernement envisagea donc d'aligner ses activités sur celles de ProEx en mettant sur pied son propre système de financement à rabais. Cette tactique était déloyale, mais sans doute beaucoup plus efficace, puisqu'elle visait directement l'entreprise délinquante. En outre, elle ne pénalisait pas les consommateurs canadiens, et quelques taloches bien placées inciteraient peut-être le Brésil à négocier un compromis. « Ce choix s'est révélé beaucoup plus efficace, dit McAdoo ; beaucoup plus efficace que des mesures de rétorsion, parce qu'il permettait même de faire obstruction à une vente d'Embraer. Il ne fallait pas attendre que le cheval soit sorti de l'écurie pour en fermer la porte, il fallait la verrouiller tout de suite[8]. »

Restait à savoir si cette stratégie était légale ou non. Personne n'avait encore mis ce type d'alignement à l'épreuve devant l'OMC. L'OMC n'ayant pas, au moment de sa création, de section régissant les subsides et les mesures compensatoires – c'est-à-dire les procédures engagées par un pays contre un autre pays par lequel il s'estime lésé – il avait intégré le consensus de l'OCDE concernant le crédit à l'exportation à l'Accord sur l'OMC. Tous les pays étaient signataires de cet accord, y compris le Brésil. Bombardier soutint que le consensus de l'OCDE entérinait sa politique d'alignement. « On peut mettre en garde un pays contre un alignement possible si l'on juge qu'il outrepasse les bornes de ce que permet l'OCDE », soutient McAdoo.

La question allait bientôt être soumise au Conseil des ministres. Bombardier et Embraer participaient toutes deux aux appels d'offres de deux transporteurs américains : Air Wisconsin et Northwest. Pour que Bombardier l'emporte, il lui fallait à tout prix miser sur le Compte du Canada pour égaler l'offre au rabais d'Embraer.

Les deux entreprises se livraient bataille dans la petite ville d'Appleton, au Wisconsin, où était situé le siège social d'Air Wisconsin, un affilié régional de United Airlines. Avec sa flotte de 45 aéronefs, y compris 6 avions régionaux de Canadair, Air Wisconsin était en affaires depuis 1965 et desservait 40 villes à partir des aéroports pivots de United à Chicago et à Denver. En janvier 2001, sa liste d'emplettes était impressionnante : 75 jets régionaux et des options sur 75 appareils supplémentaires, le tout pour une valeur de quelque 3 milliards de dollars.

Bombardier avait besoin de ce contrat et croyait bien l'avoir gagné jusqu'à ce qu'Embraer présente en toute dernière minute une autre offre de ProEx. Bombardier dut réagir très vite. Yvan Allaire et son équipe firent pression sur Pierre Pettigrew, alors ministre du Commerce international, pour qu'EDC mette à leur disposition un financement rigoureusement équivalent à celui du Brésil. Pettigrew soumit leur requête aux membres du Conseil des ministres, et tant Jean Chrétien que le ministre des Finances Paul Martin examinèrent le dossier[9].

Deux jours plus tard, ils approuvaient un prêt de 2 milliards de dollars à Air Wisconsin, tiré sur le Compte du Canada. Ceux qui croyaient que les rouages du gouvernement tournaient au ralenti n'avaient pas tenu compte de l'étroitesse des relations entre Bombardier et le Bureau du premier ministre. On savait que Bob Brown était un admirateur de Jean Chrétien pour qui il avait travaillé au ministère de l'Industrie. Le ministre responsable du lancement du Challenger de Canadair était alors Jean Chrétien. Lorsque Brown était au Conseil du Trésor, le bureau d'un collègue du nom d'Eddie Goldenberg voisinait le sien. Bien entendu, Goldenberg devint le principal conseiller de Chrétien au Bureau du premier ministre (BPM). Or, quand Bombardier se trouva dans une position critique au moment de l'appel d'offres d'Air Wisconsin – et plus tard de Northwest Airlines – Brown appela son vieux copain Goldenberg et ce dernier s'engagea verbalement, dans chaque cas, pour environ deux milliards de dollars.

Pour se garder d'une contestation toujours possible de l'OMC, des diplomates canadiens se rendirent au siège social d'Air Wisconsin et exigèrent que le vice-président directeur de la ligne aérienne leur remette une lettre stipulant que la proposition canadienne dans son entier n'était ni plus ni moins favorable que celle du Brésil. Embraer avait offert à Air Wisconsin un taux d'intérêt à un point de pourcentage au-dessus de celui des obligations du Trésor américain ? Le Canada ferait de même.

Le ministre de l'Industrie Brian Tobin rendit cette décision publique en s'enveloppant dans son manteau de défenseur de la patrie, comme lorsqu'il avait soumis à sa volonté des chalutiers espagnols qui se rendaient coupables de pêche illégale au large des côtes de Terre-Neuve. Pour expulser les Espagnols, Tobin avait eu recours à la politique de la canonnière, et voilà qu'il employait les mêmes méthodes. « En tant que pays, dit-il, nous n'avons pas l'intention de nous laisser supplanter, ni d'accepter que, par des pratiques commerciales déloyales, on nous chasse du marché tout simplement parce que le Brésil aura choisi d'enfreindre les règlements de l'OMC[10]. »

Dans certains cercles, on réagit vivement à cette intervention. Le regard toujours tourné vers l'aide dont bénéficiait Bombardier, l'Alliance canadienne jugea que cette décision créait un précédent pernicieux qui risquait d'encourager d'autres groupes, notamment les agriculteurs canadiens, à solliciter un soutien accru auprès des gouvernements afin de contrebalancer la générosité des pays concurrents envers leurs industries. Terence Corcoran, journaliste au *Financial Post* et critique acerbe du parasitisme d'entreprise, écrivit : « Le marché de l'industrie aéronautique est au cœur d'un système mondial de subventions frauduleuses. L'Europe a subventionné Airbus à coups de milliards ; les États-Unis cautionnent les emprunts des clients de Boeing ; les fabricants de pièces d'aéronefs du monde entier jouissent tous d'un soutien quelconque de l'État. » Corcoran souligna que Bombardier en était réduite à quémander l'aide du gouvernement à un moment où le dollar canadien – qui ne valait que 65 cents – aurait dû suffire amplement à lui donner un avantage concurrentiel[11].

Air Wisconsin acheta ses appareils de Bombardier avec l'aide supplémentaire du gouvernement du Québec qui injecta 226 millions de dollars en garanties de placement. Quelques semaines plus tard, le Brésil porta plainte auprès de l'OMC, alléguant qu'Ottawa offrait du financement à un taux inférieur au taux du marché et que c'était la raison pour laquelle Embraer avait perdu le contrat. Le Canada semblait bien tourner le dos à la loi. On eût dit, cependant, que les gens de Bombardier ne s'en inquiétaient pas outre mesure, car la décision du gouvernement leur était indispensable pour freiner le rétrécissement de leur part de marché. « Si nous n'avions pas offert une proposition équivalente à Air Wisconsin, dit McAdoo, notre part de marché, qui avait chuté à 26 pour 100, aurait poursuivi son érosion. Mais grâce à cet alignement et compte tenu du fait que la commande d'Air Wisconsin était de 150 appareils, nous avons repris notre avance. Depuis, notre situation s'est stabilisée[12].»

Les deux pays s'apprêtaient encore à croiser le fer devant l'OMC et les relations entre le Canada et le Brésil s'étaient détériorées à nouveau. La querelle des subventions trouva écho dans un méchant affrontement diplomatique au sujet de la viande bovine. Quelques semaines après la joute pour le contrat d'Air Wisconsin, le Canada imposa un embargo sur les produits du bœuf importés du Brésil – surtout le bœuf de conserve – en raison d'un manque présumé de mesures de protection contre la contamination. La menace mondiale d'une maladie de dégénérescence du cerveau, l'encéphalopathie bovine spongiforme – ou maladie de la vache folle – avait ébranlé le secteur mondial de l'élevage bovin. La maladie s'était d'abord répandue en Europe, et bien que le Canada ait interdit les importations de viande bovine des pays affectés, le Brésil avait continué à importer du bœuf européen et Santé Canada s'était plaint de ce que le Brésil n'avait pas répondu aux demandes du Canada de lui faire part, documents à l'appui, des précautions qu'il prenait[13].

Les porte-parole du gouvernement soutinrent que cette décision relevait uniquement de la santé et de la sécurité nationales et qu'elle n'avait rien à voir avec d'autres enjeux, telles les subventions à l'industrie aéronautique, mais ces déclarations furent accueillies avec scepticisme. Il n'y avait pas eu de foyer de la maladie de la vache folle au Brésil, où les élevages bovins ne consommaient pas des aliments pour animaux mais l'herbe des pâturages. «Cela n'a rien à voir avec l'innocuité du bœuf brésilien», rétorqua un fonctionnaire du ministère de l'Agriculture du Brésil. «Le bœuf brésilien est parfaitement sécuritaire.» Les enjeux étaient faibles pour le Canada – les importations de bœuf de conserve brésilien totalisaient quelque 10 millions de dollars à peine par an – mais les dommages potentiels qu'un tel embargo pouvait infliger au Brésil étaient manifestes. En tant que membres de l'ALENA, les États-Unis et le Mexique étaient forcés d'adhérer à l'embargo canadien[14]. D'un seul coup, le Canada avait privé le Brésil de plus du dixième de son marché d'exportation de bœuf, évalué à 800 millions. Furieux, les Brésiliens jurèrent de prendre leur revanche[15]. Entre-temps, des manifestations éclatèrent contre le Canada. Au cours d'une de ces manifestations, on livra une vache « folle » de 225 kilos à l'ambassade du Canada.

Pour Henrique Costa Rzezinski, d'Embraer, l'affaire marqua un point tournant. « Le Brésil avait toujours beaucoup admiré le Canada, dit-il, et avec raison. La société canadienne avait atteint un haut niveau de développement capitaliste, mais elle était aussi très préoccupée de justice et son système capitaliste n'excluait pas une certaine social-démocratie. Voilà quelle était notre opinion générale du Canada. Mais ce point de vue a changé radicalement lors du conflit entre nos deux pays, principalement au moment de l'affaire de la vache folle. L'image du Canada au Brésil a beaucoup souffert de cela. Pour le peuple, le Canada faisait appel à une *realpolitik* extrêmement brutale. Et elle avait tout à voir avec la question des avions ; ce n'était un secret pour personne[16]. »

Les débardeurs des plus grands ports du Brésil refusèrent de décharger les conteneurs en provenance du Canada. Les restaurants refusèrent d'entreposer des aliments et des boissons fabriqués au Canada. Il fut aussi question de boycotter les entreprises canadiennes qui transigeaient avec le Brésil. « Le pays tout entier souffre dans sa fierté, dit un dirigeant syndical à cette époque. Le pays n'avait pas été aussi uni depuis la fin de la dictature militaire en 1984. » Le Canada entra en gestion de crise. S'efforçant de trouver une issue, Ottawa envoya une équipe d'inspecteurs au Brésil dans le but d'évaluer ses méthodes de transformation alimentaire et, environ deux semaines plus tard, l'embargo était levé. Mais les relations entre les deux pays s'étaient envenimées.

Lorsque l'OMC donna le coup d'envoi aux audiences sur les griefs du Brésil concernant le contrat entre Air Wisconsin et Bombardier, une autre commande importante d'aéronefs montra son nez. Northwest Airlines, un transporteur basé à Minneapolis, désirait acquérir 75 avions régionaux et prendre des options sur des appareils supplémentaires, le tout pour une valeur de 2,25 milliards de dollars. Embraer proposa encore une fois un prêt ProEx, que Bombardier devrait égaler pour que le contrat ne lui file pas entre les doigts. Encore une fois, après un coup de fil à Bob Brown, la société montréalaise soumit son projet au Conseil des ministres et sollicita des fonds du Compte du Canada. Les contributions d'EDC à l'aéronautique avaient plafonné, et, comme cela avait été le cas pour Air Wisconsin, le financement ne pouvait maintenant provenir que du compte d'exploitation du gouvernement fédéral.

En juillet 2001, le ministre du Commerce Pierre Pettigrew confirma que le Compte du Canada financerait 80 pour 100 de la transaction avec Northwest, pour une valeur de 1,8 milliard. « Ce n'était pas notre stratégie de premier choix [;] ces deux transporteurs (Northwest et Air Wisconsin) sont très prospères », signala-t-il. Mais le Canada avait décidé qu'il fallait mettre un terme aux avantages illégaux » dont le Brésil tirait parti[17]. Cette fois encore les diplomates canadiens s'abritèrent derrière une lettre du transporteur qui affirmait que les conditions de sa transaction avec Bombardier correspondaient à celles qu'avait offertes le Brésil.

Cet échange de coups sembla produire des résultats. « Le gouvernement du Canada croit que le Brésil s'est approché de la table de négociations uniquement parce que nous avons égalé leurs deux propositions, dit McAdoo. Si cela n'avait pas été le cas, l'affaire traînerait encore devant la commission de l'OMC. Nous leur avons dit : "Écoutez, les gars, si vous persistez, n'allez pas croire que nous allons nous contenter de gagner à Genève et de perdre notre marché. Il faut que ça cesse." »

Mais le Canada avait perdu sa supériorité morale et juridique. Les Brésiliens remportèrent une importante victoire quand l'OMC décréta que les activités de ProEx 3 étaient légales. Le Brésil pouvait donc continuer à prêter de l'argent à un point de pourcentage au-dessus du taux d'intérêt des obligations du Trésor américain, du moment qu'il adhérait aux règles de base de l'OCDE concernant les prêts à l'exportation (un terme de dix ans, le paiement de frais d'emprunt par le bénéficiaire du prêt, et un ratio prêt/garantie de 85 pour 100). Pis encore, quand la commission de l'OMC à Genève rendit enfin sa décision sur le cas Air Wisconsin, celle-ci fut brutale pour le Canada. L'alignement ne pouvait être retenu comme mesure de rétorsion contre le Brésil ou pour forcer un pays à se conformer aux règlements de l'OMC.

Toute l'affaire était centrée sur la lettre que le Canada avait obtenue d'Air Wisconsin et qui disait en essence : « Voici en quoi consistent les dispositions législatives en ce qui a trait à ProEx, voici en quoi consiste l'offre du Canada, qui répond aux normes de ProEx. On voit bien que tout est conforme. » À Genève, quand la commission demanda ensuite au Brésil de produire sa soumission à Air Wisconsin, il s'ensuivit un véritable jeu d'esquive juridique.

Le gouvernement brésilien avait choisi de prendre pour avocat l'un des plus grands spécialistes en droit commercial de Washington, David Palmeter, de la firme Powell & Goldstein. Palmeter, véritable légende dans les milieux du droit commercial, avait littéralement formé l'OMC à la résolution de conflits. Dans leurs efforts pour mener une contre-attaque, les avocats du Canada se présentèrent à l'audience armés d'un livre que l'avocat avait écrit sur la procédure de l'OMC, un livre débordant de papillons adhésifs. Palmeter alléguait que l'offre provenait d'Embraer et que le gouvernement n'avait aucun contrôle sur les actions d'un soumissionnaire privé. Les avocats canadiens désiraient savoir si l'offre d'Embraer avait reçu un soutien public. « Y a-t-il eu une entente selon laquelle le gouvernement substituerait son financement à celui d'Embraer ? » demandèrent-ils. « Non, répondit le Brésil. Nous ne ferions jamais une chose pareille. »

« Bien sûr que non, dit McAdoo ; ce n'est pas ainsi que ça se passe. Quand Embraer signe un contrat, le gouvernement la dépanne parce qu'Embraer n'a pas plus que nous les moyens d'assumer de tels taux de financement. » Le Canada dit : « Très bien. Puisqu'il s'agissait de votre part d'une offre privée, l'offre canadienne l'était aussi. » Mais le Brésil répliqua : « Que votre offre ait été une offre privée ne veut pas dire qu'elle respectait les conditions du marché. » L'affaire prenait des allures de monologue intérieur à la Bill Clinton sur le sens du verbe « être ». Les avocats du Canada s'en arrachaient les cheveux.

En définitive, le Canada perdit sa cause dans l'affaire Air Wisconsin. Ce fut une défaite cuisante pour une nation qui croyait respecter les lois commerciales. Les avocats de Bombardier et du gouvernement fédéral réfléchirent immédiatement à la possibilité d'interjeter appel. « Nos avocats et ceux du gouvernement ont beaucoup débattu cette question, dit McAdoo. Ça ne s'est pas fait tout seul. » Le Canada n'était absolument pas d'accord avec la décision de la commission concernant l'alignement ; et, à vrai dire, tant les États-Unis que l'Union européenne soumirent des mémoires indépendants pour appuyer le recours à l'alignement comme mesure de sanction. Finalement, le gouvernement fédéral choisit de ne pas aller en appel étant donné qu'il avait gagné sa cause sur un certain nombre de points importants. Par exemple, les Brésiliens avaient contesté les garanties d'Investissement Québec dans la transaction avec Air Wisconsin, mais le Canada avait gagné sur ce point et ne souhaitait pas mettre sa victoire en péril.

Compte tenu de la décision au sujet d'Air Wisconsin, le Brésil reçut l'autorisation de prendre des mesures de rétorsion contre le Canada jusqu'à concurrence d'une valeur de 248 millions de dollars. Cette somme était très inférieure à ce qu'avait demandé le Brésil. « Le Brésil avait calculé les dommages subis en se fondant sur le prix de notre appareil tel qu'annoncé dans notre communiqué de presse, dit McAdoo. Mais nous avons répondu que ces communiqués font état du prix de détail, non pas du prix payé. Nous avons demandé à un certain nombre de spécialistes d'intervenir pour confirmer que, sur une commande de cette importance, une remise de 10 pour 100 pouvait s'appliquer. Mais le Brésil a répondu : "Pas question ; c'est le prix indiqué dans le communiqué de presse qui compte." En définitive, le Canada a dit à la commission de l'OMC : "Nous vous ferons voir le contrat, mais nous ne le montrerons pas à Embraer." Le gouvernement du Canada en connaissait le montant exact, mais la commission n'a pas voulu prendre connaissance du contrat. »

C'était sans importance, puisque la commission avait accordé au Brésil beaucoup moins que ce qu'il souhaitait et beaucoup moins que les droits de rétorsion de 1,4 milliard de dollars qu'elle avait consentis au Canada. La réaction du Brésil fut néanmoins optimiste. « En plus de représenter une victoire diplomatique pour le Brésil, la décision de l'OMC nous procure quelques enseignements fort utiles, peut-on lire dans un éditorial du quotidien *Folha de São Paulo*. L'un de ceux-là est qu'à l'OMC un recours traîne suffisamment en longueur pour que certaines politiques portent leurs fruits avant même qu'un jugement ne soit prononcé. Embraer a maintenant acquis une bonne longueur d'avance sur les marchés internationaux et elle ne dépend plus autant de ProEx. » Selon Henrique Costa Rzezinski, la victoire du Brésil faisait enfin la lumière sur l'écart qui séparait au Canada le discours officiel de la réalité.

En définitive, les deux adversaires choisirent de ne pas recourir à des sanctions. Aux yeux du ministre canadien du Commerce, Pierre Pettigrew, cette décision signalait la fin d'une longue bataille juridique à l'OMC, et il espérait que les deux pays « s'efforceraient de négocier un arrêt définitif des hostilités[18]». Un cessez-le-feu serait le bienvenu. Cette guerre commerciale commençait à coûter très cher.

Le coût que durent assumer les contribuables pour que le Canada puisse aligner ses propositions sur celles de ProEx dans les contrats avec Air Wisconsin et Northwest ne furent pas immédiatement visibles. Compte tenu de la structure des prêts du Compte du Canada, le gouvernement pouvait s'attendre à dégager de petits bénéfices. Le coût de son financement était d'environ un demi-point de pourcentage de plus que le taux de rendement des obligations du Trésor américain, tandis que le taux d'intérêt que lui versait le transporteur dépassait celui-ci d'un point. Mais recourir dans ce but au Compte du Canada eut d'énormes conséquences politiques : si les clients de Bombardier, dont la cote de crédit n'était guère reluisante, purent obtenir un financement direct du Parlement, au nom de quoi refuserait-on ce même privilège à d'autres sociétés ou organismes canadiens dignes de confiance ?

Au Brésil, la situation était beaucoup plus complexe. Ainsi que le rappelle Henrique Rzezinski, d'Embraer, le loyer de l'argent est beaucoup plus élevé au Brésil qu'au Canada. Raison de plus pour que l'entreprise cesse d'offrir aux transporteurs des taux d'intérêts très au-dessous de ceux du marché. Pour le Trésor brésilien, une telle pratique est ruineuse. Quoi qu'on ait pensé du soutien que consentait EDC à Bombardier, cette approche avait du sens, financièrement parlant : EDC estimait le risque de crédit et la valeur des appareils sur le marché et, en se fondant sur ces évaluations, consentait un prêt à un taux d'intérêt qui lui permettait de dégager quelques bénéfices.

«Si le Brésil s'était contenté d'offrir du crédit au taux du marché, le problème ne se serait pas posé, dit McAdoo, car on aurait alors dit : c'est leur problème, c'est au gouvernement brésilien de décider s'il veut financer ou non un transporteur commercial.» Et cette option à certaines périodes aurait été parfaitement viable pour le Brésil. «Quand les écarts étaient de 3,5 à 4 pour 100 (au-dessus du taux des obligations du Trésor de 10 ans), l'écart était le même pour bon nombre de lignes aériennes, si bien qu'en prêtant de l'argent ils n'auraient rien perdu. Ça, ça ne nous aurait pas dérangés. Là où nous ne sommes plus d'accord, c'est quand ils décident de porter atteinte aux fondements mêmes de l'économie de marché par des transactions sous les taux du marché[19].»

L'argument creux que faisaient valoir les Brésiliens, à savoir, qu'une coterie de pays riches établissait les règles du jeu, ne pesait pas lourd dans la balance. Le fait est que lorsque l'OMC adopta le consensus de l'OCDE sur le crédit à l'exportation, plus de 100 pays, dont le Brésil, le ratifièrent. «Si le Brésil n'était pas d'accord, il n'avait qu'à ne pas signer», soutient McAdoo. Le statut de pays en développement conférait aussi au Brésil des avantages non négligeables : son taux de change et son taux de salaire favorisaient Embraer aux dépens de Bombardier, du moins pour ce qui est du coût de la main-d'œuvre.

En dépit de ces avantages, le Trésor brésilien préféra consentir de très généreuses bonifications des taux d'intérêt aux lignes aériennes. Selon une étude effectuée pour le compte de Bombardier, les programmes ProEx 1 et ProEx 2 ont coûté près de 5 milliards de dollars aux contribuables brésiliens selon les termes des contrats de location-bail venant à échéance en 2020. Ce calcul n'englobe pas les engagements financiers concernant les nouveaux appareils de 70, 98 et 108 sièges qu'Embraer a récemment vendus.

Il en fut de même de ProEx 3. À l'automne 2003, le coût des emprunts du gouvernement brésilien était supérieur d'environ 7,25 points de pourcentage au taux d'intérêt des obligations de 10 ans du Trésor américain. Pour les transporteurs, le taux d'intérêt était de 4,5 points au-dessus du taux des obligations de 10 ans. Le Brésil aurait pu couper de moitié ses coûts de financement s'il avait choisi de prêter cet argent au taux des lignes aériennes. Mais il préféra les réduire encore davantage et faire profiter les transporteurs d'une bonification supplémentaire de 3,5 points. Selon les calculs de Bombardier, les contribuables brésiliens durent assumer une bonification du taux d'intérêt équivalant à 6,25 points de pourcentage sur la moyenne des transactions. «Le Brésil a payé un prix considérable», dit McAdoo.

Au Brésil, la question était de savoir si l'opinion publique continuerait de tolérer de telles dépenses. Comme au Canada, une controverse faisait rage autour du financement public de l'industrie aéronautique. On commençait à dire que ces appuis coûtaient beaucoup trop cher à la nation. Un conflit opposa le directeur de la banque d'État BNDES et celui d'Embraer quant à la somme des prêts accordés par BNDES à l'industrie. Au printemps 2003, les prêts aux acheteurs d'Embraer composaient presque la moitié du portefeuille de crédit à l'exportation de la banque, et le président de celle-ci fit savoir à Embraer qu'elle devrait dorénavant trouver d'autres sources de financement[20]. À la suite des attaques terroristes du 11 septembre, quand il devint beaucoup plus difficile de financer les ventes d'aéronefs, la controverse s'envenima. En affirmant que l'apport de l'État était absolument indispensable à son entreprise, le chef de la direction d'Embraer, Mauricio Botelho, faisait beaucoup songer à Laurent Beaudoin.

« Un tel débat est essentiel quand d'autres priorités entrent en ligne de compte, dit Rzezinski, d'Embraer. BNDES est une banque de développement et son rôle est de contribuer au développement économique du pays tout entier. Mais en vertu des règles de l'OMC, les appuis qu'elle nous consent sont des appuis au marché. Il est juste de dire qu'existe une formidable concentration du financement dans le secteur de l'aéronautique. Et l'on s'inquiète beaucoup de savoir jusqu'où la banque peut se permettre de financer ce secteur. Il s'agit de toute évidence d'un secteur primordial pour le Brésil, car dans les autres industries de haute technologie, sa présence sur le marché mondial n'est pas très forte. Embraer est une société indispensable à notre industrie aéronautique ; nous avons donné du travail à des milliers d'ingénieurs et nos universités en forment un très grand nombre. Il n'y a pas de solution facile à ce dilemme[21]. »

À quel moment l'apport du gouvernement à l'aéronautique entre-t-il en conflit avec les autres priorités d'un pays en développement ? Au moment de son élection, le président populiste du Brésil, Lula da Silva, avait promis d'éliminer la faim et la pauvreté dans son pays. Selon McAdoo, qui avait suivi de très près ce débat, l'aide dont bénéficiait Embraer aurait pu couvrir deux fois le coût de ce programme. « On dirait bien qu'ils ont de plus en plus envie de mordre dans d'autres priorités », fait-il, avec un sourire ironique.

L'épuisement du Trésor public du Brésil avait poussé le pays à négocier la fin des hostilités avec le Canada. « N'importe quelle négociation a de bien meilleures chances de réussir si des forces économiques la sous-tendent, dit McAdoo. La bonne foi ne suffit pas. Dans le cas qui nous occupe, les ressources financières du pays sont encore plus réduites aujourd'hui qu'elles ne l'ont été de longtemps – ce qui n'est pas rien, car le Brésil a toujours dû affronter des problèmes de trésorerie. »

Selon McAdoo, les fonctionnaires brésiliens sont de plus en plus avertis et conscients des risques inhérents au financement de l'industrie aéronautique. « La restructuration de BNDES leur permet d'engager des individus possédant une plus grande expertise. Ils constatent qu'ils n'ont pas vraiment besoin de subsides pour soutenir la concurrence[22]. »

Une fois rendue la décision de l'OMC, il revenait aux diplomates de négocier la paix. Des chargés de mission des deux pays se réunirent avec régularité toutes les six ou douze semaines afin de mettre sur pied un accord-cadre permanent sur le financement de l'industrie aéronautique. Le directeur de l'équipe canadienne était Claude Carrière, du ministère des Affaires étrangères et du Commerce international, tandis que l'équipe brésilienne était dirigée par un diplomate du ministère des Affaires étrangères du Brésil, Clodoaldo Hugueney. Avec le temps, ils conclurent un engagement d'honneur : pas de surprises, pas de propositions de dernière minute de la part de l'un ou l'autre pays. Lorsque US Airways annonça sa volonté d'acquérir un très grand nombre de jets régionaux, elle répartit sa commande entre Bombardier et Embraer. Selon un porte-parole du Canada, le soulagement ressenti à la constatation que les deux pays ne s'étaient pas querellés était presque palpable. Cette coexistence pacifique semblait productive, mais la question du financement futur des ventes d'aéronefs dans les deux pays était loin d'être réglée.

Cette situation se corsa en septembre 2003 quand Air Canada et ses partenaires de la Star Alliance firent connaître leur intention d'acheter pas moins de 200 jets régionaux. Le chef de la direction d'Air Canada, Robert Milton, avait convoqué à ses bureaux de Montréal quatre avionneurs, soit Bombardier, Embraer, Boeing et Airbus, pour qu'ils lui présentent leurs produits. À la suite de cette rencontre, il confia aux journalistes que Bombardier était fortement désavantagée par rapport à ses concurrents étrangers,

Étant donné que l'acheteur, Air Canada, était canadien, Exportation et développement Canada se trouvait dans l'impossibilité de financer la vente des appareils de Bombardier. « Le financement est un élément clé de cette transaction, dit Milton. Ce n'est pas compliqué : Airbus, Embraer et Boeing bénéficient tous d'un apport du gouvernement, alors que ce n'est pas le cas de Bombardier. » Milton avait mentionné l'effet pernicieux de cette situation sur Air Canada. EDC, une agence du gouvernement canadien, prêtait volontiers des sommes aux transporteurs américains concurrents d'Air Canada, mais elle n'en prêtait pas à un transporteur canadien[23].

Ce paradoxe dut beaucoup amuser les Brésiliens. Le Canada, dans sa vertu, s'était lui-même acculé au pied du mur et avait ouvert toute grande la porte à Embraer qui pouvait ainsi conclure sous le nez de son concurrent la vente de 100 aéronefs, une transaction d'une valeur potentielle de quatre milliards. La vie est parfois bien éprouvante.

Embraer, il va sans dire, sauta sur l'occasion. Pendant que le Canada refusait de se laisser convaincre de faire quoi que ce soit pour Bombardier, Embraer obtenait son financement en deux temps, trois mouvements. « Ils ont été très, très habiles à ce jeu-là, dit une personne dans le secret des dieux. Mais ils se sont toujours limités au bouche à oreille. Ils attendaient toujours la fin des négociations pour produire une confirmation écrite. Ils vous montraient la lettre, mais ils ne vous laissaient jamais la garder pour que vous ne puissiez pas la refiler à quelqu'un d'autre[24]. »

Finalement, Air Canada répartit sa commande entre les deux avionneurs. La ligne aérienne acheta 45 jets d'Embraer et 45 de Bombardier. La portion de Bombardier reçut un financement privé par l'entremise de GE Capital, une division de General Electric. Selon les conditions de l'entente, Bombardier fournissait 15 jets de 50 sièges et 30 de 70 sièges, mais Embraer rafla toutes les commandes de jets d'une capacité supérieure à 70 passagers. C'était une douce victoire pour les Brésiliens qui n'avaient pas oublié l'embargo du Canada sur leur viande bovine. Non seulement ils avaient arraché des ventes à Bombardier sur son propre terrain, ils avaient aussi mis en évidence la pauvreté de la famille d'aéronefs de leur concurrent en raflant les commandes d'appareils plus gros ayant une capacité de 90 à 110 passagers. Rzezinski, d'Embraer, se montra diplomate quand il décrivit la réaction des Brésiliens : « Cette victoire n'est une revanche aux yeux de personne ; nous la voyons plutôt comme un développement extrêmement positif[25]. » C'était un euphémisme.

JetBlue, un prospère transporteur à escompte des États-Unis, a également commandé 98 jets à Embraer. La part de marché de Bombardier rétrécit de plus en plus, et ce n'est pas seulement pour des raisons de financement. « Pour soutenir la concurrence, Bombardier va devoir construire un jet de ce calibre », dit l'analyste en valeurs mobilières Cameron Doerksen de Dlouhy Merchant Inc. « S'ils attendent trop longtemps, ils vont rater le coche[26]. »

CHAPITRE 16

Trop gros, trop vite

Lors de l'assemblée annuelle des actionnaires tenue au début de l'été 1998, Laurent Beaudoin rappela aux souriants actionnaires réunis dans la salle de bal du Centre Sheraton Montréal que le titre de Bombardier était maintenant très intéressant. Le carnet de commandes de l'entreprise atteignait un total jamais égalé de 18,1 milliards de dollars, ce qui représentait une augmentation de 74 pour 100 sur l'année précédente. Dans le secteur aéronautique, les revenus avant impôt avaient augmenté de 71 pour 100 durant la même période. La capitalisation boursière de la société – c'est-à-dire la valeur totale des actions en circulation – atteignait presque 13 milliards. Au cours des cinq années écoulées entre janvier 1993 et janvier 1998, ses actions de la classe B avaient eu un rendement annuel composé de 39,2 pour 100, soit deux fois plus que l'indice composé de la Bourse de Toronto (TSE 300). Le titre de Bombardier était devenu un titre de croissance exemplaire.

Beaudoin avait promis à ses actionnaires que les revenus de la compagnie doubleraient tous les cinq ans. Des acquisitions multiples, de nouveaux produits et de nouveaux contrats lui avaient plus que permis de tenir sa promesse. Les recettes d'exploitation étaient passées de 1,4 milliard en 1988 à 3 milliards en 1992; en 1998, elles avaient encore plus que doublé et atteignaient les 8,5 milliards. Pour l'ensemble de la compagnie, les revenus avant impôt avaient connu un taux de croissance annuelle composé de 20 pour 100 au cours de la même période.

C'était une réussite extraordinaire, entachée seulement par la controverse ininterrompue que soulevait le soutien public dont l'entreprise profitait. Peu d'actionnaires, à cette époque, reprochaient à Beaudoin les revenus qu'il tirait de Bombardier. En 1995, il encaissa des options évaluées à 14,4 millions de dollars, soit l'une des compensations les plus élevées qu'ait jamais reçues un cadre canadien. Cinq ans plus tard, cette transaction n'était que poussière quand on la comparait à la somme époustouflante de 94 millions que lui avait rapportée une autre levée d'options. Le quart des avoirs de la famille dans l'entreprise, évalués au total à 6 milliards au sommet du marché, appartenait à son épouse, Claire Bombardier Beaudoin. Les Beaudoin étaient immensément riches.

Mais la croissance fabuleuse de Bombardier avait son prix. Quelques années plus tard, quand l'entreprise dut affronter de nombreux obstacles, un retour sur son audace caractéristique des années 1990 révélerait quelques lignes de faille.

En 1996, Beaudoin constata qu'il ne pouvait plus jongler avec tant d'assiettes en même temps. Il avait besoin d'aide. La croissance rapide de l'entreprise exigeait une direction plus en profondeur. Il persuada son conseiller de longue date, Yvan Allaire, de se délester provisoirement de ses responsabilités d'expert-conseil et de professeur d'université pour assumer pendant cinq ans les fonctions de vice-président exécutif, stratégies et affaires corporatives de la société.

Allaire relevait directement de Beaudoin et non pas du président, Raymond Royer, mais au dire d'un cadre de direction de l'époque, la répartition des tâches n'était pas toujours claire. Allaire devait superviser la planification stratégique, les ressources humaines, le développement organisationnel, les affaires publiques, la trésorerie et l'ingénierie financière. Royer, un vieux de la vieille respecté de Bombardier qui espérait devenir un jour chef de la direction, trouva cet arrangement difficile à avaler. Allaire s'était vu confier certaines de ses responsabilités ; en outre, il avait des relations privilégiées avec son employeur.

Royer prit la pénible décision de remettre sa démission – et l'entreprise perdit un collaborateur précieux. Plutôt que de lui nommer un remplaçant, Beaudoin opta pour une nouvelle structure de gestion : chacun des cinq secteurs d'activité de Bombardier aurait à sa tête un président-directeur de l'exploitation. Allaire n'était pas étranger à cette décision. «Pour nous, les chefs de division étaient aussi des entrepreneurs, dit-il. Les types qui dirigeaient les différentes unités devaient se demander comment les rentabiliser[1].»

Allaire était un personnage controversé, compte tenu, notamment, du rôle qu'il avait joué dans le départ de Royer. C'était un homme intense et férocement intelligent qui pondait des idées à toute vitesse. Il suffisait qu'il vous regarde avec impatience à travers les lentilles épaisses de ses lunettes pour que vous sachiez aussitôt que vos théories ne valaient pas un clou. «C'est un homme brillant; un type extraordinaire», dit un de ses anciens collègues du bureau de direction. «Mais c'était loin d'être facile de travailler avec lui.»

Pour quelqu'un qui était censé s'occuper des stratégies, Allaire se mêlait beaucoup de l'administration courante de l'entreprise. Par exemple, il n'hésitait pas à discuter par téléphone avec le directeur des ventes de jets régionaux des conditions spécifiques d'un contrat. Chez Bombardier, on finit par s'habituer à son omniprésence. Les employés ne l'estimaient sans doute pas, mais ils savaient qu'il était un interlocuteur valable[2].

On lui attribue généralement l'entrée ratée, pour ne pas dire désastreuse, de Bombardier dans le domaine des services financiers. Allaire avait collaboré à la mise sur pied du plan d'affaires de Bombardier Capital dont il devint le président du conseil. Déviant de ses fonctions de départ qui consistaient à financer l'inventaire des concessionnaires de motoneiges, Bombardier Capital procurait du financement à tout un éventail d'industries : la navigation de plaisance, les maisons mobiles, les accessoires et fournitures de jardin et de pelouse, les motocyclettes, l'électronique grand public, le matériel informatique, les jets d'affaires, et même la vente de véhicules automobiles. Au début, tout se passa bien. Mais ce qui, au départ, semblait être une stratégie financière rentable se transforma bientôt en une montagne de créances irrécouvrables. Manifestement, un certain dérapage affectait les mesures de contrôle naguère caractéristiques du style de gestion de Laurent Beaudoin.

À l'origine, Bombardier Capital devait aider les concessionnaires de motoneiges à remplir leurs salles de montre. À la fin des années 1980, cette unité commença à affronter des difficultés, si bien que la direction sollicita la collaboration de Pierre Lortie, un fonceur qui avait déjà assumé la direction de la Bourse de Montréal. En très peu de temps, il remit la section des finances sur pied et la rentabilisa.

Ce fut à la fois une bonne et une mauvaise affaire. Les réussites de Lortie chez Bombardier Capital et la nature des revenus qu'il avait été en mesure de produire firent qu'Allaire et les autres se mirent à rêver de succès encore plus grands. General Electric, aux États-Unis, leur semblait être exemplaire d'une société manufacturière à exploitation diversifiée. Sa section GE Capital avait fait de GE une entreprise extrêmement rentable dans le domaine de la finance.

Laurent Beaudoin était inlassable dans sa volonté de faire croître l'ensemble de sa société. Bombardier Capital faisait partie de cette stratégie et avait reçu le mandat précis de développer au maximum ses opérations de crédit. À ce moment, l'un des secteurs les plus intéressants pour une société de financement était le marché américain des maisons industrialisées, autrement dit, celui des maisons mobiles. Peu importait que ce secteur soit à des lieues du domaine de prédilection de Bombardier – le transport. Beaudoin lui-même avait très envie de pénétrer ce marché.

Des sociétés prêteuses telles que la compagnie américaine Green Tree Financial dégageaient d'énormes bénéfices d'une méthode comptable dite « de gain sur vente ». Elles consentaient des prêts hypothécaires aux acheteurs de maisons mobiles et titrisaient ensuite ces créances en les vendant à des investisseurs désireux de trouver des placements rentables. Les normes comptables leur permettaient de réaliser sur-le-champ des gains considérables. En peu de temps, elles dégagèrent des profits records. « Ce secteur, dit un cadre de direction de Bombardier, nous apparaissait très propice à l'accroissement durable de l'entreprise. Nous étions séduits. Il correspondait à notre volonté de croissance[3]. » En adoptant la méthode « de gain sur vente », Bombardier pouvait extraire la valeur actualisée nette de flux monétaires futurs et ainsi afficher un gain immédiat sur le rendement de ses prêts hypothécaires, même quand leur amortissement s'étalait sur une longue période. C'était un peu comme encaisser un billet de loterie avant que ne soit connu le numéro gagnant. « On parle de gains de 10, 20 ou 30 millions de dollars, selon l'importance des créances titrisées », explique le cadre de direction de Bombardier. « C'était grisant pour l'industrie. Une drogue. "Regardez-moi un peu les revenus que nous avons accumulés." »

Mais le risque de non-paiement n'en était pas moins réel, et Bombardier Capital, lui, était vulnérable. Si la souscription n'avait pas été convenablement préparée, les gains escomptés pouvaient se faire attendre. Quand il y eut surchauffe des marchés et que se multiplièrent les non-paiements des hypothèques, la méthode « de gain sur vente » se révéla illusoire. Bombardier Capital fut une des premières sociétés de financement à renoncer à cette méthode comptable controversée.

Cela étant, le boum des ventes de maisons mobiles se poursuivit jusqu'au milieu et à la fin des années 1990. « Les ventes annuelles passèrent de 200 000 unités à 450 000, dit le cadre de direction de Bombardier. Les fabricants moussaient très énergiquement leurs produits et nous les y aidions. Mais nous ne faisions pas preuve d'une rigueur suffisante. Quand tout le monde se jette à l'eau, on se demande souvent si c'est manquer d'audace que de ne pas s'y jeter aussi. Doit-on suivre le troupeau ? Le fait est qu'on craint de stagner pendant que les autres augmentent leur chiffre d'affaires. »

Bombardier Capital concentrait ses opérations au Texas et en Caroline du Sud, mais elle avait pénétré ces marchés à une époque où le risque de crédit était déjà très alarmant. Dans ce secteur, les principaux facteurs de défaut de remboursement des prêts sont le divorce et la perte d'emploi. Selon le cadre de direction de Bombardier : « Quand vous êtes le dernier arrivé et que vous essayez de vous tailler une petite place, vous héritez des emprunteurs dont personne ne veut. Notre taux de carence de paiement était beaucoup plus élevé que pour les autres sociétés de financement.

« Dans n'importe quel secteur des affaires, si on vous a confié le mandat de développer l'entreprise, le plus difficile consiste à prévoir un accroissement durable et rentable. On ne peut pas grossir pour le simple plaisir de grossir. Dans le cas d'actifs à long terme tels que les prêts hypothécaires, les problèmes ne sont pas toujours immédiatement apparents. C'est avec le vieillissement du portefeuille qu'on en prend conscience. Dans toute stratégie de croissance, il est très important de choisir avec soin les personnes qui vont travailler pour nous et notre équipe de collaborateurs. Nous étions si axés sur la croissance que nous voulions tout faire en même temps.

« Observez un peu les méthodes de diversification de GE : ils mettent d'abord sur pied une équipe réduite, puis ils trempent l'orteil dans l'eau, histoire de voir si ça peut aller. Une fois qu'ils ont testé et approuvé le modèle, ils le développent un peu, mais sans exagération. Tandis que nous, nous avons plongé tête première, sans technique établie et sans nous entourer des bonnes personnes[4]. »

Un analyste se rappelle que, s'étant rendu aux États-Unis dans le cadre d'un voyage parrainé par l'entreprise afin de se renseigner sur la stratégie de Bombardier Capital, il n'avait pas du tout senti la soupe chaude. Pourtant, la croissance de l'entreprise était aussi désordonnée qu'elle était explosive. En 1994, la valeur des actifs portés au bilan de Bombardier Capital – consistant principalement en sommes prêtées – totalisait quelque 900 millions de dollars. À la fin de l'année financière 2001, cette valeur avait décuplé jusqu'à atteindre plus de 9 milliards.

Plus tard cette même année, les actionnaires de Bombardier furent abasourdis quand la compagnie déclara une perte de 663 millions sur le portefeuille de maisons mobiles et qu'elle annonça une réduction progressive de 5 milliards de son portefeuille de prêts personnels. La confiance des actionnaires était très ébranlée. Pour aggraver le tout, Yvan Allaire, ancien président du conseil de Bombardier Capital, avait encaissé ses options un mois à peine avant que les pertes de la compagnie ne soient rendues publiques, transaction qui lui avait rapporté 1,64 million. Il faut cependant dire en toute justice qu'Allaire avait pris sa retraite plusieurs mois auparavant et que cette levée d'options était on ne peut plus normale dans ces circonstances. Selon le département des relations publiques de la compagnie, cette transaction avait eu lieu un mois avant que le conseil d'administration ne prenne connaissance des résultats financiers de Bombardier Capital. Le choix du moment n'était quand même pas très heureux. Allaire «a peut-être pu constater que les choses allaient de mal en pis», dit à l'époque Stephen Jarislowski, expert financier et un temps actionnaire de Bombardier[5].

L'entreprise connut un autre ralentissement dans le secteur des produits récréatifs. Il fut un temps où les véhicules récréatifs promettaient d'être une importante source de bénéfices. Puis, l'optimisme fit place à la déception.

Les transformations que les ingénieurs avaient fait subir à la motoneige auraient émerveillé Joseph-Armand Bombardier. Les progrès techniques des années 1990 avaient donné naissance à des moteurs renforcés qui laissaient présager pour l'entreprise un retour de son ancien prestige. Par exemple, la Mac Z Ski-Doo de 1997 avait une puissance d'accélération de 0 à 95 kilomètres/heure en moins de trois secondes. Selon un observateur de l'industrie, cette nouvelle génération de traîneaux à haute performance avait autant à voir avec la motoneige qu'une voiture de Formule 1 avec un tracteur John Deere. En vertu de toutes les normes raisonnables, ces véhicules étaient beaucoup, beaucoup trop rapides[6]. Mais les consommateurs les achetaient. Après de nombreuses années de stagnation et de concurrence féroce, les ventes de motoneige commencèrent à grimper.

Mais c'était sur l'eau que ça se passait vraiment. Pas sur la neige. Pierre Beaudoin, le fils de Laurent, entra au service de la compagnie en 1985. Son père lui avait confié la mission de développer une motomarine – le Sea-Doo. Une première version du véhicule avait été abandonnée, mais Laurent Beaudoin souhaitait essayer à nouveau. Cette occasion était inattendue et très enthousiasmante pour Pierre, un fervent amateur de sport âgé de vingt-trois ans qui avait étudié les relations industrielles à l'université McGill.

Pierre était un jeune homme humble et discret qui ne se comportait pas du tout comme l'héritier de la famille la plus riche du Québec. Il avait d'abord pris ses distances de l'entreprise que dirigeait son père en travaillant pour une firme d'équipement sportif basée à Toronto. «Comme n'importe quel jeune, raconte-t-il, je ne voulais pas travailler pour Bombardier : travailler pour mon père était bien la dernière chose que je souhaitais. Bien sûr, je m'intéressais un peu à la compagnie, mais ce n'est pas là que j'ai fait mes premières armes. En revanche, le Sea-Doo a piqué ma curiosité[7].»

Le défi consistait à développer le produit de A à Z : design, aspects techniques, financement, production, mise en marché. Pierre recruta une équipe de jeunes dans la vingtaine animés du même esprit et se mit au travail à l'extérieur des bureaux de Bombardier. «J'ai eu beaucoup de chance. Le marché s'est emballé, et j'étais en plein dedans, si bien que j'avais la certitude de prendre part à quelque chose de très important. Vous savez, quand on a la responsabilité, à vingt-cinq ans à peine, de développer un joujou aquatique, ce n'est pas mal du tout! Ça pourrait être pire. Pour comble, le marché existait, et il augmentait au rythme de 25 à 30 pour 100 par an. Je crois que nous avons bien joué notre jeu, car nous avons fini par devenir un chef de file mondial avec une part de marché supérieure à 50 pour 100. Mais je pense que c'est parce que nous étions complètement entichés du produit.»

Pour Pierre, ce fut une expérience pratique, puisqu'il passa beaucoup de temps au volant d'un Sea-Doo, à titre de pilote d'essai, trempé jusqu'aux os. «J'ai passé 400 heures à tester des Sea-Doo. Ce n'était pas compliqué, mais c'est surtout ça que je faisais.» La croissance était phénoménale. Dans les régions de chalets, il ne restait pour ainsi dire aucun lac où un type n'embêtait pas ses voisins en écrasant l'accélérateur d'un Sea-Doo. Les ventes passèrent de 1 000 Sea-Doo par an à 1 000 par jour. Hissé au rang de président du secteur des véhicules récréatifs, Pierre devint responsable des canots à propulsion hydraulique, des motoneiges et des Sea-Doo. Pour l'exercice 1997, le groupe annonça un bénéfice de 211 millions de dollars avant impôt – soit plus du tiers des bénéfices totaux de Bombardier. Si improbable que cela paraisse, les produits récréatifs dominaient à nouveau la croissance de l'entreprise. Pierre suivait les traces de son grand-père.

Ça ne pouvait pas durer. On se rendit compte que le marché des motomarines n'était pas inépuisable. En fait, il piqua du nez. « Le marché a chuté de moitié en deux ans, dit Pierre. Quand vous détenez 50 pour 100 du marché et qu'ils sont quatre à se partager l'autre 50 pour 100, c'est vous qui profitez le plus des périodes de croissance, mais quand le marché tombe, c'est encore vous qui êtes le plus mal en point.» Presque du jour au lendemain, de moteur de la croissance de Bombardier, le secteur des produits récréatifs, devint responsable d'une perte de 45 millions pour l'exercice 1999. «Je crois que ç'a été un excellent apprentissage. C'est bien d'apprendre quand tout va bien, mais on apprend beaucoup plus quand, tout à coup, ce qu'on fait ne nous réussit plus.»

Ce fut une expérience pénible pour l'équipe de Pierre, des jeunes qui n'avaient jamais connu l'échec. «Ils avaient connu douze années de croissance; tout ce qu'ils faisaient avait du succès, et soudain, c'était la poisse. Dans ces cas-là, on en vient à se demander : Est-ce que la compagnie est encore dans le coup? Est-ce que l'herbe est plus verte de l'autre côté de la clôture? Est-ce que je devrais me tirer?»

Pierre parvint à garder intacte sa petite équipe de gestion qui a trouvé des solutions à son problème. En 2001, l'unité était redevenue rentable avec des bénéfices avant impôt de 86 millions de dollars. «Nous avons réduit nos effectifs, nous avons pris la pénible décision de combiner certaines installations partout où c'était possible, bref, nous avons fait mille et une choses pour redresser la situation[8].»

Mais l'élan était rompu; on eut dit que l'unité des produits récréatifs était de moins en moins indispensable à la croissance future de Bombardier, que ses activités étaient maintenant tout à fait accessoires.

En décembre 1998, Laurent Beaudoin surprit les milieux financiers en annonçant qu'il démissionnait de son poste de chef de la direction. Bob Brown, président du groupe aéronautique, avait été nommé pour le remplacer. Beaudoin demeurerait président et président du conseil. Il affirma que cette décision avait pour but d'assurer sa succession à la tête de Bombardier.

«Il avait soixante ans. Dans la vie, il arrive un moment où l'on réfléchit à ce genre de choses, dit Michel Lord, ancien vice-président, communications et relations publiques. Il s'est dit que le moment était venu pour lui de s'en occuper. Il avait eu de petits problèmes de santé, mais rien de grave. Laurent est un homme plutôt prudent, et sa décision était la preuve d'une gestion prudente. Il s'est dit que s'il attendait trop, il risquait de devoir prendre une décision irréfléchie parce qu'il serait vraiment malade, ou fatigué, ou épuisé.

«Il était plutôt en forme pour un type qui travaille trop et qui voyage beaucoup. Je ne constatais aucun changement en lui. Nous avions un règlement qui obligeait les membres du conseil à prendre leur retraite à soixante-dix ans. Il n'aimait pas ça, parce qu'il estimait beaucoup certains de ses collègues et que cela l'obligeait à remplacer un directeur qu'il aimait et qu'il connaissait bien par quelqu'un qu'il ne connaissait guère. Si bien qu'il se donnait dix ans pour réaliser la passation des pouvoirs. Et il était certain d'avoir trouvé la bonne personne. Bob Brown et lui avaient été pendant plus de dix ans de très proches collaborateurs. C'était tout à fait naturel pour lui de prolonger cette collaboration et d'élever Brown au rang de chef de la direction.»

Brown avait excellé dans le secteur aéronautique où il avait supervisé le développement des jets régionaux et mis au point une famille de biréacteurs d'affaires qui avaient été fort bien reçus. C'était un homme discret et sans prétention, peu enclin à s'approprier le crédit de ses immenses réalisations. Brown affirma n'avoir «jamais cru, en entrant chez Bombardier», qu'il serait «un jour chef de la direction». La question de la succession n'avait jamais été soulevée jusqu'en 1996, lorsqu'au cours d'un voyage d'affaires à Orlando, en Floride, il en glissa un mot à Laurent Beaudoin: «Je veux te dire ce que j'ai en moi, et ce dont je suis capable, et j'aimerais savoir si tu penses que je peux faire mon chemin au sein de l'entreprise.» Laurent Beaudoin avait eu cette réponse laconique: «Je crois que tu peux y faire ton chemin[9].»

Pierre Beaudoin n'était pas prêt pour le poste de commande. Brown avait fait ses preuves dans le secteur aéronautique. Néanmoins, quand sa nomination fut rendue publique, les actionnaires firent la moue. Ils étaient habitués à la présence rassurante de Laurent Beaudoin et ils se demandaient si cette nouvelle répartition des tâches serait productive. Ils ignoraient que Beaudoin tiendrait encore beaucoup les rênes du pouvoir, du moins dans certains domaines clés. L'orientation stratégique de l'entreprise restait entre ses mains. Dit simplement, cette orientation était la suivante : croissance, croissance, croissance.

Les jets d'affaires étaient des produits à large marge bénéficiaire, susceptibles de rapporter énormément d'argent à Bombardier. Au décollage de la reprise économique, dans la seconde moitié des années 1990, il n'y avait pas un nuage à l'horizon. Les dépenses d'entreprises pour des à-côtés luxueux tels les jets d'affaires dépendaient de la santé de l'économie, surtout aux États-Unis. Les marchés boursiers commençaient à s'emballer pour l'Internet et les entreprises spécialisées dans la technologie, et le cours des actions montait en flèche. À mesure qu'augmentait la capitalisation boursière des sociétés américaines, grandissait aussi le rêve des nouveaux entrepreneurs en technologie de pointe et des directeurs d'entreprises du haut du panier de posséder leur propre jet d'affaires. Après tout, les affaires s'étaient mondialisées ; si vous vouliez conclure un marché à Tokyo, à Singapour ou à Shanghai, il vous fallait aller sur place. Les aéroports commerciaux des États-Unis étaient de plus en plus congestionnés, et les retards étaient monnaie courante. Tout le monde voulait son jet d'affaires.

Bombardier avait prévu cette demande dès 1991. À l'époque, sa gamme de produits incluait le Challenger et la gamme de Learjet d'acquisition récente. Mais Laurent Beaudoin, toujours aussi entrepreneurial, demanda à ses ingénieurs en aéronautique de concevoir un nouveau design pour un biréacteur d'affaires haut de gamme ayant une vitesse de croisière et une portée susceptibles de satisfaire les besoins des voyageurs d'affaires de la prochaine décennie. Des études montrèrent que le couloir New York-Tokyo était l'un des plus fréquentés par les voyageurs d'affaires. Bombardier envisagea alors de construire le premier avion à réaction d'affaires qui puisse parcourir cette distance sans escale, à une vitesse tout juste inférieure à celle du son.

Cela ne manquait pas d'audace. Au début des années 1990, quand l'économie était encore en récession, il fallait être très courageux pour aller de l'avant avec un tel projet. Le Global Express allait devenir le plus important investissement de Bombardier à ce jour. Le coût de développement de l'appareil allait frôler le milliard de dollars. La participation de Bombardier n'équivalait qu'à la moitié de cette somme, l'autre étant injectée par les fournisseurs qui partageaient les risques avec l'avionneur. Le Global Express ne fut prêt qu'en 1998, mais quand il sortit des usines de montage, la demande pour les avions d'affaires avait rejoint les prévisions de Laurent Beaudoin. Au Salon de l'aéronautique de Farnborough de 1998, une importante agence prévisionniste américaine, le Teal Group, débordait d'optimisme pour l'avenir. Au cours des dix prochaines années, dit-elle, les avionneurs livreront quelque 4 100 jets d'affaires pour une valeur totale de 53 milliards de dollars.

«Le marché de l'avionnerie est en pleine croissance», dit l'agence. Les livraisons d'appareils battaient tous les records et rien ne permettait de supposer que ce pactole n'allait pas durer. Teal prédit que Bombardier se hisserait au premier rang des avionneurs – ce qui ne manqua certes pas de réjouir la direction de l'entreprise. Mais on notait quand même un soupçon d'inquiétude dans le rapport de l'agence. La forte demande était due «à la variété sans précédent des nouveaux modèles» mis sur le marché. Cette situation crée «une forte demande initiale, mais celle-ci n'est pas renouvelable[10]».

Un nouveau phénomène qui faisait son chemin dans l'industrie contribuait à l'euphorie générale des marchés : la copropriété. Si vous n'aviez pas les moyens d'acquérir votre propre jet d'affaires, ou si vous ne prévoyiez pas en faire un usage constant, vous pouviez l'acquérir en temps partagé, exactement comme on achète une période de jouissance d'un appartement au bord de la mer. La notion de condo volant commençait à faire recette. Vous pouviez réserver votre avion quand vous en aviez besoin et vous assurer qu'il serait bien approvisionné en bouteilles de Jack Daniels, en CD de Frank Sinatra ou en n'importe lequel de vos caprices préférés. Équipage, entretien, redevance d'abri, assurances – on s'occupait de tout.

Mieux, ce système contribuait à mousser les ventes. En mai 1995, Bombardier lança son propre programme de multipropriété – Flexjet. Une coentreprise avec la compagnie mère d'American Airlines en assurait l'exploitation et la gestion. Essentiellement, Bombardier se vendait ses propres avions. Quand un nombre suffisant de clients avait souscrit une période de jouissance, la vente était comptabilisée. Certaines personnes s'inquiétaient de savoir si Bombardier ne comptabilisait pas un peu trop dynamiquement les ventes de Flexjet. «Beaucoup d'appareils sont passés par là, dit un ancien employé. C'était ça, le problème. Il était possible de faire croire à des ventes plus nombreuses qu'elles ne l'étaient en réalité. La comptabilisation des avions correspondait-elle à la demande? Je ne dis pas qu'ils trafiquaient les chiffres. Mais c'est une question que les gens se posaient[11].»

Ce programme sembla avoir un succès fou dès le départ, car il donnait accès à un jet d'affaires à des individus et à des entreprises qui, normalement, n'auraient pas pu se permettre ce mode de transport. En 2000, la demande augmentait de 42 pour 100 par an, 115 biréacteurs avaient été vendus à la flotte de Flexjet et 556 clients avaient signé.

Mais, comme tout marché vedette, ceux de l'avionnerie et de la multipropriété devaient soutenir une très forte concurrence. Le principal rival de Bombardier dans ce domaine était le chef de file de l'industrie, NetJets, propriété du légendaire Warren Buffet. Sa liste de clients incluait le golfeur vedette Tiger Woods et les champions de tennis Pete Sampras et Andre Agassi. Selon certaines estimations, l'importance de la flotte de NetJets faisait de cette compagnie le huitième transporteur commercial au monde. Et au moins deux autres sociétés essayaient d'obtenir leur part du marché. Bombardier, qui demeurait optimiste quant à son aptitude à accroître son marché, estimait la demande potentielle pour des avions Flexjet aux États-Unis à 200 000 entreprises et à 100 000 individus fortunés. Mais dans certains milieux on commençait à percevoir des indices de surchauffe et à prédire une débâcle inévitable[12].

Dans le domaine des avions d'affaires, la seconde moitié des années 1990 avait été marquée par une concurrence intense entre huit avionneurs que stimulaient de très fortes perspectives de croissance. Bombardier s'était mesurée, dans différents secteurs, à des constructeurs tels Gulfstream, Cessna, Raytheon et Dassault.

Le marché des avions d'affaires avait plus que triplé de 1995 à 2000 et l'optimisme des prévisionnistes de tarissait pas. Les jets d'affaires étaient des produits de luxe. Les acheteurs les dotaient d'aménagements intérieurs sur mesure dont la facture pouvait grimper à 20 millions de dollars ou plus: robinetterie en or pour les toilettes, boucles de ceintures en or, tapis persans, plans de travail en granit pour la cuisine, machine à cappuccino... rien n'était trop beau.

Pour les grandes sociétés, le jet d'affaires permettait de transporter plus efficacement les hauts dirigeants à leur destination. Une pénurie d'avions d'occasion avait accru la demande d'avions neufs. De nombreux jets en service depuis les années 1960 étaient mûrs pour la retraite, et les nouveaux modèles à haut rendement tels que le Global Express de Bombardier – vendu au coût de 35 millions de dollars américains, stimulaient encore plus la demande[13].

Bien entendu, ce potentiel n'échappait pas à la concurrence. Lorsque Bombardier dévoila les plans du jet-long courrier Global Express au début de 1990, son féroce rival, Gulfstream Aerospace Corp., de Savannah, en Georgie, hâta la mise au point d'un aéronef concurrent, le Gulfstream V, afin que celui-ci puisse être mis sur le marché en 1996, soit un an ou deux avant la date prévue pour le lancement de l'avion de Bombardier.

Les deux avionneurs se livrèrent aussitôt une lutte sans merci pour attirer la clientèle. Déjà, en 1993, Gulfstream avait inséré une annonce dans le *Wall Street Journal*, où l'entreprise promettait 250 000 $ à tout acheteur qui annulerait ses commandes de Global Express pour les remplacer par des Gulfstream V. L'entreprise s'efforçait de semer le doute dans l'esprit de ses clients potentiels quant à la capacité de Bombardier de livrer ses aéronefs à temps. « Ne vous laissez pas séduire par une brochure de luxe, pouvait-on lire. Canadair vous promet des avions, nous, nous vous en livrons. » Gulfstream inséra plus tard une autre annonce pleine page dans le *Journal*, qui cette fois faisait appel au patriotisme des Américains. « Chaque jour, nous donnons du travail à plus de 4 600 Américains. » L'annonce incitait les clients américains à ne pas acheter d'avions d'une entité étrangère subventionnée par le gouvernement. (Le plus drôle de l'affaire est que le programme Global Express ne recevait aucun soutien d'Ottawa.)

Bombardier acheta aussi des espaces publicitaires dans le *Journal*, déclarant que son avion était plus rapide et plus spacieux. La réaction de Gulfstream ? « La prochaine fois que quelqu'un vous vantera les mérites d'un jet d'affaires international, demandez à le voir[14]. »

L'avionneur de Georgie avait de bonnes raisons de s'inquiéter. La technologie du Gulfstream V était ancienne ; il s'agissait en fait d'une version allongée du Gulfstream IV. Son carnet de commandes ne se remplissait pas vite. En 1995, Gulfstream tenta de nuire à son rival en lui chipant Bryan Moss, chef de la division des avions d'affaires chez Bombardier, qui œuvrait depuis seize ans au sein de l'entreprise. Mais c'était une bataille perdue d'avance. Quand le Global Express fut lancé, son succès fut immédiat et Bombardier délogea Gulfstream à la tête de l'industrie.

La demande croissante et une gamme toujours plus vaste de produits attiraient les acheteurs. Les ingénieurs de Bombardier avaient déjà produit ou développaient des aéronefs pour tous les segments du marché des affaires : l'avion léger Learjet 31A, l'avion léger supérieur Learjet 45, l'avion intermédiaire Learjet 60, l'avion super-intermédiaire Bombardier Continental, l'avion à large fuselage Challenger 604, le biréacteur d'affaires de grande dimension Global 5000.

Pendant ce temps, la proportion du chiffre d'affaires de Bombardier provenant du segment des jets d'affaires continuait d'augmenter. Pour l'exercice 2000, l'entreprise livra 183 jets privés, une quantité record. L'année suivante, elle battit ce record avec 203 appareils vendus. Ce taux de réussite ne fut pas sans entraîner ses propres problèmes. Premièrement, le chiffre d'affaires de Bombardier reposait presque exclusivement sur ses réussites dans le secteur aéronautique. Pour l'exercice 2000, plus de 85 pour 100 de ses bénéfices avant impôt totalisant 1,07 milliard de dollars provenaient du secteur aéronautique, en grande partie grâce aux avions d'affaires. Deuxièmement, comme la production et l'embauchage grimpaient à un rythme insoutenable, toutes les conditions se mettaient en place pour que Bombardier pique du nez advenant un repli du marché boursier.

Les premiers indices de faiblesse du marché boursier et de l'économie américaine devinrent apparents dans la deuxième moitié de 2000, marquant ainsi le début d'un marché baissier qui ferait chuter de 7 milliards de dollars le cours des valeurs mobilières – le pire effondrement de l'histoire de la bourse. L'économie d'abondance avait exagéré la valeur nette des investisseurs ; quand cette bulle spéculative creva, elle s'affaissa sur-le-champ. La confiance générale fut ébranlée par les scandales financiers qui secouaient de grandes sociétés, notamment Enron et WorldCom. Partout, les entreprises enrênaient leurs dépenses. Dans les deux ans qui suivirent, les livraisons de jets d'affaires plafonnèrent à 77, plus ou moins au tiers de leur sommet.

Les demandes de participation à Flexjet diminuèrent aussi. Le marché de la multipropriété en Amérique du Nord baissa de 14 pour 100 en 2001 et de 11 pour 100 l'année suivante. Bombardier dut réduire le nombre des appareils en service et réaffecter certains clients à des avions dont toutes les heures de disponibilité n'avaient pas été vendues.

Ainsi que le signale Cameron Doerksen, un analyste ayant suivi Bombardier pour le compte de Dlouhy Merchant Inc., à Montréal : « Tant qu'il y eut une demande, Bombardier dut construire des avions. Quand la demande s'effondra, l'avionneur se trouva englué dans un excédent de main-d'œuvre et d'installations. Une entreprise ne réagit pas sur-le-champ à un ralentissement de la demande. Les années qui avaient précédé cet effondrement avaient été des années d'emballement pour le secteur des jets d'affaires. Il est peu probable que le marché connaisse encore un tel niveau de ventes. »

À l'été 2000, la dépendance quasi totale de Bombardier au marché de l'aéronautique incita Beaudoin et Allaire à mieux équilibrer les sources de revenus de l'entreprise. Ils eurent alors l'idée d'accroître encore plus leur part du marché européen du transport ferroviaire.

L'occasion se présenta de faire l'acquisition d'Adtranz, la filiale ferroviaire berlinoise de DaimlerChrysler AG. Une telle acquisition procurait à Bombardier une chance unique de se hisser au premier rang mondial de l'industrie pour toutes les activités liées à la production de véhicules ferroviaires. Avec des installations manufacturières dans 19 pays sur quatre continents, Adtranz avait un chiffre d'affaires annuel de 2,3 milliards de dollars américains et un carnet de commandes évalué à 13 milliards. Adtranz vendait ses produits à des sociétés nationales de chemins de fer à travers l'Europe, aux systèmes de transport métropolitain de villes telles Lisbonne, Stockholm et Bucarest. Mais le plus important était qu'Adtranz construisait ce qui manquait cruellement à Bombardier : des locomotives électriques. Grâce à cette acquisition, Bombardier pourrait offrir à ses clients non seulement des voitures ferroviaires, mais des rames entières.

C'était un gros morceau, une aventure très risquée. La concurrence demeurait très forte sur le marché européen de la construction ferroviaire où la surproduction était considérable. Les marges bénéficiaires rétrécissaient. Adtranz était déficitaire depuis sa formation, en 1996, par la fusion de deux sociétés et, quand Bombardier vint frapper à sa porte, elle avait déjà été soumise à une réorganisation complète qui avait entraîné la fermeture de six usines et la mise à pied de milliers d'employés.

Bien entendu, Bombardier devait aussi affronter ses propres problèmes de rentabilité en Europe. Les charges d'exploitation de ses usines étaient très élevées et son acquisition, en 1998, de Deutsche Waggonbau continuait d'alourdir son bilan. Avec l'acquisition d'Adtranz, Bombardier compterait 22 000 employés de plus répartis dans près de deux douzaines d'usines. L'état des résultats de l'entreprise en serait-il revigoré ?

Les négociations furent ardues. « Nous avons quitté la table une fois ou deux, et chaque fois ils ont baissé leur prix », dit Yvan Allaire. Mais il y avait un important point de friction. Adtranz refusait de permettre à Bombardier d'effectuer un contrôle préalable, vérification diligente au cours de laquelle l'acquéreur pouvait examiner les livres en détail et interroger les comptables et les cadres supérieurs clés[15].

Ces procédures d'enquête, courantes avant la conclusion d'une acquisition, ont pour but de protéger l'acquéreur contre les risques de déclarations trompeuses au sujet de l'entreprise mise en vente. Elles assurent l'acquéreur qu'il n'y a pas de squelettes dans le placard du vendeur, qu'il ne risque pas d'avoir de mauvaises surprises. En temps normal, si les résultats de cette vérification diligente se révèlent insatisfaisants, la transaction avorte.

Adtranz refusait de céder. La société était en pleine phase de redressement et elle avait retenu les services de nouveaux gestionnaires afin que ces derniers régénèrent le moral des troupes et qu'ils repositionnent la compagnie. « Adtranz, se remémore Allaire, avait très peur que notre examen nous conduise à changer d'idée au sujet de l'acquisition. Un tel revirement aurait perturbé l'équipe de gestion de l'entreprise ; elle risquait de perdre des gens très compétents. Que se passe-t-il quand une entreprise est sur le point d'être vendue, puis qu'elle ne l'est plus ? Sa vente sera-t-elle jamais conclue ? Certains gestionnaires auraient pu dire : "Je fiche le camp d'ici." »

Un autre aspect de la procédure de vérification diligente inquiétait Adtranz encore plus. Compte tenu de la concurrence directe entre les deux sociétés, les commissaires à la concurrence de l'Union européenne auraient été très soupçonneux si elles avaient eu des contacts étroits qui risquaient de violer les lois antitrust. «Ils auraient voulu scruter nos discussions, dit Allaire. Il nous aurait été impossible de parler contrats, établissement des prix, etc.» Pour ces raisons, l'entreprise berlinoise ne consentit à Bombardier qu'un bref coup d'œil à ses livres comptables.

Bombardier n'avait pas du tout l'habitude de renoncer à ce contrôle préalable. Laurent Beaudoin était réputé pour être avisé et prudent dans ses acquisitions d'actifs sous-évalués. Les risques inhérents à une transaction floue comme l'était celle d'Adtranz étaient énormes. Mais Beaudoin désirait conclure cette acquisition et il mit de l'eau dans son vin. Il renonçait à une vérification diligente exhaustive, mais si la valeur des actifs dont il faisait l'acquisition le décevait, les deux parties étaient libres de soumettre leur différend à l'arbitrage.

Plus tard, quand l'acquisition d'Adtranz se révéla moins avantageuse que prévu, la communauté financière insinua que Beaudoin ne savait plus s'y prendre à la table de négociation. «Je ne pense pas, dit Allaire. Au fond, il a conclu une transaction avec Daimler-Chrysler, qui est une société tout à fait digne de confiance, pas du tout irresponsable. Il a engagé les négociations avec optimisme – avec un optimisme prudent, mais tout de même avec optimisme[16].»

Le prix d'achat fut fixé à 1,1 milliard de dollars et les analystes approuvèrent la transaction. Du coup, Bombardier doubla ses revenus ferroviaires et devint un géant de l'industrie mondiale du transport. L'entreprise était le chef de file incontesté dans le domaine des moyens de transport urbains tels que les rames de métro, les trams et les trains légers sur rail ; celui des trains de banlieue et celui du transport interurbain. Elle concevait et installait des systèmes complets de transport, notamment des systèmes de transfert aéroportuaires (navettes automatisées) et des réseaux ferroviaires à grande vitesse.

Un seul coup d'œil à ses installations ferroviaires suffisait pour prendre conscience de l'importance de sa présence dans le monde. Au Canada, Bombardier avait des usines au Québec, en Ontario et en Colombie-Britannique. Aux États-Unis, ses unités de production étaient situées au Vermont, dans l'État de New York, en Californie et en Pennsylvanie. Bombardier était partout présente en Europe où elle avait 35 établissements en Allemagne, en Belgique, en France, en Autriche, en Grande-Bretagne, en République tchèque, au Portugal, en Hongrie, en Suède, en Pologne, en Norvège, au Danemark, en Espagne et en Italie.

Elle vendait ses produits partout dans le monde : ses véhicules légers sur rail à Cologne, à Londres, à Minneapolis, à Berlin et à Sydney ; ses voitures de métro à Montréal, à Toronto, à New York, à Berlin, à Mexico et à Guangzhou (Chine) ; ses trains navettes aux Chemins de fer des Pays-Bas, au Chemin de fer de Long Island, au réseau GO de Toronto ; ses systèmes de transfert à l'aéroport John-F.-Kennedy de New York et à des aéroports d'Atlanta, de San Francisco et de Dallas.

Dans le rayonnement de l'acquisition d'Adtranz, l'avenir du marché mondial du matériel ferroviaire fit l'objet de prévisions optimistes. Au dire de Bombardier, les ventes passeraient de 28 milliards de dollars en 2000 à 50 milliards en 2006. Ces chiffres semblaient justifier l'acquisition d'Adtranz.

Si les dirigeants s'inquiétaient de savoir si Bombardier avait grandi trop vite, cela ne se voyait pas. Rares étaient ceux qui osaient parler du trop grand nombre de ses usines et de ses employés en Europe, ou de ses faibles marges bénéficiaires dans cette partie du monde. Le cours des actions de Bombardier réjouissait les actionnaires et la communauté financière. Bob Brown et Laurent Beaudoin prévoyaient une augmentation annuelle des bénéfices de l'ordre de 30 pour 100 – et c'est ce que le marché désirait entendre. L'entreprise s'était hissée à des hauteurs vertigineuses. Son équilibre était précaire et une légère poussée suffisait pour la précipiter dans le vide.

C'est alors que le monde bascula.

CHAPITRE 17

Le 11 septembre

Le matin du 11 septembre 2001, Laurent Beaudoin subissait des examens cardiologiques à l'Hôpital Notre-Dame de Montréal. En sortant d'une salle d'examen, il entendit quelqu'un dire au téléphone qu'une explosion s'était produite à New York. Quand il s'assit avec les autres patients dans la salle d'attente, il leva les yeux vers le téléviseur au moment même où le second de deux avions percutait une tour du World Trade Center. Comme tout le monde, il fut obsédé par les horribles images de ces avions de ligne qui s'écrasaient sur les tours jumelles, des gens qui se jetaient dans le vide pour échapper à l'incendie, des édifices de Wall Street qui s'écroulaient. Les attaques terroristes de New York et de Washington, D.C. étaient des dagues enfoncées dans le cœur même des États-Unis. Beaudoin était sous le coup d'une émotion trop vive pour se rendre compte des répercussions qu'auraient ces attaques sur l'ensemble de l'économie, sur l'industrie aéronautique et sur Bombardier[1].

Tandis que les équipes de secours commençaient à déblayer les macabres ruines de *Ground Zero*, on prit conscience de la gravité de ces attaques pour l'économie en général et pour l'industrie aérienne en particulier. Les marchés boursiers piquèrent du nez et la confiance des consommateurs s'envola en fumée. Les économistes prédirent une chute radicale des bénéfices d'entreprise et l'avènement d'une récession avant la fin de l'année en cours.

Personne n'osait plus monter à bord d'un avion. Pourtant, l'aviation commerciale américaine aurait eu une mauvaise année même si Osama bin Laden ne s'en était pas mêlé. Quand l'économie avait fléchi dans la première moitié de 2001, les analystes avaient prévu des pertes de plus de 2 milliards de dollars pour les transporteurs. Le 11 septembre mit fin à tout espoir de reprise. À la suite des attaques, ces pertes anticipées atteignirent les 7 milliards en raison d'une diminution marquée de la demande et de frais de sécurité accrus.

Cinq jours après les attaques, Continental, le cinquième transporteur en importance aux États-Unis, déclara des pertes de 30 millions de dollars par jour. Il annonça des coupures de 20 pour 100 de ses heures de vol et la mise à pied de plus de 10 000 employés. D'autres transporteurs lui emboîtèrent le pas : American, Northwest et US Airways. Des lobbyistes de l'industrie défilèrent devant le Congrès américain et réclamèrent la mise sur pied d'une opération de sauvetage de quelque 20 milliards de dollars pour que l'aviation commerciale puisse survivre à cette crise sans précédent. Ces transporteurs étaient les plus gros clients de Bombardier. Si les plus gros transporteurs et les lignes aériennes subsidiaires qui leur étaient affiliées étaient fauchés, qui achèterait des jets régionaux ?

Le cours de l'action de Bombardier chuta de 30 pour 100 en une semaine ; Laurent Beaudoin et Bob Brown devaient à tout prix rassurer les marchés financiers. Au cours de la dernière semaine de septembre, ils annoncèrent la coupure de 3 800 postes au sein du groupe aéronautique, dont plus de 2 000 à Montréal. « Nous faisions de la gestion de crise, dit Brown. Il nous fallait trouver des solutions imaginatives pour aller de l'avant avec optimisme. » Il annonça une coupure supplémentaire de 2 700 emplois si une reprise du marché ne se matérialisait pas. Des avionneurs du calibre de Boeing et d'Airbus réduisaient leurs effectifs de façon importante et Bombardier n'avait pas le choix : il lui fallait soutenir cette concurrence. Brown annonça en outre que, par mesure de prudence, Bombardier réduirait de 10 pour 100 les livraisons prévues de jets d'affaires et de passagers. La direction avait passé au peigne fin son carnet de commandes d'appareils, scrutant chaque commande une à une. Les lignes aériennes désiraient toujours acheter les avions qu'elles avaient commandés, mais elles avaient besoin d'un délai pour évaluer leurs plans d'affaires, dit Brown[2]. Maintenant que leur cote de solvabilité était nulle, elles avaient besoin de dénicher quelque part les sommes qui financeraient leurs acquisitions. Ottawa et Exportation et développement Canada pouvaient encore intervenir.

Bombardier avait eu des problèmes avec EDC bien avant le 11 septembre. Les médias et les critiques s'étaient régalés de la relation intime entre les deux – les prêts du Compte du Canada puisés dans les caisses du gouvernement, les milliards de dollars d'emprunts consentis aux acheteurs de Bombardier. En fait, cette relation était de plus en plus semée d'embûches. Bombardier n'avait de cesse de solliciter des fonds d'EDC, mais les limites que cet organisme avait dû imposer à son portefeuille de prêts à l'industrie aéronautique lui donnaient de l'urticaire.

Tim Myers, directeur du financement du programme d'avions régionaux de Bombardier, commençait à s'inquiéter de l'orientation que prenait EDC. Une banque commerciale typique, dont le portefeuille est partagé entre un petit noyau de clients, s'efforce en général de diversifier ses risques en échangeant ses créances avec d'autres institutions prêteuses ou en les titrisant (c'est-à-dire en vendant le flux du capital et des intérêts des titres émis à un investisseur). Ce faisant, Bombardier pouvait effacer quelques éléments de passif de ses livres. EDC consentait des prêts directs énormes aux acheteurs de Bombardier, mais conservait ces créances puisqu'elles lui étaient profitables. L'agence ne titrisait et ne troquait pas assez ses créances au goût de Bombardier. L'eût-elle fait, elle aurait augmenté sa capacité de prêt.

« EDC avait une exposition au risque extrêmement chaotique, dit Myers. Ils étaient très vulnérables chez Delta, SkyWest et Mesa. Quand on regarde la liste de nos clients les plus importants, on voit qu'EDC s'exposait à des risques avec chacun d'eux. Nous sommes donc allés trouver les gens d'EDC pour leur proposer une bonne dizaine de solutions. Ils pouvaient engager un preneur ferme qui les aide ensuite à consortialiser leur portefeuille de prêts ; ils pouvaient obtenir que d'autres banques ne faisant pas forcément affaire avec Bombardier acquièrent ces prêts afin de les ajouter à leur propre portefeuille ; ils pouvaient répartir leur risque. Nous leur avons parlé de l'assurance-crédit – autrement dit, ils pouvaient souscrire une assurance pour couvrir une partie de leur portefeuille en cas de manquement.

« Nous leur avons suggéré d'entrer en contact avec certains investisseurs dans le but de troquer avec eux une partie de leurs prêts. Par exemple, s'ils s'exposaient à de grands risques avec Delta et que quelqu'un d'autre s'exposait à de grands risques avec American, ils pouvaient s'échanger une partie de leur portefeuille respectif. Nous avons envoyé quelques preneurs fermes chez eux pour en discuter.

«Nous avons été très insistants, se remémore Myers. Nous avons passé beaucoup de temps avec les gens d'EDC. Nous leur avons dit : Il faut que vous nous fassiez part de vos orientations. En août 2001, ils nous sont revenus en disant : "Nous sommes satisfaits de notre exposition au risque, et nous n'y changerons rien." Le portefeuille d'EDC comptait 360 prêts à Bombardier, et ils en ont consortialisé à peine quatre. Puis, les attentats du 11 septembre ont eu lieu et la possibilité de vendre à profit s'est volatilisée. Après, tout a été mis en attente[3]. »

La déconvenue des dirigeants de Bombardier s'intensifia. Myers prit connaissance du financement qu'EDC leur avait accordé – soit pour 35 pour 100 des livraisons d'avions à réaction – et se dit : «Nous allons manquer de financement. EDC va atteindre son plafond, et ce sera tout.» Cette situation lui paraissait insensée. Tous les avionneurs du monde recevaient et reçoivent encore des appuis d'une agence de crédit à l'exportation ; c'est un fait indéniable. Aux États-Unis, la Export-Import Bank soutient Boeing ; en Europe, quatre agences de crédit à l'exportation appuient Airbus ; au Brésil, Embraer compte sur la banque nationale BNDES. «Mais voilà que le risque était grand pour un avionneur canadien qu'aucune agence de crédit à l'exportation ne finance ses ventes. C'était absurde. Et c'était dû, essentiellement, à la stratégie d'achat à long terme d'EDC. »

EDC voyait les choses d'un autre œil. Quand, en 2001, l'ancien président d'EDC Patrick Lavelle écrivit au Conseil des ministres pour exprimer son inquiétude en ce qui concernait le niveau de risque auquel EDC s'exposait avec les clients de Bombardier, il se conformait à la politique de prudence qui caractérisait la gestion d'EDC. «Je pense que M. Lavelle constatait que la demande augmentait et que l'industrie s'appuyait de plus en plus sur EDC, se remémore Eric Siegel, vice-président responsable des prêts. Il est normal qu'on ne tienne pas à s'exposer à des risques indus. Nous n'avons pas modifié notre approche ; notre politique de prudence n'a pas changé. »

Siegel conteste l'opinion voulant qu'EDC n'ait pas voulu vendre ou troquer certains emprunts de Bombardier. «Nous cherchons toujours des façons de faire plus et mieux, dit-il. C'est notre boulot.» Mais il ne fallait pas pour autant que l'agence érode son capital de base ; elle devait éviter de puiser dans les goussets du contribuable pour se financer. «Je pense que nous avons contacté tout le monde, tous ceux qui s'intéressent de près ou de loin à l'aéronautique, pour voir s'il serait possible de mettre à profit leurs capacités financières afin de venir en aide à l'industrie aéronautique canadienne. Nous avons un pupitre de négociation des risques et des gens qui ne font que ça, parler à des investisseurs et analyser la situation[4].»

D'importantes différences distinguent cependant EDC de sa contrepartie à Washington, la Ex-Im Bank. Cette agence américaine émet principalement des garanties du gouvernement sur des prêts commerciaux privés ; puisqu'elle ne met pas elle-même des sommes d'argent à la disposition des entreprises, elle n'a pas besoin d'un capital aussi important pour couvrir ses risques. EDC est, pour sa part, une agence prêteuse ; ses portefeuilles de prêts rentables lui servent de provision pour risque sur ses portefeuilles incertains.

Voilà bien ce qui agaçait Bombardier. Les prêts à l'industrie aéronautique étaient très rentables pour EDC, puisque les prêts non productifs représentaient 1 pour 100 à peine de son portefeuille. Le reste de son portefeuille était beaucoup plus risqué, avec plus de 8 pour 100 de prêts-problèmes. Les prêts au secteur plus qu'incertain des télécommunications – plus particulièrement aux clients de Nortel Networks – avaient beaucoup grugé le capital d'EDC et Bombardier en faisait les frais. «Notre portefeuille servait à accroître la provision pour créances irrécouvrables d'EDC[5]», soutient Myers.

Selon lui, il aurait fallu que l'agence accepte de faire beaucoup plus pour le secteur de l'aéronautique, compte tenu des bénéfices potentiels et de l'absence de risques de ce genre de prêts. Par ailleurs, EDC n'avait pas les moyens de procurer des services bancaires privés à Bombardier. Elle avait le mandat de soutenir tous les secteurs de ventes à l'exportation de l'économie canadienne avec un minimum de risques pour les contribuables. Ses provisions pour dettes irrécouvrables étaient de trois à quatre fois plus importantes que celles d'une banque privée, et il n'était pas question qu'il en soit autrement.

La réticence d'EDC à prêter davantage au secteur aéronautique accrut l'importance des répercussions du 11 septembre sur Bombardier. Naguère, pas moins de 50 compagnies finançaient les contrats de location adossée nécessaires à l'acquisition d'aéronefs. Certaines des plus grandes sociétés américaines faisaient partie de ce groupe :

Key Bank, Bank One, Fleet, Met Life, Phillip Morris, Wells Fargo, Pitney Bowes. Ces transactions leur servaient d'abri fiscal, puisqu'elles pouvaient ensuite imputer à leur exercice un amortissement pour dépréciation des appareils. En cas de manquement, un agent de revente pouvait assez facilement louer les appareils à un autre transporteur.

Après le 11 septembre, ce marché du secteur privé mit fin à ses activités. Selon Myers, «tous se disaient incapables d'affronter une telle situation». Les pertes considérables subies par United, Delta, American et Continental effrayaient les institutions prêteuses. Deux transporteurs de moindre importance, Midway Airlines et Kendall Airlines, déposèrent leur bilan et, peu après, le grand transporteur international Swiss Air fit de même. «La plupart des intervenants choisirent d'attendre. Mais ils se mirent bientôt à perdre beaucoup d'argent.»

Pensons, par exemple, à Walt Disney Corp. Ce géant de l'industrie du spectacle était entré dans le domaine des prêts à l'aéronautique afin de profiter de cet abri fiscal. Mais Disney fut victime de plusieurs lignes aériennes qui manquèrent à leur obligation de rembourser leur crédit-bail sur des gros-porteurs de Boeing et d'Airbus. Il ne bénéficiait pas des mêmes garanties qui souvent accompagnent les transactions avec des transporteurs régionaux. Dans une situation comme celle que connut Disney, lorsqu'il y a manquement, le preneur risque de perdre sa chemise. Il doit parquer l'aéronef dans le désert de la Californie parce que personne n'en veut. Personne n'assume le fardeau du service de la dette et l'actif ne vaut plus rien. «Si, dit Myers, vous êtes l'heureux propriétaire d'un appareil immobilisé au sol et qui, en outre, fait partie de la flotte d'un transporteur en état de faillite, que se passe-t-il? Vous perdez votre investissement. Tous ces acteurs-là sont maintenant sortis du décor.» Compte tenu de l'affaissement des bénéfices d'entreprises, ils étaient encore moins justifiés d'y rester puisqu'ils n'avaient plus de revenus à abriter de l'impôt[6].

Tout compte fait, les inexécutions sur les locations d'appareils furent relativement peu nombreuses après les attentats du 11 septembre. Certains paiements pour des jets de Bombardiers furent suspendus et quelques Regional Jets furent parqués dans le désert en attendant de nouveaux preneurs, «mais nous les avons remis en activité assez vite, dit Myers; en moins de 12 mois, je dirais. En temps normal, la revente exige de trois à six mois, mais dans le cas d'avions de grande dimension, ce délai s'étend parfois jusqu'à douze mois. Compte tenu du fléchissement occasionné par les attentats du 11 septembre, ç'a été assez phénoménal. Je pense que les Regional Jets ont été remis sur le marché très vite et à d'excellentes conditions.»

Les transporteurs régionaux semblaient en meilleure posture que les gros transporteurs, et le jet régional était lui-même devenu l'avion de prédilection des lignes aériennes en difficulté. Celles-ci désiraient en acquérir un plus grand nombre parce qu'ils sont beaucoup plus économiques à exploiter. Par exemple, un pilote d'American Airlines gagne en moyenne 250 000 $US, mais un pilote d'American Eagle, son affilié régional, est payé 50 000 $US. Les économies potentielles sont énormes. Les syndicats de pilotes avaient négocié des clauses de portée afin de limiter l'accès des pilotes moins bien rémunérés aux jets de plus petit calibre, mais on pressait de plus en plus les syndicats de modifier ces ententes. Manifestement, les transporteurs avaient trop d'avions disponibles et pas assez de passagers. Pour survivre, il leur fallait se rapetisser.

Pour Bombardier, le problème était le suivant : les transporteurs voulaient augmenter leur flotte, mais à la suite des attentats du 11 septembre, personne n'était disposé à les financer. «Il n'y avait pour ainsi dire aucune activité dans le domaine du crédit-bail aux États-Unis, dit Myers, sauf si les transactions étaient garanties à 100 pour 100 ou si elles découlaient d'un engagement préalable dont il était impossible de se libérer.» Après le 11 septembre, on a assisté à une importante concentration du secteur du crédit-bail. GE Capital était le seul intervenant qui finançait encore des locations d'aéronefs ; sa compagnie mère, General Electric Corp., était un important fournisseur de moteurs d'avions pour Bombardier et d'autres avionneurs, et elle souhaitait soutenir l'industrie aéronautique.

Compte tenu de ces circonstances difficiles, Bob Brown est retourné à Ottawa et a supplié EDC de rentrer dans la danse. Après le 11 septembre, partout dans le monde les gouvernements venaient en aide à l'aviation commerciale. Le Canada ne devait pas être en reste. L'agence mit de côté certaines de ses inquiétudes quant à son exposition au risque et accepta de soutenir l'industrie aéronautique pendant un certain temps. «EDC est revenue avec encore plus de force qu'auparavant, dit Myers. Pendant un certain temps, elle a financé non plus 35 pour 100 de nos livraisons, mais bien 50 pour 100.

Tous les avionneurs étaient dans la même situation. Ex-Im Bank, aux États-Unis, a assumé un pourcentage beaucoup plus élevé des livraisons de Boeing. Même chose chez Airbus. Au Brésil, BNDES finançait aussi son industrie[7].» Partout les gouvernements étaient considérés comme indispensables à l'industrie aéronautique.

En ce qui concerne Bombardier, la raison d'être des appuis du gouvernement s'était transformée au fil des ans, mais le résultat était toujours le même. Au début, quand le jet régional n'en était qu'à ses débuts, Bombardier ne croyait pas pouvoir le vendre sans un apport gouvernemental. Plus tard, quand l'empire de Bombardier se trouva directement menacé par le Brésil et Embraer, l'entreprise se déclara incapable de soutenir cette concurrence sans l'aide d'EDC. Maintenant, dans le sillage des attentats du 11 septembre, EDC était redevenue indispensable à la survie de Bombardier dans le domaine de l'aéronautique.

Tandis que se poursuivait la lutte avec EDC, un drame se jouait dans les bureaux de la direction de Bombardier au trentième étage d'un édifice situé en face de la Place Ville-Marie. Du jardin intérieur en terrasse, on embrasse tout le centre-ville de Montréal du regard ; les vastes couloirs et la décoration raffinée montrent que nous nous trouvons au sommet de la hiérarchie d'entreprise. Le visiteur qui gravit l'escalier conduisant à l'étage des bureaux est accueilli par un buste de Joseph-Armand Bombardier qui lui sourit avec bienveillance. Pourtant, en 2001, ici régnaient le chaos et l'incertitude. Bob Brown n'avait certes pas été gâté quand il avait été promu chef de la direction. Laurent Beaudoin et Yvan Allaire (jusqu'à ce que ce dernier prenne sa retraite en juin de la même année) s'étaient réservé certaines responsabilités importantes. Par exemple, c'étaient eux qui avaient orchestré l'acquisition d'Adtranz en Allemagne. Ils étaient trois à se partager le pouvoir au sommet de la hiérarchie, ce qui n'est guère une situation idéale pour établir un leadership et donner une orientation à l'entreprise.

«Laurent Beaudoin avait du mal à déléguer des responsabilités», dit Yvon Turcot, ancien vice-président principal, affaires publiques de la société, qui demeura à la direction de Bombardier jusqu'en 2003. «Et puisque Bob faisait déjà partie du décor, il n'avait pas la même autorité morale qu'un Paul Tellier. Bob ne savait pas très bien jouer des coudes. Allaire relevait de Beaudoin. La situation était très compliquée. Brown devait constamment faire toutes sortes de compromis. Ce n'était pas un mauvais choix, mais il n'avait pas carte blanche[8]. »

Brown était responsable de l'aéronautique, des produits récréatifs, du transport, des finances et des ressources humaines. Il n'avait aucun pouvoir sur Bombardier Capital, sur les stratégies de communication, les relations avec les actionnaires, les questions juridiques, les fonctions de trésorerie, les stratégies d'entreprise ou le financement structuré – tous ces secteurs étaient la responsabilité d'Allaire. Laurent Beaudoin était, quant à lui, responsable du régime de retraite. Cette situation impossible était sans doute vouée à l'échec dès le départ.

Ceux qui connaissaient bien Brown soutenaient que, tout en étant conscient des limites de son pouvoir, il était certain de faire progresser l'entreprise. Mais il se trouva bientôt aux prises avec des problèmes qu'il n'avait pas créés : l'intervention désastreuse de Bombardier Capital dans le secteur des maisons mobiles ; la querelle avec Amtrak autour du contrat des Acela ; les problèmes liés à l'intégration des acquisitions ferroviaires européennes de Bombardier. Il aurait sans doute pu sortir l'entreprise de ce bourbier si les attentats du 11 septembre n'avaient pas fait s'écrouler l'économie. En réalité, trois semaines avant les attentats, il annonçait fièrement aux analystes que le bénéfice par action grimperait de 30 à 40 pour 100 pour l'exercice.

Un mois plus tard, il était aux prises non seulement avec les répercussions du 11 septembre, mais aussi avec un éventail entier de problèmes inquiétants. Le 26 septembre, il annonça la perte de 663 millions de dollars de Bombardier Capital et déclara que cette unité abandonnait ses activités dans le secteur des maisons mobiles et des prêts aux consommateurs. Il annonça aussi qu'il faudrait sans doute imputer une charge de 180 millions sur les revenus de l'unité ferroviaire européenne et radier 264 millions sur les coûts de lancement du turbopropulseur Q400 de Bombardier, construit aux usines de de Havilland. Ces Dash-8 étaient des merveilles technologiques – il suffisait d'appuyer sur un bouton pour mettre fin au bruit et aux vibrations qui avaient naguère tant nui à cet appareil. Mais ils étaient coûteux à construire et ils ne se vendaient pas.

À la mi-octobre, un mois à peine après le 11 septembre, le cours de l'action était tombé aux alentours de 10 dollars, soit 50 pour 100 sous son sommet de l'année, mettant à rude épreuve la confiance des actionnaires. Puis, à la surprise générale, Bombardier annonça qu'un nouveau président avait été nommé à la tête du groupe aéronautique, c'est-à-dire du troisième fabricant d'avions de ligne au monde. Il s'agissait de Pierre Beaudoin, fils de Laurent et petit-fils du fondateur de l'entreprise. Laurent avait préparé le terrain quelques mois auparavant en retirant le jeune Beaudoin de l'unité produits récréatifs pour le nommer président du secteur des avions d'affaires.

Pierre Beaudoin avait fait un travail impressionnant à l'unité des produits récréatifs, car il portait une grande attention aux détails. Un gouffre sépare les motoneiges et les motomarines des avions d'affaires et de passagers. Étant donné les difficultés sans précédent auxquelles était confrontée l'aviation commerciale, on eût sans doute souhaité voir aux commandes un pilote plus aguerri, un homme d'expérience qui avait fait ses preuves dans le domaine aéronautique.

Cette nouvelle stupéfia même les observateurs qui suivaient l'entreprise depuis toujours. «J'ai été abasourdi d'apprendre que Pierre allait diriger le secteur aéronautique, dit un analyste qui couvrait la compagnie depuis plusieurs années. Je ne m'y attendais pas du tout. Pierre avait l'air tout à fait heureux aux produits récréatifs et ne semblait pas intéressé à grimper dans la hiérarchie. Habituellement, les gens qui se retrouvent dans une telle situation marchent tête haute et se vantent qu'un jour ils prendront l'affaire en mains, mais Pierre n'a jamais eu cette attitude, si bien que je n'ai jamais pensé qu'il désirait cette promotion[9].»

Mais, chez Bombardier, ce n'était un secret pour personne que Pierre était destiné à ce poste. Bien que Bob Brown ait été libre de nommer un candidat de son choix, il avait senti la main de Laurent Beaudoin peser sur son épaule. On avait là la preuve irréfutable que Laurent Beaudoin préparait Pierre à hériter la compagnie un jour, même si personne n'ébruitait l'affaire. «La famille rêve de voir Pierre devenir chef de la direction pendant que Laurent est encore président», dit une source proche de l'entreprise. Cette promotion souleva des questions quant au poids accordé aux considérations familiales dans la gestion quotidienne de Bombardier. Les membres de la famille joueraient-ils un rôle plus important dans l'entreprise que celui de simples gestionnaires[10]?

«Quand Laurent Beaudoin nomma Bob Brown au poste de chef de la direction, dit le même analyste, j'ai pensé que, ce faisant, il montrait

clairement au marché que le parcours de Bombardier se profession-
nalisait, que l'entreprise engageait un homme d'affaires d'expérience
et qu'elle récompenserait des gens extérieurs à la famille. Regardez
ce qui est arrivé au titre de Bombardier après l'entrée en poste de
Bob Brown. L'année même de son arrivée, le cours de l'action était
en hausse de 30 ou 40 pour 100.» Certes, les problèmes qu'a connus
Bombardier ont changé tout cela. Selon cet analyste, la leçon à en tirer
a été qu'«au fond, on ne sait jamais vraiment ce qui se passe à la table
familiale. On ignore ce qui se trame lors des soupers du dimanche
soir, dans les Cantons de l'Est, derrière des portes fermées[11].»

Pierre a accueilli ces changements avec équanimité. C'est un
homme débonnaire et équilibré et le fait d'appartenir à la famille
Bombardier ne lui monte pas à la tête. «Il aime se détendre et boire
une bière avec ses copains; il n'aime pas particulièrement la compagnie de personnages riches et influents», dit un ancien collègue de
travail. D'un physique moins imposant que celui de son père, il a
cependant la même voix que lui et il fait preuve de la même circons-
pection lorsqu'il répond aux questions qu'on lui pose. Quand on lui
demande s'il aspire à prendre la succession de son père, il répond
sans répondre:

«Je crois que j'ai eu du succès dans mon travail chez Bombardier parce que je ne me suis jamais inquiété de la prochaine étape.
J'ai d'énormes défis à relever à l'aéronautique pour parvenir à redresser ce secteur et à le rentabiliser, et cela me conduira où cela me
conduira. Tant que j'accomplis un boulot stimulant et que j'y suis
heureux, je ne m'inquiète pas de l'avenir.»

Certes, il est un nouveau venu dans le secteur aéronautique, mais
de tels changements sont habituels chez Bombardier. «Comme dans
la plupart des grandes sociétés, dit-il, la planification de la relève se
fait chez nous de façon très soignée.» Selon Pierre Beaudoin, si les
produits de l'unité aéronautique diffèrent des Ski-Doo et des Sea-
Doo, les facteurs de complexité sont les mêmes dans les deux domaines. «La force de Bombardier réside dans notre compréhension
des mécanismes de mise au point et de construction d'un produit,
dit Pierre. Je crois que, compte tenu de mon expérience de plusieurs
années dans le secteur des produits récréatifs, et compte tenu du fait
que j'ai manœuvré sans trop de peine dans les hauts et les bas de
l'industrie de la motomarine, mon père s'est dit que j'étais prêt à relever le défi du secteur aéronautique[12].»

D'aucuns n'en étaient pas si sûrs. Ce secteur gigantesque est très varié, ses ventes sont internationales, ses produits appartiennent à de nombreux segments du marché. Un ancien employé de Bombardier Aéronautique a dit: «Des tas de gens ont levé les yeux au ciel en apprenant la nomination de Pierre Beaudoin.» Mais qu'avait-elle d'étonnant? Peu importe l'empire mondial qu'elle est devenue, l'entreprise Bombardier est avant tout familiale, dirigée par la famille et pour la famille. Elle doit répondre aux mêmes interrogations que tous les autres empires familiaux: la prochaine génération a-t-elle ce qu'il faut? Possède-t-elle le talent et les aptitudes entrepreneuriales nécessaires pour prendre le relais et faire progresser la compagnie?

Pour que la famille puisse répondre à de telles questions, il fallait forcément que Pierre en vienne tôt ou tard à prendre la direction de l'aéronautique. Seulement ainsi pourra-t-il acquérir la crédibilité et la légitimité qui lui permettront un jour de prendre la direction de l'entreprise. Mais, ainsi que le signale un ancien cadre de direction de Bombardier: «Tous les empereurs ont un grave défaut, et c'est de souhaiter que leur fils prenne la relève. Tous les empereurs sont des accidents statistiques. Vouloir que son fils le soit aussi n'est sans doute pas très réaliste[13].»

Une chose semble sûre: intégrer Pierre au secteur aéronautique tout de suite après le 11 septembre, c'était sans doute lui faire un cadeau empoisonné. «J'ai dû faire face à la réalité, dit-il. Il y a des limites à la croissance, et même si nous avons réalisé de bien grandes choses depuis dix ans, certaines n'ont pas été les réussites que nous avions souhaitées. Notre croissance a été extrêmement rapide. Il nous a fallu reconnaître que nous devions apporter des correctifs à un certain nombre de choses. Il n'a pas été facile de garder le moral[14].»

Pierre était très désavantagé à certains égards, selon un analyste qui suit Bombardier depuis toujours. Il n'avait jamais développé des rapports très étroits avec les milieux de la finance. «Lorsqu'il dirigeait l'unité des produits récréatifs, il ne tenait pas à multiplier les contacts avec les médias. Il répondait à une ou deux questions si c'était absolument nécessaire, mais il n'aimait pas cela.» Le contraste entre Pierre et Bob Brown était manifeste.

«Bob Brown avait été brillant à la tête de l'unité aéronautique. Il dégageait beaucoup d'assurance et inspirait confiance. Quand les gens venaient lui parler, il ne leur racontait pas d'histoires. Ainsi, Pierre était désavantagé dès le départ, parce qu'il n'avait pas gagné la confiance des milieux financiers. Et on se demandait s'il occupait ce poste dans le seul but de se préparer à prendre la relève[15]. »

Le 28 novembre 2001, Brown rencontra 150 analystes financiers et investisseurs institutionnels à l'occasion d'une grande journée annuelle d'information organisée par Bombardier à l'intention des milieux de la finance. Comme le cours de l'action se languissait, l'occasion semblait bien choisie de conférer un peu de lustre aux perspectives d'avenir de la société et informer le milieu sur les revenus et les bénéfices auxquels on s'attendait. Étant donné la persistance des retombées du 11 septembre, le moment était venu pour Brown de tempérer l'optimisme dont il avait fait preuve en août. Il réduisit de moitié, soit à 15 pour 100, ses prévisions pour la croissance du bénéfice par action. Mais l'exubérance irrationnelle a la vie dure. Brown continua d'affirmer que les revenus doubleraient en cinq ans, passant de 16 à 32 milliards de dollars. Il ajouta que les bénéfices afficheraient un taux de croissance annuel composé de 20 pour 100 au cours de cette même période. « Nous continuerons à offrir un rendement supérieur à nos actionnaires », promit-il.

Lorsque des sociétés cotées en bourse telles que Bombardier font, à l'intention des investisseurs, des « énoncés prospectifs », elles y incluent des propos ambigus comme ceux-ci : « Les énoncés prospectifs qui suivent sont assujettis à des risques et à des incertitudes. Des facteurs de risque de nature législative ou réglementaire, économique, climatique, technologique ou concurrentielle, ou pouvant toucher les fluctuations de change ou tout autre facteur important, peuvent en effet faire en sorte que les résultats réels diffèrent de nos énoncés prospectifs. » Bref, ne nous blâmez pas si le cours de l'action s'écroule. L'actionnaire accueille ces prévisions avec un grain de sel, en acheteur averti. Mais le jour où cette rencontre eut lieu, vous auriez été justifié de renoncer à votre scepticisme et de faire confiance à Bombardier. La crise de l'aviation commerciale et les scandales financiers d'Enron et de WorldCom ne nous avaient pas encore frappés de plein fouet et la foi dans les marchés boursiers n'avait pas encore été ébranlée en profondeur.

On aurait pu s'attendre à ce que l'optimisme de Bombardier soit accueilli avec une certaine méfiance, mais les investisseurs semblèrent ne pas douter, du moins pendant un certain temps, que tout allait pour le mieux dans le meilleur des mondes. Après avoir atteint un creux de 9,19 $ en octobre, l'action reprit du poil de la bête pour atteindre 17,30 $ dans la première semaine de janvier 2002, ce qui représentait un gain impressionnant de 88 pour 100. Certains analystes recommandèrent à nouveau le titre. UBS Warburg haussa son prix cible à 20 $, dans l'espoir qu'une reprise économique puisse aider Bombardier à se remettre d'aplomb. D'autres, toutefois, affirmèrent que le marché de l'aéronautique était déprimé et que l'action de Bombardier décevrait les investisseurs[16]. Ils avaient raison.

Le 12 février 2002, Brown admit que le marché des jets d'affaires était plus mal en point qu'il n'avait cru. Les livraisons d'avions régionaux se maintenaient, mais les entreprises et les entrepreneurs ne se laissaient plus tenter par les jets d'affaires extrêmement rentables qui avaient fait monter en flèche les bénéfices de la compagnie. Qui plus est, l'économie laissait encore une fois présager un ralentissement très inquiétant.

Le cours de l'action avait déjà commencé à perdre de son lustre et continuerait de se ternir lentement tout au long de l'année. Deux jours plus tard, les investisseurs reçurent un autre coup au cœur lorsqu'ils apprirent que l'importante transaction de Bombardier dans le secteur ferroviaire européen, son acquisition d'Adtranz de Daimler-Chrysler, avait mal tourné. Bombardier n'avait pas effectué un contrôle préalable suffisant de l'objet de son acquisition, et cette négligence revenait la hanter : les deux parties ne s'entendaient pas sur la valeur des actifs de l'entreprise.

C'était une très mauvaise nouvelle. Pendant que se négociait l'acquisition, Bombardier avait eu accès à un « centre de planification » où il lui avait été possible de consulter des documents et des contrats d'Adtranz. Mais tout contact direct avec les gestionnaires de la société lui avait été interdit. « Ils étaient nos concurrents, dit Laurent Beaudoin. Nous avons respecté les procédures de diligence raisonnable, nous avons formulé des questions concernant les documents auxquels nous avions accès. Nous avons pu visiter certaines installations, mais nous avions des règles à respecter, nous ne pouvions consulter certains documents, etc. En définitive, ils nous avaient garanti une certaine valeur d'actif. Les documents que nous avions pu consulter au centre de planification nous satisfaisaient, ils nous offraient des garanties, si bien que nous nous sommes dit : "S'ils ne livrent pas la marchandise, ils devront compenser le manque à gagner». Mais à la fin, quand nous avons procédé à la vérification comptable, nous avons bien vu que la réalité était totalement différente de ce qu'ils avaient fait valoir. Nous ne pouvions pas faire grand-chose[17].»

Si, si, ils pouvaient faire quelque chose. Bombardier soumit à l'arbitrage une demande d'indemnisation pharamineuse de 1,4 milliard de dollars – soit plus encore que le 1,1 milliard qu'elle s'était engagée à débourser pour acheter la compagnie –, insinuant ainsi que son acquisition ne valait rien.

Pour de nombreux investisseurs, il devenait évident que la direction de Bombardier avait perdu toute crédibilité. «Selon nous, que Bombardier perde ou gagne, sa crédibilité en prend un coup, car on se demande pourquoi cette acquisition n'a pas été soumise à un processus d'examen suffisant», dit un analyste de J.P. Morgan, à Wall Street. Comment expliquer un écart aussi important ? Selon Bombardier, l'application de principes comptables américains aux livres d'Adtranz eut pour résultat de mettre au jour une charge non comptabilisée de 600 millions de dollars pour l'exécution des contrats en cours. Quoi qu'il en soit, l'affaire n'était pas réjouissante. Bombardier dut dénicher 600 millions pour achever les travaux en suspens chez Adtranz. Après le 11 septembre, le seuil de tolérance des investisseurs pour les mauvaises nouvelles était au plus bas. Certains analystes se penchèrent sur les coûts réels d'acquisition de l'entreprise de matériel ferroviaire. Aux dires de Robert Fay, de Canaccord Capital, lorsqu'on tenait compte de la prise en charge des créances, du fond de roulement nécessaire et des liquidités requises pour respecter les contrats en cours, le total de la transaction s'élevait à près de 4 milliards de dollars[18]. L'acquisition d'Adtranz n'avait plus rien d'un coup de maître et ressemblait de plus en plus à un désastre.

À l'annonce des résultats du quatrième trimestre en mars, la situation de Bombardier semblait néanmoins viable. L'action se transigeait aux alentours de 14 $, les livraisons des Regional Jets étaient passablement solides et le carnet de commandes était toujours aussi impressionnant. Certes, le secteur ferroviaire était problématique. La direction de Bombardier estimait que 25 pour 100 des contrats qu'elle avait hérités d'Adtranz n'étaient pas rentables, mais les marges bénéficiaires du secteur ferroviaire s'alignaient encore sur celles de l'année précédente : entre 3 et 4 pour 100.

La vraie question qu'on se posait au sujet de Bombardier était la suivante : dans quelle mesure les commandes d'avions régionaux et les options prises par les gros clients de Bombardier aux États-Unis étaient-elles assurées ? Les transporteurs avaient réduit considérablement leurs opérations et parqué des centaines d'avions à réaction dans le désert. Bombardier persistait à dire que la situation n'était pas du tout grave pour les Regional Jets, que tout le monde en voulait. Mais à la mi-avril, les perspectives de moins en moins optimistes de l'industrie aéronautique incitèrent une importante agence de notation de Wall Street, Standard & Poor's, à abaisser la cote de solvabilité de Bombardier, signalant que « les commandes des transporteurs pour des RJ ou la confirmation de leurs promesses d'achat pourraient aller au ralenti tant que ces lignes aériennes se préoccuperont d'abord d'assainir leur bilan[19] ».

Août et septembre 2002 furent des mois très éprouvants pour Bombardier. Ses problèmes avec Amtrak au sujet du contrat des Acela se multipliaient tandis que les deux adversaires se rendaient l'un l'autre responsable devant les tribunaux des retards encourus et des pannes mécaniques. Pendant ce temps, la turbulence qui secouait l'industrie aéronautique s'intensifiait.

American Airlines avait annoncé 7 000 mises à pied et un plan de redressement qui jetait un voile d'incertitude sur ses commandes de jets régionaux de 70 sièges. US Airways avait demandé la protection de la loi sur les faillites – nouvelle qui inquiétait Bombardier puisque ce transporteur avait envisagé une importante commande de RJ. La rumeur la plus troublante était sans doute celle selon laquelle UAL Corp., la compagnie mère de United Airlines, comptait elle aussi demander la protection de la loi sur les faillites. Les trois lignes d'apport de United Airlines, soit Air Wisconsin, Sky West et Atlantic Coast Airlines, étaient des clientes de Bombardier. Ces transporteurs avaient commandé en tout au moins 130 avions de 50 sièges, mais la confirmation de leurs commandes était plus qu'incertaine. Quand la nouvelle au sujet d'UAL fut rendue publique au mois d'août, la valeur de l'action de Bombardier dégringola de 23 cents en trois jours[20].

Une mauvaise nouvelle n'arrive jamais seule. Une semaine plus tard, Bombardier dut enregistrer une perte sur les avions loués à US Airways après avoir laissé entendre que la faillite de l'entreprise

n'affecterait pas cette transaction. Brown dut admettre que les bénéfices de fin d'exercice ne rencontreraient pas l'objectif qu'il s'était
fixé, qu'ils seraient de 70 cents par action au lieu de 89. C'était la première fois de son histoire que Bombardier mettait en garde contre
une réduction possible de ses bénéfices annoncés. Dans ces cas-là, le
marché est souvent très sévère; il punit les entreprises qui ne tiennent pas leurs promesses. L'action de Bombardier fut durement frap-
pée puisque sa valeur chuta de 22 cents de plus quand l'entreprise
annonça la probabilité d'un « repli sévère » de l'industrie aéronautique. Certains analystes grommelèrent qu'ils n'avaient pas été in-
formés correctement de l'importance des problèmes de l'entreprise,
et ils révisèrent à la baisse le prix cible de l'action.

Selon un analyste, « le milieu financier disait : "Cela n'a aucun
sens." Mais Bombardier ne voulait pas voir la vérité en face. La direction persistait à dire : "Nous allons faire ceci, et nous allons faire cela."
Vraisemblablement, quelqu'un là-bas sonnait l'alarme, mais tout portait à croire qu'à la direction on ne voulait rien entendre[21]. »

Beaudoin refusait de remettre en question la gestion de cette
crise. « Si on regarde la séquence des événements, on se rend compte
que tout ce qui pouvait clocher a cloché, et en même temps. Nous
avons découvert les problèmes que nous avions avec Adtranz, nous
avons essuyé la perte de Bombardier Capital dans le secteur des maisons mobiles, et ensuite, nous avons subi les conséquences, très, très
graves pour nous, des attentats du 11 septembre.

« Comme on ne tient pas à réagir de façon excessive, on ne réagit
sans doute pas assez. On pêche par excès de prudence, parce qu'on
croit que la situation va s'améliorer. Par exemple, les gens pensaient
que le secteur du jet d'affaires connaîtrait un rebond, mais ça ne s'est
pas produit. Les scandales financiers ont frappé durement le marché et nous avons perdu beaucoup de commandes. »

Fin septembre, un nouveau nuage noir obscurcit l'horizon. La
menace d'une guerre en Irak commença à frapper le trafic aérien partout dans le monde. Les marchés appréhendèrent les faillites des
transporteurs et les manquements à l'obligation de rembourser les
emprunts, au point où deux agences de notation abaissèrent une fois
encore la cote de crédit de Bombardier. La chute du cours de l'action
sous les 4 $ inquiétait de plus en plus les milieux financiers : qu'en
était-il du bilan et du niveau d'endettement du groupe, plus particulièrement chez Bombardier Capital ?

Il fallait que Brown apaise tous ceux pour qui Bombardier n'était plus une compagnie viable. Le 27 septembre, il annonça la vente de 5 milliards de dollars d'actifs gérés par Bombardier Capital dans le but d'alléger son bilan. Il s'agissait principalement de prêts et de contrats de crédit-bail pour des jets d'affaires, en plus de quelques autres créances. Bombardier effectua encore 1 980 mises à pied afin de contrer le déclin de plus en plus grave du secteur aéronautique. L'usine de Havilland de Toronto ferma ses portes pendant huit semaines faute de commandes suffisantes pour ses turbopropulseurs et ses jets d'affaires. L'usine du Learjet de Wichita, au Kansas, ferma elle aussi ses portes pendant quatre mois. Et l'assemblage des avions d'affaires Challenger 604 à la chaîne de montage de Dorval, au Québec, fut interrompu pendant quatre mois. L'espace d'une journée au moins, ces nouvelles freinèrent l'hémorragie qui vidait l'action de Bombardier de tout son sang, et son cours grimpa de 6 pour 100[22].

Mais les malheurs qui s'abattaient sur Bombardier ne semblaient pas vouloir se relâcher. Au moment même où Brown s'efforçait de restaurer la confiance des investisseurs par des mises à pied et par la réduction de son portefeuille de prêts, une tragédie inattendue frappa l'entreprise. L'aéroport international Kennedy de New York avait mis à l'essai un train léger sur rail de Bombardier, conçu pour transporter annuellement quelque 32 millions de passager. L'aéroport procédait à l'installation de cette navette aéroportuaire entièrement automatisée, le Air Train, au coût de 1,9 milliard de dollars. L'après-midi du 27 septembre à 12 h 25, un train d'essai dérailla dans une courbe ; les enquêteurs soupçonnèrent que le lest de béton qui servait à simuler la charge en passagers s'était déplacé, provoquant ainsi le déraillement du train. L'opérateur, Kevin DeBourgh, un employé de Bombardier âgé de vingt-trois ans, perdit la vie dans l'accident. Ce déraillement allait coûter des millions de dollars à l'entreprise et occasionner un retard de plusieurs mois[23].

Bob Brown mit au point un plan de sauvetage. Tout au long de l'automne 2002, il en agença les éléments. Pour augmenter ses liquidités, il planifia la vente de l'aéroport de Belfast et envisagea de vendre certaines unités de la Division des services à la défense, notamment le programme d'entraînement en vol de l'OTAN. Il entreprit la rationalisation du secteur ferroviaire de Bombardier en Allemagne, mais l'imminence des élections allemandes retarda ce projet.

Avec le directeur financier, il étudia la possibilité de formuler le bilan financier de l'entreprise en devises américaines et d'opter pour des principes comptables américains. Il envisagea également de modifier les méthodes comptables relativement controversées qu'employait Bombardier pour rendre compte de son secteur aéronautique. Le fait de passer de la méthode par programme, où les charges sont différées, à la méthode du coût moyen, où toutes les dépenses sont immédiatement enregistrées, pourrait restaurer la confiance des investisseurs. Brown suggéra aussi que soit vendue l'unité des produits récréatifs, mais Beaudoin ne voulut pas en entendre parler.

« Le plan de redressement de Bob Brown se retrouve tout entier dans celui de Paul Tellier, signale Yvon Turcot, ancien vice-président de Bombardier. Sauf que Brown n'avait pas le même poids auprès de Beaudoin. Il était trop tôt pour vendre les produits récréatifs. C'était tabou. »

Le problème, au dire de Turcot, est que la communication entre Brown et son patron avait de plus en plus de ratés. « Quand l'entreprise s'est mise à péricliter, Laurent est revenu dans le décor. Mais le cours de l'action a dégringolé et la panique s'est installée. On avait l'impression que quatre mains tenaient le volant. Ce n'était pas du tout rassurant. »

Brown était coincé entre Laurent, qui était président, et Pierre, le fils de ce dernier, qui dirigeait le secteur critique de l'aéronautique. Brown ressemblait de plus en plus à un homme qu'on a jeté, sans veste de sauvetage, dans une rivière en furie. En novembre 2002, il soumit son plan de redressement à Beaudoin et sollicita son vote de confiance – qui lui fut refusé. Les rouages de son départ venaient de s'engrener.

Beaudoin constate maintenant, avec le recul, qu'il n'avait pas le choix de laisser partir son ancien bras droit. « Selon moi, Bob ne faisait pas preuve de fermeté suffisante, et il ne prenait pas les décisions qui s'imposaient. Il nous fallait faire quelque chose. Nous devions donner des indices très clairs de notre volonté de changement, faire savoir aux investisseurs que nous ne pouvions plus maintenir le même cap. Mois après mois, notre situation empirait[24]. »

Selon un analyste qui suivait la compagnie de très près, la plupart des problèmes de Bombardier étaient beaucoup plus attribuables à la primauté de la famille qu'à la performance de Bob Brown. « À mon idée, si des gestionnaires professionnels, relevant d'un conseil d'administration indépendant, avaient dirigé cette entreprise, les choses auraient changé beaucoup plus vite. Je pense que beaucoup des problèmes de Bombardier étaient dus au fait qu'il s'agissait d'une entreprise familiale. J'avais l'impression que Bob Brown était conscient de tout ce qui se passait, mais que la famille n'était pas encore prête à prendre des décisions difficiles. Bob Brown était bien disposé à agir et à faire connaître ses intentions au milieu financier. Mais le dernier mot revenait toujours à Laurent Beaudoin[25]. »

Quoi qu'il en soit, d'aucuns chez Bombardier continuaient de penser que l'entreprise était victime d'un ensemble bizarre d'accidents, qu'elle était en quelque sorte un navire aspiré par un Triangle des Bermudes d'événements imprévisibles qui incluaient les attentats terroristes du 11 septembre, le krach boursier et le scandale d'Enron. « Bombardier a été victime de circonstances fortuites, soutient Yvan Allaire. Il y a eu le 11 septembre et la faillite d'Enron ; la première tragédie a frappé les avions de ligne, la deuxième, les avions d'affaires, et le marché en est resté paralysé. Ce fut la pire année de toute l'histoire de l'aviation commerciale, du moins aux États-Unis. Nos plus gros clients déposaient leur bilan ou étaient au bord de la faillite. Ces événements se sont produits à peu de distance l'un de l'autre et ils ont totalement changé le contexte où évoluait cette industrie.

« Il m'arrive de recourir à une métaphore pour décrire ce qui s'est passé, poursuit Allaire. Bombardier était dans la même situation que Christopher Reed : le dimanche matin, il jouait Superman, et le dimanche après-midi, le voilà quadriplégique. N'eût été du 11 septembre et d'Enron, Bob Brown serait encore chef de la direction de Bombardier[26]. »

Au lieu de cela, Bob Brown se mit à calculer son indemnité de départ, et Laurent Beaudoin à songer à un candidat fort intéressant pour le remplacer.

CHAPITRE 18

On demande monsieur Tellier

Joliette, située à 100 km au nord-est de Montréal, est une petite ville typique du Québec, unie et bien ancrée dans ses allégeances politiques. Paul Tellier y est né en 1939, dans une famille depuis toujours partisane de l'Union Nationale, qui allait diriger le Québec pendant deux décennies sous la férule de Maurice Duplessis. Maurice Tellier, le père de Paul, avait été député de l'Union Nationale et président de l'Assemblée nationale. Le grand-père de Paul avait été élu chef du Parti conservateur du Québec. À la maison, on discutait de politique[1].

À Joliette, le jeune Paul était un fauteur de trouble. Adolescent, il s'était enfui de son pensionnat et, plus tard, du collège jésuite où il étudiait, préférant le ski aux études[2]. Quand il finit par se fixer, il étudie le droit administratif à l'Université d'Ottawa et à l'Université de Montréal. Mais ses antécédents génétiques le poussent dans une autre direction. «Je me passionnais depuis toujours pour les affaires publiques, le gouvernement et la politique. Au collège et à l'université, j'ai été tenté de faire carrière dans le journalisme, dans les affaires internationales», se remémore-t-il. Il s'inscrivit à Oxford pour la raison suivante: «Le processus des politiques publiques du gouvernement, voilà ce qui m'intéressait le plus. Plusieurs grands Canadiens avaient reçu leur formation à Oxford – Lester Pearson, John Turner. Pour moi, cela allait de soi.»

Il commença par enseigner le droit à l'Université de Montréal. Ses méthodes et sa morale de travail étaient déjà très évidentes: il n'était pas rare qu'il soit à son bureau dès 5 heures du matin pour préparer son cours de 8 heures. Mais le rythme de la vie universitaire était un peu trop pépère à son goût. Il reçut la piqûre de la politique à la fin des années 1960, au moment même où les francophones déferlaient sur Ottawa. Le ministre libéral Jean-Luc Pépin lui offrit le poste de secrétaire du Cabinet ; plus tard, à titre de greffier du Bureau du Conseil privé – qui dirige les destinées du gouvernement fédéral –, Tellier entreprit de travailler à la réforme constitutionnelle.

Son mandat à Ottawa fut interrompu par une période d'affectation de deux ans dans la capitale provinciale du Québec sous le gouvernement libéral de Robert Bourassa. « Bourassa et moi, se remémore-t-il, avions enseigné en même temps à l'Université de Montréal. Nous avions plus ou moins le même groupe d'étudiants mais dans des classes différentes. Si bien que, entre les cours, nous avions noué des relations amicales. En 1970, il a cherché à me convaincre de présenter ma candidature au Parti libéral. J'ai refusé. Deux ou trois jours après son élection, il m'a appelé et il m'a dit : "Tu n'as pas voulu te présenter, mais est-ce que tu viendrais m'aider, ici, au Conseil des ministres ?" Alors j'ai passé deux années fascinantes à Québec. » La Révolution tranquille tirait à sa fin et le Québec détenait maintenant assez de pouvoirs pour voir à ses propres affaires. « Certains des artisans de cette autonomie étaient encore très présents, notamment Arthur Tremblay. J'allais souvent déjeuner avec eux et ils me racontaient ce qu'ils avaient fait au début des années 1960. C'était fascinant[3]. »

Le Québec traversait alors une phase de profonde turbulence. Tellier se trouva bientôt plongé dans les événements qui conduisirent à la crise d'octobre 1970 : l'enlèvement et le meurtre du ministre du Travail, Pierre Laporte, l'imposition de la *Loi des mesures de guerre* et la présence des troupes canadiennes dans les rues. Le soir de l'enlèvement de Pierre Laporte, c'est Tellier qui convoqua discrètement une réunion du Conseil des ministres à Montréal afin de prévenir ces derniers d'être discrets dans leurs déplacements[4]. Lorsque Laporte adressa une lettre au Bureau du premier ministre, Bourassa était trop bouleversé pour la lire. Il dit : « Paul, lis-la toi-même. » Tellier dut faire part aux autres du contenu consternant de cette lettre.

Mais pour Tellier, Québec était en quelque sorte une ville isolée et provinciale. C'est à Ottawa que « ça se passait » pour quiconque souhaitait exercer une certaine influence sur les politiques du gouvernement fédéral. Il y retourna en 1972. Après un séjour comme directeur administratif de la Commission de la fonction publique, il se mit à gravir les échelons qui le conduisirent peu à peu au sommet.

Il occupa sans doute son poste le plus exigeant dans la foulée de la première victoire du Parti québécois en novembre 1976. En 1977, il dirigea ce qu'il était convenu d'appeler le Groupe Tellier, composé de cinq hauts fonctionnaires fédéraux responsables de la mise au point d'une stratégie destinée à contrer la menace séparatiste au Québec. « Pourquoi moi ? » s'était-il enquis. « Tu es toujours québécois, lui dit Pierre Trudeau. Tu rentres au Québec tous les week-ends. » Tellier, ce Trudeauiste inconditionnel, dit : « Je ne me suis jamais senti inférieur parce que j'étais francophone. J'en ressentais même une certaine supériorité. » Il s'efforçait de passer tous ses week-ends à son chalet des Laurentides afin que ses enfants soient toujours en contact avec la langue française[5].

Il mit sur pied le Conseil de l'Unité canadienne, une organisation opaque que certains journalistes et souverainistes québécois soupçonnaient des pires manigances. « Notre rôle était essentiellement de planifier la stratégie référendaire, explique Tellier. Ma nomination avait été la première intervention publique de monsieur Trudeau après l'élection du PQ. Le jour où ma nomination fut rendue publique, les médias m'ont adressé 115 demandes d'interviews. J'étais complètement dépassé par les événements. J'ai dit : "Qu'est-ce que je fais ?" Je n'avais pas de personnel.

« Roméo LeBlanc qui, plus tard, est devenu gouverneur général, était l'attaché de presse de monsieur Trudeau à cette époque, et il m'a donné quelques bons trucs. Il m'a dit : "Paul, n'oublie pas que rien ne t'oblige jamais à répondre aux questions des journalistes. C'est à toi de choisir. Mais si tu réponds, sois honnête et sois clair." C'est ainsi que je fus initié aux relations avec les médias[6]. »

Pour parler sans détour, le Conseil de l'Unité canadienne était l'usine de propagande du gouvernement fédéral au Québec et son rôle consistait à contrer le séparatisme et à promouvoir la réforme constitutionnelle. Censé être intégré au Secrétariat d'État pour des motifs budgétaires, il jouissait d'un pouvoir extraministériel et relevait d'un groupe spécial sous la direction de Paul Tellier au Conseil privé. D'abord composé d'une petite équipe d'employés, il en vint à regrouper plus de 80 fonctionnaires et un nombre incalculable d'employés contractuels ; dans sa période la plus active, il gérait un budget de 32 millions de dollars[7].

Tellier sonda ses contacts au Québec et fit de très nombreuses enquêtes d'opinion. Mais la victoire du Parti conservateur en 1979 interrompit ses activités. En tant que parti d'opposition, le Parti conservateur avait beaucoup critiqué le Conseil de l'Unité canadienne, qu'il qualifiait d'agence de publicité financée par les contribuables. Son démantèlement fut un des premiers gestes de Joe Clark lorsqu'il fut élu au poste de premier ministre, et Tellier se vit confier les nouvelles fonctions de sous-ministre des Affaires indiennes et du Nord canadien. Il y était encore quand Trudeau reprit le pouvoir l'année suivante.

En 1982, Tellier fut nommé sous-ministre de l'Énergie, des Mines et des Ressources. Le gouvernement libéral connut ses derniers mois au pouvoir sous John Turner et perdit les élections de 1984 au profit des conservateurs de Brian Mulroney. Puisqu'il était considéré comme un Trudeauiste, Tellier aurait pu inquiéter son entourage quand le gouvernement de Mulroney prit le pouvoir en 1984, mais l'épuration qui frappa peu de temps après la fonction publique l'épargna. C'est là un indice du respect qu'il inspirait à Ottawa et de sa facilité d'adaptation aux hommes politiques, quelle que soit leur allégeance.

En effet, Tellier devint un personnage important de la nouvelle administration et il éveilla la curiosité des proches collaborateurs de Mulroney. Avec Tellier comme sous-ministre de l'Énergie, les conservateurs voulurent réparer les dommages que la réglementation des prix de l'énergie imposée par le Programme énergétique national du gouvernement Trudeau avait infligés aux provinces de l'Ouest. Ils réduisirent la taxe sur l'énergie et laissèrent le prix du pétrole s'aligner sur celui du marché mondial. Tellier mit au point de nouveaux programmes d'énergie à l'intention des provinces de l'Ouest et de Terre-Neuve, qui attirèrent les investissements et contribuèrent à la création d'emplois. Son travail impressionna Mulroney. La rumeur circula bientôt qu'il faisait partie des candidats possibles au poste de greffier du Bureau du Conseil privé, le bureau-chef du gouvernement fédéral, en remplacement du mandarin suprême Gordon Osbaldeston[8].

Il était manifestement l'*outsider*. On se méfiait de lui, car on le savait loyal envers Trudeau, mais il était aussi trop imposant pour qu'on ignore sa présence. « Je travaillais en étroite collaboration avec les industries pétrolière et gazière, se remémore Tellier, si bien que j'envisageais de me lancer en affaires dans ce domaine, vraisemblablement à Calgary. Puis, Mulroney m'a appelé au téléphone pour m'offrir le poste de commande. Je ne m'y attendais pas du tout[9]. » Ainsi qu'il le relatera lui-même plus tard, Mulroney se rendit à une réunion du Conseil des ministres et fit part de sa décision à ses collègues : « J'ai une nouvelle qui va beaucoup vous surprendre[10]. »

Âgé de quarante-six ans, Tellier était au sommet de sa forme. L'attaché de presse de Mulroney, Bill Fox, le décrivit ainsi à l'époque : « Un homme brillant, un administrateur très compétent et un penseur[11]. » (Plus tard, Fox suivra Tellier tant au CN que chez Bombardier.) Les observateurs de la scène fédérale notèrent qu'il avait un instinct politique très sûr et qu'il usait de son franc-parler beaucoup plus volontiers que ses prédécesseurs[12]. L'ancien premier secrétaire de Brian Mulroney, Bernard Roy, dit un jour à un intervieweur : « Le premier ministre n'a pas perdu de temps à évaluer ses forces. Il avait d'abord vu Paul à l'œuvre quand il était sous-ministre de l'Énergie sous l'autorité du ministre Pat Carney. Il savait reconnaître un homme de talent[13]. »

Bientôt, Tellier se vit attribuer le mérite d'avoir redoré le blason du Bureau du Conseil privé et de lui avoir redonné la capacité de formuler des politiques. Il avait accompli cet exploit dans un moment très difficile, en même temps que le gouvernement luttait contre une hausse constante de son déficit et qu'il s'efforçait de réduire ses dépenses. Il avait dû composer avec l'impression de plus en plus répandue que le gouvernement Mulroney s'adonnait au favoritisme – image qui poursuivrait les conservateurs jusqu'à la fin de leurs deux mandats. Par exemple, il s'était vu forcé de communiquer une directive demandant aux sociétés d'État fédérales de ne pas retenir les services de cabinets d'experts-conseils agissant comme « intermédiaires rémunérés » ou comme lobbyistes auprès du gouvernement[14].

Et voilà qu'il était à cheval sur un monstre bureaucratique comptant 225 000 employés, un colosse beaucoup trop gros et beaucoup trop lourd pour servir efficacement la nation. Puisque les conservateurs s'étaient engagés à couper 15 000 postes dans la fonction publique et à améliorer la productivité de ce secteur, l'un des premiers gestes de Tellier fut d'imposer un blocage des salaires des employés du gouvernement. Afin d'encourager l'excellence, il offrit de verser des primes de rendement aux directeurs s'ils parvenaient à excéder leurs objectifs de compression budgétaire[15]. C'était là une décision digne d'un administrateur du secteur privé, une action vigoureuse réalisée sur une fonction publique réfractaire au changement. Visiblement, l'aptitude de Tellier à diriger une vaste organisation publique pourrait être mise à profit dans le secteur privé. Il savait motiver ses troupes et infuser aux subalternes le même inlassable dynamisme qui l'animait lui-même. Il invita les gens du gouvernement au dialogue et, afin de favoriser ces échanges, il organisa des déjeuners-débats auxquels participaient les sous-ministres de tous les ministères. Le premier vendredi de chaque mois, 60 d'entre eux se rendaient en masse au Centre National des Arts où les attendait un déjeuner-buffet – « un peu comme les enfants des générations précédentes allaient se confesser le premier vendredi du mois », écrivit Frank Howard dans sa chronique du *Ottawa Citizen*[16].

Mais si, comme l'aurait fait quiconque à sa place, Paul Tellier tenait à ne pas perdre la source de son pouvoir, il devait reconnaître qu'en tant que fonctionnaire il serait toujours le subalterne d'un personnage politique. En 1986, Brian Mulroney nomma le légendaire stratège conservateur Dalton Camp au poste de conseiller principal auprès du Conseil des ministres; à ce titre, il relevait directement du premier ministre. L'année suivante, lorsque Derek Burney, un fonctionnaire de carrière, entra à son tour au Bureau du premier ministre, on supposa qu'il hériterait certaines des responsabilités de Paul Tellier.

Certains virent là un effritement du pouvoir de Tellier, et lui-même ne cacha pas son inquiétude. « En tant que greffier du Bureau du Conseil privé, dit-il plus tard, j'étais en quelque sorte le gardien en chef de la fonction publique. Selon moi, il y avait un risque très réel de confusion entre la fonction publique et le milieu politique. Je sentais que j'avais le devoir de faire en sorte que ces deux entités demeurent distinctes. C'était très stressant. Mais, au fil du temps, les changements de composition du gouvernement ont été tels que nous sommes devenus en quelque sorte un symbole de stabilité et que le premier ministre a de plus en plus compté sur nous[17]. »

Il assumait trois rôles qui, parfois, se chevauchaient: sous-ministre au Bureau du premier ministre, secrétaire du Cabinet et directeur de la fonction publique. Dans le premier de ces rôles, il documentait le premier ministre sur toutes les questions nécessitant son attention. Dans le deuxième, il s'assurait que les directives du

Conseil des ministres étaient mises en œuvre. Enfin, son troisième rôle l'amenait à motiver la fonction publique lors des compressions. C'était comme « marcher sur une corde raide de politique, d'administration et de partisanerie », dit-il un jour. Mais il ne lui était pas facile de lâcher prise. Quelles qu'aient été les luttes de pouvoir qui opposaient les conseillers de Mulroney, le panorama qui s'étalait sous la fenêtre du bureau de Tellier était l'un des plus beaux de la capitale fédérale. Du troisième étage de l'édifice Langevin, il avait une vue imprenable sur le Parlement et sur son propre avenir. Il avait pour tâche d'attirer et de rémunérer adéquatement d'excellents gestionnaires et de trouver des façons de retenir les jeunes sujets dynamiques qui risquaient de céder à l'appel du secteur privé. Ces responsabilités exigeantes et les pressions politiques qui lui venaient d'en haut étaient pour lui une source constante de stress. Pour y échapper, il se réfugiait chaque week-end avec sa femme dans son chalet des Laurentides. Tellier, grand amateur de motocyclette, enfourchait alors sa moto BMW 1100 et sillonnait les routes de campagne[18].

Au Bureau du Conseil privé, Tellier empochait un salaire de 120 000 dollars. Ce n'était pas à dédaigner pour un homme qui avait travaillé dans les vignes du gouvernement depuis toujours ou presque, mais il avait atteint le sommet de l'échelle bureaucratique ; il ne pouvait monter plus haut. À l'automne 1987, la rumeur voulut que Tellier, vexé que Camp et Burney lui aient raflé une partie de son autorité, s'apprête à remettre sa démission. À Ottawa, où les dissensions entre le Conseil privé et le Bureau du premier ministre étaient suivies comme un feuilleton, on raconta bientôt que Tellier n'avait plus accès au premier ministre et qu'il n'avait plus son mot à dire dans les nominations à des postes gouvernementaux.

La lenteur que le gouvernement mettait à implanter des réformes éprouvait sa patience. La fonction publique était réputée pour sa résistance au changement. En dépit de son dynamisme légendaire, même Tellier vit certaines de ses initiatives avorter. Il avait conçu un programme très controversé de modernisation de la bureaucratie et réuni un « Comité des valeurs fondamentales » ayant pour mission de motiver les fonctionnaires. Parvenu à ce point de sa carrière, il commençait à raisonner comme un chef d'entreprise du secteur privé. « Nous voulons gérer la fonction publique comme une grande société, dit-il ; nous ne voulons pas d'un système féodal[19]. » Sur le modèle des structures d'entreprise, il mit sur pied, à l'intention des fonctionnaires, un centre de recherche et de formation en gestion. Mais selon lui, pour se débarrasser du bois mort, il faudrait changer les règles de recrutement du personnel, les critères d'avancement et les méthodes de classification des postes; il ajoute: «Il est très, très difficile de licencier un employé incompétent qui pose problème[20].»

Ses initiatives le placèrent dans la ligne de mire des syndicats de fonctionnaires et de leurs partisans. Le professeur Gilles Paquet, doyen de l'administration à l'Université d'Ottawa, l'accusa de «détruire des vies humaines sur son passage[21]». Le commentaire était exagéré, certes, mais il montrait bien que Tellier représentait une menace à certains droits acquis.

La fonction publique n'était pas seule à affronter de la turbulence: des questions telles que le libre-échange et la réforme constitutionnelle bouleversaient le pays tout entier. Après les élections de 1988, quand Stanley Hartt remplaça Derek Burney à la direction du Bureau du premier ministre, les rumeurs de la démission imminente de Tellier reprirent de plus belle. On disait qu'il avait reçu l'offre de remplacer Pierre Juneau à la direction de la Société Radio-Canada[22], mais Mulroney mit fin à ces conjectures à l'été 1989 en annonçant que son bras droit demeurait en poste.

Bientôt, Tellier eut un rôle de premier plan dans les négociations sur l'accord de Meech qui souleva tant de controverses. Cette malheureuse entente avait pour but d'accommoder le Québec qui, en 1982, avait refusé d'entériner le rapatriement de la Constitution par Pierre Trudeau. Tellier travailla en collaboration avec Ronald Watts et Norman Spector, des conseillers de Mulroney triés sur le volet, et participa à la rédaction de la clause de la société distincte qui devait garantir l'autonomie du Québec en matière de langue et de culture. Il chercha à apaiser certaines inquiétudes, notamment celles de Clyde Wells, premier ministre de Terre-Neuve, pour qui le statut particulier du Québec risquait de fouler aux pieds la Charte canadienne des droits et libertés, ratifiée sous le gouvernement de Pierre Trudeau.

Il s'efforça aussi d'émousser les objections des autochtones à l'accord de Meech et de convaincre le premier ministre du Québec Robert Bourassa d'accepter certaines modifications à l'entente. Au dire de Michel Vastel dans son livre sur Bourassa, il participa aussi très activement à la gestion médiatique des négociations. À mesure qu'approchait la date limite pour soumettre l'accord constitutionnel aux assemblées législatives des provinces, Paul Tellier travailla jour et nuit.

Mais cette entente mourut de sa belle mort et révéla les dissensions profondes qui déchiraient le pays autour du rôle des autochtones et des Québécois francophones. Tandis que, suite à l'échec de Meech, la nation s'adonnait à un morose examen de conscience, il devint clair que l'unité nationale était en jeu et devait être solidifiée. Tellier, qui était devenu un peu l'homme à tout faire d'Ottawa, hérita la tâche de travailler auprès du ministre responsable de l'unité nationale, Joe Clark, et ajouta à ceux qu'il possédait déjà le titre de Secrétaire du Cabinet pour les relations fédérales-provinciales. Ces fonctions allaient le placer une fois de plus sur la ligne de front des débats autour de l'unité nationale. Mulroney lui demanda de se pencher sur une nouvelle entente de partage du pouvoir entre Ottawa et les provinces, entente qui déboucherait bientôt sur une autre tentative avortée de réforme constitutionnelle : l'accord de Charlottetown.

Le nom de Tellier commença à apparaître dans un contexte inattendu : La Compagnie des chemins de fers nationaux du Canada (CN). Cette société d'État, la plus importante au Canada, cherchait un nouveau directeur général pour remplacer Ron Lawless, sur le point de prendre sa retraite. Lawless avait souhaité nommer un successeur parmi les cadres de l'entreprise, mais Mulroney voulait injecter du sang neuf dans la compagnie. Il avait vu le gouvernement américain créer ConRail en fusionnant plusieurs compagnies ferroviaires faillies pour ensuite leur faire subir une cure d'amaigrissement et les offrir, clé en main, à des intérêts privés[23]. Le Canadien National n'était pas au bord de la faillite, mais il était inefficace et lourd et il drainait les fonds publics. C'était un défi idéal pour un gestionnaire qui avait pleinement fait la preuve de son aptitude à remettre une gigantesque bureaucratie dans la bonne voie.

Tellier réfléchissait aux propositions qu'il avait reçues du secteur privé quand Mulroney lui offrit la direction du CN. « Essentiellement, le conseil d'administration du CN avait décidé de se lancer en chasse d'un nouveau chef de la direction. J'ai été approché par un chasseur de têtes à qui j'ai dit : "Cette situation est très délicate. C'est le premier ministre qui doit avoir le dernier mot sur le candidat choisi, et c'est moi qui suis son plus proche conseiller." J'ai fait part de cette conversation au premier ministre qui m'a dit : "Si tu veux le poste, je serai heureux de te le confier. C'est une affaire importante avec d'énormes responsabilités. Je tiens à ce que tu gères le CN comme une entreprise commerciale et si tu y parviens, nous le privatiserons[24]." »

Mulroney annonça qu'à compter du 1er juillet 1992 Paul Tellier occuperait au siège social de Montréal le poste de président-directeur général de la compagnie ferroviaire, tout en demeurant conseiller intérimaire pour les questions de réforme constitutionnelle. « Il a rempli ses fonctions avec compétence et loyauté à une époque de grandes difficultés », déclara le premier ministre. La plus grande réalisation de Tellier avait sans doute été de travailler avec acharnement à Ottawa en parvenant à ne pas s'y faire d'ennemis. Ce grand talent, de même que ses autres aptitudes, allaient lui être indispensables dans le redressement de la situation catastrophique du CN.

Les vieux de la vieille du CN virent dans cette prise en charge une nomination politique et raillèrent le fait qu'un spécialiste du droit constitutionnel s'apprêtait à prendre les commandes de la compagnie ferroviaire. Ils en avaient vu d'autres. Vingt ans plus tôt, le gouvernement avait souhaité qu'une gestion d'entreprise soit instaurée au CN, mais la chose n'avait jamais été possible en raison de son ingérence incessante. Pourquoi les choses seraient-elles différentes cette fois-ci ?

« Ils croyaient que j'étais très imbu de mon importance, dit-il, que j'entrerais au bureau à 9 h et que mes déjeuners d'affaires s'éterniseraient. Ils n'avaient pas fait leurs devoirs[25]. » Tellier admit qu'il ne connaissait rien aux chemins de fer. On supposait généralement qu'il avait reçu le mandat de dégraisser la compagnie. Lawless s'y était essayé, mais le gouvernement ne l'avait pas beaucoup appuyé. En fait, le gouvernement conservateur dont Tellier avait servi les intérêts s'était déjà opposé à la réorganisation rationnelle du CN. La tâche de Tellier ne promettait pas d'être facile. Le CN continuait de perdre de l'argent en dépit de la mise en œuvre d'un important plan de licenciement[26].

Fort de son expérience dans la fonction publique, Tellier était déterminé à faire avancer les choses rapidement. « Mes efforts de réforme de la fonction publique avaient été entravés. Je devais affronter une mentalité très collégiale ; une poignée de sous-ministres me répétaient : "Paul, tu es trop impatient, tu veux aller trop vite." Si bien qu'à mon arrivée au CN, nanti d'un mandat très clair du gouvernement et du premier ministre, j'ai décidé que personne ne me mettrait de bâtons dans les roues[27]. »

Au milieu des années 1980, le CN avait plus 49 000 employés. Quand Tellier monta à bord, la compagnie avait déjà effectué quelque 13 000 mises à pied. Sept semaines à peine après son entrée en fonction, Tellier fit savoir aux délégués syndicaux qu'il souhaitait couper 10 000 autres emplois en trois ans. Il leur fit prendre connaissance d'un plan radical de compression des dépenses, d'arrêt de service sur certaines lignes secondaires et de fermetures d'ateliers d'entretien[28].

Tellier soumit son plan de redressement du CN au Parlement et mit celui-ci en garde contre une perte possible de 175 millions de dollars en 1993. La compagnie traînait de plus en plus comme un boulet une dette de 2 milliards. Elle devrait accélérer le rythme des mises à pied et d'autres mesures de redressement telles que l'abandon de certaines voies si elle voulait rattraper ses rivaux américains.

Tellier n'avait plus beaucoup l'air d'un avocat en droit constitutionnel. Il ressemblait plutôt à un avatar canadien de «Chainsaw» Al Dunlap, le chef d'entreprise américain tristement réputé pour ses massacres dans le personnel des compagnies qu'il dirigeait. La tendance de Tellier à rayer des noms du livre de paie paraissait d'autant plus inacceptable aux employés syndiqués que ces coupures avaient lieu au sein d'une société propriété du gouvernement auquel ils devaient payer des impôts.

Le nombre des victimes fut considérable, et ce rôle de bourreau déplut souverainement à Tellier. Il voyagea partout au pays dans le but d'expliquer aux employés du CN le pourquoi de ces mesures radicales : «Je me rendais dans toutes nos installations et je m'adressais à de petits groupes d'employés. Nous avions des ateliers à Prince George, en Colombie-Britannique, et j'ai rencontré les employés à la cafétéria. Habituellement, je leur parlais une dizaine de minutes, ensuite je répondais à leurs questions pendant environ une heure. Cette fois, la première question fut formulée par une femme. Elle était très agressive au départ. D'abord, elle a dit : "Pourquoi nous faites-vous ça?" Ensuite, elle s'est mise à pleurer. Elle a ajouté : "Vous ne vous rendez pas compte de ce que vous faites. Mon mari perd son emploi. Nous allons devoir déménager dans le sud. Nos deux garçons en sont très malheureux. Ils jouent au hockey ici." Elle était en larmes. Cette femme, très vindicative au début, m'a paru très émouvante. Quand elle a eu fini de parler, les autres l'ont applaudie. À cause de ma décision, elle et son mari perdaient tous deux leur emploi. Que pouvais-je répondre? On ne peut pas tourner autour du pot. Il faut dire les choses franchement. Dire pourquoi on est contraint d'agir de la sorte. Dire que ce sont tous les emplois de la compagnie qui sont menacés et qu'on s'efforce par ce moyen d'en préserver quelques-uns. Ce fut une expérience très difficile et très formatrice pour moi[29].»

Les employés syndiqués ne furent pas les seules victimes du couperet. Tellier remercia aussi cinq cadres supérieurs, y compris John Sturgess, à l'emploi de la compagnie depuis trente-cinq ans et qui avait été candidat au poste de Ron Lawless[30]. Il engagea d'importants acteurs d'Ottawa, notamment Michael Sabia, ancien secrétaire adjoint du Cabinet et futur chef de la direction de BCE Inc.

La mise à pied de John Sturgess montrait que la situation allait changer du tout au tout – et c'est exactement ce message que Tellier entendait faire passer. «Quand j'ai accepté ce poste, confia-t-il en 1993 à une journaliste de *The Gazette*, je savais que le CN devait absolument subir une transformation radicale. Je me suis donné comme objectif de faire de chacun de nos employés un agent de ce changement.» Son but? «Faire d'un chemin de fer exceptionnel une entreprise exceptionnellement rentable.» Cela voulait dire apporter une plus grande attention au service à la clientèle, accroître la productivité, concurrencer avec plus de vigueur les entreprises de camionnage et les chemins de fer américains qui tuaient le CN[31].

Il faut dire que Tellier ne s'est jamais fait passer pour ce qu'il n'était pas. «Je ne prétendrai jamais que je suis un spécialiste des chemins de fer», dit-il à cette époque. La direction quotidienne du service ferroviaire revenait aux professionnels chevronnés que la compagnie employait à travers le pays, et non pas aux bureaux de la haute direction de Montréal, où les cadres préparaient le CN à sa privatisation future. Entre-temps, Tellier décentralisa les pouvoirs, initiative que les employés et certains clients souhaitaient voir se réaliser depuis longtemps[32].

Les usines de papier et les compagnies minières clientes du CN désiraient ces compressions des dépenses, dit Tellier. Elles souhaitaient un chemin de fer plus performant qui leur permette de soutenir plus facilement la concurrence mondiale[33]. Mais il suffisait de se pencher sur l'industrie canadienne du rail pour se rendre compte que des mesures de réduction des coûts ne suffiraient pas à remédier à la situation. Le CN dans le secteur public et le Canadien Pacifique (CP) dans le secteur privé connaissaient les mêmes problèmes, notamment la concurrence croissante des compagnies de camionnage, un lourd fardeau fiscal et un labyrinthe étouffant de réglementations gouvernementales.

À la plus grande surprise des dirigeants syndicaux qui appréhendèrent une autre réduction des effectifs, les deux compagnies étudièrent la possibilité de conclure un accord d'exploitation conjointe. Un groupe de travail fut mis sur pied dans le but d'examiner l'abandon de certaines voies ferrées, la communalisation des services des deux compagnies, voire leur fusion. Le défi, tel que se le représentait Tellier, était que le CN et le CP, dans le but d'assurer leur avenir, n'auraient d'autre choix que fusionner ou s'associer à des entreprises américaines de transport. Les expéditeurs américains avaient facilement accès au Canada, et pendant ce temps le fardeau fiscal des deux chemins de fer nationaux surpassait celui des sept chemins de fer américains réunis. Les chemins de fer nationaux étaient très désavantagés par rapport à l'industrie du camionnage. Le CN et le CP devaient entretenir les voies à leurs frais, mais les poids lourds qui mettent en pièce les autoroutes canadiennes ne paient pas un sou pour les dommages qu'ils causent.

Tellier mit ses gens en garde : si les chemins de fer n'apportaient pas de vigoureux correctifs aux salaires élevés et à une organisation du travail remontant au XIXᵉ siècle, ils ne pourraient pas devenir concurrentiels. La solution, dit-il, était de fusionner les deux transporteurs ferroviaires canadiens à l'est de Winnipeg. Puisque c'était dans l'est du pays que les chemins de fer perdaient le plus d'argent c'était dans cette région qu'une fusion était la plus sensée[34].

Mais c'était sans doute trop demander que deux rivaux acharnés passent outre à des décennies de concurrence féroce pour conclure une entente. Après des mois de discussions, d'offres et de contre-offres, les négociations avortèrent et ce projet de fusion fut mis de côté.

En 1993, Paul Tellier perçut un salaire de 345 000 $ et 51 572 $ en avantages divers, dont une allocation de loyer imposable. C'était un revenu modeste pour le secteur privé, compte tenu de la dimension de l'entreprise qu'il dirigeait, mais il en fit sourciller plus d'un qui le jugeaient beaucoup trop élevé pour un fonctionnaire, compte tenu surtout que le CN avait enregistré cette année-là des pertes d'un milliard et effectué 11 000 mises à pied. Et cela ne s'arrêtait pas là : le CN avait consenti à Tellier un prêt sans intérêt de 300 000 $ en vue de l'acquisition d'une maison dans la riche municipalité de Westmount, dans l'île de Montréal. Le Bloc Québécois s'efforça de soulever cette question au parlement, et allégua que le gouvernement avait tenté de jeter le voile sur ce prêt : une note de service interne du CN mentionnait ceci : « Si l'hypothèque est enregistrée, elle pourrait être portée à la connaissance du public[35]. »

Cela n'avait pas l'air propre. Le responsable du massacre au CN se voyait grassement récompensé par le gouvernement canadien qui lui versait un salaire pharamineux et lui consentait un prêt de faveur. Mais ce prêt n'avait rien de secret : il était garanti par une hypothèque dûment enregistrée ; quant au salaire de Tellier, il était concurrentiel. Mais Tellier réagit sur la défensive. « Je suis extrêmement sensible aux souffrances que la réduction de nos effectifs a infligées à un grand nombre de personnes, dit-il à l'époque. Mais dois-je comprendre qu'en raison de ce dégraissage tous les dirigeants de l'entreprise devraient perdre 10, 15 ou 20 pour 100 de leur traitement ? » Eh bien, oui, auraient répondu les représentants de ses syndicats d'employés. Tellier soutint que son traitement n'était ni exorbitant ni exagéré eu égard aux normes du secteur privé. Et il n'aurait pas accepté ce poste si on lui avait refusé cet emprunt, ajouta-t-il. Après tout, nous vivons dans une économie de marché et il était libre d'offrir ses services à l'entreprise de son choix[36].

L'orage se calma, mais il avait mis en lumière une réalité nouvelle : si le CN se comportait comme une société privée, autant le privatiser. Environ deux mois plus tard, le ministre des Finances Paul Martin annonça qu'il y aurait sans délai un appel public à l'épargne. La société affichait un bénéfice de 245 millions de dollars pour l'exercice 1994, ses meilleurs résultats en six ans. Il y avait relance de l'économie, les compressions budgétaires commençaient à produire des résultats, et il devenait tentant d'investir dans un CN privatisé.

Ottawa ne croyait pas facile de convaincre les investisseurs du bien-fondé de cette privatisation, compte tenu du niveau d'endettement élevé du CN, de ses voies sous-utilisées et de ses ententes collectives périmées, si bien que Tellier marchanda de meilleures conditions auprès du gouvernement. Il conclut un marché par lequel les contribuables assumaient une partie de la dette du CN en échange de certains biens immobiliers telle la Tour CN. Finalement, la communauté financière, jusque-là sceptique, entérina pleinement ce marché.

Quand il était propriété de l'État, le CN était devenu le symbole même de la charge permanente du gouvernement dans l'économie nationale : l'ingérence politique, les réglementations excessives et le gonflement des salaires avaient fini par priver l'entreprise de son esprit entrepreneurial. Si, libéré de l'emprise d'Ottawa et sans béquilles, le CN devenait une entreprise prospère, c'était la preuve que tout était possible pour le secteur privé du moment qu'il parvenait à persuader le gouvernement de ne pas lui faire obstacle.

La privatisation du CN fut un moment charnière dans l'histoire du monde des affaires au Canada, une fête de finissant pour un pays longtemps sous-performant. Les investisseurs américains et européens achetèrent plus de 60 pour 100 des actions émises. C'était du jamais vu. Une société du gouvernement fédéral avait été vendue à des actionnaires étrangers qui en redemandaient. Cette réussite était due en très grande partie à la détermination et au dynamisme inlassables de Paul Tellier.

Les actions, dont le prix avait été fixé à 27 $ à leur émission, se vendirent rapidement. Tellier investit son propre argent en achetant des actions pour une valeur de 442 476 $; il reçut en outre des options sur 46 000 actions. Les employés du CN, soudain devenus d'audacieux entrepreneurs, désiraient eux aussi entrer dans la danse : ils furent 42 pour 100 à acquérir des actions de la compagnie. Par cette émission d'actions, la plus importante dans toute l'histoire du pays, le gouvernement fédéral généra des fonds de 2,26 milliards de dollars. Cette réussite était due en grande partie à la sagacité de Tellier.

«Nous avons développé une optique très nord-américaine, dit-il. Notre choix de Goldman Sachs (de New York) comme placeur principal suscita de vives critiques. Les milieux financiers nous demandèrent pourquoi nous n'avions pas choisi une banque d'investissement canadienne. Le fait qu'une maison de courtage américaine ait organisé notre tournée de présentation nous a également été beaucoup reproché. Mais Goldman Sachs a fait un travail exceptionnel. Grâce à eux, nous avons pu profiter de l'aventure de ConRail, un chemin de fer américain très prospère que le Congrès avait créé à partir d'un petit groupe de compagnies ferroviaires faillies. ConRail avait été privatisée, c'était un succès phénoménal et le cours de son action avait grimpé de 300 à 400 pour 100. Nous avons donc dit aux investisseurs américains : "Le CN est un autre ConRail, les règles du jeu sont les mêmes, et vous ferez beaucoup d'argent." Ils avaient une perception beaucoup plus claire que les Canadiens des compagnies ferroviaires[37].»

L'amertume de certains employés n'était pas encore résorbée. Lors de la première assemblée générale annuelle, des employés reprochèrent à Tellier les mises à pied qu'avait entraînées cette privatisation, mais il n'exprima pas de regret. Le transport de marchandises et de passagers atteignait un taux record avec 12 000 employés en moins. Et le CN allait bientôt pouvoir couper 4 000 emplois en plus de ceux qui avaient déjà été éliminés[38].

La compagnie imprimait quasiment l'argent : son bénéfice d'exploitation excéda les 500 millions de dollars en 1996. Mais la privatisation de la société avait beau être une réussite, Tellier n'avait pas fini de déplacer ses pions. Le CN était le sixième chemin de fer en importance en Amérique du Nord, mais son ratio coûts-revenus était supérieur qu'il ne l'était chez la moyenne des transporteurs aux États-Unis. Les fusions ferroviaires étaient très à la mode au sud de la frontière, car elles créaient des concurrents plus importants et plus performants. Occuper le sixième rang ne satisfaisait nullement Tellier, qui avait maintenant l'ambition de diriger la meilleure compagnie de chemins de fer en Amérique du Nord. En vertu de l'accord de libre-échange nord-américain (ALENA), le Canada et le Mexique partageaient un même marché des transports, et puisque 40 pour 100 des véhicules du CN traversaient la frontière, une acquisition ou un partenariat avec une grande société ferroviaire américaine s'imposait, du strict point de vue commercial.

Au début de 1998, Tellier annonça son acquisition de la Illinois Central Corp. pour 2,3 milliards de dollars américains en liquide et en actions, acquisition qui étendait la portée du CN au-delà de la frontière mexicaine grâce à 5 520 kilomètres supplémentaires de voies ferrées[39]. Il était parvenu à se tailler une place dans le puissant club des chemins de fer au sud de la frontière. Lorsqu'on se penche sur une carte de l'Amérique du Nord, on constate que, à la suite de cette acquisition, le réseau du CN ressemblait à un verre à cocktail s'étendant de l'Atlantique au Pacifique et, au sud, jusqu'au golfe du Mexique. La plaque tournante ferroviaire de Chicago lui était maintenant d'un accès facile[40]. Pour sceller ce partenariat unique entre des compagnies de chemin de fer canadiennes et américaines, le grand patron d'Illinois Central, Hunter Harrison, vint s'installer à Montréal où il devint directeur de l'exploitation du CN.

L'entente ne passa pas inaperçue aux yeux des Américains. Le rédacteur en chef du magazine *Railway Age*, la bible de l'industrie, décrivit comme suit l'ancien fonctionnaire du gouvernement canadien : «L'entrepreneur le plus exemplaire qu'ait connu le milieu ferroviaire depuis longtemps». L'acquisition de la Illinois Central a été un coup de génie, ajoutait-on. En investissant relativement peu, Tellier avait créé un réseau ferroviaire continental capable de profiter au maximum des accords de libre-échange[41].

Cela ne fait aucun doute : au moment de l'expansion de l'économie nord-américaine de la fin des années 1990, le CN était devenu une machine à faire de l'argent. Au milieu de 1998, Tellier était le héros des milieux de la finance. Le cours de l'action du CN avait pratiquement quadruplé, et une société d'État en très mauvaise posture s'était métamorphosée comme par miracle en chouchou de Wall Street. Il n'y a pas lieu de s'étonner si le *Financial Post* a conféré à Paul Tellier le titre de Chef d'entreprise de l'année (*CEO of the Year Award*).

On eût dit que rien ne l'arrêtait, que sa volonté de créer la société de chemins de fer la plus parfaite possible n'avait pas de limite. «Je suis impatient. Je suis pressé. Il y a beaucoup à faire», dit-il au *Financial Post* lors de la remise du prix. Un ami avait un jour affirmé qu'il était «aussi subtil qu'une lampe à souder». S'il regrettait quelque chose à propos du redressement brutal qu'il avait imposé à son entreprise, c'était de ne pas avoir fait les choses plus vite. «Avec le recul, que l'on parle de ressources humaines, de la mise sur pied plus immédiate d'une nouvelle équipe ou d'un dégraissage plus prompt, je dirais que j'aurais aimé procéder deux fois plus rapidement[42].»

Les langues se déliaient déjà pour dire que l'une des grandes institutions canadiennes appartenait maintenant à 60 pour 100 aux Américains et que la fusion avec Illinois Central avait fait de l'axe est-ouest du CN un axe nord-sud. Tellier tolérait difficilement ces lamentables débats nationalistes. Sa réaction ? «L'argument voulant qu'on ne soit plus à 100 pour 100 canadien, si vous voulez mon avis, c'est de la foutaise ; et je vous permets de me citer[43].»

Le ton monta encore plus quand il annonça son intention de proposer le mariage à un autre géant, la Burlington Northern Santa Fe Corp. de Forth Worth, au Texas. Par cette fusion, il visait la création de la plus importante compagnie ferroviaire en Amérique du Nord, avec une capitalisation boursière de 28 milliards, un chiffre d'affaires de 18 milliards, 67 000 employés et 80 000 kilomètres de voies ferrées. À une époque où les fusions ferroviaires étaient dominées par des géants, dit-il, le mariage des deux entreprises représentait le meilleur moyen d'assurer l'avenir du CN[44].

Les grands défenseurs de la culture canadienne furent outragés de cette proposition en laquelle ils voyaient une agression économique supplémentaire contre l'autonomie de la nation. Peter C. Newman écrivit qu'il s'agissait là du « dernier clou enfoncé dans le cercueil du grand rêve canadien. Nous ne pouvons plus prétendre que ce pays s'aligne sur l'axe est-ouest qui lui a donné naissance[45]. » Des observateurs plus perspicaces notèrent que le CN se contentait de suivre sa clientèle, et que celle-ci ne transigeait pas avec le Canada mais avec les États-Unis et le Mexique.

C'est finalement le rêve de Tellier qui s'effondra. Le lobbying des chemins de fer américains concurrents opposés à cette fusion fut tel qu'au printemps 2000 ils convainquirent les organismes américains de réglementation d'imposer un moratoire de 15 mois sur les fusions ferroviaires. Quelques mois plus tard, le CN et Burlington Northern n'étant pas parvenus à renverser cette décision devant les tribunaux, l'affaire avorta. Tellier ne cacha pas sa déception : « Je trouve triste que les sociétés ferroviaires s'arrachent un marché de plus en plus restreint au lieu de faire le nécessaire pour mériter le respect de nouveaux clients[46]. »

La privatisation avait très bien réussi à Paul Tellier. En 2001, il empocha un total de 9,6 millions de dollars, soit un salaire de base de 1,4 million et un boni de 1,2 million, en plus des 5,4 millions que lui rapporta la levée de ses options[47]. Les avantages que lui valait la direction du CN n'étaient pas que pécuniaires ; Tellier était devenu une légende dans le milieu des affaires.

Il aurait été difficile d'imaginer un éloge plus enthousiaste que celui qu'il reçut de B'nai Br'ith Canada au printemps 2000 quand, devant les 700 invités rassemblés à l'Hôtel Hilton Bonaventure de Montréal, l'organisme lui remit son Prix du Mérite (*Award of Merit*).

Des photos de cet adepte du conditionnement physique ornaient les murs de la salle de bal (Tellier tenait un journal quotidien de ses activités physiques) ; on le voyait jouant au tennis, faisant du ski nautique, du ski de randonnée et du vélo. Membres de la famille et amis se relayèrent à la tribune pour lui rendre hommage ; l'ancien premier ministre Brian Mulroney fit de même. La soirée, commanditée par Power Corporation, la Banque Royale et Bombardier, permit de recueillir 300 000 $ au profit de B'nai Br'ith, mais confirma aussi, devant un auditoire de pairs, le statut de vedette de Tellier dans le milieu des affaires[48].

Ses réalisations étaient en effet remarquables. Son ancien collègue Michael Sabia l'avait qualifié d'Indiana Jones pour la façon dont il avait transformé ce *Temple maudit* qu'était le CN. On avait beaucoup vanté sa décision d'installer un téléscripteur dans le hall du siège social du CN afin que les employés puissent suivre à la minute les fluctuations de leur investissement. Mais il avait fait beaucoup plus qu'opérer une transformation de la culture de l'entreprise. Il avait adopté au CN la même approche directe et avait mis en pratique la même efficacité qu'à Ottawa où il n'hésitait pas à dire la vérité toute nue aux membres du Cabinet de Mulroney. Au CN, il voulait des gens capables de viser juste, des gens que les problèmes n'effrayaient pas. Le style qu'il adoptait avec les employés lui venait de son expérience au gouvernement où il avait dû apprendre à aller droit à l'essentiel.

Il avait fait la preuve de son aptitude à traiter avec des ministres et des fonctionnaires. Ses prédécesseurs au CN avaient souvent été victimes des intrigues politiques et des chinoiseries administratives d'Ottawa. Si la privatisation du CN avait été le but avoué du gouvernement, seule une personne possédant l'expérience de Tellier au gouvernement fédéral pouvait en faire une réussite. Maintenant que c'était chose faite, maintenant qu'il n'était plus question de fusions et qu'il avait porté le CN au sommet de sa gloire, une question ne cessait de le tarauder : que lui restait-il à accomplir ?

Quand Laurent Beaudoin lui fit son offre, il était tout ouïe.

CHAPITRE 19

Un tir en vrille

Quand Paul Tellier entra dans son bureau au siège social du CN un matin de la fin du mois de novembre 2002, son assistante lui transmit le message suivant : « Laurent Beaudoin voudrait venir vous voir. »

« Ça va, fit-il. Dites-lui que je serai heureux de le rencontrer à son bureau. » Les bureaux de Bombardier étaient situés à deux pas et Tellier, qui en était un membre du conseil depuis 1997, croyait que Beaudoin voulait s'entretenir avec lui en sa qualité d'administrateur.

« Il insiste pour venir vous rencontrer ici, fit son assistante. Et il veut que vous lui accordiez deux heures. »

« Deux heures ? Vous plaisantez ? »

« Il insiste. »

Ainsi que le relate Tellier, dès son arrivée Beaudoin lui fit part des énormes défis auxquels il était confronté chez Bombardier. Ils abordèrent ces questions sous tous les angles, de la possibilité de reconstituer le capital de la société à la cession d'actifs en passant par la restructuration du conseil d'administration. Tout le temps que dura leur échange, Tellier éprouva le sentiment que Beaudoin, en sa qualité de président, sondait l'un de ses administrateurs, puisait en lui les informations dont il avait besoin et que les deux hommes avaient une conversation normale.

Mais environ une heure et quarante minutes après le début de leur conversation, Beaudoin regarda Tellier dans les yeux et lui dit : « Paul, nous voulons que tu t'en occupes. »

Tellier faillit tomber à la renverse. Il ne s'y attendait pas du tout. La surprise était totale. Leur conversation prit fin peu après. Tellier dit : « Écoute, Laurent, il faut que je réfléchisse. Je dois m'absenter quelque temps, mais je te reviendrai là-dessus dans une dizaine de jours[1]. »

En s'en allant, le président de Bombardier se demanda ce qu'il ferait si Tellier refusait. Il ne voulait personne d'autre. « Paul avait fait preuve de leadership au CN, il a su prendre les bonnes décisions au bon moment, il a su réorienter la société, il l'a prise en mains et il l'a rentabilisée. »

S'il refusait, Beaudoin se dit qu'il assumerait à nouveau ces fonctions lui-même. « Compte tenu des réalisations de Paul au CN, compte tenu de son approche différente de la mienne, je savais qu'il excellerait. Je suis donc devenu mon propre directeur général de réserve. Mon second choix[2]. »

Tellier réfléchissait à l'occasion que Beaudoin venait de lui présenter sur un plateau d'argent quand le téléphone sonna. C'était Marc, son fils, qui était lui aussi un homme d'affaires prospère de Montréal. « Mon fils m'appelait, lui qui ne m'appelle pour ainsi dire jamais à mon bureau. Alors je lui ai parlé de l'offre de Beaudoin. Selon lui, il n'y avait aucune hésitation possible.

« Tu devrais accepter, papa. C'est un revirement qui va te passionner. Mais la question que tu dois te poser est la suivante : que veux-tu faire, vraiment, du reste de ta vie ? »

Tellier poursuivit sa réflexion encore quelques jours. Il savait que les possibilités d'acquisitions au CN étaient pratiquement épuisées ; il avait donc une bonne raison de partir. Il consulta trois personnes de confiance, dont Michael Sabia, le chef de la direction de BCE Inc., qui avait travaillé à ses côtés au CN. Il les interrogea ; il les sonda : « Me vois-tu chez Bombardier ? Crois-tu que c'est faisable ? »

« Ils ont tous eu la même réaction, dit Tellier. Ils m'ont dit : "Paul, du strict point de vue affaires, Bombardier compte beaucoup dans l'économie canadienne. C'est une société vedette. Elle a besoin d'une réorganisation complète. C'est tout à fait dans tes cordes. Mais tu as soixante-trois ans, et tu nous casses les oreilles avec tes petits-enfants parce que tu t'ennuies d'eux ! Tu les verras encore moins si tu te lances dans cette histoire. Tu ne vas pas en sortir dans dix-huit mois." Ils m'ont tous dit la même chose. »

Avec Andrée, sa femme, Tellier réfléchit aux conséquences de cette offre sur sa vie personnelle et familiale. À soixante-trois ans, que voulait-il ? Ralentir ou accélérer le rythme[3] ?

Manifestement, Paul Tellier possédait les qualités requises pour redresser Bombardier. Comme Bob Brown avant lui, Tellier était familier des couloirs du pouvoir à Ottawa et il comprenait la nature controversée des relations entre Bombardier et le gouvernement fédéral. Tellier œuvrait aux côtés de Brian Mulroney quand avait eu lieu la vente de Canadair à Bombardier, quand avait été octroyé le contrat explosif des CF-18, quand le gouvernement avait financé le programme du Regional Jet, quand EDC avait consenti des prêts pharamineux aux acheteurs de Bombardier. Puisque le retour à la santé de Bombardier passait par Ottawa, Tellier était le candidat idéal. Personne n'avait de tels contacts au niveau fédéral et personne ne comprenait aussi intimement que lui les processus décisionnels du gouvernement.

Tellier se rendait bien compte que c'était là une des raisons pour lesquelles Beaudoin était venu le chercher. « De nos jours, les relations gouvernementales sont indispensables à la bonne marche des affaires dans les entreprises importantes. Au début de l'année, même si vous avez un bon plan d'affaires, l'atteinte de vos objectifs dépend du gouvernement, des décisions qu'il prendra et qui peuvent vous aider ou vous nuire – dispositions législatives, réglementations, imposition. Qu'il s'agisse de Bombardier, du CN ou de la Banque Royale du Canada, il est très important qu'un chef de la direction connaisse les rouages du gouvernement. Je ne peux pas vous dire si Beaudoin a jugé ce détail important quand il m'a offert ce poste, mais il n'ignorait pas que je ne connais pas grand-chose à la construction des trains ou des avions[4]. »

Bien sûr, Tellier apportait beaucoup plus à Bombardier que de simples contacts. Compte tenu de sa réussite au CN, il était sans doute l'homme d'affaires le plus respecté des milieux financiers. L'élément choc. Affaiblie, Bombardier se devait de secouer la communauté financière et de susciter son admiration. Un seul homme pouvait faire en sorte que les analystes et les gestionnaires de portefeuilles redressent la tête, bouche bée. Cet homme, c'était Paul Tellier.

Tellier siégeait au conseil de Bombardier depuis 1997 ; il avait donc une vue d'ensemble de la société, mais il ne la connaissait pas de fond en comble. Il avait été témoin de sa croissance phénoménale de la fin des années 1990, quand rien ne semblait pouvoir lui résister. Il l'avait aussi vue dégringoler dans le sillage des attentats du 11 septembre et du krach boursier. Selon une source : « Tellier était très impressionnant aux réunions du conseil. Il y avait là des personnages importants et très connus, mais il n'y a pas de doute que celui qui posait toujours les bonnes questions, le plus perspicace du groupe, c'était Tellier[5]. »

Tellier était très conscient du rendement désastreux du régime de retraite, l'un des plus décevants du milieu des affaires canadien avec un passif non capitalisé excédant les 2 milliards de dollars. Il était très au courant des problèmes graves de Bombardier Capital et de leurs répercussions sur le bilan de la compagnie. En outre, Tellier connaissait sûrement les risques inhérents à une entreprise familiale où les questions successorales prenaient de plus en plus d'importance. Lui serait-il facile ou difficile d'agir chez Bombardier, coincé qu'il serait entre son supérieur Laurent Beaudoin et son subalterne Pierre ? Quel était le rôle exact de la famille dans l'entreprise ? Où s'arrêterait son autorité ?

S'il pouvait transporter ses talents de chef d'entreprise du CN à Bombardier, il y avait une marge entre diriger une société ferroviaire quasi monopolistique et gérer une grande multinationale aux activités réparties dans quatre secteurs distincts. Il ne s'agissait pas seulement de sabrer dans les effectifs ainsi qu'il l'avait fait au CN. La privatisation du CN avait représenté un exploit monumental, mais il avait pu, pour le réaliser, s'inspirer du modèle de ConRail aux États-Unis. Chez Bombardier, sa réussite n'était pas du tout assurée.

Beaudoin et Tellier mirent du temps à s'entendre. À la suite de leur première conversation, il leur fallut encore treize heures de discussions avant de se sentir prêts l'un et l'autre à conclure un accord. Ce n'était pas une question d'argent. Beaudoin offrit à Tellier un contrat de trois ans au traitement annuel de 1,9 million, soit un peu plus que ce qu'il recevait au CN. En outre, il reçut des options pour un million d'actions de catégorie B, mais ces options ne pouvaient être levées tant que leur cours n'atteindrait pas les 10 $ – soit beaucoup plus que la valeur de 5 $ où elles stagnaient à l'époque. Plus que l'argent, les questions d'autorité firent l'objet de leurs discussions. Tellier formula clairement ses exigences : il voulait assumer à 100 pour 100 les fonctions de p.-d.g.

«J'ignorais, dit-il, quelle part des responsabilités de directeur général revenait à Bob Brown; ça n'était pas clair du tout. Mais à mon idée, si j'entrais chez Bombardier, il ne pourrait y avoir qu'un seul directeur général, moi, et j'en assumerais les tâches à 100 pour 100. Je ne savais pas non plus très bien jusqu'où la famille se mêlait de la gestion de l'entreprise, mais j'ai été très clair là-dessus aussi[6].»

Une fois ces questions réglées, tout est tombé en place. Beaudoin lui dit que la vente de l'unité des motoneiges et des autres produits récréatifs n'était pas «notre solution préférée, mais s'il faut que nous le fassions, nous le ferons». Ils discutèrent de la nécessité de réunir des fonds propres et du besoin de modifier la composition du conseil afin de donner plus d'importance au rôle des administrateurs indé-pendants. Tellier constata que, sur bon nombre d'aspects, Beaudoin avait tiré les mêmes conclusions que lui.

C'était décidé: Paul Tellier prendrait la place de Bob Brown. Il ne leur restait plus qu'à décider en quels termes annoncer cette nouvelle.

Bombardier avait été la cible de violentes critiques pour sa présen-tation incorrecte de l'information aux actionnaires et pour le manque de rigueur dans sa façon de gouverner l'entreprise. Le nombre des administrateurs indépendants était insuffisant, disaient les critiques. Le conseil comportait trop d'amis et d'alliés de la famille. La commu-nication des renseignements était parfois sélective et incomplète.

Ce problème avait été soulevé en octobre 2001 au moment de la promotion de Pierre Beaudoin à la présidence de Bombardier Aéro-nautique. La compagnie n'avait pas annoncé sa promotion en temps opportun. Le matin de la nomination de Pierre, seul un petit groupe de 31 analystes et investisseurs institutionnels avait été informé de cette décision par courriel. Quand un communiqué de presse fut enfin émis plus tard dans la journée, il y avait eu un important déga-gement du titre et le cours de l'action avait dégringolé de 7,5 pour 100. La société reconnut qu'elle avait enfreint ses propres principes de bonne information et que cette nouvelle aurait dû être divulguée simultanément à tous les investisseurs. La Commission des valeurs mobilières du Québec décréta que le geste de Bombar-dier avait été «contraire à l'intérêt public[7]» et imposa à la société une amende de 300 000 $ que la société accepta de payer. Mais la CVMQ leva cette sanction quelque temps après et Bombardier s'en tira avec une remontrance.

Les leçons à tirer de cet épisode auraient dû être claires : il ne faut pas cacher les nouvelles importantes aux actionnaires. Il ne faut surtout pas cacher les nouvelles importantes aux membres du conseil d'administration. C'est pourtant précisément ce qu'avait fait Laurent Beaudoin quand il avait offert le poste de p.-d.g. à Paul Tellier. Il s'était engagé avec lui dans des discussions sans en prévenir l'ensemble du conseil. La nouvelle ne vint aux oreilles de tous les administrateurs que le 12 décembre, quand il leur fut demandé d'approuver la nomination de Paul Tellier.

La Commission des valeurs mobilières du Québec découvrit le pot aux roses quand elle enquêta sur les achats d'actions de deux directeurs – John Kerr et Jean Monty – quelques jours avant que la nomination de Tellier ne soit rendue publique. Les opérations de ces deux membres du conseil avaient-elles été réalisées grâce à une information privilégiée ? Tenue de s'expliquer, Bombardier déclara que ni Monty ni Kerr n'étaient au courant de la nomination de Tellier quand ils avaient fait cette transaction. Les seules personnes au courant des événements étaient Laurent Beaudoin, les membres de la famille Bombardier et le conseiller juridique de la compagnie, Pierre Legrand. Bien entendu, il n'aurait pas fallu que les choses se passent ainsi. Bombardier était une entreprise cotée en bourse, non pas une simple entreprise familiale privée ; ses directeurs étaient par conséquent tenus de veiller aux intérêts de tous les actionnaires. Les défenseurs d'une direction d'entreprise compétente, aux yeux de qui le conseil d'administration de Bombardier se composait de béni-oui-oui, furent sidérés de constater que certains de ses membres ignoraient tout de cette nomination. En 2002, la revue *Canadian Business* déclara que le conseil d'administration de Bombardier était l'un des pires conseils au Canada sur le plan de l'imputabilité, de l'impartialité et de la communication des renseignements[8].

Cette controverse ternit un peu – mais pas complètement – l'annonce, le 13 décembre, de la nomination de Paul Tellier à la tête de l'entreprise, nouvelle qui sut réjouir un grand nombre d'investisseurs. Le facteur choc suffit pour hisser le cours de l'action de 8 pour 100 ce jour-là, augmentant ainsi de près de 700 millions de dollars la capitalisation boursière du titre. «Ma responsabilité première est d'augmenter la valeur de l'avoir des actionnaires», dit Tellier ce matin-là, en audioconférence. C'était précisément ce que venait d'accomplir son entrée chez Bombardier.

Il n'assumerait effectivement ses fonctions qu'un mois plus tard. Il devait encore régler un certain nombre de détails au CN et se plonger dans les affaires de Bombardier. Il rencontra les directeurs et les cadres supérieurs, étudia une montagne de dossiers préparatoires et en emporta même un certain nombre avec lui en Floride à l'occasion des vacances de Noël[9].

Quelques jours en poste avaient suffi pour que Tellier constate que la situation était beaucoup plus sérieuse qu'il ne l'avait imaginé. Le syndrome du « trop gros, trop vite » avait semé le chaos dans l'entreprise. « L'état dans lequel j'ai trouvé la compagnie à mon arrivée n'était qu'en partie attribuable au 11 septembre, dit-il. Cette compagnie était obsédée – le mot n'est pas trop fort – obsédée par l'augmentation de son chiffre d'affaires. Cette attitude avait eu de graves conséquences : une exagération du bilan et le recours à des méthodes comptables extrêmement audacieuses. Le fait est que nous avions développé 14 aéronefs en 14 ans ; la pression que représente la mise en service des nouveaux avions est énorme. Le coût de la garantie augmente, les livraisons accusent du retard si bien que nous devons payer des pénalités. Cette obsession du chiffre d'affaires a eu des conséquences très sérieuses[10]. »

Tellier ne perdit pas de temps. Il déclara aux cadres de direction que le redressement de Bombardier commençait « à l'instant même ». Ce style de gestion sans ménagements ne plaisait pas à tous. Aux réunions, « on voyait bien que le malaise régnait », dit un cadre de direction. « Les certitudes étaient remises en question, et tout le monde s'inquiétait de ne pas pouvoir survivre à la situation. »

« Nous avions des horaires fous, se remémore Bill Fox, vice-président principal, affaires publiques. Nous n'avions plus de vie privée. » Pour Fox, ancien journaliste et stratège politique, ce régime « faisait songer à une campagne électorale ».

La situation financière précaire des transporteurs clients de Bombardier aggravait la situation. United Airlines s'était placée sous la protection de la loi sur les faillites, ce qui soulevait des inquiétudes au sujet des commandes non confirmées pour des Regional Jets provenant de ses lignes affiliées Atlantic Coast Airlines, Sky West et Air Wisconsin. Atlantic Coast, par exemple, avait commandé 47 RJ Bombardier mais manquait de financement pour compléter la transaction. La faillite de United présentait un problème potentiel puisque

85 pour 100 des recettes d'Atlantic lui venaient du réseau aérien de United. Si la situation précaire de United se prolongeait indûment, Atlantic serait dans l'impossibilité de rassembler les capitaux nécessaires à l'acquisition de ses nouveaux appareils.

Compte tenu de ces circonstances, EDC accéléra son action, consentant un prêt à Atlantic Coast et un autre à Comair Inc., filiale en propriété exclusive de Delta Airlines, afin que ces compagnies puissent finaliser leurs commandes de jets Bombardier de 70 sièges. Les porte-parole d'EDC s'efforcèrent de rassurer le public en déclarant que prêter à des transporteurs régionaux ne comportait pas de risque puisque ceux-ci étaient en meilleure posture financière que les gros transporteurs. Il n'en demeurait pas moins que les transporteurs d'apport étaient très dépendants des revenus qu'ils tiraient des grandes lignes aériennes. Sans ces revenus, leur situation serait tout autant catastrophique[11]. En raison de cette dépendance, Moody's Investors Service révisa une fois de plus à la baisse la cote de solvabilité de Bombardier.

Le 4 mars, alors que Tellier était en fonction depuis six semaines, il fit part d'une autre mauvaise nouvelle au marché des capitaux : la société n'atteindrait pas, et de loin, ses objectifs de recettes pour le plus récent exercice. Les dernières prévisions de Bob Brown avaient annoncé un bénéfice de 81 cents par action au 31 janvier. Mais les états financiers provisoires indiquaient un bénéfice par action de seulement la moitié de cette somme, avant éléments exceptionnels. Le lendemain, un sacrifice humain apaisa les dieux courroucés de Wall Street et de Bay Street. Tellier annonça une réduction de 3 000 emplois dans les unités aéronautiques de Montréal, de Toronto et de Belfast et déclara que si les travailleurs de l'usine de Havilland à Toronto n'entérinaient pas la nouvelle entente salariale proposée, Bombardier envisagerait de transférer la production de cette usine à Montréal.

La consolidation de l'apport du gouvernement était la première des tâches qui attendaient Tellier à son entrée en fonction. Il réunit une équipe de 60 financiers pour trouver des solutions à la crise de l'industrie aéronautique et pour formuler des propositions à l'intention du gouvernement. « Quand je suis entré en fonction en janvier, se remémore Tellier, je savais qu'il fallait attaquer ce problème de front. Je souhaitais mettre fin aux situations désespérées qui vous obligent à téléphoner à un ministre en désespoir de cause et à trouver une solution de dernière minute. Nous nous sommes tenus loin des ministres pendant quelques mois. »

Tellier invita Bill Fox à se joindre à Bombardier pour prendre en charge les affaires publiques de la société. Fox, un homme sympathique et sagace, ancien attaché de presse de Brian Mulroney, joua un rôle prépondérant à Ottawa dans ce dossier. « Nous avons réuni tous les hauts fonctionnaires des Finance, de l'Industrie et du Commerce international, dit Tellier. Nous avons bien formulé le problème. Nous avons dit : "Cherchons certains éléments de réponse. Y a-t-il des solutions de rechange ? " Nous en avons fait l'inventaire. Une solution résidait dans le renforcement de la structure financière d'EDC pour que l'agence dispose de montants plus importants à consacrer à notre secteur. L'autre était le recours au Compte du Canada, qui n'avait contribué jusque-là qu'au financement de deux importantes transactions avec Air Wisconsin et Northwest.

« Nous avons ensuite examiné la possibilité, pour EDC, d'opter pour la vente ou le troc, comme font les banques et les compagnies de finances : "Mon secteur aéronautique est trop lourd ; je pourrais vous en laisser un peu en échange d'un de vos portefeuilles du secteur automobile où votre exposition au risque est très importante." Nous nous sommes penchés sur toutes ces possibilités[12]. »

Le fait qu'EDC ait atteint la limite de ce qu'elle pouvait prêter à l'industrie aéronautique et que le Compte du Canada manque de capital autorisé inquiétait Bombardier. En 2002, le compte des engagements totalisait 11,2 milliards de dollars, soit 6,8 milliards de prêts non remboursés, de garanties d'emprunts et d'autres instruments financiers, et encore 4,4 milliards que le gouvernement avait autorisés mais non encore dépensés. Les chiffres du gouvernement indiquaient que 97 pour 100 des engagements financiers du Compte du Canada envers les milieux des affaires étaient destinés à l'industrie aéronautique[13] – une somme énorme, mais insuffisante pour que Bombardier soit en mesure de finaliser la vente de ses appareils aux lignes aériennes à court d'argent.

Plusieurs mois de manœuvres de couloirs et de tactiques de persuasion furent nécessaires pour que Tellier et son équipe soient en mesure de suggérer au Conseil des ministres d'augmenter le capital du Compte du Canada. En juin 2003, le ministre de l'Industrie Allan Rock et le ministre du Commerce international Pierre Pettigrew eurent une réunion de deux heures au Salon de l'aéronautique de Paris avec les représentants de Bombardier et leurs conseillers de direction. Les deux ministères décidèrent de recommander une augmentation des fonds du Compte du Canada. Aussitôt, Tellier s'empara du téléphone. L'obtention d'un soutien accru du Conseil des ministres signifiait qu'il fallait sensibiliser l'opinion publique que deux décennies de préjugés contre Bombardier et le Québec avaient effarouchée. Il dévoila des renseignements qu'on ignorait sans doute au sujet de Bombardier, notamment que l'entreprise n'était pas limitée au Québec et qu'elle avait des employés et des fournisseurs d'un océan à l'autre.

Il relate une conversation téléphonique avec un ministre très influent de l'ouest du Canada :

« Paul, cela viole les règles de l'OMC », dit le ministre au sujet du recours au Compte du Canada.

« Pas du tout. Le financement se fait au taux du marché et il est remboursable », fit Tellier.

« Mais il n'y a que le Québec qui en profite, soutint le ministre. Mes fermiers des provinces de l'Ouest ont aussi besoin d'appuis. Pourquoi devrions-nous agir ainsi uniquement parce que Bombardier a son siège social au Québec ? »

« Une minute ! interjeta Tellier. Cinquante-quatre pour cent de nos fournisseurs sont de l'Ontario et 20 pour 100 de l'ouest du Canada. »

Cette conversation se poursuivit pendant quarante minutes. « Je ne sais pas ce qu'il a dit lors de la réunion du Cabinet, dit Tellier, mais je n'ai pas eu l'impression de perdre mon temps à lui parler. La plupart du temps, ces types-là se laissent influencer par l'opinion publique et les réactions de tout un chacun. Si on peut défendre le dossier et vanter sa rentabilité, analyser le cas pour le bénéfice des médias ou pour d'autres intermédiaires, nous avons bon espoir de réussir. Le public ne se rend pas compte du fait que nous sommes une entreprise pancanadienne et que nos fournisseurs proviennent de partout[14]. »

Tellier se désolait néanmoins de devoir solliciter le soutien du gouvernement. « J'aimerais que nous puissions fonctionner comme la chaîne McDonald's ou comme une manufacture de meubles, dit-il, et que le gouvernement n'ait pas à se mêler de nos affaires. Ma vie serait beaucoup plus simple et le problème de l'apport du gouvernement ne se poserait pas. Mais il existe quatre avionneurs au monde, et les trois autres reçoivent des appuis très importants de leurs gouvernements. Nous n'avons pas le choix : nous jouons le jeu à forces égales, ou nous nous retirons de l'industrie. La nouvelle économie, c'est nous, c'est notre industrie. Nous avons créé au Québec et ailleurs des emplois de haute technologie fondés sur le savoir, des emplois extrêmement bien rémunérés. Tout le monde a droit à ses opinions, bien entendu, mais en ma qualité de directeur général de cette compagnie, je me dois de défendre cet argument. »

Tellier n'ignorait cependant pas que le financement qu'il pourrait obtenir du gouvernement n'était qu'un palliatif. Il lui faudrait persuader l'opinion publique de la nécessité d'un apport gouvernemental généreux à long terme. Bombardier produisait 22 avions régionaux chaque mois. L'argent offert par le gouvernement suffisait à financer la vente d'environ 65 appareils. « Si nous parvenons à en vendre 320 de plus, notre problème n'en sera que plus grand. Ce qu'il faut, c'est trouver une solution permanente qui puisse assurer le financement de nos ventes futures[15]. »

L'apport à long terme du gouvernement était indispensable, soutenait-il, car l'entreprise ne pouvait pas planifier son cycle de production sans un solide carnet de commandes. Il y avait des limites à ce que les fournisseurs de Bombardier étaient prêts à faire. Plusieurs d'entre eux avaient consenti à soutenir la vente d'environ 55 Regional Jets en prenant une participation dans les appareils. Mais ils ne pouvaient pas tout assumer.

À court terme, les activités de couloir de Bombardier portèrent fruit. À la fin de juillet 2003, le Conseil des ministres confirma sa décision d'injecter 1,2 milliard de dollars supplémentaires dans le Compte du Canada. L'entreprise avait laissé entendre sans trop de subtilité qu'elle serait sans doute contrainte de réduire sa production si elle n'obtenait pas d'argent. « Bombardier pourrait devoir prendre des décisions au sujet de sa production qui ne rendraient pas service au Canada, dit le ministre du Commerce Pierre Pettigrew pour expliquer sa décision aux médias. Nous voulons nous assurer que Bombardier n'enverra pas sa production à l'étranger. »

Mais la menace du transfert probable de la production de Bombardier fut accueillie avec scepticisme. Après tout, l'usine de Mirabel, voisine de Montréal, était à la fine pointe de la technologie et Bombardier avait consacré beaucoup de temps à réunir une équipe exceptionnelle d'ingénieurs, d'employés spécialisés et de fournisseurs. « Je les vois mal sortir du Canada, dit Bob Fay, analyste chez Canaccord Capital Corp. Cela leur coûterait une fortune[16]. »

La somme de 1,2 milliard que le gouvernement avait injectée dans le Compte du Canada commençait à inquiéter les observateurs de l'industrie qui remettaient en question les nouvelles méthodes de financement de Bombardier et de ses concurrents. Les analystes et les économistes en venaient à se demander si ces appuis des gouvernements du monde entier aux entreprises aéronautiques en difficulté ne gauchissaient pas les facteurs économiques fondamentaux liés à la vente d'avions de ligne. Les transporteurs étaient au bord de la faillite et aucun prêteur privé n'était disposé à les aider. Mais les gouvernements acceptaient encore de débourser de l'argent pour soutenir les ventes d'appareils, créant artificiellement une demande là où elle n'existerait sans doute pas.

Tout en s'occupant de ses contrats avec le gouvernement, Tellier devait évaluer l'équipe de gestion dont il avait hérité chez Bombardier et préparer un nouveau plan d'affaires. Un mois après son entrée en fonction, il effectua un premier changement important au sein de l'entreprise en demandant la démission de son directeur financier, Louis Morin. Les observateurs de Bombardier étaient depuis quelque temps à l'affût des indices montrant que le nouveau directeur général n'était pas un pantin de Laurent Beaudoin. Ils avaient la preuve, maintenant, que Tellier tenait très bien sa partie.

Louis Morin était un proche collaborateur de Laurent Beaudoin et « il avait l'entière confiance de la famille », dit un de ses anciens collègues. Il était aussi un homme brillant dans sa spécialité, il connaissait le bilan par cœur et les moindres détails des états financiers. En ce sens, il aurait sans doute pu être un atout très précieux pour un nouveau venu tel Paul Tellier[17].

Mais Bombardier, après des années de négligence et d'indifférence envers les milieux financiers, payait les pots cassés. Quel qu'ait été son talent, Morin n'avait jamais su vendre Bombardier aux analystes et aux investisseurs et, au dire de certains, là était la vraie raison de son départ. Dans le marché boursier dégonflé de 2003, tout directeur financier devait plus que jamais donner une image fidèle de la compagnie qui l'employait. Ce n'était un secret pour personne chez Bombardier que Tellier désirait retenir les services d'un directeur financier prestigieux, une vedette capable d'impressionner la communauté financière, les banques et les agences de notation qui toutes jouaient un rôle important dans la réussite de son plan de redressement. Tellier ne trouvant pas le candidat de ses rêves, il finit par promouvoir à ce poste son très compétent vice-président aux finances, Pierre Alarie. Tellier lui-même devrait maintenant séduire les milieux financiers et leur faire accepter son plan de redressement.

Le départ forcé de Morin démontrait que Tellier détenait toute l'étendue des pouvoirs qui avaient échappé à Bob Brown. « Lorsque j'ai voulu remplacer notre directeur financier, dit Tellier, j'ai immédiatement fait part de ma décision à Laurent. Une heure et demie plus tard, nous émettions un communiqué de presse. Un jour ou deux après, Laurent me dit en ne plaisantant qu'à moitié : "Si jamais tu prends une décision au sujet de mon fils Pierre, j'espère que tu ne me l'annonceras pas à la dernière minute." Nous avons bien rigolé[18]. »

Sitôt congédié par Tellier, Louis Morin fut réengagé par Laurent Beaudoin au poste de directeur financier de l'unité des produits récréatifs rachetée par la famille. Manifestement, Tellier et Beaudoin ne voyaient pas du tout les choses du même œil.

D'autres différences firent surface.

Au début de son mandat, lorsque Paul Tellier prit conscience de la nécessité de réunir des capitaux de toute urgence, deux experts financiers lui soumirent une proposition. « Nous avions de sérieux problèmes de liquidités, dit-il, et nous devions à tout prix réunir des fonds propres. Nous n'étions pas certains des résultats d'une émission d'actions. Deux experts financiers sont venus me voir et m'ont dit : "nous sommes prêts à investir une grosse somme du moment que vous abolissez les deux classes d'actions de Bombardier." »

La proposition était tentante. « J'appréhendais la nature de nos relations avec les agences de notation et les banques concernant la réussite de notre émission d'actions. S'il m'était possible de mettre tout de suite la main sur une forte somme et, par conséquent, de limiter mes risques et mes incertitudes, pourquoi pas ? J'ai commencé à négocier. Quand des types frappent à votre porte en vous offrant des centaines de millions de dollars, vous êtes porté à accepter. »

Tandis qu'allaient de l'avant leurs négociations prétendument confidentielles, la nouvelle voulant que l'organisation du capital social de Bombardier allait peut-être changer transpira dans les milieux de la finance. La réaction de Laurent Beaudoin ? « Pas question. » Le président descendit ce projet en flammes et rappela à tous, sans aucune équivoque, que Bombardier était une entreprise familiale et qu'elle allait le rester.

Après cette petite douche froide, Tellier s'efforça de trouver une autre solution. « Les deux types me proposèrent un compromis : "Bon. Gardez vos deux classes d'actions, mais limitons un peu le pouvoir des actionnaires de contrôle qui sont membres de la famille." » Autrement dit, la famille pourrait choisir certains membres du conseil et les deux investisseurs choisiraient les autres, ce qui contraindrait le président à collaborer avec eux pour planifier la composition du conseil.

Mais une tentative aussi audacieuse d'intrusion dans la chasse gardée de l'autorité familiale était interdite chez Bombardier. Beaudoin rejeta ce compromis et, quelques semaines plus tard, il déclara catégoriquement aux actionnaires présents à l'assemblée annuelle qu'aucun changement ne serait apporté à la structure du capital social de l'entreprise[19]. Tout n'était pas rose à la direction de Bombardier.

D'autres désaccords allaient diviser la famille et Paul Tellier eu égard à l'intention de ce dernier de vendre l'unité des véhicules récréatifs, décision qui figurait au cœur même de sa stratégie de redressement. Il avait un urgent besoin de liquide pour renforcer le bilan de l'entreprise et pour regagner la confiance de la communauté financière. En mars, Bombardier fut victime d'une autre révision à la baisse : Standard & Poor's lui accorda une cote un cran au-dessus de titre spéculatif, sous prétexte d'un « profil financier sensiblement affaibli ». Il devenait clair que les agences de notation doutaient de l'aptitude de Bombardier à assurer le service de sa dette.

Au début, Tellier avait freiné la rumeur voulant qu'il désirait vendre la filiale des motoneiges, des motomarines, des moteurs de bateaux et des véhicules tout-terrains. L'attachement de la famille à l'entreprise traditionnelle lui paraissait trop important pour qu'il puisse aborder sérieusement cette question. Mais il n'en était plus aussi sûr.

En 2003, les revenus de l'unité des produits récréatifs avaient grimpé à 2,5 milliards de dollars, mais la marge bénéficiaire, avant les intérêts et avant impôts, était passée de 9 pour 100 l'année précédente à 6,9 pour 100. Certes, Bombardier était le leader du marché de la motoneige dont il détenait une part de 33 pour 100, et ses véhicules étaient encore au goût du jour. Dans le film *Meurs un autre jour*, c'est à bord de la motoneige de pointe Ski-Doo MX-Z REV que le célèbre agent secret James Bond poursuit le traditionnel assortiment de méchants dans les déserts glacés et enneigés d'Islande. Mais, peu importe ce succès au grand écran, les ventes de motoneiges avaient chuté l'année précédente en raison du manque de neige.

Bombardier dominait aussi le marché de la motomarine avec une part de 47 pour 100. En juillet 2002, un comte européen ne sachant trop que faire de son temps et de son argent établit un record mondial en traversant l'Atlantique sur un Sea-Doo Bombardier. Le comte Alvaro de Marichalar effectua cette traversée historique à bord d'un Sea-Doo XP, parcourant une distance de 8 000 milles marins en 54 jours. Ce fut une spectaculaire publicité gratuite, mais qui ne se refléta pas sur les ventes. Entre 2002 et 2003, les marchés canadien et américain des motomarines connurent une baisse importante. Il fallait prendre garde à ces indices, comme aussi au ralentissement des ventes des véhicules tout-terrains de Bombardier qui traînaient beaucoup derrière celles du chef de file mondial Honda, dont le réseau des concessionnaires était beaucoup plus important.

Ce secteur dépend beaucoup du pouvoir d'achat des consommateurs. Compte tenu des nuages noirs qui planaient toujours au-dessus de l'économie, il devenait beaucoup moins souhaitable pour Bombardier de conserver son unité de véhicules récréatifs. Quels qu'aient été son prestige et son rôle dans l'histoire de l'entreprise, il s'agissait du seul actif liquide de Tellier, dont la vente était susceptible d'empêcher les banques et les agences de crédit de noircir la réputation de l'entreprise. «Cette filiale était quasiment un passe-temps pour nous, dit-il ; elle ne correspondait qu'à 10 pour 100 de notre chiffre d'affaires.» Elle ne semblait plus avoir sa place au sein du géant mondial des transports qu'il rêvait de faire reposer sur des secteurs d'importance équivalente, celui de l'aéronautique et celui du transport ferroviaire.

Cette décision allait mettre son pouvoir à l'épreuve. Quelle serait la réaction de la famille ? Tellier était bien décidé à ne pas céder. «Il a mis cartes sur table», dit un ancien cadre de direction de la compagnie. Si la famille et le conseil n'entérinaient pas son idée, «il n'hésiterait pas à remettre sa démission[20]».

Pierre Beaudoin était particulièrement furieux et il avait fait savoir à Tellier qu'il entendait démissionner. Il avait mis tout son cœur dans l'unité des véhicules récréatifs où il avait œuvré près de quatorze ans. Il n'acceptait pas que ce nouveau venu à la direction dilapide ainsi l'héritage familial et il était bien décidé à prendre les choses en mains pour que la famille rachète cette filiale.

« Il était farouchement opposé à la vente des produits récréatifs, se rappelle Tellier. Il bouillonnait de rage. Je lui ai dit : "Pierre, ma décision est prise. Je le ferai. Je te remercie beaucoup de m'avoir fait part de ton opinion."

« Pierre avait décidé de démissionner pour deux raisons. D'une part, il était très attaché à l'unité des produits récréatifs et, d'autre part, il ne croyait pas pouvoir tolérer mon style de gestion. Entre autres choses, j'avais renforcé le rôle de l'administration. Aucune décision ne se prend plus sans qu'y participe le directeur des finances. Je me fie beaucoup à son opinion. Les mesures administratives sont beaucoup plus sévères. Pierre ne croyait pas pouvoir vivre avec ça. »

Tellier se mit en frais de trouver quelqu'un pour le remplacer à la tête de l'unité aéronautique. La rumeur voulant que l'héritier manifeste claque la porte de l'entreprise familiale se répandit comme une traînée de poudre dans la compagnie. Les employés en furent abasourdis. Mais une semaine plus tard à peine, Pierre entrait dans le bureau de Tellier.

« Tu sais, je crois que je peux travailler avec toi. Je veux continuer dans la même voie. »

« Bien, dit Tellier. Je n'ai pas de problème avec ça. Si tu veux rester, c'est une excellente nouvelle. »

Pierre avait compris que rien ne l'obligeait à partir. Laurent Beaudoin se chargea de préparer l'offre de la famille pour le rachat de l'unité des produits récréatifs et de trouver des partenaires financiers disposés à apporter leur concours. Plusieurs firmes approchèrent la famille Bombardier, et Beaudoin porta finalement son choix sur la société américaine d'investissement en capital de risque, Bain Capital, et sur le fonds d'investissement du régime de retraite du gouvernement, la Caisse de dépôt et placement du Québec. Le conseil d'administration de Bombardier entérina cette proposition et la famille prit possession de l'unité des produits récréatifs avec une participation de 35 pour 100.

Pierre en vint à mieux comprendre et à accepter le nouveau patron de Bombardier. «Je m'entendais très bien avec Bob Brown, dit-il, si bien que, lorsque Paul est arrivé... Tout changement exige une adaptation. Je crois que leur style est très différent. J'ai dû m'efforcer de comprendre Paul, de voir où il voulait amener l'entreprise. La décision de vendre l'unité des véhicules récréatifs n'a pas été facile ni pour Paul ni pour le conseil, et elle me déplaisait parce que j'y avais travaillé pendant quinze ans. C'était mon bébé. Donc, comprendre tout ça, faire en sorte que les choses bougent, m'habituer à un nouveau style de gestion, bien expliquer à Paul notre secteur d'activités parce qu'il n'avait aucune expérience dans le domaine de l'aéronautique... bref, les premiers six mois ont représenté une dure période d'adaptation[21].»

Les règles du jeu en ce qui avait trait à ses rapports avec l'héritier du trône de Bombardier étaient claires pour Paul Tellier. «Ce fut clair pour nous deux dès le départ, dit Tellier, que Pierre ne jouirait d'aucun traitement de faveur, qu'il serait traité comme tous les autres employés sous ma responsabilité directe. Ni moi, ni Laurent ni Pierre n'en avons jamais douté[22].»

Les éléments du plan de redressement commençaient à tomber en place. Le produit de la vente des véhicules récréatifs et des nouvelles actions mises en circulation augmenterait de 2 milliards de dollars le capital de Bombardier. Mais Tellier était en très mauvaise posture dès le départ: le titre avait fondu, et Bombardier, d'iceberg dans un océan financier, avait été réduit à la taille d'un glaçon. Maintenant que l'action atteignait presque le cours le plus bas de son histoire, Tellier avait dû se résoudre à un prix d'émission ridicule de 3,25 $.

Au dire d'un analyste qui bénéficiait maintenant d'un recul certain, l'entreprise avait raté quelques occasions de reconstituer son capital. «Une des erreurs les plus graves qu'ait pu commettre la compagnie au fil des ans a été de ne pas émettre de nouvelles actions; elle aurait pourtant pu le faire à plusieurs reprises. Cette omission est due à la famille qui souhaitait éviter la dilution de son avoir. Quand on y songe, c'est la pire décision qu'elle pouvait prendre. L'occasion de faire une nouvelle émission d'actions s'est souvent présentée: quand l'action valait 24, 26 ou 28 $.» Même au début de son repli, plusieurs sociétés de placement seraient volontiers venues frapper à la porte de Bombardier[23].

Laurent Beaudoin avait depuis longtemps l'habitude de gérer efficacement son bilan et cela expliquait en partie qu'il ait été réticent à reconstituer son capital. Pendant des années, il avait assuré la croissance de l'entreprise en y réinvestissant des ressources plutôt qu'en contractant des emprunts ou en émettant de nouvelles actions. Tous les actionnaires, pas seulement la famille, profitaient de cette approche. Les bénéfices étaient répartis entre le même nombre d'actions et tout le monde était gagnant.

Mais la situation avait changé. Non seulement Bombardier vendait ses nouvelles actions à rabais en diluant en outre l'avoir de ses actionnaires, elle le faisait parallèlement à la vente de son unité de produits récréatifs qui représentait environ 20 pour 100 de son chiffre d'affaires avant intérêts et avant impôts. Les produits récréatifs rapportaient annuellement des liquidités de 2,5 milliards ; sans eux, les revenus et les bénéfices diminueraient et devraient être répartis entre un nombre plus élevé d'actions. Accroître le bénéfice par action serait d'autant plus difficile.

Quand Bombardier dévoila son plan de redressement en avril, celui-ci n'étonna pas les analystes qui avaient déjà envisagé tous les scénarios possibles. Mais Tellier devait encore convaincre un milieu financier sceptique, voire hostile, de son bien-fondé – ce qui n'était pas gagné d'avance. « Un très grand nombre de petits investisseurs ont payé leur action de Bombardier 25 $ et voilà qu'elle dégringole à 3 $, dit Tellier. Ils sont très amers, très en colère. Je ne m'attendais pas à une telle fureur. »

À l'occasion d'une tournée de présentation de sa nouvelle émission d'actions, Tellier a été rudement accueilli. « Un soir, nous avons eu une réunion à l'heure du souper, un souper-sandwiches, vers 18 ou 19 h. Il y avait là deux hommes et une femme, des experts financiers, à une table en face de nous. À un moment donné, j'ai cru qu'ils sauteraient par-dessus la table pour venir nous taper dessus, tellement ils étaient furieux.

« Cette tension était due au fait que l'arrogance de Bombardier avait cru au même rythme que son succès. À ce jour, je dois me battre contre cela. Je dois dire à mes collègues : "Primo, nous ne sommes pas aussi bons que nous pensions l'être ; secundo, nous avons commis de graves erreurs. Soyons humbles, pas arrogants[24]." » Une des plus grandes vertus de Tellier est son aptitude à faire du positif avec du négatif. Il n'essaie pas de se justifier devant la critique. Il dit : « Nous devons faire mieux. »

L'émission d'actions a été une réussite. Le plan de Tellier porte fruit. Mais on est loin des jours de gloire de la compagnie, quand son titre se transigeait à 30 $. Tellier semble bien tenir les rênes de la situation, mais à la suite des revers de fortune de Bombardier les milieux financiers sont très circonspects. Un analyste pourtant chevronné avoue : « Jamais je n'aurais cru que la compagnie était en si mauvaise posture. » Les audioconférences entre la compagnie et les analystes ont changé de ton. « Ce n'est plus comme avant. Maintenant, on dit plutôt : "Bombardier ? ah oui, oui… je m'en souviens." L'entreprise a perdu beaucoup de son prestige et de son lustre. » Maintenant, quand la direction fait des prévisions optimistes, le milieu dit : « On veut des preuves[25]. »

Un peu de ce scepticisme entacha l'assemblée annuelle de la compagnie à Montréal, en juin 2003. Il était opportun que cette assemblée ait lieu au siège social de l'Organisation de l'aviation civile internationale (OACI), car l'aviation civile était très mal en point et Bombardier était la principale pièce à l'appui de ce fait. À leur arrivée, les actionnaires furent accueillis par un système de sécurité élaboré de style aéroportuaire, rappel, involontaire sans doute, du fait que les aéroports du monde entier étaient à moitié déserts, que les gens ne voyageaient plus autant par avion et que les transporteurs n'achetaient plus autant les appareils de Bombardier.

Les actionnaires ne pouvaient pas ne pas remarquer la devise publicitaire de l'entreprise, placée bien en évidence – *Une expérience extraordinaire*. Plusieurs durent y déceler une mauvaise plaisanterie. L'expérience qu'ils vivaient était en effet extraordinaire : le titre de Bombardier avait perdu 80 pour 100 de sa valeur depuis son sommet et de nombreux actionnaires étaient venus exprimer leur mécontentement. Ce fut un début difficile pour Paul Tellier. Quelques jours plus tôt, quand Bob Gainey avait été nommé directeur-gérant de l'équipe des Canadiens de Montréal, une autre légendaire institution québécoise, quelqu'un lui avait demandé s'il pouvait marcher sur l'eau. « Seulement si vous la faites geler d'abord », avait-il répliqué. Comme les supporteurs de l'équipe des Canadiens de Montréal, les actionnaires de Bombardier attendaient leur Messie.

Prenant en compte certains éléments exceptionnels, Bombardier avait enregistré pour l'année une perte de 615 millions de dollars, effectué des milliers de mises à pied et vendu la perle de sa couronne –

l'unité des motoneiges. Tellier parla franchement aux actionnaires : « Je ne vous cacherai pas que nous traversons une période difficile. Mais nous avons entamé notre plan de redressement pour l'avenir, et je suis persuadé que cet avenir reflétera notre gloire passée. Pour ne rien vous cacher, l'entreprise vit une crise de confiance provisoire. » Il déclara que l'appel public à l'épargne avait permis d'amasser un capital de 1,2 milliard de dollars et que l'on procédait aussi à la vente d'actifs jugés non essentiels. « Ces prochaines années, nous consacrerons en priorité nos efforts à notre programme de reprise et au maintien d'une gestion prudente[26]. »

Mais les actionnaires étaient d'humeur querelleuse. Ils contestèrent la générosité du salaire et des prestations de retraite que lui avait consentis l'entreprise à un moment où des milliers d'employés de Bombardier étaient remerciés de leurs services. Ils voulaient savoir pourquoi la caisse de retraite souffrait d'une insuffisance de capital. Une gestion prudente, c'était bien, disaient-ils, mais d'où proviendrait la croissance ? Un courtier en valeurs mobilières de Montréal suscita un fort malaise au sein des membres de la direction quand il remit en question l'aptitude à commander de certains membres du conseil et de la haute direction. Le secteur ferroviaire, déclara-t-il, a été désastreux ; l'Eurotunnel, le train Acela et Adtranz ont occasionné d'importantes pertes à la compagnie.

L'intervention était juste. Les performances du secteur ferroviaire, surtout en Europe, étaient de plus en plus une cause de souci pour Paul Tellier.

L'avenir du secteur ferroviaire avait semblé prometteur quand Tellier était entré chez Bombardier. Depuis l'acquisition d'Adtranz, le carnet de commandes frôlait les 32 milliards de dollars. Au premier trimestre de 2003, Bombardier signa le plus important contrat de toute son histoire, pour une valeur de 7,9 milliards de dollars : la vente, étalée sur quinze ans, de voitures-passagers pour le métro de Londres. Mais ce n'était pas suffisant. Le secteur aéronautique affrontait des écueils ; il fallait que le secteur ferroviaire compense ce manque à gagner.

« J'ai fait savoir à mes collègues du secteur ferroviaire, dit Tellier, que, pour la première fois dans l'histoire de la compagnie, il leur était possible de démontrer qu'en période de crise aéronautique ils pouvaient nous dépanner ; pour ce faire, ils devaient augmenter leur rentabilité [...] et continuer à remplir leur carnet de commandes. » La performance de ce secteur laissait à désirer, mais Tellier ne désespérait pas. En Espagne, à l'occasion d'une rencontre mondiale des commissions de transports en commun, la diversité du marché, la qualité des clients, le genre de matériel qui les intéressait, tout cela impressionna beaucoup Tellier. « Il nous faut rationaliser nos activités et nos unités de fonctionnement. Il se peut que nous ayons trop d'installations. Sans doute devrons-nous remédier à un certain nombre de problèmes. » Mais le potentiel de rentabilité était très réel.

À l'automne, son enthousiasme s'était refroidi. Le secteur du rail ne produisait pas les profits escomptés ; en fait, la marge bénéficiaire se resserrait. En novembre, il perdit patience et retira Pierre Lortie de la direction du groupe ferroviaire, poste qu'il occupait depuis très longtemps. Les analystes comprirent que Tellier s'apprêtait à retrousser ses manches et à prendre beaucoup plus en charge la gestion quotidienne de ce secteur. Le moment était venu de sabrer dans le nombre ridiculement élevé d'usines et d'employés en Europe.

Pour commencer, Tellier passa au moins deux jours par semaine à Berlin, au siège social des exploitations européennes. Il chercha une façon de réduire le nombre des 35 usines que possédait Bombardier dans 15 pays différents, et le moyen d'intégrer la production sans se mettre à dos les gouvernements et les dirigeants syndicaux. C'était indispensable : la plupart des usines ne fonctionnaient qu'à 40 pour 100 de leur capacité. Il se mit également en chasse d'un chef d'entreprise européen pour prendre la direction de ce secteur. Pierre Lortie avait dirigé le groupe ferroviaire depuis son bureau dans la banlieue de Montréal. Manifestement, cela n'avait pas été un succès.

Tellier ne perdit pas une seconde. En février, il avait trouvé son homme : André Navarri, cinquante ans, un homme d'affaires respecté qui avait dirigé la filiale ferroviaire du conglomérat français Alstom SA. Un mois plus tard, il fit tomber le couperet. Sept usines de matériel de chemin de fer fermeraient leurs portes, entraînant une perte de 6 600 emplois et l'instauration de mesures visant à accroître la productivité et les ventes. Il s'agissait d'une décision coûteuse : cette réorganisation allait entraîner des dépenses de 777 millions de dollars réparties sur deux ans, ce qui allait ralentir encore plus le secteur ferroviaire. Mais, au bout du compte, l'ordre régnerait sans doute enfin.

André Navarri est exemplaire de la nouvelle génération d'hommes d'affaires européens : ce Français installé à Berlin parle couramment l'anglais et connaît par cœur le marché ferroviaire. C'est à lui qu'incombe la responsabilité de mettre en œuvre la partie euro-

péenne du plan de redressement de la compagnie et de hisser les
marges bénéficiaires au-delà de 6 pour 100. Il doit aussi tenir tête
aux gouvernements et aux dirigeants syndicaux, et bien leur faire
comprendre que, cette fois, Bombardier ne renoncera pas à la fermeture de certaines de ses usines en Europe.

« La réorganisation de Bombardier Transports est beaucoup plus
complexe, dit-il, car ses nombreuses acquisitions passées en ont fait
un chef de file de l'industrie. Ses activités sont beaucoup plus diver-
sifiées que celles de ses concurrentes Siemens ou Alstom. L'ennui est
qu'en raison de ce fait notre réorganisation est aussi plus exigeante.
Heureusement, notre réseau de clients est plus vaste que celui de
nos concurrents. Par exemple, nous dominons carrément le marché
des trams ; Siemens et Alstom sont loin derrière. Je ne troquerais pas
leur carnet de commandes contre le nôtre. À moyen terme, notre avenir est nettement plus rose que le leur. »

Même s'il utilise rarement les mots « Europe » et « fermetures »
dans la même phrase, Navarri est convaincu que certaines fermetures ne sont pas impossibles et que la logique commerciale prendra
le dessus. « Si nous fermons des usines, c'est en raison d'une pénurie de commandes. Personne ne peut justifier le maintien d'ouvriers
quand il n'y a pas de travail. Il y a pénurie de travail dans toutes nos
usines jusqu'en 2005. Les syndicats et les gouvernements savent très
bien qu'une usine dont les employés se tournent les pouces doit fermer ses portes. Certes, c'est plus long et plus compliqué qu'en Amérique du Nord, mais notre plan de reprise prévoit un certain nombre
de facteurs. Nous avons bien démontré que cette décision n'a rien
d'arbitraire. Nous nous efforçons aussi d'être justes. Nous ne concen-
trerons pas toute la production dans un seul pays ; nous la réparti-
rons entre tous également. Il est bien certain que les syndicats ne sont
pas contents. Mais tous conviennent que certaines usines devront
fermer leurs portes. »

Selon Navarri, le salut de Bombardier dépend d'importants
investissements dans l'infrastructure ferroviaire en Europe, amélioration dont il est depuis longtemps question. « Le train est le moyen
de transport préféré des Européens. Tout le monde voyage par train
[…] ; ce n'est pas comme en Amérique du Nord. Cela veut dire que
le réseau des trains à grande vitesse devra forcément prendre de l'expansion. La seule variable est la rapidité de cette expansion.
Aujourd'hui, il faut compter neuf heures pour parcourir en train la

distance entre Paris et Berlin. Je suis certain qu'un jour ce trajet ne prendra que trois heures. Mais quand? En 2007? En 2010? Je l'ignore. Tout ce que je sais, c'est qu'il y a beaucoup à faire.»

Selon lui, la croissance de Bombardier proviendra de secteurs moins exploités, comme le soutien technique. Il souhaite que l'entreprise se fasse connaître moins comme constructeur de matériel ferroviaire et davantage comme pourvoyeur de services d'entretien, ce qui lui procurerait une meilleure stabilité de revenus. «Aujourd'hui, en Grande-Bretagne, nous mettons chaque matin 1 300 voitures-passagers à la disposition de nos clients, par exemple Virgin et National Express. Nous assurons l'entretien du parc de trains de plusieurs clients; dans deux ans, nous ferons la maintenance de quelque 3 000 voitures. La plupart des passagers britanniques prendront place dans des voitures préparées par des employés de Bombardier. La situation est différente en Grande-Bretagne, où les transports publics sont privatisés et où les compagnies de transport ont préféré confier l'entretien de leurs parcs de voitures à des sous-traitants. Le reste de l'Europe adoptera tôt ou tard cette solution, car ce n'est pas du tout rentable pour les compagnies de transports en commun de voir elles-mêmes à l'entretien de leur matériel.»

Pour parvenir à ses fins, Navarri doit approcher les gouvernements et les syndicats avec beaucoup de tact. «Il faut trouver une solution au statut de milliers d'employés que protège un contrat du gouvernement. Là encore, ce n'est qu'une question de temps, car inévitablement nous sommes au fil des jours mieux organisés, plus concurrentiels et mieux en mesure d'agir que n'importe qui d'autre. Prenons, par exemple, le métro de Londres. Ce sont les employés de Bombardier qui prépareront chaque matin toutes ses rames. Nos revenus provenant des services d'entretien excèdent 1,1 milliard de dollars, et j'entends doubler ce montant. Bien sûr, quand je parle de services, je parle de beaucoup de choses. Cela veut dire aussi m'assurer que les compagnies de transport concentrent réellement leurs efforts sur ce qui fait leur force, soit la vente des tickets et l'exploitation des trains[27].»

Il ne devait plus y avoir de mauvaises surprises après l'annonce de la restructuration, mais Navarri découvrit peu après que des problèmes affectaient les contrats en cours de Bombardier. En mai 2004, les investisseurs furent abasourdis d'apprendre que Bombardier avait besoin de 200 millions de dollars américains en liquide pour pouvoir respecter certains de ses engagements. Les actionnaires ne firent plus confiance au secteur ferroviaire de Bombardier et ils se demandèrent pourquoi un si grand nombre de ses contrats étaient l'objet de litiges ou de dépassement des coûts. L'entreprise argua qu'avec des centaines de commandes en marche en même temps, il était inévitable que certaines ne soient pas livrées à temps. Il lui était impossible de satisfaire tous ses clients, soutenait-elle. Mais Tellier jura que les prochaines soumissions feraient l'objet de contrôles beaucoup plus sévères.

Au printemps 2004, un an s'était écoulé depuis l'annonce du plan de redressement de Bombardier. L'émission d'actions avait rapporté 1,2 milliard de dollars à la société et elle avait réalisé un bénéfice de 740 millions (un peu moins que prévu) sur la vente de l'unité des véhicules récréatifs à un groupe chapeauté par la famille. L'ennuyeux portefeuille de prêts de Bombardier Capital avait été réduit de 3 milliards. En Europe, 7 usines ferroviaires et 6 600 emplois feraient aussi partie des victimes. L'entreprise avait reçu une très importante commande de 7,9 milliards de dollars pour le métro de Londres et elle avait signé un contrat très lucratif avec US Airways et Sky West pour la livraison de jets régionaux.

L'année qui vient de s'écouler a été très occupée pour Paul Tellier qui a énormément travaillé à améliorer la situation de l'entreprise. Pourtant, pendant la même période, le cours de l'action a stagné. Au moment de l'entrée en fonction de Tellier, le titre se transigeait autour de 5 $ et, dix-huit mois plus tard, il n'avait pas bougé. Tellier qui, d'habitude, fournit une énergie de turbine industrielle, semblait paralysé. Il s'est mis à dire publiquement que le redressement de l'entreprise se révélait beaucoup plus difficile qu'il n'avait cru et qu'il faudrait compter trois ans pour y arriver.

« C'est sûrement très frustrant pour lui de constater qu'en dépit de ses efforts le cours de l'action ne bouge pas, dit à ce moment un analyste. Selon moi, le plus gros problème de Bombardier est la perte de confiance du milieu. D'habitude, quand une entreprise nous dit que l'avenir est prometteur, le cours de son action monte. Mais quand Bombardier nous dit quelque chose, ça tiraille. Ils disent : "Il faut que vous nous fassiez confiance." Et nous répondons : "Eh bien, nous n'en avons pas envie[28]." »

Il n'y a pas que le manque de confiance qui nuit à Bombardier. Tellier impose maintenant une gestion prudente à une entreprise naguère audacieuse. Il y a 15 ans, elle est devenue une vedette pour avoir parié avec succès que les jets régionaux révolutionneraient les transports aériens. Aujourd'hui, tant à l'intérieur qu'à l'extérieur de la compagnie, on commence à dire que le moment est venu pour Bombardier de se lancer dans une nouvelle aventure aéronautique, une aventure susceptible de ranimer l'enthousiasme des employés, des clients et des actionnaires. Bombardier a déjà mis un tel projet à l'étude. Mais pour qu'elle puisse le réaliser, il faudra que les Canadiens et le gouvernement du Canada cessent de remettre en question l'apport des contribuables à l'industrie et qu'ils s'engagent à soutenir encore plus généreusement les efforts de Bombardier.

CHAPITRE 20

Un nouvel envol

Dans l'industrie aéronautique, rien n'égale la naissance d'un nouvel avion. Les ingénieurs vivent pour le moment où, sur leur écran d'ordinateur, un nouveau concept d'aéronef prendra son envol. Au printemps 2004, Bombardier ralluma un peu la flamme qui avait réchauffé le développement du Global Express (1 milliard de dollars) et du Challenger 300 (500 millions de dollars) – deux avions d'affaires que l'exceptionnelle équipe d'ingénieurs de Bombardier a conçus de A à Z.

Dans un parc industriel de la banlieue de Montréal, 300 ingénieurs, mercaticiens et stratèges s'enfermèrent dans des locaux flambant neufs pour s'attaquer pendant un an au développement de nouveaux appareils. Leur mandat : étudier la viabilité commerciale et technique d'une nouvelle famille d'avions à réaction de passagers capables de surpasser les jets de 98 et 108 sièges d'Embraer et de redorer le blason de Bombardier en tant que chef de file de l'industrie.

John Holding, ingénieur principal du projet, à l'emploi de Bombardier depuis vingt-cinq ans, soit depuis l'acquisition de Canadair, était conscient de la fébrilité dont s'imprégnait l'atmosphère. Ses ingénieurs acceptaient sans rechigner de s'éterniser à leur table de travail. « Rien de plus facile que de motiver un ingénieur à se consacrer à un tel projet, dit-il. Il s'agit pour lui de rassembler tous les éléments technologiques nécessaires à la découverte d'une solution. »

Bombardier a su tirer le meilleur parti possible du Challenger de Harry Halton, mais la technologie de cet appareil est désuète et elle a été exploitée au maximum. Le moment était donc venu d'investir dans le futur. L'équipe de Bombardier s'est demandé quelle était l'orientation de l'aviation commerciale et quel genre d'appareils la clientèle désirait acheter. « Dessiner un avion n'est pas difficile, dit Holding ; ce qui est difficile, c'est dessiner le bon type d'avion. Il faut savoir quels sont les inducteurs de coûts dans l'entreprise du client. » Il constatait la nécessité de construire des avions de 100 à 130 sièges. « Cette part du marché est très mal servie en ce moment. Aucun aéronef n'a été conçu spécifiquement en fonction de ce créneau. Nous pensons pouvoir faire pour ce segment du marché ce que nous avons fait pour celui du transport régional il y a 15 ans[1]. »

Au sein de l'industrie, bon nombre d'observateurs ont mis en doute la viabilité économique de ce projet. Des avionneurs tels Fokker et BAE avaient échoué à vendre des appareils de cette dimension. Boeing et Airbus avaient aussi tenté de servir ce segment du marché avec des avions plus petits, mais ce n'était pas leur zone idéale, le créneau susceptible d'être le plus rentable pour eux. Les risques et les coûts associés à la mise au point d'une famille complète d'aéronefs étaient gigantesques, à un moment où l'industrie devait affronter de graves difficultés et un avenir plus qu'incertain. Ce projet évalué à 2 milliards de dollars nécessiterait un an d'études avant que Bombardier puisse prendre une décision finale. Et Paul Tellier devrait obtenir d'Ottawa la promesse de très fortes sommes, bien au-delà de ce que les contribuables avaient déboursé jusqu'à présent.

En 1998-1999, les ingénieurs de Bombardier avaient beaucoup étudié le concept d'un tout nouvel avion à réaction de 115 places, le BRJ-X. Bob Brown avait imposé deux conditions à son feu vert : il fallait que l'appareil – grâce à des matériaux plus légers, à un meilleur rendement du carburant, etc. – réduise de 10 à 15 pour 100 les coûts d'exploitation des transporteurs ; et il fallait pouvoir fixer son prix de vente aux alentours de 20 millions de dollars américains. Ces conditions n'ont pas été rencontrées. Les acheteurs potentiels du temps ne s'intéressaient pas beaucoup à un nouveau produit. En outre, EDC avait renoncé à financer les ventes des appareils existants de Bombardier, ce qui avait nui à Bob Brown. Si EDC rechignait à financer la vente de la flotte existante de Bombardier, que se passerait-il si d'autres appareils venaient la grossir ?

La solution au problème d'un aéronef de plus grande dimension est aussi difficile à trouver que celle du cube hongrois de Rubik. Dès qu'on entreprend la construction d'un avion de 115 sièges, on sort du domaine des jets régionaux. On entre dans le territoire de Boeing et d'Airbus, et c'est très dangereux. Si ces géants de l'industrie se mettent dans la tête que vous voulez usurper leur territoire – les appareils de 130 sièges ou plus – ils peuvent vous écraser comme un vulgaire moustique. Aux États-Unis et en Europe, l'apport des gouvernements à l'industrie aéronautique est infiniment supérieur à celui du gouvernement canadien.

En 1999, Brown avait voulu construire un aéronef plus efficace, moins cher, au fuselage plus large et capable d'accueillir des rangées de cinq sièges au lieu de quatre comme dans les modèles de grande dimension d'Embraer. Il désirait par-dessus tout concevoir un appareil que Boeing et Airbus ne percevraient pas comme une menace et qui ne leur ferait pas appréhender la construction, par Bombardier, d'un appareil de 130 sièges. Tout le problème était là. Il fallait prouver à ces géants que la possibilité d'allonger le fuselage de votre aéronef ou de construire des variantes du même modèle était limitée. Mais la plupart du temps, c'est justement la construction de modèles dérivés du modèle de base qui assure la rentabilité d'un programme d'aéronefs. Dans ce cas-ci, à cause de la rareté des appareils modifiés, il fallait que le produit original dégage une excellente marge bénéficiaire, que la faiblesse des coûts d'exploitation soit irrésistible pour les clients et que ceux-ci aient un accès facile au financement dont ils avaient besoin.

Pour Bombardier, cela équivalait à chercher la quadrature du cercle. Même si Embraer allait de l'avant avec la construction d'une nouvelle famille d'avions à plus grande capacité, un tel investissement était injustifiable pour Bombardier. L'entreprise avait déjà plusieurs projets en cours et la capacité d'absorption de son bilan devait bien s'arrêter quelque part. Selon certains observateurs, cette occasion ratée avait procuré à Embraer une bonne longueur d'avance. Mais imaginez le pétrin dans lequel se serait enlisée Bombardier après le 11 septembre si elle s'était retrouvée avec, sur les bras, un nouveau programme d'aéronefs qui aurait alourdi son bilan, et des transporteurs très mal en point et à court de financement. Si la compagnie était allée de l'avant avec le BRJ-X en 1998, cet appareil aurait été prêt à livrer au moment même où les gros transporteurs à court d'argent refusaient d'acheter. En dépit de toutes les critiques, les cadres de direction de Bombardier étaient fermement convaincus d'avoir pris la bonne décision.

En 2004, on se posait encore les mêmes questions : comment améliorer le confort des passagers, comment réduire les coûts d'exploitation, comment se protéger des prix abusifs de Boeing et d'Airbus, comment satisfaire la préférence des lignes aériennes pour des appareils présentant beaucoup de points communs, comment dessiner un produit aux possibilités de modèles dérivés très limitées, mais qui soit tout de même rentable ?

C'est maintenant au tour de Pierre Beaudoin de répondre, dans une large mesure, à ces interrogations. C'est à son tour, en tant que jeune patron du groupe aéronautique, de donner ou non le feu vert au programme. Il a reçu le mandat d'examiner ce projet et de présenter ses recommandations au conseil d'administration au plus tard au début de 2005. Il a engagé, pour piloter le projet, un ancien cadre de direction de Boeing, Gary Scott, qui possède une expérience de plus de vingt ans dans ce domaine.

Nous voilà loin du lancement du Sea-Doo, quand le jeune Beaudoin a mis sur pied le secteur des motomarines de Bombardier. Nous voilà loin de la randonnée aquatique. Investir dans une famille d'aéronefs est un pari de taille qui peut relancer Bombardier ou l'enterrer à tout jamais. Pierre semble néanmoins sûr de lui : « Au point où en est le marché, dit-il, les transporteurs auront besoin d'appareils de cette catégorie dans quatre, cinq ou six ans. Je pense que notre calendrier respectera ce besoin[2]. »

Les clients intéressés par un appareil plus spacieux seraient les gros transporteurs, non pas les transporteurs régionaux qui composent la clientèle habituelle de Bombardier. L'économie de l'industrie n'est plus la même ; de gros transporteurs tels Delta et American veulent maintenant des appareils de 110 sièges aux coûts d'exploitation moindres. Selon lui, il y a là de nouvelles possibilités n'ayant rien à voir avec la vente d'appareils de 50 et 70 sièges à des compagnies régionales d'apport.

« C'est là, je pense, dit Pierre Beaudoin, que notre stratégie diffère fondamentalement de celle de nos concurrents. » Selon lui, Embraer destine sa gamme entière de produits aux lignes aériennes régionales et leur offre des aéronefs de même famille pouvant transporter de 70 à 108 passagers. Bombardier aspire plutôt à jouer des deux côtés de la clôture. « Nous avons des clients qui achètent des avions régionaux de 50, 70 et 80 sièges, mais il existe aussi une autre catégorie d'aéronefs pouvant transporter plus de 100 passagers, et c'est ce segment du marché que nous désirons explorer. Ce sont les gros transporteurs qui achètent de tels avions. Les règles du jeu ne sont pas les mêmes[3].»

Pierre croit qu'Embraer a un autre défaut à sa cuirasse. Les critiques ont beau dire que le RJ de 86 sièges de Bombardier est aussi confortable qu'un tube de cigare étroit et long, ils ont la même opinion du 108 sièges d'Embraer. Un fuselage de cette longueur avec des rangées de quatre sièges ne procure pas aux passagers le même sentiment d'espace. Bombardier espère éclipser son rival avec un avion pouvant accueillir cinq passagers par rangée, de plus grands hublots, un meilleur éclairage et des porte-bagages plus spacieux.

Pierre Beaudoin et son équipe ont de nombreux défis à relever sur le plan du design, de l'ingénierie, de la production, du partage des risques avec les fournisseurs et du financement. «Pour jouir d'un avantage concurrentiel, dit-il, il importe de créer un meilleur produit dont les charges d'exploitation sont de 15 à 20 pour 100 moindres. C'est là une des raisons qui nous ont incités à renoncer au BRJ-X; nous ne pensions pas que la technologie existante nous permettrait de construire un meilleur appareil pour la simple raison que les techniques de construction des moteurs ne répondaient pas à nos besoins. Les choses ont beaucoup changé et nous pensons maintenant pouvoir doter nos cellules de réacteurs qui leur conviennent.» Bombardier pourrait construire ses cellules avec des matériaux composites légers développés par Shorts, en Irlande du Nord. «L'unité des matériaux composites est en très bonne posture, dit-il. En fait, elle fait affaire avec Airbus et Boeing et elle a développé un grand nombre de techniques brevetées.»

L'aspect financier est le plus délicat du projet. Bombardier doit d'abord trouver des fournisseurs disposés à investir dans le programme en échange d'un partage des bénéfices; ensuite, il lui faut s'assurer que le gouvernement du Canada entrera dans la danse avec des prêts à l'exportation.

Financer un programme d'aéronefs par le partenariat est devenu monnaie courante dans l'aviation commerciale, et c'est souvent le seul moyen d'assumer les coûts de développement pharamineux d'un nouvel appareil. Dans cette industrie maintenant répandue à travers le monde, Bombardier est le dernier distributeur, celui qui signe de son nom le produit final, de la même façon que Nike appose son logo sur ses chaussures athlétiques. Et comme partout dans le monde on fabrique des chaussures Nike, des sous-traitants de différents pays construisent des avions.

Bombardier a construit le Dash-8 Q, le Learjet 45 et le Global Express selon ce même principe – avec des partenaires et un investissement immédiat. Le jet d'affaires Challenger 300 a permis de perfectionner ce système. La queue et la section arrière du fuselage sont construits à Taïwan, les ailes sont fabriquées au Japon par Mitsubishi, l'habitacle provient de l'usine de Bombardier à Montréal (qui a dû soumissionner au même titre que tous les autres fournisseurs), le fuselage est construit à Belfast ; enfin, aux États-Unis, Honeywell construit les réacteurs et Rackwell-Collins, l'avionique. « Ensuite, dit Pierre Beaudoin, nous assemblons tout ça à Wichita et à Montréal. En réalité, nous sommes un agent d'intégration. Si les fournisseurs acceptent d'entrer dans un partenariat avec nous, c'est qu'ils nous jugent capables de vendre notre produit. »

Bombardier souhaite que sa participation financière soit minime. « Nous investirons le moins possible, dit Pierre ; si nous parvenons à trouver une façon d'investir presque rien, c'est ce que nous ferons. Au fond, c'est nous qui contribuons le plus à ce projet, car nous intégrons toutes les étapes de la production et nous apposons notre nom sur le produit. Je pense que notre réputation dans le domaine de l'aéronautique est telle que nous n'aurons aucune difficulté à trouver des partenaires prêts à s'engager. […] Si nous pouvons investir notre nom, notre temps et nos capacités de mise au point technique, il me semble que c'est déjà énorme[4]. »

Il est de bonne guerre, en affaires, d'utiliser l'argent des autres et d'obtenir des fonds du gouvernement. Pierre Beaudoin souhaite que le financement des ventes à l'exportation des nouveaux appareils lui soit promis par avance et garanti, à défaut de quoi Bombardier ne pourrait planifier son calendrier de production. La meilleure condition de construction pour un avionneur est le régime continu – mettons, 100 aéronefs par an pendant cinq ans. Ce qu'il ne veut pas, c'est construire 200 appareils cette année, 20 l'an prochain et 300 l'année d'ensuite. Les coûts associés au redimensionnement de la surface utile et au réemploi de la main-d'œuvre sont énormes. Bombardier doit parvenir à uniformiser le rythme de production. L'entreprise a demandé aux fournisseurs de participer au financement de la vente des appareils et Bombardier a consenti à inscrire un financement intérimaire à son bilan pour un maximum de 60 appareils ou une valeur d'un milliard de dollars. Mais cela est loin de suffire à la vente d'un programme aéronefs et à la régularité du travail.

Bombardier a encore une bonne raison de solliciter le soutien du gouvernement. « Le pays doit décider s'il veut ou non une industrie aéronautique, dit Pierre Beaudoin. À mon avis, ce n'est pas une question de fierté nationale ou de subsides; il s'agit plutôt de mettre sur pied des programmes aéronefs concurrentiels, et pour être concurrentiel il me faut du financement. Si je ne l'obtiens pas ici, j'irai le chercher ailleurs[5]. »

Son patron, Paul Tellier, est du même avis. « Il nous faut, entre autres, tenir compte des besoins du marché. Nous serions stupides de prendre une telle décision sans savoir qui soutiendra nos exportations, d'où proviendra notre financement. Nous sommes le plus important employeur d'Irlande du Nord à l'heure actuelle. Si le gouvernement britannique nous disait : "Construisez vos avions à Belfast et nous vous appuierons", nous serions parfaitement stupides de ne pas envisager cette possibilité tout simplement parce que nous sommes de bons Canadiens. On nous paie pour augmenter la valeur de l'avoir des actionnaires. Je ne dis pas ça pour être menaçant, mais Pierre Beaudoin et moi, nous ne plaisantons pas. Nous allons construire ce nouvel appareil-là où il est logique que nous le construisions là où il pourra nous rapporter. Si nous ne le construisons pas ici, si les conditions sont plus favorables ailleurs, c'est là que nous irons[6]. »

Pour que les choses se passent au Canada, il faudrait que Bombardier s'assure de ne plus être perçue comme une entreprise parasite. Pendant longtemps, elle a évité toute discussion publique à ce sujet et elle s'est retenue d'alimenter ouvertement la critique. Ses messages concernant l'importance de l'apport du gouvernement ont toujours emprunté des voies officieuses. Mais Paul Tellier et son vice-président aux affaires publiques, Bill Fox, croyant à l'importance pour une entreprise d'agir avec transparence et de rallier l'opinion publique, se sont mis à plaider en faveur d'un apport gouvernemental accru.

Au départ, Tellier a tenté de réfuter le mythe faisant de Bombardier une entreprise ultra-subventionnée. C'est une légende urbaine, dit-il. Mais en février 2004, à l'occasion d'une allocution prononcée devant des chefs d'entreprise montréalais, il a mis de l'avant une nouvelle politique canadienne de l'industrie aéronautique qui amènerait nécessairement le gouvernement à jouer un rôle accru.

Tellier a fait ressortir l'importance de cette industrie qui génère des revenus annuels de plus de 20 milliards de dollars et qui emploie près de 80 000 Canadiens. Cinquante mille personnes participent directement à la production d'avions, de pièces et de matériel aéronautique ; ce sont des emplois de haute qualité où les salaires excèdent de 60 pour 100 le salaire moyen des Canadiens. Plus de 10 pour 100 de ces emplois concernent la recherche-développement dans des secteurs de haute technologie – pourcentage beaucoup plus élevé que dans l'industrie canadienne de l'automobile. À elle seule, Bombardier a investi 3,5 milliards de dollars en recherche-développement au Canada depuis 1986. La production manufacturière de notre industrie aéronautique a une teneur canadienne de 51 pour 100 comparativement à 38,9 pour 100 pour l'ensemble de la production du secteur manufacturier canadien. L'industrie aéronautique génère des revenus estimés à plus d'un milliard pour les gouvernements des provinces et pour le gouvernement fédéral. Étant donné que l'industrie exporte près de 90 pour 100 de sa production, elle contribue de façon importante au surplus de la balance commerciale du Canada. Pour finir, Tellier a soutenu que l'apport du gouvernement était une bonne affaire puisque l'intérêt sur les prêts aux clients de Bombardier et les frais sur les transactions rapportent des dizaines de millions à EDC. « Enfin, et pour détruire un mythe persistant, il n'en coûte rien au gouvernement du Canada pour son financement aux exportations[7]. »

Cela dit, il ajouta que l'industrie avait des défis colossaux à relever. Pour l'exercice qui venait de se terminer, les besoins en financement des clients transporteurs régionaux de Bombardier s'étaient élevés à 4,1 milliards de dollars, dont plus des deux tiers avaient été financés par le secteur privé, et le reste par le gouvernement. L'apport du gouvernement est indispensable à l'industrie. Bombardier évolue « dans un environnement mondial où se livre une concurrence sans merci, où les gouvernements n'hésitent pas à appuyer leur champion » par des financements immenses en matière de recherche-développement militaire. Le Canada est le seul pays dont les investissements en recherche-développement militaire ne sont pas significatifs.

En matière de recherche-développement commerciale, signala-t-il, l'industrie canadienne dans son ensemble se partage annuellement un montant de 165 millions de dollars fournis par le gouvernement fédéral. Cette somme est microscopique comparée à celles qui ont appuyé le programme Airbus A380 : celui-ci a eu accès à 3 milliards de dollars américains de fonds publics provenant de différents pays européens. Cette concurrence internationale va s'intensifier, dit-il. Pendant qu'EDC finançait 41 pour 100 des livraisons d'avions régionaux de Bombardier, au cours de la même période la banque de développement du Brésil, BNDES, finançait en moyenne plus de 80 pour 100 des livraisons d'Embraer. Enfin, Tellier signala que la Chine, la Russie et le Japon descendent à leur tour dans l'arène, puisque ces trois pays ont déjà lancé leurs propres programmes de biréacteurs régionaux avec l'appui complet de leur gouvernement.

Tellier détailla ensuite ses recommandations pour une politique canadienne de l'aéronautique. À son avis, cette politique devrait comprendre la création de nouveaux partenariats de financement pour la recherche-développement de produits, de même que la création d'un nouveau programme réservé à l'aéronautique, sur le modèle de Partenariat technologique Canada, pour le développement et la vente de produits, de dérivés et de sous-systèmes. En outre, sur le plan du soutien à la fabrication, les gouvernements devraient maintenir leur niveau d'appui aux investissements en infrastructures de production et innover dans leur offre d'incitatifs. À titre d'illustration, il souligna que l'État de Washington s'était engagé à créer pour Boeing un programme de formation en aéronautique et à établir un centre de développement de la main-d'œuvre. Il avait également octroyé à l'entreprise un congé fiscal de 20 ans valant 3,2 milliards de dollars américains et consenti à investir 4,2 milliards en infrastructure routière autour des usines de la société.

Tellier savait sûrement qu'il demandait beaucoup, car il s'excusa mollement de cette longue liste d'épicerie. « Dans un monde idéal, les gouvernements n'auraient pas à intervenir de cette manière. Mais le monde de l'aéronautique ne suit pas nécessairement le modèle théorique de libre marché[8]. »

Il avait bien raison sur ce point. Il n'y a aucun libre marché possible quand il s'agit de financer les exportations d'avions à réaction. Les acheteurs insistent pour que les avionneurs négocient pour eux le financement de leur acquisition auprès des agences nationales de crédit à l'exportation.

Tellier put s'en rendre compte lorsque Bombardier, partageant une commande avec son concurrent Embraer, vendit 45 appareils à

Air Canada. Au début des négociations, le chef de la direction d'Air Canada, Robert Milton, fit savoir à tous les avionneurs intéressés qu'ils devaient dénicher le financement dont le transporteur avait besoin pour finaliser la transaction. C'était là un obstacle de taille pour Bombardier, étant donné qu'EDC ne finançait pas les ventes aux transporteurs canadiens. Il fallut beaucoup de manœuvres de couloir pour que Tellier obtienne d'EDC une lettre d'intention stipulant que le gouvernement soutiendrait la vente des appareils de Bombardier par une garantie d'emprunt. Ce faisant, EDC semblait trahir son mandat, qui était de financer les ventes à l'exportation. Mais le gouvernement fédéral était sur les dents : s'il ne participait pas au financement du projet au même titre que les Brésiliens, ne permettrait-il pas à Embraer de s'emparer de la totalité de la commande d'Air Canada ?

Tellier a exprimé le souhait que le Canada prenne un engagement à long terme qui comprendrait une augmentation de la capacité de financement d'EDC, un accroissement des limites de crédit à l'aéronautique et une flexibilité permettant la vente et l'échange d'éléments du portefeuille d'EDC. Il aimerait en outre que le Canada crée un « centre d'excellence en financement privé des ventes d'avions à travers une politique de garanties de prêts [...] pour permettre à des organismes privés de développer leur propre capacité de financer seuls certaines transactions[9] ».

Tout cela, dit-il, a pour but d'empêcher que certains pays d'Europe, d'Asie et d'Amérique du Sud en viennent à dominer le marché aéronautique mondial aux dépens du Canada.

Toutes les trois semaines environ, Walter Robinson se rendait en voiture en compagnie de sa femme d'Ottawa à Drummondville, petite ville du Québec où vivaient ses beaux-parents. En route, ils longeaient l'immense usine Pratt & Whitney, située sur la rive sud du fleuve Saint-Laurent, où l'on construisait les moteurs du Dash-8 de Bombardier. Robinson, ancien adjoint dans le gouvernement conservateur de Brian Mulroney, était devenu le moteur de la Fédération canadienne des contribuables jusqu'à ce qu'il décide de briguer un siège chez les conservateurs aux élections fédérales de 2004. La FCC, un dynamique groupe d'intérêt, passait au peigne fin toutes les dépenses publiques. Robinson militait en faveur d'un gouvernement allégé et d'une fiscalité réduite. Il était éloquent, passionné, convaincu.

La vue d'une avionnerie financée par les contribuables le rendait furieux.

Il s'agissait selon lui d'un cas classique de parasitisme d'entreprise. Son désaccord prenait sa source dans une remise en question fondamentale du rôle du gouvernement. À quoi devaient servir nos impôts? À quoi ne devaient-ils pas servir? L'organisme qu'il dirigeait était souvent qualifié de droitiste. Mais c'est le chef du Nouveau Parti démocratique, David Lewis, qui avait inventé l'expression «entreprises parasites» dans les années 1970, alors qu'il détenait la balance du pouvoir dans un gouvernement minoritaire. Et c'est un gauchiste, Ralph Nader, qui avait dénoncé le parasitisme d'entreprise aux États-Unis.

«Nos impôts ne devraient pas servir à étayer le résultat net de certaines de nos sociétés les plus prospères, dit Robinson. Dans les années 1870 et 1880, à l'époque de Macdonald, quand l'économie du pays était en pleine évolution, les tarifs élevés et les industries subventionnées étaient sans doute acceptables. Mais quand l'économie d'un pays occupe le huitième rang à l'échelle mondiale, il serait souhaitable qu'elle se tienne debout toute seule[10].»

La Fédération canadienne des contribuables était reçue comme un chien dans un jeu de quilles par les groupes d'intérêt d'Ottawa. La plupart des entreprises lobbyistes s'efforçaient d'enfoncer toujours un peu plus profondément la main dans la poche du contribuable. Robinson et ses supporters, aidés par des dons, réclamaient que soient fermés les robinets du gouvernement qui déversaient leurs largesses sur les entreprises, y compris le Fonds de diversification de l'économie de l'Ouest, l'Agence de promotion économique du Canada atlantique et Développement économique Canada pour les régions du Québec.

L'industrie aéronautique, qui grugeait une si grande part des budgets d'Industrie Canada et d'EDC, était une cible invitante. La Fédération des contribuables canadiens entreprit d'examiner comment Partenariat technologique Canada finançait l'aéronautique et d'autres industries canadiennes, et constata que ce programme n'était assorti d'aucune garantie d'emploi. D'ici à 2020, Ottawa prévoyait récupérer 33 cents seulement de chaque dollar prêté au titre de la recherche-développement. Robinson se demandait quelle banque commerciale accepterait de dilapider ses avoirs de la sorte.

Il n'a rien contre le soutien à la recherche pure par l'entremise d'organismes tel le Conseil national de recherches du Canada. « Mais à quel moment la recherche devient-elle du développement de produit ? » demande-t-il. Des entreprises telles Bombardier et Pratt s'étaient servies de l'argent du gouvernement pour vendre des produits ayant déjà fait leurs preuves. « Quand on demande au gouvernement de financer une deuxième ou une troisième génération de cellule d'avion ou de réacteur, on ne fait plus de la recherche pure ; on s'efforce d'élargir une gamme de produits ou de développer de nouveaux marchés. Ce n'est plus de la recherche, c'est du développement, et cela relève de l'entreprise privée. »

Au dire de Robinson, la question du parasitisme d'entreprise a migré de la gauche à la droite politique parce que les caractéristiques démographiques des effectifs du NPD ont changé. À ses débuts, le parti rassemblait des populistes des provinces de l'Ouest, aux principes élevés, mais il a rapidement été pris en otage par les puissances syndicales. Les Travailleurs canadiens de l'automobile, le Congrès du travail du Canada, d'importants et vigoureux syndicats, ont entrepris de verser au parti des retenues syndicales obligatoires prélevées sur les salaires des travailleurs canadiens.

« Ces syndicats, présents dans l'industrie automobile, se retrouvent également chez Bombardier et Pratt & Whitney, soutient Robinson. Ils sont très conscients du lien entre les subsides de l'État maquillés en prêts, en subventions ou que sais-je, et leur sécurité d'emploi. Ils se sont dit qu'il était préférable de ne pas s'opposer à ces façons de faire et de prévenir le NPD de ne pas s'y opposer non plus. J'ai posé la question au chef du NPD, Jack Layton ; je lui ai dit : "Pourquoi ne vous penchez-vous pas sur cette question ?" Ils se sont laissés convaincre que le gouvernement doit participer concrètement au développement économique. »

Selon Robinson, Bombardier bluffe si elle ne s'adonne pas à un chantage systématique. La menace implicite semble être : « Si vous ne nous accordez pas ce prêt, nous irons ailleurs. Notre capital est mobile et notre main-d'œuvre l'est aussi. » Cela serait sans doute vrai si ses usines fabriquaient, mettons, des tissus en polyester destinés au marché des articles de sport. Elle pourrait déménager et trouver une main-d'œuvre plus abordable et des appuis gouvernementaux plus soutenus. Mais si le coût de la main-d'œuvre et les subsides de l'État avaient été les seuls moyens pouvant permettre à Bombardier de soutenir la concurrence dans l'aéronautique, l'entreprise aurait fermé ses portes depuis belle lurette. En fait, si elle est restée au pays, c'est en raison du niveau d'instruction de sa population active, de sa main-d'œuvre qualifiée, de la présence de fournisseurs locaux. Bombardier dépend d'une importante infrastructure[11].

En ce qui concerne les subsides, Robinson soutient que «nous ne pouvons pas l'emporter sur les Européens ou les Américains qui glissent ça dans des programmes de défense ou d'autres très gros budgets». Alors, pourquoi insister? «Nous aimerions que le gouvernement dise: "Très bien, prouvez-nous que ce n'est pas du bluff. Dites-nous qu'en dépit des milliards de dollars que vous avez investis dans cette usine depuis quelques dizaines d'années, vous allez tourner les talons et aller ailleurs."»

Plus s'additionnaient les difficultés auxquelles était confrontée l'entreprise, plus Robinson voyait des bouées de sauvetage dans les demandes d'aide de Bombardier au gouvernement. «Au sommet du cycle économique, comme beaucoup d'autres compagnies, Bombardier a péché par excès d'ambition. […] Elle s'est lancée dans Flexjet, mais elle aurait dû se douter que le marché de la location d'avions d'affaires n'était pas stable, et que ses clients reculeraient si le marché dégringolait. Le 11 septembre a précipité l'effondrement de l'aviation commerciale. Cet effondrement se serait produit de toute façon, mais le 11 septembre a accéléré les choses. Et puis, il y a eu les gaffes majeures de Bombardier Capital. La compagnie est mal placée pour venir quêter [l'aide des contribuables].»

Selon Robinson, depuis que David Lewis s'est vivement opposé au parasitisme d'entreprise, les Canadiens se sont mis à envier les entreprises qui jouissent des appuis du gouvernement. «Ils ont commencé à dire: "Une minute. Je paie des impôts, pourtant je ne bénéficie pas de soins de santé de qualité, et pendant ce temps, vous, le gouvernement, déversez vos largesses sur Bombardier." Ils remettent en question le sens des valeurs du gouvernement. Pourquoi refuser d'aider un hôpital à se procurer un appareil d'imagerie par résonance magnétique, et acquiescer en même temps à la prochaine génération de jets régionaux? Les avions ne font pas partie des responsabilités de base d'un gouvernement.»

Il croit que le gouvernement formule toujours les mêmes abstractions pour se porter à la défense de Bombardier: cette société est une source de fierté nationale, un employeur important, une machine à créer des recettes fiscales. Mais il y a une question à laquelle Ottawa ne semble pas pouvoir répondre : pourquoi le gouvernement fédéral soutient-il Bombardier et non pas Walter Robinson Aéronautique ? Cela dépend-il des contributions au parti au pouvoir ? Est-ce une question de contacts politiques soigneusement cultivés et de manœuvres de couloir ? Voilà qui écarte ce processus de la norme éthique. Le gouvernement peut aisément se justifier de soutenir les soins de santé et l'éducation d'un bout à l'autre du pays – c'est pour le bien commun. Mais il ne peut pas répondre à la question qui sous-tend le parasitisme d'entreprise : en quoi une société est-elle plus méritante qu'une autre ?

« Nous ne reprochons pas à Bombardier ou à Pratt de profiter de ces programmes », dit-il. Tellier doit rendre des comptes à son conseil d'administration et le conseil doit rendre des comptes aux actionnaires. « C'est le gouvernement qui nous préoccupe. Nous sommes en concurrence avec d'autres entreprises subventionnées par l'État. Nous ne pouvons pas l'emporter sur Embraer. Si nous ne pouvons pas l'emporter sur le Brésil, Dieu nous garde de nous attaquer aux Américains ou aux Européens ! »

Il est admiratif devant les réalisations de la compagnie et croit que Tellier a su mettre au point un bon plan de reprise. Mais il pense aussi que Tellier ne rend pas justice à Bombardier lorsqu'il laisse entendre que, sans les appuis d'EDC et de Partenariat technologique Canada, l'entreprise devrait renoncer à construire des avions. L'industrie aéronautique mondiale est une tricherie où les joueurs misent l'argent des contribuables, dit-il. Il ajoute que le Canada devrait prendre les devants et remédier à cette fâcheuse situation. Robinson n'est pas naïf. Il sait que le soutien à l'aéronautique ne s'interromprait pas demain matin, mais il aimerait que le gouvernement canadien s'asseye à la table des négociations du commerce international et que, encouragé par l'industrie aéronautique canadienne, il exige qu'on mette fin à la guerre des subsides.

Après la publication d'un rapport de la Fédération des contribuables où était critiqué le programme de Partenariat technologique Canada, Robinson reçut une lettre du président de Pratt & Whitney qui disait, en essence : « Vous ne comprenez pas. Si les règles du jeu étaient les mêmes pour tous, nous serions en concurrence sur la valeur du produit, le service après-vente et le prix. Sans subsides, je suis sûr que nous pourrions être gagnants. »

Eh bien, Robinson aurait bien aimé prendre Pratt & Whitney au mot. Si des sociétés telles Pratt et Bombardier pouvaient travailler main dans la main avec le gouvernement pour mettre fin au système mondial de soutien à l'aéronautique, ils seraient peut-être gagnants à court terme. «Cela arrivera, comme c'est arrivé dans le secteur automobile. [...] mais il faudrait que cela arrive tout de suite dans cette industrie qui est, je le reconnais volontiers, très importante pour le Canada, une industrie où les employés gagnent de gros salaires et paient beaucoup d'impôts[12].»

Bombardier est une rareté au Canada, un leader dans le domaine du rail et dans celui de l'aviation. Puisque Bombardier a tant fait pour l'économie canadienne, on est tenté de croire que ce qui est bon pour l'industrie aéronautique est bon pour la nation. Mais il suffit que des rumeurs circulent sur l'influence qu'exerce cette société sur le gouvernement fédéral, et voilà que vous demandez: qui sont ces gens? D'où leur vient leur poigne sur Ottawa? Bombardier a inspiré ce genre de questions pendant deux décennies. Et on se les posait encore dans les dernières années du gouvernement Chrétien.

Au printemps 2002, Chrétien fut vivement critiqué à la Chambre des communes pour l'achat par les libéraux, au coût de 100 millions de dollars, de jets Challenger 604 devant être mis au service du premier ministre et des dignitaires du gouvernement. Cette acquisition contrevenait aux procédures normales et avait été approuvée en catastrophe à la fin de l'exercice financier. L'affaire aurait vite été enterrée n'eût été de l'atmosphère de scandale dans laquelle baignait Ottawa.

Chrétien était dans l'eau chaude au sujet de son rôle dans le scandale de Shawinigate; il avait lui-même pressé la Banque de développement du Canada de prêter de l'argent à un hôtel de sa circonscription qui jouxtait un club de golf dans lequel il détenait une participation. Il était sur le point de vendre ses parts, mais l'importance de ce prêt pour le club de golf était indéniable. Tout portait à croire qu'il y avait là conflit d'intérêts.

Tandis que ce nuage noir enveloppait Ottawa, d'autres scandales concernant l'octroi par le fédéral de contrats de commandites à des firmes québécoises ayant des liens avec les libéraux commençaient à ternir le gouvernement Chrétien. La vérificatrice générale fut appelée à enquêter sur certaines allégations voulant que les contrats en question n'aient été précédés d'aucun appel d'offres, qu'ils n'aient fait l'objet d'aucun examen analytique, que les registres n'en fassent pas état, que, dans bien des cas, le travail n'ait pas été effectué et que les honoraires versés aux firmes québécoises aient été gonflés de quelque 100 millions de dollars.

Le rapport de la vérificatrice générale Sheila Fraser concernant les contrats de commandites s'intéressait aussi aux conditions bizarres qui avaient coloré la vente des avions Challenger de Bombardier au gouvernement fédéral.

Le ministère de la Défense nationale maintenait une flotte de six Challenger 600 et 601, soit quatre avions servant aux déplacements des dignitaires et deux au transport. En juin 2001, une chute de pression subite affecta un Challenger ayant le premier ministre à son bord. Cette défaillance fut réparée ; Jean Chrétien et les membres de son Conseil des ministres continuèrent de voyager à bord de cet appareil pendant dix mois, mais le gouvernement envisagea la modernisation de sa flotte. En août, et encore en octobre, des agents de Bombardier s'entretinrent avec des représentants de la Défense nationale et du Conseil privé afin de leur proposer de moderniser leur flotte avec des Challenger 604.

Toute acquisition importante du gouvernement nécessite une analyse exhaustive des différents choix possibles et la spécification des exigences requises. Lorsque le Conseil privé demanda aux agents responsables de la Défense nationale de lui soumettre un rapport sur la flotte existante, on l'assura que la fiabilité et la disponibilité des avions étaient satisfaisantes à plus de 99 pour 100. Selon les agents de la Défense, il n'était pas utile de les remplacer.

Mais l'affaire ne s'arrêta pas là. En mars 2002, le Bureau du Conseil privé demanda à de hauts fonctionnaires des Finances, de la Justice, du Conseil du Trésor, des Travaux publics et de la Défense nationale de réexaminer cette question. Il soutint qu'il désirait réduire les charges d'exploitation de la flotte du premier ministre et se procurer un avion ayant un plus grand rayon d'action et pouvant accéder aux aéroports qui ont de courtes pistes. Le 18 mars, Bombardier présenta une offre spontanée de deux Challenger 604 au gouvernement. L'offre était valide pendant douze jours, soit jusqu'au 30 mars – la fin de l'exercice financier[13].

Le Bureau du Conseil privé fit alors savoir aux autres ministères qu'une décision avait été prise concernant l'acquisition «urgente et accélérée», sans soumission, des avions Challenger. Le montant de cette transaction excédait la limite habituelle des contrats attribués à un fournisseur exclusif. Le Conseil du Trésor dut émettre une autorisation spéciale pour que la transaction puisse avoir lieu. Le 18 mars, 10 jours à peine après l'offre spontanée de Bombardier, le ministère des Travaux publics avait préparé le contrat et pris possession de deux Challenger 604. L'aménagement de leur cabine n'était pas terminé et les avions n'avaient pas encore reçu de couche de peinture. Le 5 avril, la Défense nationale versa 92 millions de dollars à Bombardier – 66 millions pour les deux appareils et 26 millions en acompte sur les travaux de finition. La dépense de 92 millions avait été approuvée pour l'exercice qui se terminait, et une dépense de 8 autres millions avait été approuvée pour l'exercice 2002-2003.

Le plan d'immobilisations du ministère de la Défense nationale ne prévoyait pas l'acquisition de deux avions officiels. En fait, les médias rendaient compte depuis plusieurs mois de la situation catastrophique des Forces canadiennes et de l'insuffisance de fonds du budget de la Défense. À titre d'exemple, les membres des Forces canadiennes mettaient leur vie en péril chaque fois qu'ils montaient à bord des hélicoptères Sea King, trop vieux et trop peu fiables, qui tombaient souvent en panne et semblaient être maintenus ensemble avec de la gomme à mâcher et de la broche à poule. Les observateurs de la Défense nationale soutenaient que l'aptitude du Canada à assumer ses obligations en tant que membre des forces de l'OTAN ou à déployer ses troupes dans les zones névralgiques du globe était très restreinte en raison de ses budgets insuffisants et de la vétusté de son matériel militaire.

L'acquisition des Challenger ne fut jamais soumise à l'examen minutieux que subissent habituellement les programmes importants de la Défense. En temps normal, les objectifs et les dépenses de ces programmes doivent être étudiés et approuvés par un Conseil de gestion. La Défense nationale et le ministère des Transports manquèrent de temps pour procéder à une analyse technique ou à une évaluation des coûts du projet. En outre, la vérificatrice générale Sheila Fraser ne disposa d'aucune analyse à l'appui de cette acquisition. Qui plus est, elle n'eut en mains aucune preuve que les nouveaux avions pouvaient atterrir sur des pistes plus courtes. Elle nota enfin que les vieux Challenger n'avaient pas été retirés de la circulation mais qu'ils servaient encore au transport du personnel militaire[14].

Avant de conclure la transaction, les représentants des Travaux publics consultèrent l'Internet de même que la bible de l'industrie, le « Blue Book », c'est-à-dire le registre des prix des avions. Ils en conclurent qu'un avion comparable acheté à un concurrent coûterait environ 30 pour 100 de plus qu'un Challenger 604. Mais puisqu'il n'avait pas été possible de prouver que l'achat de nouveaux appareils était nécessaire, ce détail était sans importance. La compatibilité fut une autre des raisons invoquées pour justifier le contrat exclusif avec Bombardier : les Travaux publics soutenaient qu'il serait plus facile d'entretenir une flotte d'avions provenant tous du même constructeur. Mais de l'avis des porte-parole du ministère, le fait d'invoquer la compatibilité pour justifier l'octroi d'un contrat sans appel d'offres comportait des risques, car bien que 80 pour 100 des pièces aient été les mêmes, l'avionique du Challenger 604 différait de celle du 600 et du 601 au point où Transport Canada considérait le 604 comme un avion de type différent.

Seules des circonstances exceptionnelles permettent l'octroi de contrats à un fournisseur exclusif, sans appel d'offres. Dans ce cas-ci, Sheila Fraser ne trouva, en fait de justification pour appuyer l'urgence invoquée par le gouvernement, que la date limite du 30 mars imposée par Bombardier et la décision du gouvernement de finaliser la transaction au cours de l'exercice financier 2001-2002.

Sheila Fraser constata en outre que le mode de paiement contrevenait lui aussi aux règlements. Bombardier avait reçu un acompte de 26 millions de dollars pour compléter l'aménagement de la cabine des appareils et les travaux de peinture. La politique d'adjudication de contrats du gouvernement permet les versements anticipés uniquement dans des circonstances exceptionnelles indispensables à l'atteinte des objectifs du programme. Dans ce cas-ci, rien ne permettait de croire à la nécessité des paiements anticipés.

Bombardier avait accordé une remise de 1,5 million de dollars au gouvernement sur chaque Challenger en échange de ce paiement anticipé et s'était engagée à lui verser des intérêts de 6 pour 100 sur une partie de l'acompte jusqu'à la fin de l'année 2002. La Défense nationale calcula que, depuis décembre 2002, Bombardier devait au gouvernement la somme de 3,2 millions de dollars en remises et en intérêts. En août 2003, soit pendant l'audit de Sheila Fraser, Bombardier effectua le paiement de ces arrérages de 3,2 millions.

Cette vérification révéla des aspects troublants de la conduite des affaires du gouvernement. Sheila Fraser en conclut que «le gouvernement n'est pas en mesure de démontrer qu'il a fait preuve de la prudence nécessaire dans l'octroi de ce contrat». Le gouvernement Chrétien remit ses conclusions en cause, arguant que la modernisation de la flotte était nécessaire et qu'acheter des avions de Bombardier avait des retombées économiques favorables pour le Canada. Mais rien de cela n'excusait la façon cavalière dont avait été effectuée la transaction. Le fait que le premier ministre se procure un avion de luxe aux frais du ministère de la Défense nationale était une insulte aux Canadiens et aux Canadiennes qui, pour servir sous les drapeaux, ne disposaient que de matériel militaire de deuxième catégorie.

Pour Bombardier, il ne s'agissait que d'un contrat commercial parmi d'autres, mais il était exemplaire de la nature des relations entre l'entreprise et le gouvernement. Les ventes de jets d'affaires avaient connu une baisse importante dès le 11 septembre, et Ottawa était un des rares clients potentiels du moment. Le gouvernement avait encore des sommes à dépenser à la fin de l'exercice financier et Bombardier avait su profiter de cette occasion. Bob Brown lui-même avait contacté le Bureau du premier ministre, exactement comme il l'avait fait pour obtenir que le Compte du Canada consente des prêts à Air Wisconsin et à Northwest Airlines. Au départ, il avait voulu vendre six appareils au gouvernement, y compris un Global Express, pour que le premier ministre puisse exhiber l'avion haut de gamme de Bombardier lors de ses voyages à l'étranger. Au bout du compte, il avait dû se contenter des deux Challenger 604.

Au printemps 2004, Paul Martin a remplacé Jean Chrétien au Bureau du premier ministre, mais peu de choses ont changé à Ottawa. Bombardier a encore été au centre d'un violent orage concernant l'octroi d'un contrat du gouvernement, et le pouvoir dont jouit l'entreprise soulève encore de nombreuses interrogations.

Ottawa ayant eu besoin de se procurer des simulateurs de vol et des dispositifs d'entraînement au vol pour les pilotes de ses CF-18, Bombardier a soumissionné avec un partenaire américain, L-3 Communications Corp. Un simulateur de vol pour le CF-18, mis au point par cette société, est vendu dans le monde entier. Le rival du consortium Bombardier/L-3, CAE Inc., est une compagnie exemplaire dans le secteur des simulateurs de vol, une entreprise ayant beaucoup profité des largesses de Partenariat technologique Canada et d'Exportation et développement Canada.

La participation de Bombardier à ce projet fut inattendue. Dans le cadre de son plan de reprise, Paul Tellier avait déjà mis en vente l'unité de services à l'aviation militaire qui fournissait des services d'entraînement aux pilotes canadiens et aux pilotes de l'OTAN, et une entente préliminaire avait déjà été conclue. Mais la transaction échoua lorsque Tellier annonça que le prix offert était insuffisant. L'acheteur potentiel était nul autre que L-3, le cosoumissionnaire de Bombardier pour le contrat des CF-18.

Les événements prirent une tournure encore plus bizarre quand le gouvernement octroya le contrat à Bombardier et à L-3. CAE soutint publiquement que sa soumission était inférieure de 44 millions de dollars à celle du consortium Bombardier/L-3 et que son contenu canadien était plus élevé. Le chef de la direction de CAE, Derek Burney, un ancien collègue de Tellier sous le gouvernement de Mulroney, se dit furieux qu'Ottawa choisisse d'acheter un simulateur de vol américain plutôt que canadien. Dans des lettres qu'il adressa à Paul Martin et au ministre de la Défense David Pratt, il allégua que le processus d'adjudication de contrats du gouvernement défavorisait d'avance CAE et il jura de contester ce processus devant le Tribunal canadien du commerce extérieur. « Que CAE soit victime de discrimination lorsque des appels d'offres pour des contrats de défense ont lieu à l'extérieur du Canada, c'est une chose. Mais quand cela se produit au pays, on en vient à se demander si le gouvernement ne vit pas sur une autre planète, s'il n'est pas complètement déconnecté de la réalité du pays dont il est censé servir les intérêts[15]. »

La perte de ce contrat de 270 millions de dollars fut significative pour CAE, qui annonça la mise à pied de 300 employés. Burney et Tellier en vinrent à s'échanger publiquement des insultes. « Cette décision, dit Burney, est sans doute la plus douloureuse que j'aie eu à vivre depuis les quatre ans et demi que je dirige CAE, car j'ai l'impression d'avoir été victime d'un tir ami. De toute évidence, cela nous conduit à nous interroger sur la gestion des contrats de défense au Canada. » Burney approuva la rumeur qui faisait de Bombardier l'entreprise la mieux placée dans les coulisses du gouvernement, mais il ajouta : « Je crois tout de même à l'intégrité des fonctionnaires[16]. »

Bien entendu, ce n'est pas la première fois qu'une entreprise œuvrant dans le domaine de la défense conteste le processus d'adjudication du contrat si celui-ci a été octroyé à un concurrent. Pour certains, Burney a tout simplement réagi en mauvais perdant. Les mises à pied de CAE se seraient sans doute produites de toute façon, et Bombardier a été le parfait bouc émissaire. Quelles qu'aient été les assises du grief de Burney, Tellier lui a rendu son tir en signalant que la soumission du consortium Bombardier/L-3 avait une teneur canadienne de 66 pour 100. Il a reproché à Burney – qui avait joué un rôle très important dans la négociation de l'accord de libre-échange entre le Canada et les États-Unis – de transformer leur différend en guerre de drapeaux, et contesté son assertion voulant que la soumission de CAE ait été supérieure à la sienne. « Qu'est-ce qu'il en sait ? lança-t-il ; est-ce qu'il a pris connaissance de la soumission de Bombardier ? »

Mais Tellier était surtout furieux de constater que les déclarations de Burney renforçaient le public dans sa certitude que Bombardier est le chouchou d'Ottawa, que l'entreprise jouit d'un pouvoir de persuasion inégalé et qu'elle sait obtenir tout ce qu'elle veut du gouvernement[17].

Conclusion

Le moment était venu de prendre une décision, pas seulement pour Bombardier mais pour le Canada. Plus que jamais, il était clair que l'entreprise devait donner le feu vert à la construction d'une famille d'avions de plus grande dimension. À la fin du mois de mai 2004, Paul Tellier surprit et déçut les milieux financiers lorsqu'il leur annonça que les ventes de son modèle de 50 sièges, le CRJ-200, allaient moins bien que prévu. La compagnie enregistra une perte de 10 cents par action au premier trimestre et annonça que, au cours de l'année, elle diminuerait de 20 appareils sa production de RJ. Il lui faudrait en outre éliminer 500 emplois dans ses usines de Montréal.

L'avenir n'était pas rose du tout. Les analystes notèrent que la demande d'avions de 50 et 70 sièges s'essoufflait et que le carnet de commandes de Bombardier ne se remplissait guère. Les commandes précédentes pour des avions à réaction subissaient les contrecoups du climat d'incertitude qui régnait dans l'aviation commerciale. US Airways, qui avait annoncé une importante acquisition d'avions de Bombardier et d'Embraer, n'arrivait pas à se sortir du marasme et Delta Airlines, le client unique le plus important de Bombardier, était sur le point de se placer sous la protection de la loi sur les faillites. Les efforts que déployait Air Canada pour se libérer de la protection de cette loi rencontraient de nombreux obstacles et ses commandes en suspens faisaient l'objet d'un réexamen. Le transporteur américain Atlantic Coast Airlines se préparait à devenir un transporteur indépendant sous le nom d'Independence Air et n'avait plus besoin des 34 RJ qu'il avait commandés.

Pour le syndicat des employés de Bombardier Aéronautique, ces problèmes justifient une fois de plus que le gouvernement mette sur pied un plan de secours pour venir en aide à l'industrie aéronautique canadienne et pour préserver ses emplois de haute technologie à salaires élevés. Pendant des années, le débat avait fait rage autour des privilèges accordés par le gouvernement. Pourtant, les réalisations de Bombardier et celles de l'industrie aéronautique en général ont atteint des sommets. Le moment est venu de soumettre les deux côtés de cette médaille au jugement de l'opinion publique.

Les cadres de direction de Bombardier voient de plus en plus dans cette controverse continuelle autour des appuis qu'elle reçoit du gouvernement un vent de politicaillerie mesquine qui occulte l'importance de sa contribution à l'économie canadienne. Elle a plus que dédommagé le gouvernement du Canada pour son apport au programme du biréacteur régional de 50 sièges; ces prêts de 45 millions de dollars à la recherche-développement ont été remboursés et Bombardier a en outre versé à Ottawa des redevances de 54 millions. Conformément à l'échéancier contractuel, Bombardier n'a pas encore commencé à rembourser un prêt similaire de 87 millions de dollars de PTC pour le développement de son biréacteur régional de 70 sièges, mais elle est confiante que ce programme sera lui aussi fort rentable. Entretemps, le programme du Regional Jet est l'un des plus spectaculaires au monde, et plus de 1 200 appareils ont déjà été livrés. Presque sans exception, les transporteurs clients de Bombardier remboursent rubis sur l'ongle leurs emprunts à Exportation et développement Canada. Pourtant, les médias n'ont de cesse de s'acharner sur Bombardier dont le nom est devenu synonyme du Québec dans l'esprit de ses détracteurs; ceux-ci semblent oublier que Bombardier a créé un réseau pancanadien de centaines de fournisseurs qui tous contribuent à sa réussite.

Cette situation est encore préoccupante. L'entreprise a besoin d'un nouvel avion pour recouvrer son rôle prépondérant au sein du marché et pour assurer la présence canadienne dans le secteur de l'aéronautique pour des années à venir. L'ennui, dans ce domaine, est que tout a son prix. Selon certaines prévisions, Paul Tellier aurait besoin de 300 à 500 millions de dollars de la part des contribuables pour pouvoir assumer les charges immédiates pour la recherche-développement en vue de la construction d'une nouvelle famille d'avions et, de la part d'EDC, d'un engagement pour plusieurs milliards en vue du financement des ventes de ces appareils. Ainsi donc, les contribuables canadiens doivent maintenant décider s'ils veulent continuer de soutenir Bombardier ou lui tourner le dos à tout jamais.

En ce qui concerne le Canada, une telle décision doit tenir compte de tous les autres aspects de la compagnie et de l'industrie dans son ensemble. Par exemple, comment est-il possible de dissocier l'apport des contribuables de certaines décisions de gestion des dernières années, fort sujettes à caution – notamment, les contrats bousillés d'Amtrak et d'Adtranz ou le capitalisme de cow-boy de Bombardier Capital? Les Canadiens seront-ils tenus de payer les pots cassés de Bombardier? Comment peut-on ignorer la question de l'appartenance de la société à la famille? L'entreprise est gérée par et pour la famille. Cette situation favorise Bombardier en période de vaches grasses, mais le facteur familial doit certainement accroître les problèmes de la compagnie en temps de crise – notamment en ce qui concerne les nominations à des postes de direction et les deux classes d'actions. Où s'arrêtent les intérêts de la famille? Où commencent ceux des Canadiens?

Il n'est pas non plus possible d'ignorer les réalités de l'avionnerie. Peut-on vraiment encore parler d'une industrie aéronautique strictement canadienne? Partout, les avionneurs signent des ententes avec des partenaires, des fournisseurs et des entrepreneurs du monde entier. Cette situation est aussi vraie pour Boeing, Airbus et Embraer que pour Bombardier. Par exemple, Boeing a beau faire l'orgueil des États-Unis, des fournisseurs étrangers, principalement japonais et italiens, ont pris en charge environ 45 pour 100 des frais de lancement de son plus récent aéronef, le 7E7. Boeing a même eu recours à des fournisseurs français et britanniques basés dans l'arrière-cour de son concurrent suprême, Airbus. Tout portait alors à croire que le contenu américain du nouvel appareil de 550 sièges que mettait au point Airbus, le A380, allait excéder les 45 pour 100, et qu'il comprendrait certains éléments clés, dont le train d'atterrissage et le système hydraulique. (En dépit de cela, les États-Unis et l'Europe ont continué de s'accuser l'un l'autre de subventionner injustement leur industrie aéronautique respective[1].)

Les sociétés aéronautiques canadiennes font elles aussi partie de ce mouvement vers la mondialisation. La part des éléments canadiens dans la construction aéronautique est de plus en plus restreinte: l'industrie attribue ce déclin à un manque d'appuis gouvernementaux, mais il reflète également le coût extrêmement élevé des programmes aéronefs et la tendance de plus en plus répandue de l'industrie à répartir ses risques entre plusieurs participants internationaux.

Cette expansion internationale récente offre à une multinationale telle Bombardier de nombreuses possibilités à exploiter. De généreux appuis sont disponibles en Irlande du Nord; le Japon aurait offert son soutien jusqu'à concurrence d'un milliard aux entrepreneurs travaillant à la construction du Boeing 7E7; Taïwan attire les avionneurs avec ses importants budgets de défense. Beaucoup d'ententes sont possibles à l'extérieur du Canada. On en vient à s'interroger sur la pertinence de l'apport du gouvernement canadien. Bombardier requiert 2 milliards de dollars pour la construction d'un nouvel avion; mais dorénavant, dans quelle proportion les travaux seront-ils réalisés au Canada? Que vaut au fond le financement du Canada quand on sait que la compagnie Bombardier n'est en somme que l'agent d'intégration et de mise en marché d'un produit mondial, et qu'elle est bien décidée à investir le moins possible de son argent?

Une autre question nous inquiète: en dépit de tous ses efforts, Bombardier n'a jamais pu expliquer pourquoi le crédit à l'exportation doit forcément provenir du gouvernement plutôt que de banques commerciales. Son raisonnement n'est guère sensé. Si les prêts les plus rentables d'EDC sont ceux que cette agence accorde à l'industrie aéronautique, pourquoi les prêteurs privés ne se hâtent-ils pas de profiter eux aussi de ce marché? Et si les transactions de l'agence sont effectivement aussi rentables, comment justifie-t-on qu'elle soit propriété de l'État?

Il faut enfin s'arrêter aux principes démocratiques en jeu. Les citoyens peuvent-ils continuer de croire à la justice et à l'équité d'un gouvernement qui accorde un soutien disproportionné à une entreprise? Cette inégalité corrompt-elle le système et éveille-t-elle les soupçons de ceux qui n'ont pas pu bénéficier de tels appuis? Si justifié que soit l'apport du gouvernement aux programmes de Bombardier, cette société projettera toujours l'image d'une entreprise qui a su manœuvrer pour obtenir de l'argent, et «conquérir» les fonctionnaires et les ministres responsables de ces dossiers.

Les arguments rationnels invoqués pour dénoncer le parasitisme d'entreprise sont très convaincants: il revient au marché de prendre les décisions qui le concernent, non pas aux fonctionnaires ni aux hommes politiques; ce sont les investisseurs privés, non pas les fonctionnaires, qui doivent identifier les entreprises gagnantes; les subsides et les prêts de l'État favorisent une attitude de dépendance plutôt qu'un régime de libre entreprise; le soutien du gouvernement à un groupe sélect se traduit par une hausse générale des impôts que doivent assumer l'ensemble des entreprises et des citoyens. Pourtant, envisagés d'un point de vue pratique, les coûts et les avantages liés au soutien que le gouvernement procure à Bombardier représentent une stratégie gagnante pour le Canada. Si la question est de savoir si les contribuables canadiens en ont pour leur argent, Bombardier est d'avis que la réponse est un «oui» catégorique.

Quiconque milite contre l'aide du gouvernement doit pouvoir faire valoir une solution de rechange. Et c'est là que les critiques du système n'ont jamais pu influencer l'opinion publique. Le sevrage brutal des subventions aux entreprises et du financement à l'exportation signifierait que le pays perdrait et de la main-d'œuvre et des investissements, du moins pendant un certain temps. Un tel état de choses n'est guère justifiable quand les autres pays sont disposés à faire l'impossible pour développer leur propre industrie aéronautique.

Certes, le gouvernement pourrait faire vœu de chasteté en matière de financement public mais, dans le feu de l'action, quel gouvernement refuserait de se laisser séduire par la possibilité d'acquérir à prix abordable une industrie de haute technologie qui soit aussi une industrie porteuse? Lors de la campagne électorale fédérale de 2004, le Parti conservateur se démarqua dès le départ en envisageant de mettre un terme aux subventions à l'entreprise en échange d'une réduction de l'impôt des sociétés. Le chef du Parti conservateur Stephen Harper prit Bombardier à partie en tant que principal bénéficiaire du soutien de l'État, et insista pour que la vérificatrice générale s'assure que des programmes tel celui de PTC en donnent vraiment pour leur argent aux contribuables. Mais que feraient les conservateurs s'ils devaient réellement décider entre deux options, soit faire en sorte que Bombardier poursuive ses activités au Canada ou la laisser s'installer ailleurs?

Bizarrement, Bombardier s'est souvent rangée à l'opinion de ceux qui souhaitent mettre fin au jeu des subsides. Selon un document collectif issu du bureau des relations publiques de l'entreprise en 1998, «la position de Bombardier à cet égard est de notoriété publique. [...] la Société souhaite que tous les gouvernements laissent libre cours aux forces du marché et éliminent toute forme de soutien aux industries aéronautiques.» Toujours dans le même document, Bombardier prévoit une diminution des contributions des différents gouvernements à leur industrie aéronautique et ajoute que le Canada serait l'un des chefs de file de ce mouvement. «Bombardier soutient ces initiatives car elle est convaincue que, sur une base strictement commerciale, l'industrie aéronautique canadienne peut rivaliser avec quiconque au plan international[2].»

Les choses ne se passent pas ainsi, bien au contraire. «Dorénavant, il va être extrêmement difficile de développer et d'exploiter au Canada une société comme Bombardier», conclut un chef d'entreprise de l'industrie qui juge de plus en plus indispensable l'apport des contribuables. La compagnie n'a pu obtenir qu'un financement minime pour soutenir la vente de quelques avions à Air Canada tandis qu'Embraer continue de piétiner allégrement ses plates-bandes. Comment pourrait-elle jamais faire en sorte que le gouvernement finance le programme d'une nouvelle et plus importante famille d'aéronefs?

Il est très facile d'observer les choses sous cet angle. Mais quand on voit avec quelle passion les ingénieurs de Bombardier se penchent sur leurs nouveaux concepts, quand on est témoin de l'enthousiasme qu'ils éprouvent à voir naître un nouvel appareil, on peut se demander s'ils ne seraient pas, par hasard, dans le secret des dieux. Sans doute devinent-ils que leur rêve pourra devenir réalité puisque Ottawa n'a encore jamais déçu les espérances de Bombardier.

Remerciements

Je suis très reconnaissant à plusieurs personnes de chez Bombardier qui, grâce à leur aide, ont grandement facilité la rédaction de cet ouvrage. Elles m'ont offert généreusement leur temps et leurs points de vue sans formuler de conditions quant à l'usage que je ferais de leurs propos.

Bill Fox, vice-président principal, affaires publiques, m'a dès le début ouvert un certain nombre de portes et donné accès à quelques personnes clés. Dominique Dionne, vice-présidente, relations avec les médias, a organisé pour moi de nombreux entretiens avec une bonne humeur sans faille. Tim Myers et Réjean Bourque m'ont patiemment dévoilé les arcanes du financement de l'industrie aéronautique. Michael McAdoo m'a guidé dans les dédales du conflit commercial entre le Brésil et le Canada. Brian Peters m'a mis au fait des problèmes de Bombardier Capital. André Navarri m'a confié en détail les défis qui l'attendent dans le secteur ferroviaire. Michael Denham m'a éclairé sur les questions de stratégie d'entreprise et John Holding m'a fait partager son indéfectible enthousiasme pour l'ingénierie aéronautique.

Quelques anciens employés m'ont aussi apporté leur concours. Eric McConachie m'a relaté l'histoire de la naissance du jet régional. Michel Lord et Yvon Turcot m'ont tracé un portrait très personnel de Laurent Beaudoin, et Yvan Allaire a aimablement répondu à toutes mes questions sur le rôle de ce dernier dans l'entreprise. Trois anciens employés et un analyste en valeurs mobilières ont accepté de me parler sous condition d'anonymat. Il est toujours délicat de faire appel à des sources confidentielles de renseignement, mais j'ai pris soin de corroborer ailleurs leurs propos.

Je désire remercier en outre Eric Siegel et Rod Giles d'Exportation et développement Canada, Walter Robinson et Bruce Winchester de la Fédération canadienne des contribuables, Peter Smith et Ron Kane de l'Association des industries aérospatiales du Canada, Henrique Rzezinski et Doug Oliver d'Embraer et Fred Bennett, anciennement d'Industrie Canada. Leur aide m'a été très précieuse.

Merci aussi à Howard Pawley, Bob Rae, Ed Lumley, John Paul MacDonald, François Shalom, Michael Porritt, Liz Ferguson, Dick McLachlan, Cameron Doerkson et Ross Healy.

Mes sources secondaires regroupent principalement des articles de *The Gazette* (Montréal), du *Ottawa Citizen* et du *National Post* puisés dans la base de données Infomart. Je me suis également fié à l'excellent ouvrage de Larry MacDonald, *The Bombardier Story*, pour rendre compte avec exactitude des différents contrats et ententes de Bombardier.

Je remercie également mon groupe de soutien personnel : Daniel Hadekel a transcrit les entretiens, lu le manuscrit et proposé d'excellentes suggestions. Ma femme, Anne Lynch, a examiné mon travail à la loupe. Ses commentaires m'ont permis d'apporter beaucoup d'améliorations à mon livre et démontrent hors de tout doute qu'elle devrait faire carrière dans l'édition.

Je tiens à saluer en passant la radio publique WBGO de Newark, dans le New Jersey, qui diffuse 24 heures sur 24 le meilleur jazz qu'on puisse entendre. Grâce à la magie d'Internet, WBGO m'a soutenu tout au long de mon marathon et du sprint final.

Enfin, je tiens tout particulièrement à remercier chaleureusement les principaux personnages de mon histoire, Paul Tellier, Laurent Beaudoin et Pierre Beaudoin, qui m'ont accordé si volontiers les entretiens sans lesquels ce livre n'aurait pas pu voir le jour. Ils se sont confiés à moi avec plus de spontanéité et de générosité que je n'aurais osé espérer.

Notes

CHAPITRE 1

1. Paul Tellier, entretien avec l'auteur, juin 2004.
2. Paul Tellier, entretien.
3. Paul Tellier, audioconférence avec les actionnaires, 3 avril 2003.
4. Paul Tellier, entretien.
5. Paul Tellier, audioconférence.
6. Paul Tellier, audioconférence.
7. Paul Tellier, audioconférence.
8. Paul Tellier, audioconférence.
9. Paul Tellier, entretien.
10. Paul Tellier, entretien.
11. Paul Tellier, entretien.
12. Paul Tellier, entretien.
13. Paul Tellier, entretien.
14. Paul Tellier, entretien.
15. Paul Tellier, entretien.

CHAPITRE 2

1. Gordon Pitts, « CEO of the Year : Laurent Beaudoin », *Financial Post Magazine*, 1er décembre 1991.
2. Carole Precious, *J. Armand Bombardier*, Toronto, Fitzhenry and Whiteside Ltd., 1984.
3. *Ibid.*
4. Laurent Beaudoin, entretien avec l'auteur, juin 2004.
5. Laurent Beaudoin, entretien.
6. Laurent Beaudoin, entretien.

7. David Olive, *No Guts, No Glory: How Canada's Greatest CEOs Built Their Empires*, Toronto, McGraw-Hill Ryerson Ltd., 2000, p. 196.
8. Jay Bryan, «Ski-Doo Maker Goes Big Time», *The Gazette*, 22 novembre 1980.
9. Yvon Turcot, entretien avec l'auteur, novembre 2003.
10. Michel Lord, entretien avec l'auteur, novembre 2003.
11. Yvan Allaire, entretien avec l'auteur, novembre 2003.
12. Yvan Allaire, entretien.
13. Bob Rae, entretien avec l'auteur, mai 2004.
14. Ancien employé de Bombardier, entretien avec l'auteur, décembre 2003.
15. Michel Lord, entretien.
16. David Olive, *No Guts, No Glory*, p. 216.
17. Jay Bryan, «Ski-Doo Maker Goes Big Time».
18. Yvon Turcot, entretien.
19. Michel Lord, entretien.
20. Gordon Pitts, «CEO of the Year: Laurent Beaudoin.»
21. Analyste en valeurs mobilières, entretien avec l'auteur, avril 2004. (*Fat Albert*: surnom de l'avion Hercule C-130 de Lockheed, assigné au transport des troupes et de l'équipement militaire. «*Fat Albert*» n'a pas d'équivalent en français. *Ndt*.)
22. Ancien employé de Bombardier, entretien.
23. Laurent Beaudoin, entretien.
24. Yvan Allaire, entretien.
25. Pierre Beaudoin, entretien avec l'auteur, mars 2004.
26. Pierre Beaudoin, entretien.

CHAPITRE 3

1. Laurent Beaudoin, entretien.
2. Laurent Beaudoin, entretien.
3. «Bombardier Gets Metro Contract», *Montreal Star*, 31 mai 1974.
4. René Laurent, «"Political Meddling" Charged by Vickers», *The Gazette*, 4 juin 1974.
5. Mike Shelton, «Bombardier Defends Tender Specifications», *Montreal Star*, 21 juin 1974.
6. Laurent Beaudoin, entretien.
7. Yvon Turcot, entretien.
8. Frederick Rose, «Bombardier Family to Control New Firm», *The Gazette*, 28 juin 1975.
9. Yvon Turcot, entretien.

10. « Davies Denies He's Fostering Separatism », *Montreal Star*, 22 juillet 1977.
11. Laurent Beaudoin, entretien.
12. Yvon Turcot, entretien.
13. Yvon Turcot, entretien.
14. Wendie Kerr, « Bombardier Inc. Will Invest $42 millions », *Globe and Mail*, 28 octobre 1980.

CHAPITRE 4

1. « Next Stop : Curbing New York's Ghetto Artists », Canadian Press, 22 mai 1982.
2. Harvey Enchin, « Bombardier's Transit Deal of the Century », *The Gazette*, 22 mai 1982.
3. Laurent Beaudoin, entretien.
4. Laurent Beaudoin, entretien
5. Yvon Turcot, entretien.
6. Ed Lumley, entretien avec l'auteur, mai 2004.
7. Laurent Beaudoin, entretien.
8. Ed Lumley, entretien.
9. Laurent Beaudoin, entretien.
10. « Quebec Minister Has Praise for Feds in Bombardier Deal », Gazette News Services, 20 mai 1982.
11. Aileen McCabe, « Canada's Cold Shoulder Irks Bombardier », *Southam News*, 12 décembre 1983.
12. John King, « U.S. Ire over Cheap Loan », *Globe and Mail*, 5 juin 1982.
13. *Ibid.*
14. Ed Lumley, entretien.
15. Mark Lukasiewicz et John King, « U.S. Appeals to GATT over Bombardier Deal », *Globe and Mail*, 23 juillet 1982.
16. John King, « Bombardier Loan Called Waste », *Globe and Mail*, 17 juillet 1982.
17. Yvon Turcot, entretien.
18. Yvon Turcot, entretien.
19. « Bombardier Train Called "Lemon" », Canadian Press, *The Gazette*, 12 avril 1985.
20. « Quebec-made Trains Break Down in N.Y. », Canadian Press, *The Gazette*, 8 juin 1985.
21. Shirley Won, « Bad Couplers Delay Bombardier Subway Shipment », *The Gazette*, 29 août 1985.
22. « Bombardier Gets Modified Train Ready for Test », Canadian Press, 2 octobre 1985.

23. « New York Senator Denounces Bombardier », Associated Press, *The Gazette*, 24 octobre 1985.
24. « Help from Ottawa Must Continue », *Financial Times of Canada*, 23 avril 1985.
25. Aileen McCabe, « Canada's Cold Shoulder Irks Bombardier. »
26. Peter Hadekel, « Bombardier Pushed for U.S. Sales », *The Gazette*, 21 avril 1984.

CHAPITRE 5

1. Debbie Parkes, « Business-jet Pioneer Won Many Awards for Work », *The Gazette*, 21 décembre 2003.
2. Ron Pickler et Larry Milberry, *Canadair: Cinquante ans d'histoire*, traduit de l'anglais par Johanne Duchesne Daoust, Toronto, CANAV Books, 1995.
3. *Ibid.*
4. *Ibid.*
5. *Ibid.*
6. *Ibid.*
7. *Ibid.*
8. Ed Lumley, entretien.
9. Brenda Dalgleish, « Tycoons in Progress », *Maclean's*, 6 juillet 1992.
10. Larry MacDonald, *The Bombardier Story*, Toronto, Wiley Canada, 2001, p. 122-123.
11. Laurent Beaudoin, entretien.
12. Shirley Won, « New Boss Takes up Challenge at Canadair », *The Gazette*, 23 août 1986.
13. Yvon Turcot, entretien.
14. Laurent Beaudoin, entretien.
15. Yvan Allaire, entretien.
16. James Bagnall, « Canadair Proves Small Draw », *Financial Post*, 12 avril 1986.
17. David Hatter, « Stevens Uproar Rattles Canadair Bidding », *Financial Post*, 17 mai 1986.
18. « Ottawa Keeps a Large Stake in Canadair », Canadian Press, *The Gazette*, 20 août 1986.
19. *Ibid.*
20. Laurent Beaudoin, entretien.
21. Analyste en valeurs mobilières, entretien.
22. Joshua Wolfe, « St. Laurent Housing Project Has Some Innovative Ideas », *The Gazette*, 16 octobre 1993.

CHAPITRE 6

1. Fran Halter, «Business, City Leaders Urge Ottawa to Give CF-18 Contract to Canadair», *The Gazette*, 22 août 1986.
2. *Ibid.*
3. «Canadair Union Raises Spectre of U.S. Control», Canadian Press, *The Gazette*, 3 septembre 1986.
4. Yvon Turcot, entretien.
5. Shirley Won, «CF-18 Deal Key to Own Jet Trainer: Canadair», *The Gazette*, 5 septembre 1986.
6. «Avoid Playing Politics over CF-18 Deal, Halifax Bidder Urges», Canadian Press, *The Gazette*, 9 septembre 1986.
7. Shirley Won, «Vezina Comment Taken as Hint CF-18 Deal Lost», *The Gazette*, 2 octobre 1986,
8. «Avoid Playing Politics over CF-18 Deal, Halifax Bidder Urges», Canadian Press, *The Gazette*, 9 septembre 1986.
9. Iain Hunter, «Bristol CF-18 Contract Bid Recommended, Sources Say», *Ottawa Citizen*, 8 octobre 1986.
10. «Back-room Deals' Fouling Bids for CF-18 Contract, Union Says», Canadian Press, *Ottawa Citizen*, 15 octobre 1986.
11. Christopher Young, «Socio-economic or Bare-Faced Political», *Ottawa Citizen*, 1er novembre 1986.
12. Howard Pawley, entretien avec l'auteur, mai 2004.
13. Howard Pawley, entretien.
14. «West Outraged at CF-18 Decision», Canadian Press, 1er novembre 1986.
15. Peter C. Newman, *The Canadian Revolution*, Toronto, Penguin Canada, 1995, p. 313.
16. Howard Pawley, entretien.
17. Iain Hunter, «The CF-18 Dogfight», *Ottawa Citizen*, 14 mai 1988.
18. *Ibid.*
19. Ancien employé de Bombardier, entretien.
20. Shirley Won, «Bombardier May Lay Off 500», *The Gazette*, 28 janvier 1987.
21. Yvon Turcot, entretien.
22. David Hatter, «CF-18 Contract Backlash», *Financial Post*, 10 novembre 1986.
23. James Bagnall, «Regionalism Intensifies Truck Fight», *Financial Post*, 16 novembre 1987.

CHAPITRE 7

1. Dorothy Storck, « Ulster Shows Cautious Signs of Revival », *The Gazette*, 13 décembre 1989.
2. Yvon Turcot, entretien.
3. Michael Donne, *Flying into the Future: A Pictorial History of Shorts*, Wilts., G.-B.: Good Books, 1993, p. 1-23.
4. Laurent Beaudoin, entretien.
5. Matthew Horsman, « Bombardier on Inside Track for Belfast Aircraft Builder », *Financial Post*, 28 avril 1989.
6. Alan Freeman, « Almost Resigned in Row with Thatcher », *Globe and Mail*, 4 octobre 1999.
7. Laurent Beaudoin, entretien.
8. Paul Betts, « Bombardier Hones Harmony in Ulster », *Financial Post*, 5 juin 1993.
9. Laura Fowlie, « Can de Havilland Thrive Again? ». *Financial Post*, 16 septembre 1991.
10. Bob Rae, entretien.
11. Bob Rae, entretien.
12. Laurent Beaudoin, entretien.
13. Bob Rae, entretien.
14. Laurent Beaudoin, entretien.
15. Ronald Lebel, « Bombardier Inc. Lands de Havilland », *The Gazette*, 23 janvier 1992.
16. Bob Rae, entretien.
17. Laurent Beaudoin, entretien.
18. Adrian Bradley, « De Havilland Deal Fails to Impress », *Financial Post*, 23 janvier 1992.
19. Bob Rae, entretien.
20. Roland Beaudoin, entretien.

CHAPITRE 8

1. Ron Pickler et Larry Milberry, *Canadair: Cinquante ans d'histoire.*
2. Iain Hunter, « Deputy Leaves DRIE to Join Bombardier », *Ottawa Citizen*, 6 janvier 1987.
3. *Ibid.*
4. Shirley Won, « New Boss Takes up Challenge at Canadair », *The Gazette*, 23 août 1986.
5. Alan Gray, « Overhauling the Executive Suite », *Ottawa Citizen*, 6 février 1987.

6. Eric McConachie, entretien avec l'auteur, février 2004.
7. Eric McConachie, entretien.
8. Yvan Allaire, entretien.
9. Eric McConachie, entretien.
10. Eric McConachie, entretien.
11. Eric McConachie, entretien.
12. Eric McConachie, entretien.
13. Ancien employé de Canadair, entretien avec l'auteur, mars 2004.
14. Ancien employé de Canadair, entretien.
15. Larry MacDonald, *The Bombardier Story*, p. 154.
16. *Ibid.*
17. Département des relations publiques de Bombardier, document collectif, 1998.
18. *Ibid.*

CHAPITRE 9

1. « Via Passengers Stranded More than 3 Hours », Canadian Press, *The Gazette*, 20 février 1988.
2. Sandro Contenta, « Via Is Betting It Can Improve a Dismal Track Record », *The Gazette*, 23 février 1985.
3. Harvey Enchin, « Bombardier Boss Says Via Rail Overreacted in Grounding LRCs », *The Gazette*, 5 novembre 1981.
4. Sandro Contenta, « Via Is Betting It Can Improve a Dismal Track Record. »
5. Shirley Won, « Via Restoring 4 Routes That Serve Montréal », *The Gazette*, 16 janvier 1985.
6. Laurent Beaudoin, entretien.
7. Robert Lee, « Montreal-Ottawa-Toronto Bullet Train », *Ottawa Citizen*, 10 juin 1989.
8. Mark Hallman, « Study Leaves TGV Only Train on Track », *Financial Post*, 31 août 1995.
9. Terrance Wills, « Train Group Wants $7.5 Billion », *The Gazette*, 28 mai 1998.
10. Ross Marowits, « High-Speed Rail Funding May Be Close », *National Post*, 30 août 2003.
11. Laurent Beaudoin, entretien.
12. Laurent Beaudoin, entretien.
13. « High Speed Rail System Planned for U.S. », Reuters, *Financial Post*, 30 octobre 1989.
14. Eric Reguly, « Bombardier on Fast Track for Texas Train Bid », *Financial Post*, 4 juin 1990.

15. Nicolas Van Praet, « Bombardier Wins Florida Fast-rail Bid », *The Gazette*, 28 octobre 2003.
16. Laurent Beaudoin, entretien.
17. Peter Calamai, « Amtrak ; U.S. Passenger Service on the Right Track », *Ottawa Citizen*, 30 mars 1989.
18. « Amtrak Places $140M Order with Bombardier », Canadian Press, *Ottawa Citizen*, 9 décembre 1993.
19. Matthew Wald, « 2 Builders Chosen for Speedy Trains on Northeast Run », *New York Times*, 16 mars 1996.
20. *Ibid.*
21. Pauk McKay, « Bombardier's $1-billion Trade Secret », *Ottawa Citizen*, 18 mars 2000.
22. Eric Siegel, entretien avec l'auteur, novembre 2003.
23. Eric Siegel, entretien.
24. Matthew Wald, « 2 Builders Chosen for Speedy Trains on Northeast Run. »
25. Matthew Wald, « High-Speed Train on Track », *New York Times*, 3 août 1999.
26. François Shalom, « Amtrak Trains Delayed », *The Gazette*, 2 septembre 1999.
27. François Shalom, « Full Tilt Ahead », *The Gazette*, 7 octobre 2000.
28. « Acela Falls Short of Projections », Associated Press, *The Gazette*, 22 août 2001.
29. Nicolas Van Praet, « Bombardier under Fire », *The Gazette*, 14 août 2002.
30. Paul Tellier, entretien.

CHAPITRE 10

1. Aileen McCabe, « Chunnel Breakthrough », Southam News, 31 octobre 1990.
2. Larry MacDonald, *The Bombardier Story*, p. 97-98.
3. Laurent Beaudoin, entretien.
4. Laurent Beaudoin, entretien.
5. Yvon Turcot, entretien.
6. Yvon Turcot, entretien.
7. Laurent Beaudoin, entretien.
8. R. C. Longworth, « Money Crisis Threatens Dream of an English Channel Tunnel », *The Gazette*, 20 octobre 1989.
9. Michel Lord, entretien.
10. Neville Nankivell, « Eurotunnel Players in a High-stakes Game », *Financial Post*, 22 avril 1993.

11. Jeff Heinrich, « Bombardier Didn't Know Enough about Chunnel Project : Beaudoin », *The Gazette*, 22 juin 1994.
12. Larry MacDonald, *The Bombardier Story*, p. 103.
13. Michel Lord, entretien.
14. Sheila McGovern, « A Beachhead in Germany », *The Gazette*, 25 février 1995.
15. Laurent Beaudoin, entretien.
16. Michel Lord, entretien.
17. Greg Steinmetz et Chris Chippello, « European Plants Remain Costly for Bombardier », *The Gazette*, 2 juillet 1998.
18. François Shalom, « Bombardier Wins $2.6 Billion Train Deal », *The Gazette*, 10 décembre 1998.
19. Yvan Allaire, entretien.

CHAPITRE 11

1. Laurent Beaudoin, allocution devant la Chambre de commerce de Ste-Foy, 25 octobre 1995.
2. Laurent Beaudoin, allocution devant la Chambre de commerce.
3. Yvan Allaire, entretien.
4. Laurent Beaudoin, entretien.
5. Yvon Turcot, entretien.
6. Yvan Allaire, entretien.
7. Michel Lord, entretien.
8. Elizabeth Thompson, « Normal for Business to Rethink Future after a Yes Vote : Johnson », *The Gazette*, 5 octobre 1995.
9. Laurent Beaudoin, entretien.
10. Yvan Allaire, entretien.
11. Elizabeth Thompson, « Jobs Would Disappear : Business », *The Gazette*, 22 septembre 1995.
12. Terrance Wills, « Executives Have Duty to Warn of Job Losses : PM », *The Gazette*, 5 octobre 1995.
13. Peter Hadekel, « Bombardier Staff Get Pitch for No », *The Gazette*, 27 septembre 1995.
14. Elizabeth Thompson, « Yes Supporters Dog Johnson at Bombardier », *The Gazette*, 27 septembre 1995.
15. Laurent Beaudoin, allocution devant la Chambre de commerce.
16. Andy Riga et Elizabeth Thompson, « Sovereignists Slam Fat-cat No-side Business People », *The Gazette*, 24 septembre 1995.
17. Peter Hadekel, « Yes-No Split Seen as Class Division », *The Gazette*, 7 octobre 1995.

18. Laurent Beaudoin, entretien.
19. Don Macpherson, « Desmarais and Beaudoin : Parizeau's Ungrateful Kids », *The Gazette*, 11 octobre 1995.
20. David Pugliese, « Defence Contractors under Fire », *Ottawa Citizen*, 2 juin 1998.
21. François Shalom, « Untendered Military Contracts Common in U.S. : Bombardier », *The Gazette*, 17 juin 1998.
22. Bill Cury, « $65M Paid for Program Never Used », *National Post*, 9 octobre 2002.

CHAPITRE 12

1. Peter Smith, entretien avec l'auteur, octobre 2003.
2. Desmond Morton, *Understanding Canadian Defence*, Toronto, Penguin Canada, 2003, p. 176-177.
3. Fred Bennett, entretien avec l'auteur, novembre 2003.
4. Fred Bennett, entretien.
5. Rapport de la Fédération canadienne des contribuables, 16 avril 1998.
6. Fred Bennett, entretien.
7. Peter Smith, entretien.
8. Fred Bennett, entretien.
9. Peter Smith, entretien.
10. Peter Smith, entretien.
11. Andy Riga, « Aerospace : Too Big for Canada ? », *The Gazette*, 5 juin 1997.
12. Peter Smith, entretien.
13. Valerie Lawton, « Bombardier Defends Subsidies », Canadian Press, 10 décembre 1996.
14. John Geddes, « Big Business Concerns Overshadowed by Election Business », *Financial Post*, 24 mai 1997.
15. Peter Smith, entretien.
16. Daniel Leblanc, « Money Down the Drain », *Ottawa Citizen*, 16 avril 1998.
17. Fédération des contribuables canadiens, *The Taxpayer*, vol. 10, n° 1998, p. 7.
18. Jack Aubry, « Government Is Owed $1B in Tech Loans », *Ottawa Citizen*, 6 août 2003
19. Peter Smith, entretien.
20. Walter Robinson, entretien avec l'auteur, octobre 2003.
21. Peter Smith, entretien.

CHAPITRE 13

1. Tim Myers, entretien avec l'auteur, octobre 2003.
2. Patricia Adams, «EDC's Quebec Tilt Hardly Commercial», *National Post*, 1er mars 1999.
3. Eric Siegel, entretien.
4. Eric Siegel, entretien.
5. Paul McKay, «Crown Agency Cloaks Deal in Secrecy», *Ottawa Citizen*, 9 mai 2000.
6. Eric Siegel, entretien.
7. Eric Siegel, entretien.
8. Eric Siegel, entretien.
9. Tim Myers, entretien.
10. Peter Morton, «Bombardier First to Gain from Equity Investments by EDC», *Financial Post*, 5 avril 1995.
11. *Ibid.*
12. Eric Siegel, entretien.
13. Diane Francis, «Will Bombardier Have Its Hand Out?», *National Post*, 17 décembre 2002.
14. Eric Siegel, entretien.
15. Yvan Allaire, entretien.
16. Yvan Allaire, entretien.

CHAPITRE 14

1. Crofton Black, «Brazil Nuts», *Times Literary Supplement*, 19 décembre 2003.
2. *Ibid.*
3. José Cassiolato, Roberto Bernardes et Helena Lastres, *A Case Study of Embraer in Brazil*, New York, United Nations, 2002, p. 1.
4. *Ibid.* p. 4.
5. Henrique Costa Rzezinski, entretien avec l'auteur, mai 2004.
6. Henrique Costa Rzezinski, entretien.
7. Dick McLachlan, entretien avec l'auteur, mai 2004.
8. Henrique Costa Rzezinski, entretien.
9. Henrique Costa Rzezinski, entretien.
10. Cassiolato, Bernades et Kastres, *A Case Study of Embraer in Brazil*, p. 30.
11. Kathryn Leger, «Bombardier Finalist for $1B Continental Deal», *Financial Post*, 31 mai 1996.
12. Barry Came, «Sky King», *Maclean's*, 11 août 1997.

13. François Shalom, «Jet Spat Goes to WTO», *The Gazette*, 11 juillet 1998.
14. Tim Myers, entretien.
15. Tim Myers, entretien.
16. Henrique Costa Rzezinski, entretien.
17. Henrique Costa Rzezinski, entretien.
18. Michael McAdoo, entretien avec l'auteur, octobre 2003.
19. Michael McAdoo, entretien.
20. Tim Myers, entretien.
21. Sean Silcoff, «Bombardier Ready to Cash in with New Plant», *Financial Post*, 23 octobre 2001.
22. Réjean Bourque, entretien.
23. Henrique Costa Rzezinski, entretien.
24. Yvan Allaire, entretien.
25. Yvan Allaire, entretien.
26. Peter Morton, «Ottawa, Bombardier Blast Report Fallout», *Financial Post*, 27 mai 1998.
27. François Shalom, «Jet Spat Goes to WTO.»
28. François Shalom, «Embraer States Its Case», *The Gazette*, 26 novembre 1998.

CHAPITRE 15

1. Henrique Costa Rzezinski, entretien.
2. Cassiolato, Bernardes et Lastres, *A Case Study of Embraer in Brazil*.
3. Henrique Costa Rzezinski, entretien.
4. Michael McAdoo, entretien.
5. Michael McAdoo, entretien.
6. Henrique Costa Rzezinski, «How Ottawa Uses WTO to Sqeeze Embraer», *National Post*, 11 janvier 2001.
7. Analyste en valeurs mobilières, entretien.
8. Michael McAdoo, entretien.
9. Allan Swift, «Government Studies Bombardier Aid Bid», *Ottawa Citizen*, 10 janvier 2001.
10. Alan Toulin, «Ottawa Starts Trade War with Bombardier Aid», *National Post*, 11 janvier 2001.
11. Terence Corcoran, «Breaking Trade Law on Behalf of Bombardier», *Financial Post*, 11 janvier 2001.
12. Michael McAdoo, entretien.
13. Ian Jack, «Canada Calls Ban on Brazilian Beef "precautionary"», *Ottawa Citizen*, 3 février 2001.
14. *Ibid.*

15. « Brazil Outraged by Ban on Beef », Associated Press, 6 février 2001.
16. Henrique Costa Rzezinski, entretien.
17. James Baxter, « Subsidy Tips $2.4B Deal to Bombardier », *Ottawa Citizen*, 10 juillet 2001.
18. Keith McArthur, « Canada Hit with WTO sanctions », *Globe and Mail*, 23 décembre 2002.
19. Michael McAdoo, entretien.
20. Livia Ferrari, « Lessa Wants to Reduce Embraer Weight in BNDES », *Gazeta Mercantil*, 21 mai 2003.
21. Henrique Costa Rzezinski, entretien.
22. Michael McAdoo, entretien.
23. Nicolas Van Praet, « Catch 22 for Airline Jetmaker », *The Gazette*, 12 septembre 2003.
24. Source confidentielle de renseignements, entretien avec l'auteur, mars 2003.
25. Henrique Costa Rzezinski, entretien.
26. Nicolas Van Praet, « Air Canada Splits Major Plane Order », *The Gazette*, 20 décembre 2003.

CHAPITRE 16

1. Yvan Allaire, entretien.
2. Source confidentielle de renseignements, entretien.
3. Cadre de direction de Bombardier, entretien avec l'auteur, février 2004.
4. Cadre de direction de Bombardier, entretien.
5. Frederic Tomesco, « Ex-Bombardier Exec Cashes In », Bloomberg News, *The Gazette*, 6 octobre 2001.
6. Larry MacDonald, *The Bombardier Story*, p. 218.
7. Pierre Beaudoin, entretien.
8. Pierre Beaudoin, entretien.
9. Konrad Yakabuski, « Bob Brown in Command », *Report on Business Magazine*, novembre 2000.
10. Prévisions du Teal Group, juin 1998.
11. Source confidentielle de renseignements, entretien.
12. François Shalom, « Air Sharing Takes Off », *The Gazette*, 19 septembre 2002.
13. Cameron Doerksen, rapport de recherche Dlhouty Merchant, 14 décembre 2001.
14. Adam Bryant, « Power Plane », *The Gazette*, 12 décembre 1995.
15. Yvan Allaire, entretien.
16. Yvan Alaire, entretien.

CHAPITRE 17

1. Laurent Beaudoin, entretien.
2. Sean Silcoff, «Bombardier Cuts 3,800 Jobs in Crisis», *Financial Post*, 27 septembre 2001.
3. Tim Myers, entretien.
4. Eric Siegel, entretien.
5. Tim Myers, entretien.
6. Tim Myers, entretien.
7. Tim Myers, entretien.
8. Analyste en valeurs mobilières, entretien.
9. Source confidentielle de renseignements, entretien avec l'auteur, mars 2003.
10. Analyste en valeurs mobilières, entretien.
11. Pierre Beaudoin, entretien.
12. Ancien employé de Bombardier, entretien.
13. Pierre Beaudoin, entretien.
14. Analyste en valeurs mobilières, entretien.
15. Sean Silcoff, «Bombardier Shares Takling off Again», *Financial Post*, 8 janvier 2002.
16. Laurent Beaudoin, entretien.
17. Sean Silcoff, «Bombardier Credibility under Fire», *Financial Post*, 16 février 2002.
18. Robert Gibbens, «S&P Cuts Bombardier's Long-term Credit Rating», *Financial Post*, 16 avril 2002.
19. Nicolas Van Praet, «Transport Giants Stall», *The Gazette*, 15 août 2002.
20. Analyste en valeurs mobilières, entretien.
21. François Shalom, «1,900 Laid off in Fight against Slump», *The Gazette*, 28 septembre 2002.
22. «Bombardier Train Derails, Kills Operator», *The Gazette*, 28 septembre 2002.
23. Laurent Beaudoin, entretien.
24. Analyste en valeurs mobilières, entretien.
25. Yvan Allaire, entretien.
26. Yvan Allaire, entretien.

CHAPITRE 18

1. Paul Tellier, entretien.
2. Don MacDonald, «Watch Out, Tellier's Landing», *The Gazette*, 14 décembre 2002.

3. Paul Tellier, entretien.
4. Donald Rumball, « Paul Tellier : A Former Law Professor and Civil Servant », *Financial Post Magazine*, 1er novembre 1998.
5. Michel Vastel, *Trudeau le Québécois*, Montréal, Éditions de l'Homme, 1989, 320 p. ; nouvelle édition mise à jour, 2000, 315 p.
6. Paul Tellier, entretien.
7. Frank Howard, « Bureaucrats », *Ottawa Citizen*, 8 janvier 1987.
8. Hubert Bauch, « Shuffle Soothes Bad Case of Civil Servant Jitters », *The Gazette*, 12 janvier 1985.
9. Paul Tellier, entretien.
10. Frank Howard, « Bureaucrats », *Ottawa Citizen*, 24 septembre 1985.
11. « PM Appoints 2 Quebecers to Top Civil Service Jobs », Canadian Press/Southam News, *The Gazette*, 3 août 1985.
12. Susan Riley, « New Clerk of Privy Council Had Key Posts under Trudeau », *Ottawa Citizen*, 3 août 1985.
13. Mary Lamey, « Shaking It up at CN », *The Gazette*, 26 février 1993.
14. « PM Orders Consulting Contracts Cancelled », Canadian Press, *The Gazette*, 7 janvier 1986.
15. Jim Algie, « Can Bonuses Move Mandarins to Spend More Carefully ? », *The Gazette*, 22 mars 1996.
16. Frank Howard, « Bureaucrats », *Ottawa Citizen*, 26 mars 1986.
17. Paul Tellier, entretien.
18. Margo Roston, « PCO Chief Likes the View from the Top », *Ottawa Citizen*, 11 avril 1988.
19. Ann McIlroy, « The Cure », *Ottawa Citizen*, 11 juin 1988.
20. Frank Howard, « Bureaucrats », *Ottawa Citizen*, 7 mars 1990.
21. Bert Hill, « Privy Council Clerk Wants to Fire PS "Deadwood" », *Ottawa Citizen*, 9 mars 1990.
22. Susan Riley, « Privy Council Clerk Called Insensitive over Downsizing », *Ottawa Citizen*, 8 juillet 1993.
23. Jamie Portman, « When Juneau Goes, Who's in Charge of the CBC ? », Southam News, 16 juillet 1989.
24. Alex Binkley, « Crowd of Worthies Eyed for CN Top Job », Canadian Press, 9 août 1991.
25. Paul Tellier, entretien.
26. Donald Rumball, « Paul Tellier : A Former Law Professor and Civil Servant. »
27. Alex Binkley, « Latest Appointment at CN Raises Eyebrows in Rail Industry », *The Gazette*, 23 juin 1992.
28. Paul Tellier, entretien.
29. Ann Gibbon, « CN to Cut 10 000 Jobs », *Globe and Mail*, 27 novembre 1992.

30. Paul Tellier, entretien.
31. Mary Lamey, « Shaking It up at CN. »
32. Alex Binkley, « New Broom Brings Sweeping Changes at CN », *The Gazette*, 22 janvier 1993.
33. Alan Swift, « Job Cuts Forced on Us », *The Gazette*, 6 avril 1993.
34. Eoin Kenny, « Unrealistic Labor Costs Led to Rail Merger Idea », *The Gazette*, 16 mars 1994.
35. « Loan to CN President Kept Secret », Canadian Press, *Ottawa Citizen*, 23 novembre 1994.
36. Andrew McIntosh, « Tellier Defends Interest-free Loan », *The Gazette*, 24 novembre 1994.
37. Paul Tellier, entretien.
38. Elena Cherney, « CN Executives Catch Flak », *The Gazette*, 8 mai 1996.
39. Peter Fitzpatrick, « CN Courting Illinois Central », *Financial Post*, 6 février, 1998.
40. Peter Fitzpatrick, « Shippers Lukewarm to CN-Illinois Merger », *Financial Post*, 4 mars 1998.
41. Kathryn Leger, « As Subtle as a Blowtorch », *Financial Post*, 12 avril 1999.
42. *Ibid.*
43. Peter Fitzpatrick, « A Quest for Perfection », *Financial Post*, 12 avril 1999.
44. Kevin Dougherty, « Rail Giant Puts HQ Here », *The Gazette*, 21 décembre 1999.
45. Peter C. Newman, *The Canadian Revolution*, p. 321.
46. Susan Heinrich, « Disappointed Tellier Deplores Sad State of Rail Industry », *National Post*, 25 juillet 2000.
47. « CN Execs Pocket $15 Million », *The Gazette*, 19 mars 2002.
48. Rochelle Lash, « Toasting the Railway Prince », *The Gazette*, 29 mars 2000.

CHAPITRE 19

1. Paul Tellier, entretien.
2. Laurent Beaudoin, entretien.
3. Paul Tellier, entretien.
4. Paul Tellier, entretien.
5. Ancien cadre de direction de Bombardier, entretien.
6. Paul Tellier, entretien.
7. Sean Silcoff, « Bombardier Hit for Selective Disclosure », *Financial Post*, 1er mai 2002.

8. Don MacDonald, «Bombardier Board Kept Too Much in Dark: Critics», *The Gazette*, 20 décembre 2002.
9. Charles Davies, «Terminator 2», magazine du *Financial Post*, avril 2003.
10. Paul Tellier, entretien.
11. Sean Silcoff, «Bombardier Client Gets $100M Loan», *Financial Post*, 6 janvier 2003.
12. Paul Tellier, entretien.
13. Ian Jack, «Canada Account at $11B», *Financial Post*, 10 mai 2003.
14. Paul Tellier, entretien avec l'auteur, octobre 2003.
15. Paul Tellier, entretien, octobre 2003.
16. Ian Jack, «Bombardier Loans Save Jobs: Ottawa», *Financial Post*, 25 juillet 2003.
17. Ancien cadre de direction de Bombardier, entretien.
18. Paul Tellier, entretien avec l'auteur, juin 2004.
19. Paul Tellier, entretien, juin 2004.
20. Ancien cadre de direction de Bombardier, entretien.
21. Pierre Beaudoin, entretien.
22. Paul Tellier, entretien, juin 2004.
23. Analyste en valeurs mobilières, entretien.
24. Paul Tellier, entretien, juin 2004.
25. Paul Tellier, entretien, juin 2004.
26. Paul Tellier, allocution, assemblée générale annuelle, juin 2003.
27. André Navarri, entretien avec l'auteur, avril 2004.
28. Analyste en valeurs mobilières, entretien.

CHAPITRE 20

1. John Holding, entretien avec l'auteur, juin 2004.
2. Pierre Beaudoin, entretien.
3. Pierre Beaudoin, entretien.
4. Pierre Beaudoin, entretien.
5. Pierre Beaudoin, entretien.
6. Paul Tellier, entretien, juin 2004.
7. Paul Tellier, allocution devant la Chambre de commerce du Montréal Métropolitain, 17 février 2004.
8. Paul Tellier, allocution devant la Chambre de Commerce du Montréal Métropolitain.
9. Paul Tellier, allocution devant la Chambre de Commerce du Montréal Métropolitain.
10. Walter Robinson, entretien.

11. Walter Robinson, entretien.
12. Walter Robinson, entretien.
13. Rapport de la Vérificatrice générale, 10 février 2004.
14. *Ibid.*
15. Sean Silcoff, «Tellier Hits Back at CAE Boss over Contract», *Financial Post*, 23 avril 2004.
16. John Partridge, «Simulator Supplier in Bitter Public Dispute with Ottawa over Loss of Fighter Jet Contract», *Globe and Mail*, 24 avril 2004.
17. Paul Tellier, entretien, juin 2004.

CONCLUSION

1. J. Lynn Lunsford et Daniel Michaels, «New Friction Puts Airbus, Boeing on Course for Fresh Trade Battle», *The Wall Street Journal*, 1er juin 2004.
2. Département des relations publiques de Bombardier, document collectif, «Bombardier et le gouvernement canadien», juin 1998.

Index

accord de Charlottetown, 170, 175, 301
Accord de libre-échange nord-américain,
   159, 308
Accord général sur les tarifs douaniers et
   le commerce (GATT), 79
Acela Express, 154
acquisitions
   Adtranz, 20, 42, 49, 162, 166, 168,
      269-272, 280, 286-287, 289, 331,
      360
   ANF Industries, 161
   BN Constructions ferroviaires et
      métalliques, 161
   Canadair. *Voir* Canadair de Havilland
      Aircraft of Canada Ltd.
   Deutsche Waggonbau AG, 165
   Learjet Corp., 20, 86, 116, 121, 135-136,
      173, 264, 268, 290, 342
   MLW-Worthington, 37, 60-61, 141
   Rotax, 54, 56, 160
   Short Brothers Plc, 41, 112
   UTDC Inc., 41
   Waggonfabrik Talbot, 164
Adams, Patricia, 206, 376
Adtranz, 20, 42, 49, 162, 166, 168, 269-272,
   280, 286-287, 289, 331, 360
aéroport John-F.-Kennedy, 272
Aérospatiale Canada, 184
Agence canadienne de développement
   international (ACDI), 61
agence de crédit à l'exportation. *Voir*
   Exportation et développement Canada
   (EDC)
Agence de promotion économique du
   Canada atlantique, 347
Airbus, 126, 130, 135-136, 195, 205, 214,
   219, 235, 244, 253, 274, 276, 278, 280,
   338-341, 345, 360, 383

Air Canada, 21, 104, 134, 198, 214,
   242-243, 245-250, 253-254, 320, 346, 355,
   358, 363, 378
Air Nova, 134
Air Wisconsin, 242-250, 288, 318, 320,
   355
Alcan, 173
Allaire, Yvan, 34, 36-38, 46-49, 90-91, 129,
   172, 176-178, 214-215, 228, 231-232, 243,
   256-260, 268, 270-271, 280-281, 292, 364
Alliance canadienne, 108, 185, 197, 244
American Airlines, 224, 227, 239, 265,
   278-279, 288
American Eagle, 224, 279
American Flyer, 151-152
American Motors, 64, 68
Amtrak, 142, 147-148, 150-156, 162, 206,
   281, 288, 360, 373
Andre, Harvie, 105
ANF, 161
Asea Brown Boveri, 152
Association des industries aérospatiales
   du Canada
Atlantic Coast Airlines, 214, 288,
   318-319, 358
ATR, 118, 129, 204
Avco Lycoming, 87, 94
Avro Arrow, 187-188
A.V. Roe, 187
Axworthy, Lloyd, 103

BAE, 338
Banque nationale brésilienne de
   développement économique et social
   (BNDES), 223
Baptista, Luis Olavio, 232
BCE Inc., 304, 313

Beaudoin, Claire Bombardier, 31, 33, 73, 90, 256
Beaudoin, Laurent, 12, 14, 18, 26-27, 29, 32-52, 54-76, 81-83, 89-92, 94-96, 97, 99, 101-102, 108, 111-112, 115-117, 119-122, 123-124, 126, 129, 134-135, 141-143, 146-147, 150, 160-166, 168, 169, 171-183, 185, 225, 252, 255-259, 263-265, 271-272, 273-274, 280-284, 289, 291-292, 311, 312-317, 323-325, 329, 364-365
Beaudoin, Pierre, 340-343, 364-365
Belfast, Irlande du Nord, 111, 343
Bennett, Fred, 189, 193, 365, 375
Biron, Rodrigue, 77
Bloc Québécois, 170, 179, 183, 306
BN Constructions ferroviaires et métalliques, 161
BNP Paribas, 24
Boeing, 88, 91, 94, 113, 117-120, 129-130, 136, 187, 205, 219, 235, 244, 253, 274, 276, 278, 280, 338-341, 345, 360-361, 383
Bombardier Aéronautique. *Voir* unité aéronautique , 23, 39, 92, 124, 136, 172, 178, 190, 195, 199, 201, 206, 215, 228, 240, 252, 255, 263, 268, 277, 282-284, 290-291, 320, 328, 331, 344, 351, 359
Bombardier, André, 364
Bombardier Capital
  gravité de la situation, 27, 231
  marché des maisons mobiles, 258
  risque de crédit, 211, 213, 250, 259, 276
  stratégie de croissance, 18, 167, 203, 259-260
Bombardier, Germain, 48
Bombardier, Huguette, 35
Bombardier, Janine, 35
Bombardier, Joseph-Armand, 16, 19, 32-33, 172
Bombardier Ltée, 61
Bombardier Transport, 333
Bombardier, Yvon, 60, 65, 161, 176, 280, 291, 367-368, 370, 373
Botelho, Mauricio, 236, 252
Bouchard, Benoît, 103, 145
Bouchard, Lucien, 146, 170-171, 173, 179
Bourassa, Robert, 57, 100, 294, 300
Bourque, Réjean, 229, 364, 377
Branson, Richard, 167
Bristol Aerospace, 98-99
British Aerospace, 112, 118, 204
BRJ-X, 237, 338-339, 341
Brock, William, 77
Brown, Bob, 15, 51, 123, 124-126, 152, 183-184, 186, 191, 215, 224-225, 246, 263, 272, 274, 279-286, 289-292, 314, 316, 319,

324, 328, 338-339
Bruce, Harry, 18
Budd Co., 70-71
Buffet, Warren, 266
Bureau du commerce de Montréal, 98
Bureau du conseil privé, 294, 296, 299
Burlington Northern Santa Fe Corp., 310
Burney, Derek, 298, 300, 356
Bush, Jeb, 149

CAE Inc., 355
Caisse de dépôt et placement
  Camp, Dalton, 298
camp fédéraliste
  Voir aussi référendum sur la souveraineté-association
Canadair, 10, 40, 84, 85-96, 97-103, 106-107, 111-114, 116-117, 123-126, 128-132, 135, 172, 179, 188, 191, 214, 221, 223, 243, 267, 314, 337
Canadian Aerospace Technologies, 375
Canadian Kenworth, 109
Canadian Vickers, 56, 58
Canadien Pacifique Limitée, 39, 126, 142, 305
Canam Manac, 36, 173, 180
Canaccord Capital Corp., 287
Caplan, David, 196
Cardoso, Fernando Henrique, 232
Carmichael, Gilbert, 148
Carrière, Claude, 253
Cascades, 36
CDIC, 88
Cessna, 266
CF-18, 93, 97-110, 128, 183, 185, 314, 355-356
Challenger, 20, 26, 40, 84, 85, 87-96, 112-113, 116, 121-122, 125-126, 128-132, 135-136, 172, 222, 237, 243, 264, 266, 268, 269, 286, 336-337, 342, 350, 352-355
chemins de fer nationaux du Japon, 143
Cherry, Norman, 99, 102
Chevrette, Guy, 180
Chicago, ville de, 67, 81
Chrétien, Jean, 42, 87, 107, 146-147, 179, 184, 213, 217, 232, 243, 351, 355
Chrysler Canada, 173
Citigroup, 24
City Line, 133
Clark, Joe, 296, 301
Clinton, Bill, 248
Cloutier, Sylvain, 76

CN, 12, 18, 29, 57, 140, 297, 301-311,
312-316. *Voir* Compagnie des chemins
de fer nationaux du Canada
Collenette, David, 146
Comair Inc., 134, 319
Commission des valeurs mobilières du
Québec (CMVQ), 316-317
Compagnie des chemins de fer nationaux
du Canada *Voir* CN
Compte du Canada, 109, 147, 152, 193,
208-209, 234, 240, 242-243, 246-247, 250,
275, 320-323, 355
Concorde, 130
Congrès du travail du Canada, 348
ConRail, 301, 307-308, 315
Conseil de l'Unité canadienne, 179,
295-296
Continental Airlines, 224, 227, 278
Continental Express, 224-225
Corcoran, Terence, 244, 377
Corporation de développement des
investissements du Canada (CDIC),
88
Crise d'octobre, 294
CRJ Capital Corp., 214
CRJ-200, 225, 258, 386
CRJ-900, 20
Cross Air, 238

da Silva, Lula, 252
Daihatsu, 40
DaimlerChrysler AG, 168, 286
Dassault, 87, 266
Davis, Jack, 77
Davis, William, 63
de Cotret, Robert, 103, 107
de Havilland Aircraft of Canada Ltd., 40,
84, 86, 88, 91, 94, 117-122, 124, 128, 130,
135, 136, 172, 173, 188, 196, 198, 225,
280, 290, 318
Delta Airlines, 134, 278, 319, 358
Desautels, Denis, 26, 184
Desmarais, André, 42, 184
Desmarais, Paul, 42, 180
Deutsche Waggonbau AG, 165
Développement économique Canada
pour les régions du Québec, 347
Devine, Grant, 104-105
Diefenbaker, John, 187
Dlouhy Merchant Inc., 254, 269
Doerksen, Cameron, 254, 269, 378
Domtar, 47
Dornier, 92, 205, 235
Dowty Plc, 229
Drapeau, Jean, 55, 58

Dutil, Marcel, 180

EDC. *Voir* Exportation et developpement
Canada
Eggleton, Art, 184-185
Embraer (Empresa Brasileira de
Aeronautica SA), 14, 42, 130, 132, 134,
198, 204, 209, 219-234, 235-254, 276, 280,
337, 339-341, 345, 350, 360, 363, 365
Enron, 17, 268, 285, 292
Epp, Jake, 105
ERJ-145, développement du, 222
et l'industrie des avions régionaux, 235
Eurotunnel, 35, 158-159, 161-164, 331, 373
Exportation et développement Canada
(EDC), 9, 11, 61, 72-73, 76, 80-81, 83-84,
93, 137, 153, 206-219, 224-225, 228, 232,
234, 240, 243, 246, 250, 253, 274-280,
314, 319-320, 338, 344-346, 350,
359-360

Fairchild Dornier, 204, 235
Falcon, 94
famille Bombardier, 11, 16, 25-26, 28, 31,
34-36, 46-49, 91, 137, 165, 172-173, 189,
236-238, 254, 256, 282-284, 291, 315, 317,
325, 327, 335, 337, 339-340, 358, 360, 363
famille Talbot, 164-165
Fay, Robert, 287
Federal Aviation Administration, 194
Federal Express. *Voir* FedEx
Fédération canadienne de l'entreprise
indépendante, 202
Fédération canadienne des contribuables,
197, 199-200, 346-347, 350, 365, 375
FedEx, 87, 90
Flexjet, 265-266, 268, 349
Fluor Corp., 149
Fokker, 41, 113-114, 129-130, 161, 204, 214,
338
Fontaine, Jean-Louis, 35
Ford Motor
Fox, Bill, 297, 318, 320, 343, 364
frais de transaction, 355
France, 4, 9, 35, 72-74, 80, 143, 149, 158,
161, 164, 221, 271
Fraser, Sheila, 184-185, 352-355
Front de Libération du Québec, 57

Garcia, Claude, 174
GEC Alsthom, 144, 151
GE Capital, 15, 27, 254, 258, 279
General Dynamics Corp., 85
General Electric Corp., 279
General Motors, 64-65, 109, 124, 205

Global Express, 20, 49, 135-136, 198, 265, 267-268, 337, 342, 355
Goldenberg, Eddie, 243
Goldman Sachs, 307
Gordon, Donald, 57
gouvernement Trudeau, 57, 74, 80, 85, 88, 104, 106, 117, 296, 300
groupe financier Laurentien, 36
Groupe Tellier, 15, 295, 315, 332
Gulfstream Aerospace Corp., 267

Halton, Harry, 85, 132, 237, 337
Harbour Castle, 12-13, 16
Hargrove, Buzz, 198
Harper, Stephen, 362
Harrison, Hunter, 309
Hart, Michael, 234
Hawker Siddeley Canada, 63-64, 85
Hébert, Jean-Claude, 60-62, 64, 66
Heinz, John, 79
Héroux Devtek, 229
Héroux Inc., 90
Hoffman, Paul, 218
Holding, John, 337, 364, 382
Honeywell, 236, 342
Horizon Air, 214
Howard, Frank, 298, 380
HSBC, 24
Hugueney, Clodoaldo, 253
Hydro-Québec, 58, 66

Illinois Central Corp., 308
image de marque, 67
IMP Aerospace Ltd., 98
Industrie Canada, 4, 9, 58, 63, 93, 117, 124-125, 136, 188-192, 194-196, 200, 202-203, 209, 214, 217, 233, 240, 243, 251, 320, 323, 336, 344, 347, 350-351, 360, 363-365
inscription à la Bourse de New York, 16-17
Investissement Québec, 67, 229-230, 249, 327
IRA, 115
Irak, guerre en, 289

Jaffer, Rahim, 197
Jarislowsky, Stephen,
Jean Coutu, 173
JetBlue, 254
JetTrain, 146, 149
Johnson, Daniel, fils, 43
JP Morgan, 24

Kawasaki Heavy Industries, 70, 236
Kearns, Fred, 85, 132

Kendall Airlines, 278
Kerr, John, 317
King, Tom, 113

L'Auto-Neige Bombardier Limitée, 53
L-3 Communications Corp., 355
Lalonde, Marc, 232
Landry, Bernard, 64, 77, 178
Laporte, Pierre, 57, 294
Laurin, Camille, 63
Lavalin, 36
Lavelle, Patrick, 215, 276
Lawless, Ron, 301
Lear, William Powell, 86
Learjet, 20, 86, 116, 121, 135-136, 173, 264, 268, 290, 342
LeBlanc, Roméo, 295
Legrand, Pierre, 317
Leichter, Fritz, 82
Lemarchand, François, 24
Lesage, Jean, 57
Lévesque, René, 63, 66, 169
Lewis, David, 347, 349
Lignes aériennes Canadien international, 197
Lockheed, 87, 367
Lohnerwerke, 54, 56
Loi des mesures de guerre, 57, 294
Lord, Michel, 177, 263
Lortie, Pierre, 257, 332
Lougheed, Peter, 42
Lowe, Donald, 125
loyauté, 46, 302
LRC, 61-62, 140-143, 152, 154
Lufthansa, 133
Lumley, Ed, 72, 78, 88, 123, 365, 368-369

MacKenzie, Michael, 211
Macpherson, Don, 182, 375
Magna International Inc., 92
Major, John, 114
Manley, John, 194, 214
Manning, Preston, 184
Marine Industries Ltd., 61
Martin, Paul, 146-147, 214, 243, 306, 355-356
Massachusetts Institute of Technology (MIT), 126
Mawby, Carl, 69
Mazankowski, Don,
McAdoo, Michael, 226, 238, 241, 364, 377-378
McCain Foods, 13
McConachie, Eric, 126, 129, 364, 372
McDonnell Douglas Corp., 98

McLachlan, Dick, 221, 365, 376
Meech, accord de, 104, 106, 170, 300
Mercosur, 232
Mesa, 214-215, 275
métro
    de Londres, 272, 331, 334-335
    de Montréal, 40, 56, 58-60, 64, 80-81, 171, 272
Mexico, ville de, 67, 81
Midway Airlines, 278
Milton, Robert, 253, 346
ministère de l'Expansion économique régionale (MEER), 67
ministère de l'Expansion industrielle régionale (MEIR), 123
ministère de la Défense nationale, 98-99, 101-102, 110, 184, 352-353, 355
Mitsubishi Inc., 198
MLW-Worthington, 37, 60-61, 141
Monty, Jean, 317
Morin, Louis, 323-324
Morton, Sir Alastair, 163
Moss, Bryan, 268
Mulroney, Brian, 88, 92, 98, 100, 104-105, 170, 296, 320, 346
Myers, Tim, 204-205, 213, 225, 228, 275, 364, 376-377, 379

NASA, 193-194
National Transportation Agency, 194
Navarri, André, 332, 364, 382
NetJets, 266
Newman, Peter C., 106, 310, 370, 381
Nortel Networks, 277
Northwest Airlines, 243, 246, 355
Nouveau Parti Démocratique. *Voir* aussi Rae, Bob

OMC, processus d'examen de l', 232
Ontario, 16, 41, 63-64, 66, 84, 89-90, 92, 97, 99, 107, 110, 117-118, 120, 124, 140, 145, 147, 172, 189, 229, 271, 321
Organisation de coopération et de développement économiques (OCDE), 73, 233
Oshkosh Truck Co., 109

Pagé, Lorraine, 181
Palmeter, David, 248
Paquet, Gilles, 300
Parizeau, Jacques, 170-171, 182
Parker, Jeff, 201-202
Partenariat technologique Canada, 195, 198, 345, 347, 350, 356

Parti québécois, 59, 83, 87, 170, 176, 178, 295
Parti réformiste du Canada, 107
Pawley, Howard, 104, 106, 365, 370
Payette, Lise, 63
Pelletier, Jean, 146
Peterson, David, 89, 119
Pettigrew, Pierre, 243, 247, 249, 320, 322
Piper Aircraft Co., 221
Powell & Goldstein, 248
Power Corp., 36, 42, 311
Pratt & Whitney, 90, 125, 173, 189, 192-193, 196, 201-202, 212, 221, 229, 346, 348, 350-351
Probe International, 206
ProEx, 226-228, 231, 233-234, 238-239, 242-243, 246-247, 249-251
Programme de productivité de l'industrie du matériel de défense (PPIMD), 93, 133, 189, 191-195, 199-200, 203, 219, 223
programme Finex, 221-222, 225
Provigo, 36
Pullman, 147

Québec Inc., 36, 57, 181-182
Quebecor, 173

Rae, Bob, 41, 118-119, 121, 365, 367, 371
Ravitch, Richard, 69
Raytheon, 266
Reagan, Ronald, 79
Révolution tranquille, 57, 294
Richmond, Dick, 128
Robinson, Walter, 200, 346, 350, 365, 375, 382-383
Rock, Allan, 197, 320
Rolls-Royce, 100, 112, 228
Rotax, 54, 56, 160
Roy, Bernard, 297
Royer, Raymond, 46, 59, 81, 84, 114, 119, 256
Rzezinski, Henrique Costa, 220, 236, 246, 249, 376-378

Saab, 129, 204
Sabia, Michael, 304, 311, 313
Santos-Dumont, Alberto, 218
Schmidt, Werner, 197
Scott, Gary, 340
Sea-Doo, 25, 43, 50, 261-262, 283, 326, 340
Short Brothers Plc, 41, 112
Siegel, David, 224-225
Siegel, Eric, 153, 209, 211-212, 214, 276, 365, 373, 376, 379
Siemens, 152, 165-166, 168, 333

Ski-Doo, 25-26, 43, 53, 172, 260, 283, 326, 367
Skytrain, 89
SkyWest, 214-215, 275
Smith, Fred, 90, 365, 375
Smith, Peter, 186, 192-193, 195, 197-200, 202, 365, 375
SNC-Lavalin, 173, 180
Société canadienne aérospatiale et de technologies Limitée, 92
Société de développement industriel, 67-68, 139
Société générale de financement, 58, 61
Spector, Norman, 300
Star Alliance, 21, 253
Stevens, Sinclair, 77, 91
St-Pierre, Guy, 180
Sturgess, John, 304
Superliner, 147, 151
Swiss Air, 278

Teal Group, 265, 378
Teleglobe, 173
Tellier, Andrée, 314
Tellier, Marc, 313
Tellier, Paul, 9-10, 12-29, 49, 51, 124, 156, 280, 291, 293-311, 312-336, 338 343-346, 350, 356-357, 358-359, 365
TGV, 143-150, 152, 161, 372
Thatcher, Margaret, 112, 114, 158
The Fifth Estate, 88
Tobin, Brian, 244
Transcontinental, 143, 173, 404
TransManche Link, 162
Travailleurs et travailleuses canadien(ne)s de l'automobile, 117

Tremblay, Arthur, 294
Tremblay, Rodrigue, 65
Turcot, Yvon, 35, 43-44, 60, 62, 65-67, 80-81, 99, 109, 112, 161, 176, 280, 291, 364
Turner, John, 293, 296

UAL Corp., 288
UBS Warburg, 286
Union européenne, 158-159, 166, 186, 192, 241, 248, 270
United Airlines, 242, 278, 288, 318
United Technologies, 192
Urban Transportation Development Corp. (UTDC), 89
US Airways, 20, 253, 274, 288, 335, 358

Vastel, Michel, 300, 380
Vennat, Manon, 98
Vézina, Monique, 101
Via Rail, 61, 77, 140, 142-146, 150-151, 153, 372
Virgin Rail Group, 167
Virgin Records, 167
Volkswagen, 68, 110

Waggonfabrik Talbot, 164
Watts, Ronald, 300
Webster, Howard, 92
Wells, Clyde, 300
Westinghouse Electric, 82
Winnipeg, Manitoba. Voir contrat de soutien technique des CF-18
WorldCom, scandale de, 17, 268, 285

Table des matières

Introduction.   9

CHAPITRE 1
Le défi.   12

CHAPITRE 2
Le roi Beaudoin.   30

CHAPITRE 3
Quand il neige.   53

CHAPITRE 4
New York, New York   69

CHAPITRE 5
Le « vol à l'arraché » de Canadair.   85

CHAPITRE 6
Le vol du CF-18.   97

CHAPITRE 7
Une fine mouche. 111

CHAPITRE 8
Prêt pour le décollage 123

CHAPITRE 9
Les blues du chemin de fer 140

CHAPITRE 10
Un petit-déjeuner à l'européenne. 158

CHAPITRE 11
Le fédéraliste 169

CHAPITRE 12
Qui veut danser doit payer les violons 186

CHAPITRE 13
Un petit coup de pouce des copains 204

CHAPITRE 14
Les Brésiliens. 218

CHAPITRE 15
L'heure de rendre des comptes. 235

CHAPITRE 16
Trop gros, trop vite 255

CHAPITRE 17
Le 11 septembre. 273

CHAPITRE 18
On demande monsieur Tellier 293

CHAPITRE 19
Un tir en vrille 312

CHAPITRE 20
Un nouvel envol 337

Conclusion 358
Notes. 366
Index. 384

Achevé d'imprimer au Canada
en octobre 2004
sur les presses des Imprimeries Transcontinental Inc.